ニュートン新書

ディープラーニング革命

テレンス・J・セイノフスキー＝著
銅谷賢治＝監訳　藤崎百合＝訳

THE DEEP LEARNING REVOLUTION
by Terrence J. Sejnowski

この本を、ボーとソル、テレサ、ジョセフに捧げる
ソロモン・ゴロムを追悼して

目次

まえがき

もしもアンドロイド携帯の音声認識機能やインターネット上のグーグル翻訳を使ったことがあれば、あなたはもうディープラーニングで訓練されたニューラルネットワーク[1]を使ったことになる。ここ数年間で、グーグル社はディープラーニングによって、グーグルX*での未来的なプロジェクト、たとえば自動運転車、グーグル・グラス（Google Glass）、グーグル・ブレイン[2]（Google Brain）などの全費用をまかなえるほどの利益を上げている。グーグル社はディープラーニングをいち早く取り入れたインターネット企業であり、2013年には「ディープラーニングの父」ジェフリー・ヒントンを雇った。ほかの企業はグーグルに追いつけるよう競い合っている状況だ。

最近の人工知能（AI）は、脳のリバースエンジニアリングによって進歩してきた。

＊　現在の部門名は「X」

階層型ニューラルネットワークモデルの学習アルゴリズムは、ニューロンがどのように相互に情報伝達を行い、それが経験によってどう変化するかに着想を得て開発された。ネットワークのなかでは、世界の複雑さがニューロンの刻々と変化する発火パターンへと変換され、それが知能を構成するもととなる。私が１９８０年代に取り組んでいたネットワークモデルは、何百万もの人工ニューロンと何十層もの深さをもつ現在のモデルに比べれば、とても小さいものだった。ディープラーニングが人工知能の最も難しいいくつかの問題の突破口となり得た理由は、ビッグデータと、コンピューターの処理能力の大幅な向上と、研究者たちの粘り強い挑戦である。

私たちには、新技術がどれほど大きな影響を未来に及ぼすのか，うまく想像できない。１９９０年にインターネットの商用利用が可能になったとき、音楽業界にどのような影響が及ぶか予想できた人がいるだろうか。タクシー業界が、政治活動が、日常生活のあらゆる側面が、インターネットでこれほど変わるとだれが予想しただろう。コンピューターによって私たちの生活がどれほど変わるのかということの予測も、同じように失敗していた。ＩＢＭの創立者、トーマス・Ｊ・ワトソンが１９４３年に言ったこの言葉が広く伝わっている。「コンピューターは全世界の市場でせいぜい5台ぐらいしか売れないだろう(3)」。想像しづらいのは、新発明が何に使われるかということだ。発明者だからといって使用法の予測がよく当たるわけではない。ディープラーニングやAIの未来予想には、ユートピア的シナリオから人類滅亡のシナリオまで振れ幅が大きいのだが、どんなに想像力あふれるSF作家でも、最終的な影響まで想像できはしないだろう。

本書の初稿は、太平洋岸北西部の山道を歩き、その起源が何十年も前にさかのぼる人工知能の世界での最近の大きな動きについてじっくりと考えてから、数週間で集中的に書き上げた。これは、はるかに多くの資金を持ち、当時は「唯一の選択肢」だった伝統的なAIの牙城に挑戦した小さな研究者グループについての物語だ。その研究者たちは、問題の難易度を実際よりもはるかに過小評価し、知能というものを直感に頼って捉えており、それが誤解を招くもとにもなった。

地球の生物は多くの謎で満ちているが、なかでもとりわけ難しいのが知能の性質だろう。自然界にはさまざまな形の知能がある。バクテリアの慎ましやかな知能から、人間の複雑な知能まで、いずれも自然界におけるそれぞれの生態的地位に適応している。人工知能もまた、さまざまな形で現れて、その広がりのなかでそれぞれの位置を占めるようになるだろう。深い階層をもつニューラルネットワークに基づく人工知能が成熟するとともに、生物学的な知能に対する概念的枠組みが新たにつくられることだろう。

本書は、ディープラーニングの過去、現在、そして未来への案内書である。この分野の包括的な歴史ではなく、重要な概念の進展とそれをもたらした研究者のコミュニティーについて、私の個人的な考えを書いた。人間の記憶は当てにならないもので、物語を繰り返し語るたびに変わる（このプロセスを「再固定化」という）。本書の物語は40年以上に及ぶものだ。まるで昨日起きたことのように鮮明に思い出せる部分もあるが、時間を経て繰り返し語るうちに記憶によって細かい部分が編集されているということは十分承知している。

第1部では、ディープラーニングをもたらした動機と、その起源を理解するために必要となる背景について説明する。第2部では、さまざまな種類のニューラルネットワークのアーキテクチャーにおける学習アルゴリズムについて説明する。そして第3部では、ディープラーニングが今の私たちの生活に及ぼしている影響と、今後どのような影響があるかについて探りたい。だが、ニューヨーク・ヤンキースの選手で哲学者とも称されるヨギ・ベラはかつてこう言った。「予測するのは難しいんだ、特に未来のことはね」。八つの章にあるコラムでは、本書の内容の技術的背景を説明した。また、各部の冒頭に記した年表は、この物語に関係する、60年以上にわたる出来事を追っている。

監訳者まえがき

「ケンジ、これを聞いてみろ」と言っていきなりヘッドフォンを渡してきたのはトニー(アンソンニー)・ベル、私がセイノフスキーラボにポスドクとして着くやいなやのことだった。片側からはロックが、もう片側からは彼の朗読が聞こえてきた。何かと思ったらこれが本書第6章のテーマ、独立成分分析(ICA)が働き出した瞬間だった。当時90年代前半、UCサンディエゴとその道向かいのソーク研究所はコネクショニストのメッカであり、本書にも登場する野望あふれる研究者たちが多数集まり、計算神経科学という新たな研究分野が生まれつつあった。

本書はジェフ・ヒントン氏とともに今日ディープラーニングと呼ばれるニューラルネットワークの学習アルゴリズムを開発し、その後30年あまりにわたって*Neural Computation*誌の編集長かつNIPS財団の理事長としてこの分野を牽引してきたテリー(テレンス)・セイノフスキー先生が、人工知能の現在とそこへ至る道、またその将来を、平易な言葉と多数の写真で綴った一大絵巻である。時代の先端を走る研究者の半生を語った自叙伝でもあり、読者のみなさんにもそのライブ感を味わっていただければ幸いである。

私の本書との出会いは2017年の夏、テリーから「本を書いたけど君も登場するからチェックしてみてくれ」というメールが来て、当時は〝Deep Brain〟という仮題のPDFファイルに目を通したときだった。その後、研究室の学生たちを使って日本語訳をしてもらえないかという話をいただいたものの、私のいる沖縄科学技術大学院大学（OIST）では学生は大半が海外出身のためお断りしたのだが、監修だけでもということで、セイノフスキーラボの「最も刺激的な時期（第10章）」を体験した一人として引き受けさせていただくことにした。

すみずみまでファクトチェックを行いながら、テクニカルな内容もかみくだいて翻訳を行ってくださった藤崎百合さんはじめ翻訳スタッフのみなさんには頭が下がる。翻訳の過程で見つかった修正点は、原著の次刷にも反映される予定である。また休日返上で校正を行ってくれた塚田啓道、山根ゆか子、濱田太陽、小津野将、大田祥子、平良正和の当研究室メンバー、そして粘り強く編集を進めてくださったフレア社の渡辺和夫氏に深く感謝したい。

沖縄科学技術大学院大学 神経計算ユニット教授
銅谷　賢治

第1部

新たな着想による知能

年表

1956年
人工知能に関するダートマス夏期研究会（通称：ダートマス会議）が、AIという分野を生み出し、この世代の科学者を、人間の能力に匹敵するような情報技術の可能性を探る研究へと駆り立てた。

1959年*
デイヴィッド・ヒューベルとトルステン・ウィーセルが、論文「*Receptive Fields, Binocular Interaction and Functional Architecture in the Cat's Visual Cortex*（猫の視覚野における受容野、両眼の相互作用と、機能的構造）」を発表し、微小電極を用いて記録した個々のニューロンの反応特性を初めて報告した。ディープラーニングのネットワーク構造は、視覚野の領域の階層構造と類似している。

1962年
フランク・ローゼンブラットが『*Principles of Neurodynamics: Perceptrons and the Theory of Brain Mechanisms*（ニューロダイナミクスの原理：パーセプトロンと脳機構の理論）』を出版。可変の重みづけが1層のニューラルネットワークモデルの学習アルゴリズムを発表した。これが、現在の深層ニューラルネットワークモデルの学習アルゴリズムの先駆けとなった。

1969年
マーヴィン・ミンスキーとシーモア・パパートが『パーセプトロン』を出版し、1個の人工ニューロンには計算上の限界があることを指摘する。これにより、ニューラルネットワークに冬の時代が到来する。

1979年

ジェフリー・ヒントンとジェームス・アンダーソンが、連想記憶の並列モデルに関するワークショップをカリフォルニア州ラホヤで開催、新世代のニューラルネットワークのパイオニアたちが集結した。ヒントンとアンダーソンは、ワークショップと同名の『*Parallel Models of Associative Memory*（連想記憶の並列モデル）』を１９８１年に出版している。

1987年

第１回となる神経情報処理システム（ＮＩＰＳ）のカンファレンスとワークショップがデンバーテックセンターで開催され、多くの分野から研究者が集まった。

＊ 最初の論文は1959年のHubel DH, Wiesel, T. N.: *Receptive fields of single neurones in the cat's striate cortex. Journal of Physiology* 1959, 148:574-591.

第1章

機械学習の台頭

最近まで、コンピューターによる視覚処理は1歳児の視覚能力にも太刀打ちできないとよくいわれていた。だが、それはもう当てはまらない。コンピューターはたいていの大人とほぼ同程度に画像のなかの物体を認識できるようになっているし、コンピューターの視覚で制御された車の自動運転は平均的な16歳の若者よりも安全だ。しかも、これらのコンピューターは物の見方や運転の仕方を教えられたわけではない。自然が何百万年も前にたどった道筋と同じように、自身の経験から学んだのだ。こういった進歩を焚きつけているのが、湧き出る大量のデータである。データが新たな原油なのだ。学習アルゴリズムが製油所となって未加工データから情報を抽出する。情報を使って知識をつくることで、知識は理解につながり、理解は知恵となる。ようこそ、ディープラーニングの素晴らしい新世界へ！[1]

ディープラーニングは機械学習の一分野であり、そのルーツは数学、コンピューター科学、神経科学にある。ディープニューラルネットワークと呼ばれる脳の神経細胞のなす回路を模したネットワークが、赤ちゃんが周囲の世界から学習するのと同じようにデータから学習する。何も知らない状態から始まって、新たな環境のなかで目的を満たすために必要な技を徐々に獲得する。このディープラーニングの起源は、１９５０年代に誕生した人工知能（ＡＩ）にまでさかのぼる。当時、ＡＩをつくる方法については、二つの考え方が競い合っていた。一つは、論理とコンピュータープログラムに基づくもので、数十年にわたり支配的な考え方だった。もう一つがデータから直接学習するという考え方であり、こちらは成熟するまでにずっと長い時間がかかった。

20世紀の、まだコンピューターの能力が貧弱で、今のように安く巨大なデータ記憶装置が使えなかった頃には、論理こそが問題を解決するための効率的な方法だった。熟練したプログラマーたちは問題ごとにさまざまなプログラムを書き、問題が大きいほどプログラムも大きくなった。今日では、コンピューターの処理能力は強大になり、膨大なビッグデータを利用できるようになっている。学習アルゴリズムを用いた問題の解決が、より速く、より正確で、より効率的になった。しかも、同じ学習アルゴリズムが多種多様な問題の解決に用いられる。つまり、問題ごとに違うプログラムを書くよりもずっと少ない労力で済む解決策なのだ。

自動運転の学習

アメリカ国防総省高等研究計画局（DARPA）が開催した、200万ドルの賞金をかけた2005年のグランド・チャレンジを制したのは、スタンリーという自動運転車だった。この車を実装したのはスタンフォード大学のセバスチャン・スランのグループである（図1・1）。彼らは、機械学習によって、カリフォルニア州の砂漠を渡る方法を車に学習させたのだ。212キロのコースには細いトンネルや急カーブ、さらにはビア・ボトル・パス（Beer Bottle Pass）という曲がりくねった山道があり、片側は転がり落ちるような急斜面、反対側は絶壁という難所もあった（図1・2）。

スランは、偶発的な出来事すべてを盛り込んだコンピュータープログラムを書いたりせずに、砂漠中でスタンリーを走らせた。スタンリーは自分で、視覚センサーや距離センサーからの入力をもとにどのように運転するかを計画することを学習したのだ。

スランはのちにグーグルXを創設した。これは社内の最先端技術開発プロジェクトであり、自動運転車の技術開発がさらに進むこととなった。以降、グーグルの自動運転

図1.1　セバスチャン・スランと自動運転車のスタンリー。2005年のDARPAグランド・チャレンジで優勝した。これが突破口となって、自動運転の技術的革命が急発進した。（画像はセバスチャン・スランの厚意による。）

車はサンフランシスコのベイエリアを累積で５６０万キロ走っている。ウーバーの開発する多数の自動運転車はピッツバーグで走り回っている。アップル社も自社ＯＳが制御する製品の幅を広げるべく自動運転車に参入し、携帯市場に進出したときのような成功を再び収めたいと望んでいる。そして、１００年間も変化のなかった産業が目の前で変容するのを目撃した自動車メーカーが、その後を追いかけ始めた。ゼネラルモーターズは、自動運転技術を開発しているシリコンバレーのベン

図1.2　ビア・ボトル・パス（Beer Bottle Pass）。この難易度の高い地形がコースの終盤近くにある。2005年のDARPAグランド・チャレンジでは、砂漠のなかの212キロにわたるオフロードを、人間の助けなしで自動運転車が走った。遠くのトラックがちょうど登り始めたところ。（画像はDARPAの厚意による。）

チャー企業のクルーズオートメーションを10億ドルで買収し、2017年には研究開発のためにさらに6億ドルを出資している[2]。また、2017年にインテルが153億ドルで買収したモービルアイは、自動運転車のセンサーやコンピューターの画像認識技術に特化した会社だ。何兆ドルという経済規模の自動車産業では、動く資金も桁外れなのだ。

　自動運転車によって、まもなく、何百万というトラックやタクシー運転手の生計が影響を受けるだろう。いずれは、都会で車を所有する必要はなくなる。自動運転車がすぐにやってきて目的地まで安全に運んでくれて、駐車場も気にする必要がなくなるのだから。現在、平均的な自家用車はたった４パーセントの時間しか使われていない。つまり、96パーセントの時間はどこかに停めておく必要があるということだ。しかし、自動運転車の点検や駐車は郊外ですればいいのだから、現在駐車場で占められている都心の土地をもっと有効活用できるだろう。都市計画者たちは駐車場が公園になる日のことをすでに考えている。[3] 道路の端の駐車車線は、そのまま自転車車線にすればいい。このほかにも、自動車保険代理店や修理工場をはじめ、自動車関連のさまざまな事業に影響が及ぶだろう。スピード違反や駐車違反の切符を切られることもなくなる。飲酒運転や居眠り運転による死亡事故も減るだろう。通勤時間もほかのことに使えるようになる。アメリカ国勢調査局によると、２０１４年には、１億３９００万人のアメリカ人が平日の行き帰りの通勤に平均52分をかけていた。１年当たりでいうと２９６億時間、つまりはなんと３４０万年であり、これをもっとましな使い道にあてられるのだ。[4] また、すべての車がセンサーと通信機器を備えて、キャラバンのように連携して進むようになれば、幹線道路の交通容量を約４倍に増やせるという。[5] さらに、ハンドルなしで自宅まで運転してくれる自動運転車が開発されて広く使われるようになれば、自動車の盗難もなくなるだろう。もちろん、そこまでいくにはたくさんの規制や法的な問題を乗り越えなければならないが、最終的に自動運転車がどこでも走るようになれば、私たちはまさに「素晴らしい新世界」で生きることになる。最初に自動化されるのはトラックで、10年以内に実現されそうだ。タクシーは15年以内、乗用車は15～25年のうちに、自動化のプロセスを終えるだろう。

こうして、人間の社会で車が占めていた象徴的な地位は想像もつかない形へと変化して、車に関わる新たな生態系が誕生するだろう。１００年以上前に自動車が登場したことで、多くの新しい産業と職業が生まれたのと同じように、すでに自動運転車の周辺には生態系ができて急成長している。グーグルから独立した自動運転車開発企業のウェイモは８年間で10億ドルを投資して、カリフォルニア州のセントラル・バレーに隔絶された試験施設を建設している。そこには37万平方メートルの偽の町がつくられ、自転車の飛び出しや，車の故障などが起きる環境で模擬実験を行なっている。[6] この施設の目的は、特殊でめったに起こらない状況（エッジケースという）も含まれるように、訓練データの幅を広げることにある。普通の道ではめったに起きない事態が起きることで、事故につながることが多いのだ。自動運転車の特別な点は、どれか1台が稀な出来事を経験すれば、その学習経験をほかのすべての自動運転車にも伝えられるということだ。これは集団知能の一つの形である。自動運転車を開発しているほかの会社も、多くの似たような試験施設を建設中だ。これまでになかった新しい仕事が増えているということであり、自動運転のために必要なセンサーやレーザーのサプライチェーンも新たにつくられている。[7]

情報技術（ＩＴ）によって経済に大きな変化が起きているが、自動運転車はその最も顕著な例だ。情報は、まるで水が都市の水道管を流れるように、インターネットを流れている。そして、グーグルやアマゾン、マイクロソフト、そのほかのＩＴ企業が運営する巨大なデータセンターに、情報が蓄積される。それらのデータセンターは大量の電力を必要とするので、水力発電所の近くに設置する必要があり、情報の流れによって非常に大きな熱が発生するため冷却水を取る川の近くに建てる必要がある。２０１３年にはアメリカ国内のデータセンターが９１００万メガワット時の電力を消費しており、これは巨大発電所34基分に相当する。(8)

だが、現在、さらに大きな影響を経済に及ぼしているのは、この情報の使い道だ。未加工のデータから抽出された情報が、人と物についての知識へと変えられている。つまり、私たちが何をしていて、何を欲しがっているのか、私たちとは何者かという知識だ。そして、ますます、コンピューターを搭載した機器類が、この知識を使って、話し言葉で私たちと会話するようになっている。本とは、脳から外へ出された受動的な知識といえるだろう。だが、クラウドの知識はいわば脳の外部の知能であり、あらゆる人の生活において能動的な役割を果たすようになりつつある。(9)

自動翻訳の学習

現在、グーグルでは、ストリートビューから、インボックス（Inbox）のスマートリプライ、音声検索まで、１００以上のサービスでディープラーニングが使われている。

数年前に、グーグルのエンジニアたちは、これらの計算負荷の高いアプリケーションをクラウドのレベルまでスケールアップすべきだと気づいた。そして、ディープラーニング専用チップの設計を開始し、基板がデータセンターのラックのハードディスク用のスロットに収まるよう工夫した。グーグルのこのテンソル・プロセッシング・ユニット（TPU）が、今や世界中のサーバーに配置され、ディープラーニング・アプリケーションの性能を桁違いに向上させている。

ディープラーニングがどれほど早く状況を変えうるかを示す好例が、言語翻訳に及ぼしてきた影響だ。自動翻訳は、人工知能にとっての聖杯、つまり究極の目標の一つである。翻訳には、文章を理解する能力が必要となるからだ。最近、新システムがお披露目されたグーグル翻訳にはディープラーニングが使われており、自然言語間の翻訳精度が飛躍的に向上したことがわかった。ほとんど一夜にして、翻訳の結果が、でたらめに並んだこま切れの表現から、滑らかな文章へと変わったのだ（図１・３）。コンピューターによる従来の手法は、まとめて翻訳できる語の組み合わせを検索するというものだったが、ディープラーニングでは、文章全体の依存関係を探すのだ。

図1.3　日本語の掲示やメニューなどをすぐに英語に翻訳するグーグル翻訳。今ではアプリとなってスマートフォンに入っている。日本で乗りたい電車を見つけるときに特に便利。

2016年11月12日、グーグル翻訳の突然の進化に驚いた東京大学の暦本純一は、この新システムを試験することにした。まず、アーネスト・ヘミングウェイの『キリマンジャロの雪』の冒頭部分を自分で日本語に訳したのち、グーグル翻訳でそれを英語へと翻訳させてみた。その結果は次のいずれかである（どちらがヘミングウェイの原文か、考えてほしい）。

1：Kilimanjaro is a snow-covered mountain 19,710 feet high, and is said to be the highest mountain in Africa. Its western summit is called the Masai "Ngaje Ngai," the House of God. Close to the western summit there is the dried and frozen carcass of a leopard. No one has explained what the leopard was seeking at that altitude.

2：Kilimanjaro is a mountain of 19,710 feet covered with snow and is said to be the highest mountain in Africa. The summit of the west is called "Ngaje Ngai" in Masai, the house of God. Near the top of the west there is a dry and frozen dead body of leopard. No one has ever explained what leopard wanted at that altitude[10].

（ヘミングウェイは1番の文章*。）

次のステップは、文章のつながりを改善するために、段落を対象にして、より大きな

＊　語順が少し違う程度で意味はほぼ同じです。英語ネイティブはleopardの前の冠詞（最初はａ、次はｔｈｅ）が抜けているので機械翻訳だとわかるようです。２０１８年９月時点で暦本先生の日本語訳をグーグル翻訳すると、結果はまた少し変わっていました。

ディープラーニングネットワークを訓練することだろう。言葉には長い文化的な歴史がある。ロシア人作家のウラジーミル・ナボコフは英語で『ロリータ』などの小説を書いているが、彼が出した結論は、詩を言語間で翻訳するのは不可能だということだった。彼が忠実に訳したアレクサンドル・プーシキンの『エヴゲーニイ・オネーギン』で、韻文の文化的背景について脚注で詳しく説明していることからもそれがわかるだろう。[11] だが、グーグル翻訳は、シェイクスピアのすべての詩を統合することで、いつかシェイクスピアの詩も翻訳できるようになるかもしれない。[12]

音声認識の学習

人工知能のもう一つの聖杯といえば音声認識だ。最近まで、コンピューターによる、話者によらない音声認識が実用化されていたのは、航空券の予約などの狭い範囲に限られていたが、現在ではそのような制限はなくなってきている。2012年にトロント大学からのインターンがマイクロソフトリサーチで行ったサマーリサーチプロジェクトに

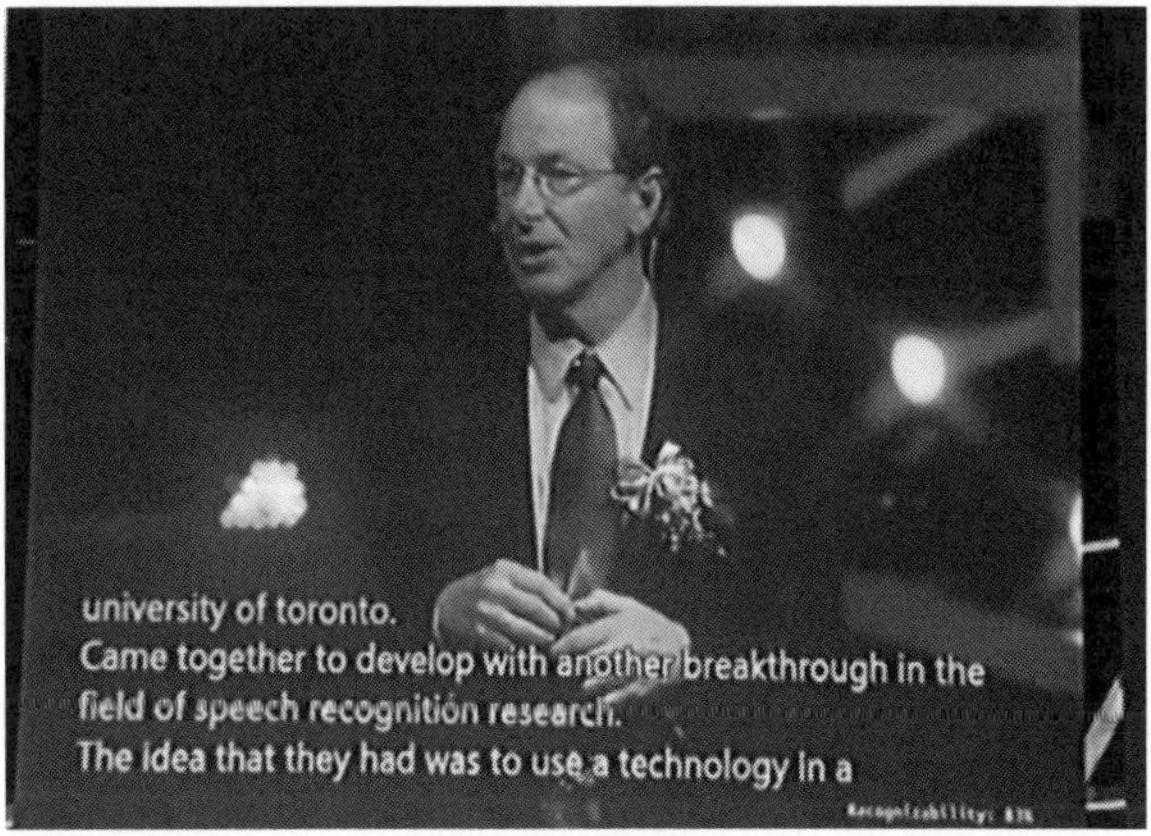

図1.4　マイクロソフト社の最高研究責任者であるリック・ラシッドが、2012年10月25日に、中国の天津で行われたイベントで、ディープラーニングを使った自動音声認識をライブで実演しているところ。2000人の観客を前に、ラシッドが話した英語が自動的に認識され、最初はラシッドを映し出したスクリーンの下部に字幕として表示され、さらに中国語へと通訳されて音声が流された。この難易度の高い芸当は世界中にネット配信された。（画像はマイクロソフトリサーチの厚意による。）

「……トロント大学。音声認識研究の分野で、また新たなブレイクスルーをともに成し遂げました。彼らがもっていたアイデアとは、テクノロジーを……」

よって、マイクロソフトの音声認識システムの性能が飛躍的に向上したのだ[13]（図１・４）。２０１６年のマイクロソフトのチームの発表によると、複数の話者に対する音声認識のベンチマークテストにおいて、１２０の層をもつディープラーニングネット

ワークが人間と同程度の成績を上げている。(14)

この飛躍的な成果は、これから数年で社会全体に影響を及ぼすだろう。コンピューターのキーボードが自然言語インターフェースに置き換わるのだから。アマゾンの「アレクサ」やアップルの「シリ」、マイクロソフトの「コルタナ」が、あちこちの家庭に次々と入り込んでいる。パソコンが広まってタイプライターが使われなくなったように、コンピューターのキーボードもそのうち博物館行きとなるのだろう。

音声認識と言語翻訳が組み合わされれば、リアルタイムでの文化を越えたコミュニケーションが可能となる。『スター・トレック』の宇宙翻訳機のようなものも実現しそうだ(図1・4)。コンピューターによる音声認識と言語翻訳が人間と同じレベルに達するのに、なぜこれほど長くかかったのだろう。この二つだけでなく、コンピューターのほかの認知能力も同時に次の段階へと進んだのは、単なる偶然なのだろうか。実は、これらすべてのブレイクスルーの後押しをしたのは、ビッグデータであった。

診断方法の学習

皮膚疾患

機械学習が成熟して、利用できるビッグデータのあるほかの多くの問題に対して機械学習が応用されるにつれて、サービス産業や専門職も変化するだろう。何百万人という患者の記録を使って行われる医療診断は、より正確になるはずだ。最近の研究では、２０００以上の異なる皮膚疾患に対する13万枚の患部の画像にディープラーニングが適用された。これは、これまでの10倍以上の医療データベースである[15]（図１・５）。このネットワークを訓練して、未診断の「テストセット」の画像の疾患を診断させた。その結果、ネットワークの診断能力は、21名の皮膚科専門医と同等か、場合によってはより優れていることがわかった。まもなく、スマートフォンがあれば、心配な肌の病変を撮影して、すぐに診断結果を得られるようになる。今はまだ、病院まで出向いて、専門医に診てもらうまで長時間待たなければならず、しかも高額の診察代を払わねばならない。だが、実用化すれば、皮膚科治療の質も幅も大幅に向上するだろう。個人が専門的な判断をすぐに得られれば、治療が簡単な初期のうちに皮膚疾患がわかって、病院での診察を受けられるようになる。そして、ディープラーニングの助けがあれば、どの医者も、稀な皮膚疾患の診断に熟達することになるのだ。(16)

癌

乳癌の転移の有無は、スライドガラスに載せたリンパ節の組織片の画像を専門医が見て判断するのだが、専門医でもミスを犯すし、このミスは命に関わる問題となる。これは、ディープラーニングが得意なパターン認識の問題だ。正しい診断結果がわかっているスライドガラスの大規模なデータセットを使って、ディープラーニングネットワークを訓練した結果、正答率は92・5パーセントに達したものの、同じテストセットに対する専門医の96・6パーセントには及ばなかった。(17) しかし、ディープラーニングによるこの答えを人間の専門医の診断と組み合わせると、正答率はほぼパーフェクトの99・5パーセントとなった。ディープラーニングネットワークと人間の専門医は同じデータでも異なる見方をするので、どちらか片方が診断するよりも一緒に診断したほうが優れた

図1.5　ディープラーニングネットワークによって皮膚病変を非常に正確に診断する様子のイメージ図。（『ネイチャー』2017年２月２日号の表紙。病変の学習／人工知能によって、画像から皮膚癌を検出する。）

結果が出るのだ。これにより、さらに多くの命を救うことができる。この結果が示す先には、人間と機械が競争相手ではなくパートナーとして協力するような未来像がある。

睡眠障害

　私たちの70パーセントが、人生で一度は深刻な睡眠障害を患う。たいていは（危機的な状態でなければ）数カ月ほど様子を見た後でかかりつけ医に相談して、専門の睡眠クリニックに紹介される。そして、睡眠中の脳波図（ＥＥＧ）と筋肉の活動を記録するための電極を何十個もつけられて、クリニックに泊まって観察されることになる。人は眠りにつくと徐波《じょは》睡眠（深い眠り）に入り、その後周期的に急速眼球運動を伴うレム睡眠が現れ、レム睡眠時に夢を見る。

しかし、不眠症、睡眠時無呼吸、むずむず脚症候群、ほかにも多くの睡眠障害によって、このパターンが乱される。あなたが自宅で寝るのにも苦労している場合、見慣れない医療機器にケーブルでつながれた状態で、知らないベッドで眠るのはかなり難しい。睡眠の専門医はあなたのＥＥＧをざっと見て、30秒ごとのブロックで睡眠段階を記録する。８時間の睡眠に対してこの作業を行うのに何時間もかかる。そして、ようやく、睡眠パターンの問題点についての報告書と２０００ドルの請求書を渡されるのだ。

睡眠の専門医は、１９６８年にアラン・レクトシャッフェンとアンソニー・カーレスが考案したシステムに基づいて、さまざまな睡眠の段階に特有のはっきりした特徴を探せるように訓練されている。[18] しかし、その特徴が曖昧《あいまい》だったり一貫性がなかったりするため、専門家でも解釈が一致するのは睡眠時間の75パーセントにすぎない。それとは対照的に、私の研究室の大学院生だったフィリップ・ローは、教師なしの機械学習を訓練して、3秒という時間分解能で自動的に睡眠の段階を検出させた。その結果、コンピューターが1分以内に出した結論が、人間の専門医と87パーセント一致したのだ。しかも、必要となるのは、頭部のたった1カ所からの記録だけであり、つけたり外したりするのに時間のかかる多数の電極やケーブルの束は不要なのだ。この技術を睡眠クリニックで使ってもらうため、私たちは2007年にニューロヴィジル（Neurovigil）という新会社を設立したのだが、どのクリニックも、人による解析を前提としたキャッシュフローを乱すようなことには、ほとんど興味を示さなかった。実際に、患者に請求する際に保険上の問題が生じるので、より安価な手法でも導入する理由にならないのだ。ニューロヴィジルが販路を見出したのは、臨床試験を行って自社の医薬品が睡眠パターンに及ぼす効果を実証する必要のある、大規模な製薬会社だった。また、現在では、進行性の睡眠障害をもつ高齢者が多い長期介護施設をターゲットにしつつある。

既存の睡眠クリニックのモデルには、このように制限のある状況では健康問題に対して信頼性の高い診断を下せないという欠陥がある。また、だれもが異なる基準をもっているので、その基準からのずれに最も情報が含まれることにもなる。ニューロヴィジルはすでにアイブレイン（iBrain）という小さなデバイスを開発している。自宅でEEGを記録でき、データをインターネットに送って、長期的にデータを分析して傾向や異常を検出できるのだ。このデバイスを使えば、医師が健康に関わる問題を初期段階で発見できるので、治療が簡単にできて、慢性疾患の発症を食い止めることができる。継続的なモニタリングが高い効果を上げる病気はほかにもある。たとえば、1型糖尿病の場合、血糖値をモニタリングして、必要に応じてインシュリンを投与して血糖値をコントロールできる。データを継続的に記録できる安価なセンサー類を活用することで、ほかの慢性疾患の診断や治療でも大きな効果を上げつつある。

ニューロヴィジルの経験からいくつかの教訓が得られる。既存の製品が市場に根づいているために、安価で優れた新技術から新しい製品やサービス（しかもはるかに優れたもの）を売り出せないことはある。だが、その場合でも、新技術による効果が出やすく、さらに改善を重ねて既存技術と対抗するための時間が稼げるような、副次的な市場が存在する。これは、太陽エネルギーやほかの多くの新産業の技術が市場に参入するときと同じだ。長期的に見れば、確かな利点のある睡眠のモニタリングと新技術は、いずれは在宅患者に使われるようになり、最終的には医療業務に組み込まれることになるだろう。

金儲けの学習

ニューヨーク証券取引所での取引の75パーセント以上は自動化されている（図１・６）。これを加速させているのは、１秒よりはるかに短い時間間隔で売買を繰り返してポジションを変える高頻度取引（ＨＦＴ）だ。（取引ごとに支払う必要がなければ、差額は小さくとも大きな利益が得られる。）もっと長い時間スケールでのアルゴリズム取引の場合は、ビッグデータに基づく長期的なトレンドが考慮される。ディープラーニングは、稼ぐお金を増やし、利益率を上げるのが、ますますうまくなってきている。[19]金融市場の予測で難しいのは、データにノイズが多くあり、条件が一定でないことだ。選挙

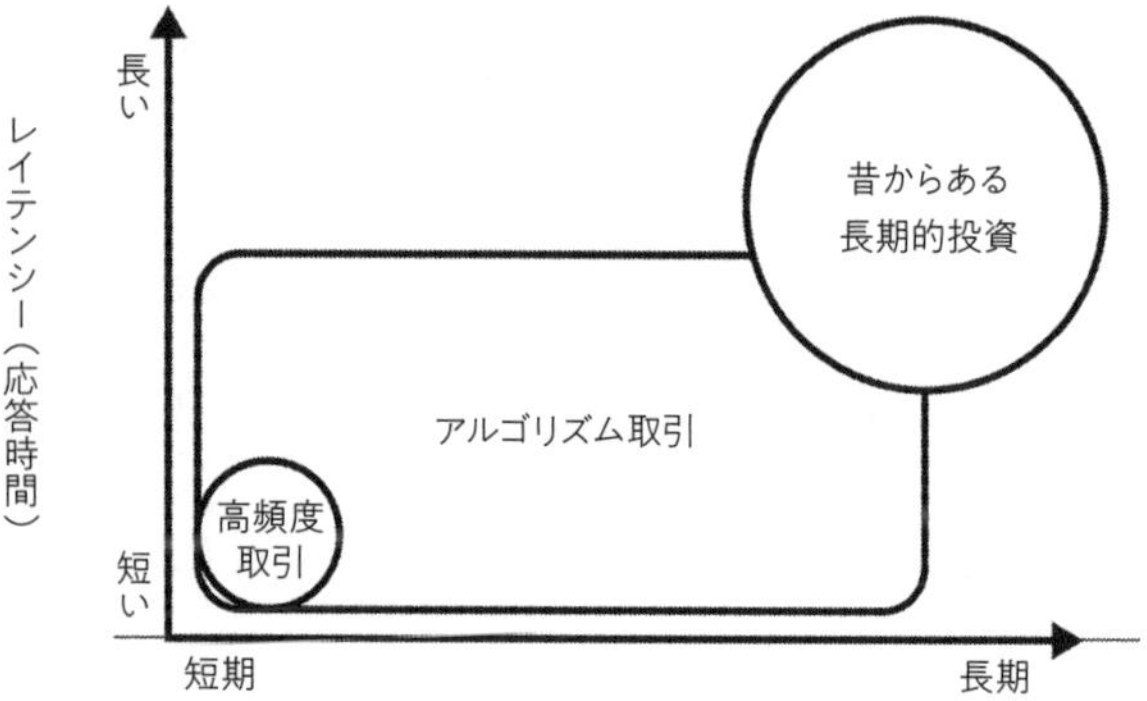

図1.6　機械学習がアルゴリズム取引を牽引している。アルゴリズム取引は、株式市場の取引としては、昔からある長期的投資戦略よりも速いけれども、高頻度取引（HFT）よりも遅く複雑である。最も利益を上げるために、多種多様な機械学習アルゴリズムを組み合わせて使っている。

や国際紛争などがあると、人の心理は一夜にして変わりうる。つまり、今日は株価を予測できたアルゴリズムが、明日には予測を外す可能性があるのだ。実際には、何百というアルゴリズムが使われており、収益が最大化されるように、最良のアルゴリズムのいくつかが絶えず組み合わされている。

１９８０年代、私はモルガン・スタンレーで、株式取引のニューラルネットワークモデルの顧問をしており、その頃に出会ったのが、並列コンピューターの設計を専門とするデイヴィッド・ショーというコンピューター科学者だった。ショーはコロンビア大学での職を離れ、自動取引がまだ出始めの頃に、金融業界の定量分析アナリスト、いわゆる「クオンツ」として働いていた。その後、ウォール街で自身の投資運用会社、D・E・ショー・グループを立ち上げて、現在では億万長者となっている。このD・E・ショー・グループは非常に大きな成功を収めてきたが、それにも勝るのが、また別のヘッジファンド、ルネサンス・テクノロジーズだ。創業者のジェームズ・シモンズは、優れた数学者で、ニューヨーク州立大学ストーニーブルック校数学科の学科長も務めた人物だ。

シモンズは２０１６年だけで16億ドルの儲けを出しているが、これですら彼の年間最高額ではない。[20]「世界最高の物理と数学の部門[21]」と呼ばれるルネサンス社だが、「その経歴にウォール街の気配をわずかにでも感じさせる人物は雇わないようにしている[22]」という。

デイヴィッド・ショーは、D・E・ショーの日々の経営にはもはや関わっておらず、私設研究所のD・E・ショー・リサーチに打ち込んでいる。この研究所では目的特化型の並列コンピューター「アントン（Anton）」をつくっている。タンパク質の折り畳みを世界中のどのコンピューターよりも高速に計算するコンピューターだ。[23] シモンズもルネサンス社の経営からは引退しており、自閉症やそのほかの物理科学と生物科学に関わるプログラムの研究に資金を提供する財団を設立している。カリフォルニア大学バークレー校のコンピューティング理論シモンズ研究所（Simons Institute for the Theory of Computing）、MITのシモンズセンター・ソーシャルブレイン（Simons Center for the Social Brain）、ニューヨークのフラティロン研究所（Flatiron Institute）を通して、シモンズの社会貢献活動は大きな影響を与え、データ解析、モデリング、シミュレーションのための計算法を前進させている。[24]

金融サービスは、「フィンテック（FinTech）」と呼ばれるようになった金融工学分野の技術革新を受けて、大々的な変革が進んでいる。たとえばブロックチェーンは、取引の際の金融仲介者に取って代わるインターネット上の安全な台帳だ。すでに小規模なテストが行われており、いずれ数兆ドル規模の金融市場に変革を起こす可能性がある。現在、機械学習はさまざまな場所で使われており、融資時の信用評価の改善、ビジネスと金融の正確な情報の提供、ソーシャルメディア上での市場動向を反映する兆候の収集、金融取引用の生体認証セキュリティーの提供などが挙げられる。勝利を収めるのは最も多くのデータをもつ者であり、世界は金融データであふれている。

法律の学習

ディープラーニングは法律専門家にも影響を及ぼし始めている。1時間で数百ドルを請求する法律事務所、特に企業法務で利益を上げる大手事務所では、社員たちのルーチン業務のほとんどが自動化されるだろう。アメリカでは訴訟の際には「ディスカバリー」といって関係資料を開示する必要があり、テクノロジー支援型レビューで大量の文書を閲覧処理しているが、法的証拠を探して何十万もの資料を疲れも見せずに分別できる人工知能が、いずれこの作業を引き受けるはずだ。

ディープラーニングを自動化すれば、ますます複雑になる政府の法例を法律事務所が遵守するのにも役立つだろう。また、弁護士を雇う金銭的余裕のない一般の人が法律相談できるようにもなる。法律業務の費用が安くなるだけでなく、処理も大幅に高速化するはずだ。費用よりも速さが重要になることは往々にしてある。法律業界は、着々と、「ディープ・リーガル[25]」へと近づいている。

ポーカーの学習

ヘッズアップ・ノーリミット・テキサスホールデムは、さまざまなポーカーのなかでも特に人気があり、カジノで一般的にプレイされる。「ノーリミット」とは手持ち額を全額までかけられる方式で、ワールドシリーズ・オブ・ポーカーのメインイベントで行われている(図1・7)。ポーカーは難易度の高いゲームだ。チェスなどはプレーヤー同士が同じ情報を得られるのだが、ポーカーは不完全な情報しか得られず、かなり高度な勝負になると、配られるカードと同じくらいブラフ(はったり)や駆け引きが重要になる。

図1.7　ヘッズアップ・ノーリミット・テキサスホールデム。最高の手札2枚。ディープスタックは賭け金の高いポーカーでのブラフをマスターし、プロのポーカープレーヤーに圧勝した。

数学者のジョン・フォン・ノイマンは、数学的なゲーム理論の基礎を築き、デジタルコンピューターの先駆的研究を行った人物だが、彼は特にポーカーがお気に入りで、このように言っていた。「実生活は、ブラフや、小さな騙しの戦術で満ちており、自分の動きを相手はどう予測するだろうかと常に考えている。そして、それこそが、私の理論におけるゲームの意味するものなのだ[26]」。ポーカーとは、進化によって磨かれた人類の知能の一部を反映するゲームなのだ。「ディープスタック（DeepStack）」というディープラーニングネットワークは、33人のプロのポーカープレーヤーと

4万4852回対戦した。その結果にポーカーの専門家たちは衝撃を受けた。ディープスタックは最強のプレーヤーを有意な差（1標準偏差）で破り、33人のプレーヤー全体では4標準偏差という大差で勝ったのだ。[27] このような手法が、政治や国際関係のような、不完全な情報に基づく人間の判断が大きく効いてくるほかの領域でも活用されれば、その影響は非常に広範囲まで及ぶこととなるだろう。[28]

囲碁の学習

2016年3月、囲碁の世界タイトルを18回獲得した韓国人のイ・セドルが、ディープマインド社のアルファ碁（図1・8）との5番勝負で敗れた。アルファ碁とは、碁を打つプログラムであり、ディープラーニングネットワークによって盤面を評価し、可能な手を検討する。[29] 囲碁は非常に難しく、囲碁とチェスの難易度の差は、チェスとチェッカーの差くらいだろう。チェスが局地戦だとすれば、囲碁は戦争である。19×19の碁盤は、8×8のチェス盤よりもずっと大きいため、碁盤のあちこちで戦闘がいくつも起き

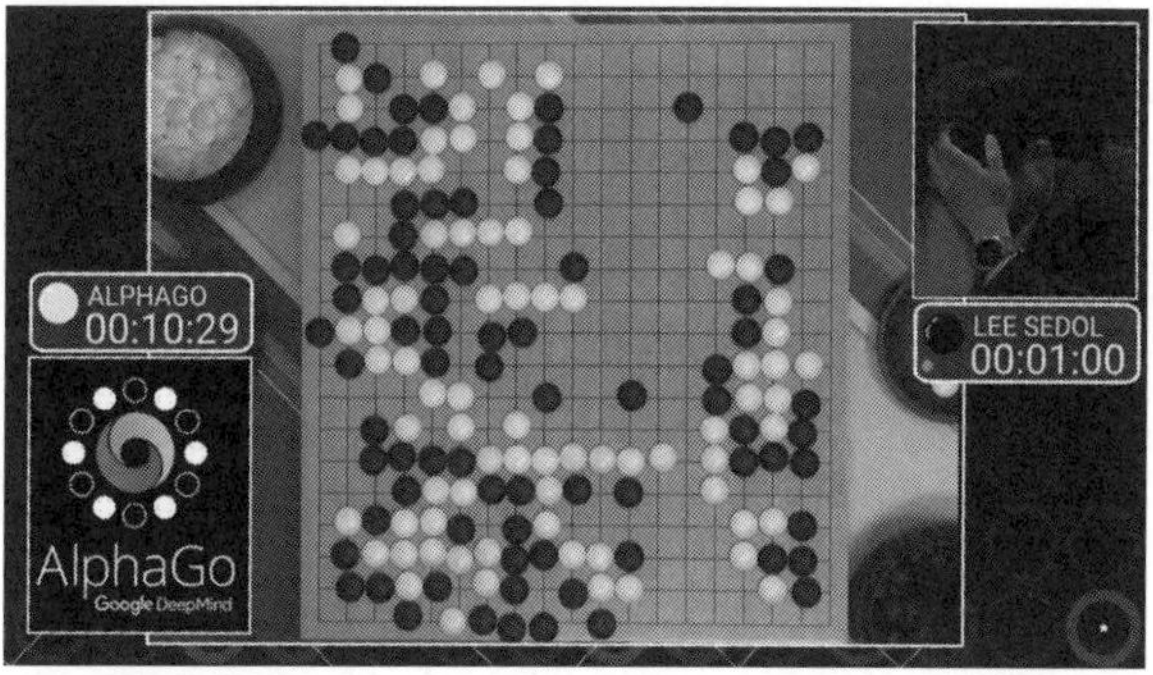

図1.8　囲碁の世界トップ棋士である韓国人のイ・セドルとアルファ碁が5番勝負をした際の盤面。ディープラーニングニューラルネットワークであるアルファ碁は、自分自身との対局で碁の打ち方を学習していた。（左：アルファ碁　右：イ・セドル）

る。それぞれの小競り合いの間には長期的な関連があるのだが、その関連は専門家でも判断しづらい。囲碁の実現可能な局面の数は10の170乗であり、これは宇宙全体の原子の個数よりもはるかに大きい。

アルファ碁では、複数のディィープラーニングネットワークを使って、盤面を評価し、最善の手を選ぶだけでなく、完全に異なる学習システムが使われた。勝負が決まるまでの多くの手のなかで、どの手が勝利に貢献したのか、どの手が敗因となったのかを判断する「時間的貢献度分配問題」を解くのに使われるシステムだ。脳の中心部に位置する大脳基底核は、大脳皮質全体から入力を受けてまた出力を返すのだが、この時間的貢献度分配問題に対する解を「時間的差分アルゴリズム」と強化学習によって与えている。アルファ碁も、大脳基底核と同じ学習アルゴリズムを使っている。大脳基底核は、将来的な報酬を最大化するように、系列的な行動を評価する学習アルゴリズム(このプロセスは第10章で説明する)を進化させた。アルファ碁は、自分自身との対戦を際限なく繰り返すことでこれを学習したのだ。

アルファ碁とイ・セドルの対局は、アジアで大きな注目を集めた。アジアでは、トップ棋士が全国的に名を知られ、ロックスターのように扱われるのだ。アルファ碁は以前にもヨーロッパ王者を破っていたが、アジアでのトップレベルの対局からするとかなりレベルの低い対局であったので、イ・セドルはアルファ碁を強敵だと考えていなかった。開発元のディープマインド社でさえも、このディープラーニングプログラムの強さを把握していなかった。アルファ碁は最後に人間と対局してから、自分自身のいくつかのバージョンと100万回以上対戦していたが、その能力を測る方法がなかったのだ。アルファ碁が5番勝負の初めから3連勝し、しかも予想外のハイレベルの対局だったの

図1.9　イ・セドル。2016年3月の囲碁チャレンジ・マッチで敗れた後。

を見て、多くの人が驚愕した。韓国ではすべての大手テレビ局で対局が実況解説され、だれもがテレビに釘づけになった。アルファ碁の手のいくつかは革命的なものだった。アルファ碁の第2局37手目は、素晴らしく独創的な手であり、これに驚いたイ・セドルは次の手を打つまでに10分ほどかかっている。第４局はイ・セドルが勝ったので、人類の面目も保たれたものの、結局はアルファ碁が４勝１敗と勝ち越した[30]（図１・９）。３月の試合の間中、私はサンディエゴで夜遅くまで起きていて夢中で対局を見ていた。思い出したのは、１９６６年６月２日の午前１時にクリーブランドでテレビに釘づけになっていたときのことだ。無人月探査機サーベイヤー1号が月面着陸を果たし、初めて見る月の景色を地球に送ったのだ。(31) 私はこれらの歴史的瞬間をリアルタイムで目撃したのだ。アルファ碁は、私やほかの多くの人が想像できる範囲をはるかに超えていた。

2017年1月4日、オンライン囲碁サイトで「マスター（Master）」と名乗る謎の棋士が、アルファ碁2・0であることが明かされた。囲碁界の頂点に立つ19歳の天才棋士、中国の柯潔《カケツ》を含む、世界トップ棋士たちを相手に60戦60勝を収めて、話題になっていたのだ。アルファ碁が見せたのは、長年にわたり積み重ねられた囲碁の戦略に逆らうような、新しい打ち方だった。2017年5月27日、中国の烏鎮《ウチン》で開催された「フューチャーGOサミット」で、柯潔はアルファ碁との3番勝負で全敗した（図1・10）。いずれも史上最高といってもいいほどの対局であり、数億人の中国人が対局の行方を見守った。「去年は、アルファ碁の打ち方は人間にかなり近いと思ったのですが、今日は、まるで碁の神様のようだと感じました」柯潔はこう言った。(32)

第1局は、柯潔は僅差の半目負けとなり、「対局の中盤では勝ちまでかなり近いところにいったのですが」と言っている。そこで興奮してしまったのだという。「胸がドキ

図1.10　デミス・ハサビス（左）と柯潔、2017年に中国で開催された歴史的な対局の後。柯潔のサイン入りの碁盤をもっている。（画像はデミス・ハサビスの厚意による。）

ドキしてしまって！　興奮しすぎて、悪手を打ってしまったのかもしれません。そこが人間の一番弱いところなのでしょうね[33]」。柯潔が経験したのは感情面での過剰な負荷だったが、能力をピークにもっていくためには、感情の高まりをもう少し低いレベルに抑え、適度な緊張感をもつ必要がある。実際、舞台俳優たちは、公演前の緊張がなければ、よい演技ができないことを知っている。彼らの演技は逆Ｕ字の曲線に従っており、興奮のレベルが低すぎも高すぎもしない最適な状態でこそ、最高の演技が生まれるのだ。アスリートたちが言うところの「ゾーンに入った」状態だ。
アルファ碁は、2017年5月26日に、五人がかりのトップ棋士チームにも勝っている。彼らはアルファ碁の手を分析して、すでに自分たちの戦略を変えつつある。この対局は、新バージョンの「ピンポン外交」として、中国政府が主催したものだった。中国は機械学習に多大な投資をしており、その脳研究プログラムの主な目的の一つは、脳を調べて新しいアルゴリズムを見つけることにある。[34]
囲碁をめぐる冒険譚は、さらに驚くべき展開を見せる。アルファ碁は、自分自身と対戦する前に、人間の棋士が対局した16万の棋譜を使った教師あり学習を行っており、スタート時に底上げされていた。これを、ずるいと考える人もいる。自律的なAIプログラムは、人間の知識なしに囲碁の打ち方を学習できるはずだというのだ。そして、2017年10月に、新バージョンのアルファ碁ゼロが発表された。アルファ碁ゼロは、碁のルールのみからスタートして、碁の打ち方を学び、イ・セドルを打ち負かしたアルファ碁を100対0でこてんぱんにした。[35] さらに、アルファ碁ゼロはアルファ碁よりも100倍の速さで学習したが、コンピューターの処理能力は10分の1しか使っていないのだ。

人間の知識を完全に無視することで、アルファ碁ゼロは超・超人となったのだ。機械学習アルゴリズムが進歩し続けるなかで、アルファ碁が今後どれほど優れた能力を発揮するようになるのか。わかっている限りでは限界はなさそうだ。

アルファ碁ゼロは人間の棋譜なしでやっているが、それでも、プログラムが盤面のどのような特徴を捉えて表現するか、多くの囲碁の知識が組み込まれていた。もしかすると、アルファ碁ゼロは、そんな囲碁の知識など使わなくてもさらに進歩できるかもしれない。そして、コカ・コーラからカロリーを全部取り除いてコカ・コーラ・ゼロがつくられたように、最新版のアルノァゼロからは碁の専門知識が取り除かれたのだ。

こうしてできたアルファァゼロはさらに速く学習し、アルファ碁ゼロに圧勝した。[36] この「少ないほどよい」という主張をさらに劇的にしたのは、学習パラメーターを一つも変えていないアルファァゼロが、チェスの指し方を超人レベルで学習して、これまでだれもやったことのないまったく異質な駒の動かし方をしたことだ。すでに超人レベルに達していた最強のチェスプログラムのストックフィッシュ（Stockfish）に、アルファァゼロは全勝した。ある対戦では、アルファゼロは大胆な形でビショップを犠牲にした。そこまでなら駒の配置をよくするために使われることがある戦法なのだが、次にクイーンを犠牲にした。これは大失敗かと思われたが、ゲームがずっと先へと進むうちにこれらの手がチェックメイトへとつながったのだった。これは、ストックフィッシュにも人間にも予想がつかなかった。エイリアンが地上に降り立ったのだ。地球はもう二度と前の姿には戻れないだろう。

アルファ碁の開発元であるディープマインド社は、2010年に脳科学者のデミス・ハサビス（図1・10）によって共同設立された。彼は、ユニヴァーシティ・カレッジ・ロンドンのギャツビー計算神経科学ユニットで博士研究員をしていた（このユニットを運営していたのは、私の研究室で博士研究員をしていたピーター・ダヤンである。彼は、報酬学習の研究によって、レイモンド・ドラン、ウォルフラム・シュルツとともに栄誉ある「ブレイン・プライズ（Brain Prize）」を2017年に受賞している）。

ディープマインド社は2014年にグーグルが6億ドルで買収した。現在、400人以上のエンジニアと脳科学者が、アカデミックとベンチャーが入り混じった企業文化のなかで働いている。脳科学とＡＩの相乗効果が深く根を下ろしながら加速しているのだ。

より高い知能を身につける方法の学習

アルファ碁の知能は高いのだろうか。この「知能」は、「意識」を除けば、心理学の分野のどのトピックよりも題材にされてきたが、両方とも定義するのが難しい。心理学者は１９３０年代から流動性知能と結晶性知能を区別している。流動性知能とは、それまでの知識に頼らずに、推論とパターン認識を用いて、初めての状況で新しい問題を解決する際の知能だ。結晶性知能は、それまでの知識に依存する知能であり、標準化ＩＱテストで測られるようになっている。流動性知能は発達曲線に従って、成人期の初期にピークを迎え、その後は加齢とともに減少する。一方、結晶性知能は、かなりの高齢となるまで、年齢とともに時間をかけて漸近的《ぜんきんてき》に増加する。アルファ碁は、狭い領域ではあるものの、この流動性知能と結晶性知能の両方を示しており、その領域に限っては驚くほどの創造性も見せてきた。専門知識もまた、狭い領域での学習に基づくものだ。私たちはみな、言語という領域においては専門家であり、日々、その技を磨いている。

アルファ碁で使用されている強化学習アルゴリズムは、多くの問題に適用できる。この学習方式は、一連の手をすべて打ち終わった後の勝者に与えられる報酬のみに依存する。逆説的なようだが、この方法で、序盤の打ち方をも改善できるのだ。強化学習を強力なディープラーニングネットワークを組み合わせれば、特定の領域ごとの知能を多数生み出すことができる。実際に、人間には領域に依存する種類の知能、たとえば、社会的、感情的、機械的、構成的知能などがあると主張されてきた[37]。知能テストによって測定される「一般因子(g factor)」は、これらのさまざまな種類の知能と相関があると考えられている。IQテストは慎重に解釈されるべきだが、それには理由がある。IQの平均値は、1930年代に研究され始めてからずっと、世界中で10年に3ポイントずつ上昇しており、この傾向は「フリン効果」と呼ばれている。このフリン効果の説明となり得る要因はたくさんある。たとえば、栄養状態の向上、健康管理の改善、そのほかの環境要因などであり[38]、これらが理由である可能性はかなり高そうだ。環境が遺伝子調節に影響を及ぼし、それによって脳の接続が影響を受け、その結果、行動に変化が現れるのだから[39]。人間はますます人工的につくられた環境で暮らすようになっており、脳は、自然が決して意図しなかった型へと押し込まれている。もっと時間が経てば、人類はさらに賢くなるのか？　ＩＱの上昇はいつまで続くのか？　世界トップレベルでプレイするコンピュータープログラムが登場して以来、人々がコンピューターでチェスやバックギャモンや、最近では囲碁をして楽しむという状況が着実に増えている。つまり、人間のプレーヤーの知能が機械で増強されるという状況が増えているのだ[40]。ディープラーニングは、科学研究者だけでなく、あらゆる職種の人の知能を強化するだろう。

今、科学機器は驚異的な速度でデータを生成している。ジュネーブにある大型ハドロン衝突型加速器（ＬＨＣ）では素粒子の衝突実験が行われ、毎年25ペタバイト（１ペタバイトは１０００兆バイト）のデータが生成される。大型シノプティック・サーベイ望遠鏡（ＬＳＳＴ）は、毎年６ペタバイトのデータを生成する見込みだ。人間がこれまでの方法で探索するにはあまりに大きすぎる物理学や天文学の巨大なデータセットを分析するために、機械学習が使われるようになってきている。[41] たとえばディープレンズ（DeepLensing）は、光の経路の近くにあるほかの銀河による「重力レンズ効果」によって歪められた遠方の銀河の画像を認識できるニューラルネットワークだ。これによって、多くのこれまで知られていなかった遠方の銀河などが自動的に発見される。「干草の山のなかにある針を探す」ような課題は物理学や天文学にはほかにもたくさんあり、ディープラーニングによってデータ解析の手法を大きく増強できる。

労働市場の変化

現金自動預払機（ATM）は、口座をもつ人が24時間年中いつでもお金を引き出せるようにと1960年代後半に銀行が導入し、銀行の営業時間外に現金を必要とする人から大いに歓迎された。その後、ATMに手書きの小切手を読み取る機能がついた。ATMのおかげで窓口でのルーチンワークは減ったが、住宅ローンや投資の相談など、顧客のニーズに合わせたサービスを提供する担当者は増え、また、このATMを修理する新たな仕事も生まれた[42]。これは、蒸気機関が肉体労働者の仕事をするようになり、その一方で、蒸気機関の組み立てやメンテナンス、蒸気機関車の運転といった技術をもつ人への新しい雇用が生まれたのと同じことだ。アマゾンのインターネット通販によって、地元の実店舗で働く多くの人の仕事はなくなったものの、アマゾンやその傘下のさまざまなビジネスで販売された品物の流通や配送に関わる新たな仕事によって、38万人の雇用が生み出されてもいる[43]。今のところは人間の認知能力を必要とする仕事を、いずれは自動化されたＡＩシステムがやるようになるとしても、これらのシステムをつくりメンテナンスすることのできる人の雇用は新しく生まれるだろう。

仕事の変遷は今に始まったことではない。19世紀、農業労働者の仕事は機械に奪われたが、機械があるからこそ都市部に工場ができて新たな仕事が生まれ、新しい技術について労働者を教育するための教育システムが必要となった。現在の状況との違いは、人工知能への移行によって生まれる新たな仕事には、これまでのような知的能力に加えて、新しくて、これまでと違う、そして変わり続ける能力が必要になるということだ[44]。つまり、私たちは人生を通して学び続けねばならない。そのために必要となるのは、学校ではなく在宅ベースの新たな教育システムだろう。

幸いにも、新しい仕事を探す必要性が急激に高まると同時に、新たな知識と技術を身につけるための無償の大規模公開オンライン講座MOOC《ムーク》がインターネットで受けられるようになった。まだ始まったばかりだが、教育という生態系のなかでMOOCは急速に進化しており、かつてないほど多種多様な人々が質の高い教育を受けられるようになるだろうと高い期待が寄せられている。次世代のデジタル・アシスタントと組み合わせれば、MOOCをさまざまな形で利用できるようになる。バーバラ・オークリーと私が立ち上げた「学び方を学ぶ（Learning How to Learn）」というMOOCは高い評価を得ているが、これはよりよい学習者となる方法を教える講座だ（図1・11）。また、続編の「マインドシフト（Mindshift）」という講座では、自分を改革してライフスタイルを変える方法を教えている（両講座については第12章で説明する）。

インターネットを使うとき、あなたは自分自身についてのビッグデータを機械が読める形で生み出している。そして、あなたがインターネットに残した痕跡をもとに生成された広告のターゲットにされている。フェイスブックやほかのソーシャルメディアのサ

図1.11　大規模公開オンライン講座（MOOC）の「学び方を学ぶ（Learning How to Learn）」では、よりよい学習者となる方法を学ぶことができる。学習者が300万人以上に上る、インターネットで最も人気のある講座だ。（画像はテレンス・セイノフスキーとバーバラ・オークリーからの提供。）

イトで明かした情報は、あなた専属のデジタル・アシスタントをつくり出すのに使われる。デジタル・アシスタントは、この世界のだれよりもあなたのことを知っており、何一つ忘れることはなく、実質的にあなたの仮想的な分身となる。インターネットの情報追跡機能とディープラーニングを活用すれば、現在の富裕層が得られるチャンスよりもっと大きな教育のチャンスを将来の子どもたちは得られるだろう。そして、孫世代には専属のデジタル教師がついて、教育という道のりをともに歩むだろう。一人ひとりの個性に合わせた教育を受け、その内容はより的確になるはずだ。すでに、カーンアカデミーのようなプログラムや、ゲイツ財団やチャン・ザッカーバーグ財団、そのほかの慈善団体からの資金提供を受けたプログラムによって、世界中でさまざまな教育実験が行われており、あらゆる子どもが自分のペースで質の高い教育を受けることができて、一人ひとりの特別なニーズにも応えられるようにソフトウェアのテストが進んでいる。(45)

デジタル教師が広く利用できるようになれば、人間の教師は、採点などの教育におけるルーチン作業を行う必要がなくなる。そして、人が最も優れていること、たとえば、苦労している生徒の心の支えとなったり、特別な能力のある生徒に知的刺激を与えることに時間を使えるようになる。教育におけるテクノロジーの利用（エドテック：EdTech）は急激に進歩しており、個々の生徒に対応した教育への移行は、自動運転車と比べるとかなり早く進めることが可能だ。なぜなら、乗り越えるべき困難はずっと小さく、需要ははるかに大きく、アメリカの教育市場は1兆ドル規模といわれている。(46) ただし、大きな懸念材料が一つある。デジタル・アシスタントやデジタル教師の内部ファイルへのアクセスをだれに許すかという点だ。

人工知能は人類の存続を脅かすのか？

２０１６年にアルファ碁がイ・セドルを明確に打ち負かしたことで、ここ数年ずっと議論されてきた、人工知能が人間に及ぼす危険性への不安が加速することとなった。コンピューター科学者たちはＡＩを軍事利用しないという誓約書に署名し、スティーヴン・ホーキングとビル・ゲイツはＡＩが人類の存続を脅かすだろうと公に警告している。イーロン・マスクとほかのシリコンバレーの起業家たちは、10億ドルの資金を投入して新会社オープンＡＩ（OpenAI）を設立し、ジェフリー・ヒントンのかつての学生であるイリヤ・サツケバーを雇ってトップに据えた。オープンＡＩが明確に唱えた目標は、将来的なＡＩの発見をだれでも使えるように公開して共有することだったが、もう一つ、暗黙の、より重要な目標があった。それは、私企業による悪事への加担を防ぐことだ。アルファ碁が世界トップ棋士のイ・セドルに勝利したことが転機となった。役に立たないと思われていた人工知能が、ほとんど一夜にして、人類への脅威として認識されるようになったのだ。

新たに出現したテクノロジーが人類への脅威と見なされるのは、これが初めてではない。核兵器の発明、開発、蓄積によって世界は壊滅する恐れがあったが、私たちはなんとかそうならないようにしてきた。少なくとも今までのところは。遺伝子組み換え技術が最初に登場したとき、遺伝子操作により殺人的な生物が放たれて全世界に恐ろしい苦しみと死をもたらすのではないかと危惧された。しかし、遺伝子工学は今では成熟した技術となり、人間は遺伝子操作された生物とも共存している。核兵器や殺人生物に比べれば、最近の機械学習の進歩による脅威は比較的穏やかな部類だ。人類は人工知能にも適応するだろうし、実際にすでにそうなりつつある。

ディープスタックの成功が意味することは、一つには、ディープラーニングネットワークが世界有数の嘘つきになる方法を学習できるということだ。ディープネットワークが訓練の結果、何になり得るかを制限できるのは、訓練する側の想像力とデータだけだ。ネットワークを訓練して安全運転させられるというのならば、F1レースに出るようにも訓練できるはずであり、そのための資金を喜んで出す人もいるだろう。今のところ、ディープラーニングを使った製品やサービスを構築するには、高度な訓練を受けた技術者が必要だが、処理能力の高いコンピューターの製造コストが下がり、ソフトウェアが自動化されることで、まもなく高校生でもＡＩのアプリケーションを構築できるようになるだろう。ドイツで最も収益を上げているインターネット通販会社のオットーは、衣類やインテリア用品、スポーツ用品などを販売しているが、ディープラーニングを使って、顧客の過去の購入履歴をもとに何を購入しそうかを早めに予測して、それに合わせて事前に仕入れをしている。[47] 予測の正答率は90パーセントに上り、顧客が品物を注文するとすぐに配達して手元に届けられる。完全自動化されて人間が関わらないこの事前仕入れによって、過剰在庫と返品が軽減されて年に何百万ユーロも節約できるだけでなく、顧客満足度を高めることで顧客を維持できるという成果につながっている。オットーの社員を減らすことなく、ディープラーニングは生産性を高めたのだ。ＡＩによって、人間の仕事はもっと生産的になり得る。

大手ハイテク企業はディープラーニングのアプリケーションを世界に先駆けて開発しているが、機械学習をツール化したものはすでに広く使われており、ほかの多くの企業がその利益を受け始めている。アマゾンのスマートスピーカー「エコー」に搭載されている「アレクサ」は高い人気を誇るＡＩアシスタントであり、ディープラーニングを利用して、自然言語での問いかけに応答する。これとは別に、アマゾン・ウェブ・サービス（ＡＷＳ）では「レックス（Lex）」「ポリー（Polly）」「コンプリヘンド（Comprehend）」といったツールも提供されている。それぞれ、音声認識、音声生成、自然言語の理解に対応しており、これらを使えばアレクサと同じような自然言語インターフェースを簡単に開発できるのだ。

つまり、会話でやりとりできるようなアプリケーションが、機械学習の専門家を雇う余裕のない中小企業でも利用できるということだ。ＡＩによって顧客満足度を上げられるだろう。チェスをするコンピュータープログラムが人間で最強のチェスプレーヤーを圧倒したとき、人々はチェスをやめてしまっただろうか？　むしろ逆に、人間の腕前が上がった。また、チェスをより開かれたものにもした。かつては、最高のチェスプレーヤーはモスクワやニューヨークなどの大都市から出ていた。大都市にはグランドマスターが集まり、若いプレーヤーが彼らから学んでチェスの腕を磨くことができるからだ。だが、チェスをするコンピュータープログラムによって、ノルウェーの地方都市出身のマグヌス・カールセンは13歳という若さでチェスのグランドマスターとなることができた。今では彼が世界王者である。人工知能はゲームをプレイするだけでなく、芸術から科学まで、人間が挑戦するあらゆる場面に影響を及ぼすようになるだろう。ＡＩは、あなたをもっと賢くできるのだ。[48]

バック・トゥ・ザ・フューチャー

本書には二つの絡み合うテーマがある。人間の知能がどのように進化してきたか、そして、人工知能がどのように進化していくかだ。この2種類の知能の大きな違いとは、人間の知能は何百万年もかけて進化したのに対し、人工知能は十年単位の軌跡で進化していることだ。文明の進化と比べても超高速なのだが、人間が慌ててシートベルトを締める必要はないのかもしれない。

報道から受けている印象とは違うかもしれないが、ディープラーニングでの最近のブレイクスルーは急に得られたわけではない。記号と論理、ルールに基づく人工知能が、ビッグデータと学習アルゴリズムに基づくディープラーニングネットワークへとどう変わったのか、その経緯はあまりよく知られていない。本書では、その変遷について語るとともに、１９８０年代にニューラルネットワークの学習アルゴリズムを開発したパイオニアとして、また、この30年間の機械学習とディープラーニングでの発見を見守ってきた神経情報処理システム（ＮＩＰＳ）財団の理事長として、私の視点から、ディープラーニングの起源とそれがもたらすものを語ろうと思う。

ニューラルネットワーク業界にいる私や仲間たちは、長い間、負け戦に挑んでいると思われてきた。だが、私たちの忍耐と粘り強さが、ようやく報われるときがきたのだ。

第2章

人工知能の復活

マーヴィン・ミンスキーは素晴らしい数学者であり、MIT人工知能研究所(MIT AI Lab)を創設した[1]。創設者によってその分野の方向性と文化が決まるものだが、少なからずミンスキーのおかげで、1960年代のMITの人工知能研究所には聡明な人材が集まっていた。ミンスキーは、私の知る限りではだれよりも発想豊かで、分刻みでアイデアが湧き出るような人物であり、たとえそれが常識外れであっても、問題に対する彼の見解が正しいのだと他人を説得できてしまう男だった。私は、彼の大胆さと頭のよさには感服していたが、彼がAIを導いた方向については違う意見をもっていた。

子どもの遊び?

「積み木の世界(ブロック・ワールド)」は1960年代のMIT人工知能研究所で登場したプロジェクトの好例だろう。視覚の問題を単純化するために、「積み木の世界」は積み重ねて何らかの構造をつくれるような、直方体の積み木で構成されていた(図2・1)。目的は、たとえば「大きな黄色の積み木を見つけて赤い積み木の上に載せな

図2.1　ロボットが積み木を積むのを見つめるマーヴィン・ミンスキー。1968年頃の写真。「積み木の世界」は私たちが世界とどう関わるのかを簡略化したものだが、だれもここまで複雑とは思っておらず、2016年にディープラーニングによってようやく解決された。

さい」といった命令を解釈して、その命令を実行するためにロボットアームに必要な一連の動きを計画するプログラムを書くことである。簡単にできそうに思うかもしれないが、巨大で入り組んだプログラムを書く必要があり、あまりの扱いづらさに容易にはデバッグもできず、そのプログラムを書いた学生のテリー・ウィノグラードがMITを去るとともに、実質上放棄されることとなった。この一見簡単そうな問題は、だれが予想したよりも困難だった。もし成功していたとしても、この「積み木の世界」から現実の世界へと直接つながるわけでもなかった。現実の世界では、物体がさまざまな形や大きさ、重さをしており、角度もまったく揃っていない。向きや明るさがコントロールできる実験室の環境と比べると、場所や時間によって光の具合が大きく変化し、コンピューターが物体を認識するというタスクが非常に複雑なものとなる。

１９６０年代、ＭＩＴ人工知能研究所は、軍事的な研究機関から巨額の助成金を受けて、卓球ができるロボットを開発していた。私はこんな話を聞いたことがあった。そのときの研究責任者が、ロボットの視覚システムを開発するための予算を助成金の申請書に入れ忘れたため、サマープロジェクトとして大学院生にその問題を担当させたというのだ。のちに、マーヴィン・ミンスキーにその話が本当かどうか訊ねたところ、彼はすぐさま、その話は間違っていると言った。「課題は、院生じゃなくて学部生に与えたんだ」。ＭＩＴのアーカイブに残る書類は彼の話を裏づけるものだった(2)。こうして、学部生にさせるほど、簡単に解けそうだと思われた問題が、流砂のごとく、コンピューター・ビジョンに取り組んだ研究者たちを一世代にわたって呑み込むことになる。

図2.2　見つめあうキンカチョウ。私たちには、2羽が同じ種であることはすぐわかる。だが、ほとんどそっくりな特徴をもっているにもかかわらず、違う方向を向いているため、テンプレートとの比較は難しい。

視覚の問題が難しい理由

人間は、物体の位置や大きさ、向き、光の当たり具合が違っていても、その物体が何であるかの特定にそれほどの困難を感じない。コンピューター・ビジョンについて、最初期のアイデアの一つは、その物体のテンプレートと、物体の画像のピクセルとを照合することだった。だが、同じ物体の画像が2枚あっても違う向きであればピクセルが合うことはないので、そのアプローチは失敗した。図2・2の2羽の鳥を見てほしい。片方の鳥の画像をもう1羽に重なるようずらした場合、部分的には一致するだろうが、残りはまったく違ってしまう。それなのに、同じポーズをとっている違う種類の鳥の画像と重ねると、かなり一致することになるだろう。

コンピューター・ビジョンは、ピクセルではなく特徴に注目することで進歩した。たとえば、バードウォッチャーは種の違いを見分けねばならないが、それぞれの模様がごくわずかしか違わない場合もある。鳥を見分けるための実用的で人気のある本には、鳥の写真は1枚ずつしかなくても、それぞれの微妙な違いを説明するスケッチがたくさん載っている[3](図2・3)。その種にしかない特徴があればありがたいのだが、多くの種で同じ特徴が見られるものなので、フィールドマークといって、野外の野鳥で目立つ模様、たとえば翼にある帯状の模様や目の周辺の縞模様、羽の模様などの特有の組み合わせによって、鳥の種を見分けることになる。同じ組み合わせのフィールドマークをもつ近縁種がいる場合には、それぞれに特有のさえずりや地鳴きで聞き分けられる。見分けるために意味のある特徴に意識を向けさせるには、鳥のスケッチや彩色画のほうが写真よりもずっといい。写真には、見分けるためにはそれほど意味のない特徴もたくさん入っているからだ。

図2.3　よく似た鳥を見分けられる、はっきりとした特徴。矢印は、翼の帯状の模様の場所を示している。近縁種の小鳥を見分けるには特に重要な模様であり、目立つ場合もあれば、不明瞭な場合もあり、2本線、長い線、短い線など、種によって異なる。

出典：Peterson, Mountfort, and Hollom, *Field Guide to the Birds of Britain and Europe*, 5th ed., p.16.

この特徴に基づくアプローチの問題点は、世界中に何十万、何百万とある物体の特徴を見分ける「特徴検出器」をつくるために途方もない労力が必要となることだが、それだけではない。高性能の特徴検出器が十分にあったとしても、物体が部分的に隠れている場合、その画像には曖昧さが生じるため、いろいろな物がひしめくなかの物体を認識することは、コンピューターにとっては非常に難しいのだ。

コンピューター・ビジョンが人間と同程度の性能に達するまでに、50年という年月と、コンピューターの処理能力が何百万倍にも増えることが必要になるとは、1960年代にはほとんどだれも考えていなかった。コンピューター・ビジョンのプログラムを簡単に書けそうだと直感的に思ってしまうのは、自分たちにとって、見たり、聞いたり、動き回ったりするのが簡単だからだろう。だが、それらをうまく実現するまでの進化には何百万年もの歴史があるのだ。初期のAI研究者たちは、コンピューター・ビジョンの問題を解決するのは残念ながら極端に難しいことだと気づいた。その一方で、数学的定理を証明するようにプログラムするのはずっと簡単だとわかった。定理の証明など、最高レベルの知性が要求されそうなものなのにである。コンピューターは、私たちよりもずっと論理的処理に長けているのだ。論理的思考は進化の後になって発達した能力である。人間でさえも、延々と展開される論理的な式をいくつも追って正確な答えにたどり着くには訓練が必要だ。だが、私たちが生き延びるために解決すべき問題のほとんどは、これまでの経験を一般化して応用すれば、たいていの場合解決できるのだ。

エキスパートシステム

１９７０年代と80年代に人気を集めたＡＩエキスパートシステムは、医療診断などの問題を一揃いのルールを用いて解決するために開発された。初期のエキスパートシステムのＭＹＣＩＮ《マイシン》もその一つであり、髄膜炎などの感染症の原因となった細菌を特定することが目的だった。[4] ＭＹＣＩＮの開発者たちは、エキスパートシステムの手法に則り、感染症の専門医たちからは医学的知見とルールを、患者からは症状や病歴を収集して、それらをシステムのコンピューターに入力し、最後に、コンピューターが論理によって推論するようプログラムする必要があった。しかし、専門医から知見とルールを集めるのは一苦労だった。特に、込み入った症例では、最高の診断医が判断基準にするのはルールというよりは経験に基づくパターン認識であり、これをルール化するのが難しかった。[5] また、新しい知見が得られたり、古いルールが使われなくなったりするので、システムを継続的に更新する必要もあった。さらに大きな困難にぶつかったのが、患者の症状や病歴を集めてシステムのコンピューターに入力する作業だった。このプロセスに、患者一人当たり30分以上かかることがあり、忙しい医師にはそんな時間は捻出できなかったのだ。結局、ＭＹＣＩＮが診療の場では使われることはなかった。このほかにも、有害排水管理や自動運転車両の経路計画、音声認識など、たくさんのエキスパートシステムがつくられたのだが、現在でも使われているシステムはほとんどない。

　研究者たちは、ＡＩ研究の初期の数十年間でさまざまな手法を試したが、それらは巧妙ではあっても実際的ではなかった。現実世界の問題の複雑さが過小評価されただけではなく、彼らが提案した解決策では作業量が増すばかりだった。複雑な案件ではルールの数が膨大になったし、新しい知見が手作業で追加されるうちに、ほかのルールに対する例外や関連を把握し続けるのが現実的ではなくなった。たとえば、ダグラス・レナートは１９８４年に一般常識をルールとして入力するという「Ｃｙｃ《サイク》」というプロジェクトを開始し、その当時はいいアイデアだと思われたのだが、実際にやってみると悪夢と化した。[6] 私たちは世界というものについての無数の知見を当たり前だと思っており、その多くは経験に基づいている。たとえば、猫が10メートルの高さから飛び降りても大丈夫だろうが、[7] 人間が同じ高さから落ちると無事では済まないだろう、といったことだ。

初期のＡＩ研究がなかなか進まなかったもう一つの理由は、今の基準からすると、デジタルコンピューターがまだ初期の段階にあり、メモリーが今では考えられないほど高価だったことにある。だが、デジタルコンピューターは、論理演算や記号処理、ルールの適用などに関して非常に効率的だったので、20世紀にはこのような原始的なコンピューターでも当然ながら喜ばれた。カーネギーメロン大学のコンピューター科学者アレン・ニューウェルとハーバート・サイモンは、１９５５年に「ロジック・セオリスト」というコンピュータープログラムをつくり始めた。このプログラムは、アルフレッド・ノース・ホワイトヘッドとバートランド・ラッセルの、数学すべてをシステム化しようとする試みであった『プリンキピア・マテマティカ』の数学的定理を証明することができた。この初期の時代には、知能のあるコンピューターがすぐにも完成するのではという大きな期待が寄せられていた。

ＡＩ研究の草分けたちは、人間の知能の機能性をもつコンピュータープログラムを書こうと模索していたが、実際の脳がどのようにして知能を獲得するのかについては気にしていなかった。アレン・ニューウェルにその理由を訊ねたところ、彼の答えは、個人的には脳研究で得られる知見を取り入れたかったけれど、当時は活用できそうなことが十分にはわかっていなかったから、というものだった。脳機能の基本原理は1950年代にようやくわかってきたばかりだった。それを牽引したのが、アラン・ホジキンとアンドリュー・ハクスリーであり、脳の信号が神経の「全か無か」の電気的スパイク（発火ともいう）によって長い距離を伝わる仕組みを明らかにした。

また、バーナード・カッツは、ニューロン間の信号伝達を行うシナプスで、これらの電気信号が化学信号に変換される仕組みの解明につながる発見をしている(8)。

1980年代までには、脳についてより多くのことが明らかになっており、生物学以外の分野でも広く知られるようになっていたが、新しい世代のAI研究者にとって、脳そのものは無関係になっていた。彼らの目的は脳の働きと同等の機能をもつプログラムを書くことだった。この姿勢は、哲学用語では「機能主義」と呼ばれ、多くの人にとって、生物学における厄介な詳細を無視するのに都合のよい言い訳となった。だが、AI研究の主流から外れた少数派のグループの研究者たちはこう信じていた。脳の実際の生物学から発想を得た人工知能へのアプローチ、たとえば「ニューラルネットワーク」「コネクショニズム」「並列分散処理」などさまざまな呼び名があるのだが、これこそが論理ベースのＡＩでは歯が立たなかった難問をいずれ解決できるはずなのだと。

私はそのグループの一員だった。

ライオンの棲家へ

１９８９年、ＭＩＴコンピューター科学研究所の所長のマイケル・ダートウゾスに、私がやっているニューラルネットワークを用いた草分け的なＡＩアプローチをテーマにした特別講義をＭＩＴでしてくれと頼まれた（図２・４）。ＭＩＴに着くと、ダートウゾスに温かく迎えられてエレベーターに乗った。そこで彼から、ＭＩＴの特別講義には伝統があって、講師は5分間で講義のテーマについて話して、教員や学生たちと昼食をとりながら議論するのだと言われた。「それと」エレベーターの扉が開くと彼はこうつけ加えた。「彼らは君の研究を嫌ってるからね」

図2.4 大脳皮質のスケーリング則について説明するテレンス・セイノフスキー。1989年にソーク研究所に移った少し後。(画像はシエンシア・エクスプリカーダの厚意による。)

部屋にはおそらく100人くらいがぎゅうぎゅう詰めになっていて、それにはダートウゾスでさえ驚いた。科学者たちが3重の輪になって立っていた。最初の列は年季の入った教員、2番目は若手の教員、その後ろが学生たちだ。私は輪の中央で、ビュッフェのメインディッシュの真ん前に立たされた。私の研究を嫌っている聴衆の気持ちを少しでも変えたかったが、たった5分間で何が言えるだろうか。

私は即興でこう始めた。「この料理の上にいるハエの脳には、たった10万個のニューロンしかありません。重さは1ミリグラムで消費パワーは1ミリワットです」

私はハエを追い払いながら言った。「ハエは見ることができて、飛ぶこともできて、方向転換もできる。しかし、本当に素晴らしいのは、ハエが自己複製できるということです。ＭＩＴには１億ドルのスパコンがありますよね。消費電力は１メガワットで、巨大なエアコンで冷やす必要もある。しかし、スパコンで最もコストがかかるのは、人間の犠牲です。その際限ない食欲を満たすために、プログラマーがプログラムを与えねばなりませんからね。スパコンは見ることができず、飛ぶこともできない。ほかのコンピューターと対話はできても、つがいになったり自己複製したりはできない。この見方のどこがおかしいでしょうか？」

長い沈黙の後、年季の入った教員が言った。「まだ私たちが視覚のプログラムを書いていないからだ」（その少し前に国防総省は戦略的コンピューティング・イニシアチブに６億ドルを注ぎ込んでいた。１９８３年から１９９３年のプログラムだったが、自動運転戦車を誘導するための視覚システムを構築するには足りなかった[9]）。「うまくいくといいですね」私は答えた。

ジェラルド・サスマンは、軌道力学用の高精度の積分を行うシステムなど、現実世界のいくつもの問題にＡＩを応用して重要な成果を挙げた人物だが、彼がＡＩに対するＭＩＴのアプローチを擁護した。その際に彼は、アラン・チューリングの見事な研究を引き合いに出した。チューリングは、どんな計算可能な問題でも、仮想的な機械であるチューリングマシンによって計算できることを証明したのだ。「じゃあ、あとどのくらいでできるんですか？」私は訊ねた。「早くプログラムしないと、食べられちゃいますよ」そうつけ加えて、部屋の反対側まで行って、自分でコーヒーを注いだ。教員たちとの対話はそこで終わった。

「この見方のどこがおかしいのか」、私の研究室の学生ならだれでも答えられる問いだ。だが、このランチタイムの聴衆の前2列の人たちは言葉に詰まっていた。ようやく、3列目のある学生がこう答えた。「デジタルコンピューターは汎用の機械なので、効率的ではないかもしれませんが、何を計算するようにもプログラムできます。しかし、あのハエは、いわば専用コンピューターであって、見たり飛べたりはしても、私の家計簿をつけたりはできません」。正解だ。ハエの目の内部の視覚ネットワークは何億年もかけて進化したのであり、その視覚のアルゴリズムはハエの体内のネットワークに組み込まれている。だからこそ、ハエの目の神経回路から結線図や情報の流れを割り出して、視覚をリバースエンジニアリングできるのだ。また、デジタルコンピューターに対してはそれができない理由でもある。ハードウェアは、ソフトウェアがなければ、何の問題も解くことができないのだから。

私は、人だかりの後ろでロドニー・ブルックスが笑みを浮かべているのに気づいた。マサチューセッツ州ケープコッドのウッズホールで開いた計算神経科学のワークショップに彼を招待したことがあった。ブルックスはオーストラリア出身で、１９８０年代にはＭＩＴ人工知能研究所の若手教員として、デジタル論理に依存しない方式で動き回る昆虫型のロボットを開発していた。その後、ＭＩＴ人工知能研究所の所長となり、ロボット掃除機ルンバで知られるアイロボット社の創設者となった。

その日の午後、私が講義をした巨大な部屋は、学部生たちでいっぱいだった。過去よりも未来を見ている次世代の若者たちだ。私はバックギャモンの対戦の仕方を学習するニューラルネットワークについて話をした。このプロジェクトは、イリノイ大学アーバナ・シャンペーン校の複雑系研究センターに勤める物理学者、ジェラルド・テサウロとの共同研究だった。

バックギャモンは二人で対戦するゲームで、さいころで出た目に応じて駒を動かして、すべての駒をゴールさせれば勝ちとなる。プレーヤーが盤上で駒を動かす方向は互いに逆向きなので、途中で駒がすれ違う。駒の動きを自分の好きに決めるチェスとは違って、バックギャモンは運にも左右される。毎回さいころを振るという不確実性のために、特定の駒の動きが結果にどう響くのか、予測がより困難になる。中東で非常に人気のあるゲームであり、高額を賭けたゲームで生計を立てる者もいる。

起こりうるすべての盤面の状態から最適なものを選ぶといった論理に基づくプログラムを書くのは、盤面が10の20乗もあるので不可能な作業だった。そこで私たちは、ネットワークが、教師のゲームを見てパターン認識によってゲームの進め方を学習するようにした。[10] テサウロは研究を続けて、バックギャモンのネットワーク同士に対戦させることで、世界王者レベルで勝負する最初のバックギャモンのプログラムを完成させた(この話は第10章でする)。

この講義の後、その日の『ニューヨーク・タイムズ』紙の第1面に、政府機関が人工知能の予算を削っているという記事が載っていたことを知った。これはＡＩの主流の研究者たちにとって冬の時代の始まりだったが、私や、私のいたグループには影響はなく、ニューラルネットワークの春の時代はまだ始まったばかりだった。

　しかし、私たちのＡＩへの新しいアプローチは、実世界での視覚や音声、言語に応用されるまでに、25年かかることになる。１９８９年の時点でも、それくらい長くかかると覚悟しておくべきだった。１９７８年、プリンストン大学で大学院生をしていた私は、コンピューターの処理能力が脳のレベルにまで達するのに何年かかるだろうかと考えて、コンピューターの処理能力が18カ月ごとに2倍となって指数関数的に向上するというムーアの法則を当てはめて、２０１５年という結論に達した。幸運なことに、そんな結論であっても、私は前に突き進むことをやめなかった。ニューラルネットワークに対する私の信念は、自然がこれらの問題を解決してきたのだから、私たちもその解決策を自然から学ぶことができるはずだという直感に基づいていた。私は25年間待たねばならなかったが、自然が何億年もかけたのに比べれば、一瞬よりもまだ早いくらいだ。

視覚野の内部では、ニューロンは多数の層をなしてつながっている。感覚情報は大脳皮質の層ごとに変換されるうちに、外界についてのより抽象的な表現が形成される。何十年もの研究のうちに、ニューラルネットワークモデルの階層の数は増加し、その性能は向上し続け、1980年代の段階ではその解決が夢物語でしかなかった問題を解決できる臨界点に、ついに達したのだ。ディープラーニングによって、画像のなかの個々の物体を見分けるために有用な特徴量を見つけるプロセスが自動化された。コンピューター・ビジョンが5年前よりも今のほうがずっとよくなっているのは、そのためなのだ。

2016年までに、コンピューターは100万倍高速化し、記憶容量はメガバイトからテラバイトへと100万倍も増加した。その結果、数百万のユニットと数十億の結合をもつニューラルネットワークのシミュレーションが可能となったのだ。1980年代のニューラルネットワークには、たった数百個のユニットと数千個の結合しかなかったというのに。それでも、1000億個のニューロンと1000兆のシナプス結合をもつ人間の脳の基準からするとまだ小さいが、今日のニューラルネットワークは、狭い領域であれば原理を実証できるだけの大きさになっている。

ディープニューラルネットワークを使ったディープラーニングの時代が到来した。しかし、ディープネットワークへと進む前に、私たちはまず層の浅いネットワークの訓練方法を見出さねばならなかった。

第3章

ニューラルネットワークの夜明け

人工知能におけるいくつもの難題が解決可能であることの唯一の証拠は、自然が、進化というプロセスによって、それらの問題をすでに解決しているということだ。しかし、1950年代にも、コンピューターに知的行動を実際に獲得させうる方法の手がかりはすでに見つかっていた。もしAI研究者が、記号処理とは根本的に異なるアプローチをとっていれば、それをヒントにできただろう。

最初の手がかりは、私たちの脳が強力なパターン認識装置であるということだ。人間の視覚系は、視野のあちこちの物体を10分の1秒ほどで認識できる。たとえその物体そのものをこれまでに見たことがなくても、その物体がどんな場所にあって、どんな大きさで、私たちから見てどの方向を向いていても、認識できるのだ。端的に言うと、人間の視覚系は、「物体を認識せよ」という単一命令を処理するコンピューターのように動作している。

2番目の手がかりは、人間の脳はさまざまな難しい課題、たとえばピアノの演奏から物理学の問題まで、経験により学習することができるということだ。自然は汎用的な学習の仕組みを使ってさまざまな個別の問題を解くことができ、なかでも人間は最高の学習者なのだ。これは私たちの素晴らしい強みである。大脳皮質は全体を通じて同じような構造をもっており、ディープラーニングを行う神経回路は感覚系と運動系のすべてに見られる。[1]

3番目の手がかりは、人間の脳には論理やルールが詰まっているわけではないということだ。確かに、私たちは論理的思考やルールに従う方法を学ぶことはできるが、それは多くの訓練を受けて初めて可能になるのであり、ほとんどの人は、そういったことが得意ではない。このことは、「ウェイソン選択課題」(図3・1)という論理クイズの平均的な成績からわかる。

正解は、「8のカードと茶色のカード」である。もとの研究では、被験者の10パーセントしか正解しなかった。[2] しかし、この論理クイズがもっと身近な文脈で出題されると、ほとんどの被験者が問題なく正解を出すことがわかったのだ(図3・2)。

つまり、人間の推論能力は、問題の領域によって異なるようなのだ。私たちがある領域に慣れているほど、その領域の問題を解くのが簡単になる。経験があることで、その領域での推論が簡単になるのだ。自分がこれまでにぶつかった例から、直感的に答えを

図3.1　これらの4枚のカードには、片面には数字が書かれ、もう片面には色が塗られている。「カードの片面に偶数が書かれているならば、もう片面は赤い」という仮説を確かめるために裏返す必要のあるカードはどれか？（ウィキペディアの「ウェイソン選択課題」より。）

図3.2　それぞれのカードには、片面には年齢が、もう片面には飲み物が描かれている。「アルコールを飲むならば18歳以上でないといけない」というルールを確かめるために裏返す必要のあるカードはどれか？（ウィキペディアの「ウェイソン選択課題」より。）

導けるようになるためだ。たとえば、物理の電磁気学のような領域を学習するには、公式を記憶するのではなく、たくさんの問題を解くことだ。人間の知能が純粋に論理に基づいているとすれば、それは領域によらないはずだが、現実はそうではない。

４番目の手がかりは、人間の脳には莫大な数のニューロンが詰まっており、それらが常に互いにやりとりをしているということだ。ここからわかるのは、人工知能における難問の解決のために考えるべきなのは大規模な並列アーキテクチャーを備えたコンピューターであって、データと命令をもってきては一つずつ実行するというノイマン型のデジタルコンピューターのアーキテクチャーではないということだ。確かに、どんな計算可能な問題でもチューリングマシンですべて計算できるが、それは十分な記憶装置と十分な時間があればの話だ。だが、自然はリアルタイムで問題を解決しなくてはならない。そのために、脳のニューラルネットワークは膨大な数のプロセッサーを並列に使っているのだ。今日の世界最速のコンピューターもそうであるように。そのような高度に並列的なプロセッサー上で効率的に機能するアルゴリズムが、結果的に勝ち残るのだ。

初期のパイオニアたち

ノーバート・ウィーナーが、機械や生命体のなかの通信系と制御系に基づいて、「サイバネティックス」[3]を提唱したのを契機に、1950年代から60年代にかけて、自己組織化システムへの興味が爆発的に高まった。この爆発により生まれた独創的な創造物の一例が、オリバー・セルフリッジのつくった「パンデモニウム（悪魔の巣窟）」[4]というモデルだろう。これはパターン認識を行う装置で、そのなかでは、特徴を検出する「デーモン（悪魔）」たちが画像のなかの物体を表現する権利を獲得すべく競い合っている（ディープラーニングの比喩になっている。図3・3）。

また、スタンフォード大学のバーナード・ウィドロウと彼の学生のテッド・ホフが発明したLMS（最小平均二乗）学習アルゴリズム[5]は、これに続くほかの手法とともに適応信号処理で広く用いられ、ノイズ除去から経済予測までさまざまな形で応用されている。ここでは、これら初期のパイオニアたちのなかで、特にフランク・ローゼンブラットト（図3・4）を取り上げる。彼のパーセプトロンこそが、ディープラーニングの直系

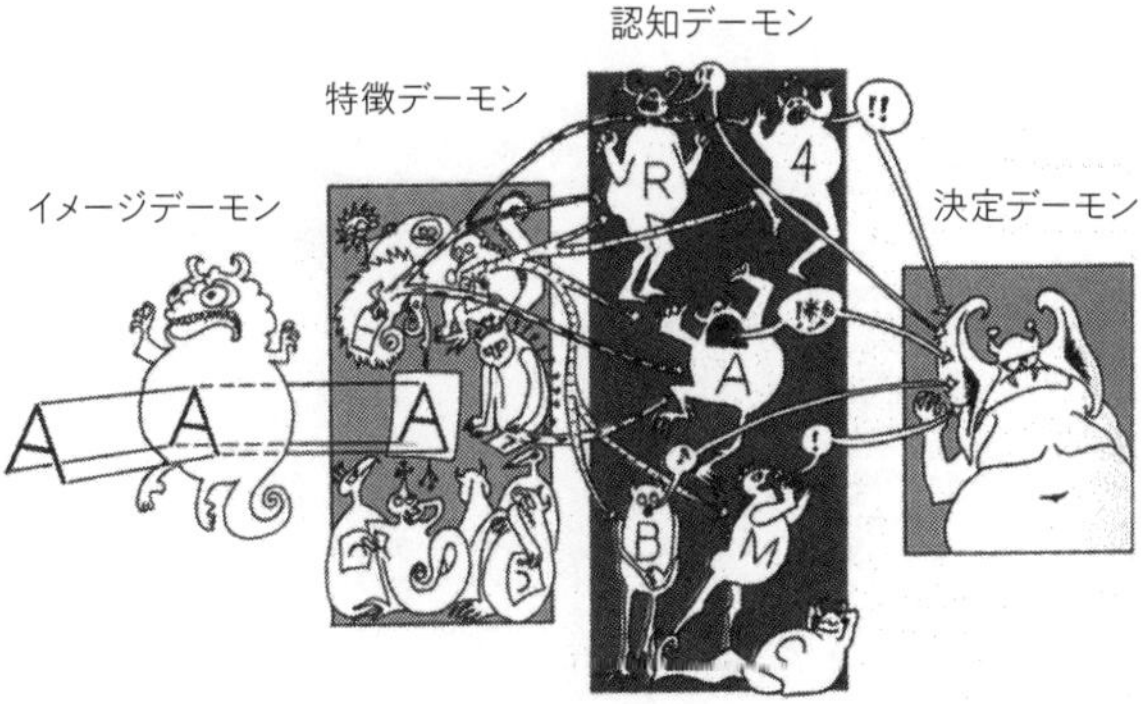

図3.3　パンデモニウム（悪魔の巣窟）。オリバー・セルフリッジの想像によると、脳のなかには複数のデーモン（悪魔）がいて、感覚入力から特徴や抽象概念を抜き出し、段階を追ってそれを複雑化し、最後に結論を下すといった役割を分担している。各レベルでのそれぞれのデーモンは、手前のレベルから得た入力に自分が一致していれば興奮する。決定デーモンは、手前のデーモンの興奮の度合いと重要度を評価する。この種の証拠評価の方法は、現在のディープラーニングネットワークの比喩となっている（現在のネットワークではレベルの数が非常に多くなっているが）。

出典：『情報処理心理学入門II 注意と記憶』（P.H. リンゼイ、D.A. ノーマン著、中溝幸夫、箱田裕司、近藤倫明訳、サイエンス社、1984年）の図3.1。Wikipedia Commons: https://commons.wikimedia.org/wiki/File:Pande.jpg

NEW NAVY DEVICE LEARNS BY DOING

Psychologist Shows Embryo of Computer Designed to Read and Grow Wiser

WASHINGTON, July 7 (UPI) —The Navy revealed the embryo of an electronic computer today that it expects will be able to walk, talk, see, write, reproduce itself and be conscious of its existence.

The embryo—the Weather Bureau's $2,000,000 "704" computer—learned to differentiate between right and left after fifty attempts in the Navy's demonstration for newsmen.

The service said it would use this principle to build the first of its Perceptron thinking machines that will be able to read and write. It is expected to be finished in about a year at a cost of $100,000.

Dr. Frank Rosenblatt, designer of the Perceptron, conducted the demonstration. He said the machine would be the first device to think as the human brain. As do human beings, Perceptron will make mistakes at first, but will grow wiser as it gains experience, he said.

Dr. Rosenblatt, a research psychologist at the Cornell Aeronautical Laboratory, Buffalo, said Perceptrons might be fired to the planets as mechanical space explorers.

図3.4　思索に没頭するコーネル大学のフランク・ローゼンブラット。彼が発明したパーセプトロンはディープラーニングネットワークの先駆けとなった。パーセプトロンには画像を分類するための単純な学習アルゴリズムがあった。図は、1958年7月8日の『ニューヨーク・タイムズ』紙に掲載されたUPI通信社の配信記事である。パーセプトロンマシン完成のために、1959年当時で10万ドル、現在でいうと100万ドルが必要だと見積もられていた。ちなみに、1958年にIBM 704の金額は200万ドル（現在の2000万ドル）だったが、このコンピューターは、1秒に4,000回の掛け算が可能な、当時としては驚くほどの高速マシンだった。とは言え、これよりはるかに安いサムスンの「Galaxy S6」スマートフォンは、1秒に340億回の演算が可能であり、100万倍以上も高速化している。（写真はジョージ・ナギーの厚意による。）＊

の先祖なのだ。(6)

例から学習する

ニューラルネットワークによるAIの先駆者たちは、当時は脳の機能の理解は簡略化したニューロンとそれらを相互に連結したモデルを使うという制約のなかで突き進んだ。コーネル大学のフランク・ローゼンブラット（図３・４）は、その最初の一人であり、自動パターン認識のために人間の視覚系の構造をモデル化した。(7) 彼が発明したのは、

＊［記事の日本語訳］
試行錯誤で学習する、海軍の新しい装置
心理学者、読んで賢くなるように設計されたコンピューターの原型を披露
【ワシントン、7月7日（UPI）】米海軍は、本日、歩いて、話して、見て、書いて、自己複製して、自意識をもつようになることが期待される、電子コンピューターの原型を披露した。

この原型は、気象局の200万ドルの「IBM704」コンピューターを使ったもので、50回の試行ののちに左右の区別を学習する様子が、海軍によって記者に向けて実演された。

報道官によると、この原理を使い、読み書きが可能となるパーセプトロン思考機械の第１号機がつくられるのだという。完成には10万ドルの費用をかけて１年間が見込まれている。

パーセプトロンの設計者であるフランク・ローゼンブラット博士が実演を行った。博士によると、この機械は、人間の脳のように思考する最初の装置になるだろうとのことだ。人間と同じように、パーセプトロンも最初は間違えるのだが、経験を積むにつれて賢くなるのだという。

ニューヨーク州バッファローにあるコーネル航空研究所に勤める、心理学研究者のローゼンブラット博士によると、パーセプトロンをほかの惑星へ打ち上げれば宇宙探検ロボットとして働かせる可能性がある。

「パーセプトロン」という一見単純なネットワークで、たとえばアルファベットの文字など、パターンをカテゴリー分けする方法を学習するアルゴリズムであった。アルゴリズムとは、特定の目標を達成するためのステップ・バイ・ステップの手順であり、たとえばケーキづくりのレシピのようなものだ（アルゴリズムについては第13章で一般的に説明する）。

パーセプトロンがパターン認識の問題をどのように学習するのか、基本的な原理を理解できれば、ディープラーニングの仕組みを半分は理解したことになる。パーセプトロンの目的とは、入力パターンが、あるカテゴリー、たとえば「猫」に属するものであるかどうかを判断することだ。コラム3・1では、パーセプトロンへの入力が、入力ユニットから出力ユニットへの重みによってどのように変化するかを説明する。この重みとは、出力ユニットによってなされる最終決定に対する入力の各成分の影響力の大きさを表したものだ。だが、入力を正しく分類できるような重みの組み合わせをどうすれば見つけられるのだろう？

エンジニアがこの問題を解決する従来のやり方は、分析結果や、思いつきの手順で、手作業で重みを決めるというものだ。これは非常に労力がかかり、技術だけでなく直感に頼ることが多くなる。もう一つの方法は、私たちが世のなかの物体を見て学習するのと同じように、例から自動的に学習する手順だ。そのためには、カテゴリーに属さないものも含めて多くの例を用意する必要がある。似ているものを分類したい場合は特に多くの例が必要だ。たとえば、猫を認識することが目的であれば、犬の例も必要だということだ。この例をパーセプトロンに一つずつ与えて、分類に間違いがあれば、自動的に重みが修正される。

パーセプトロン学習アルゴリズムが素晴らしい点は、もしも正しい分類を行う重みの組み合わせが存在すれば、そして、十分な数のデータを使用できれば、自動的に重みの組み合わせを見つけられることが保証されているということだ。学習は、訓練用のデータセットのそれぞれのデータが入力されるごとに、その出力と正解とを比較して行われる。もし出力が正解ならば、重みに対して変更を加えないが、不正解ならば（0であるべきときに1の場合か、1であるべきときに0の場合）、重みはわずかに変更されるので、次に同じ入力があったときに徐々に正しい答えを出すようになる（コラム3・1）。

コラム 3.1　パーセプトロン

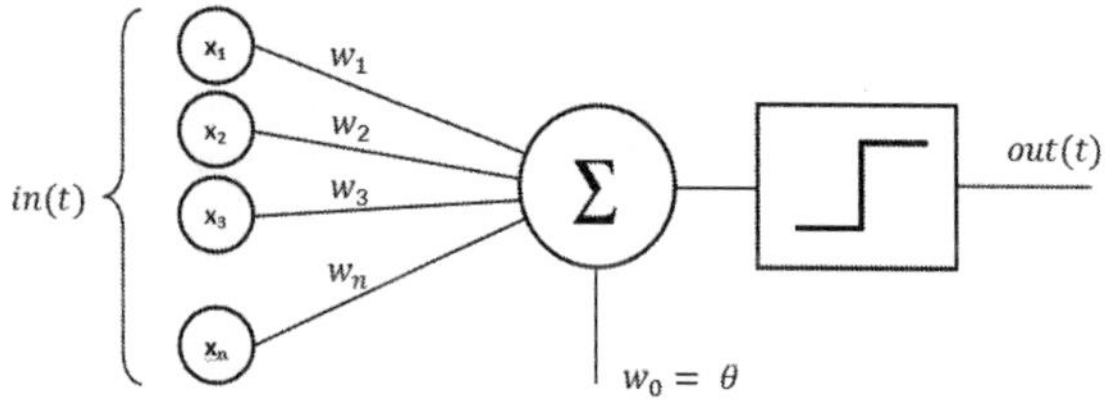

パーセプトロンは、一つの人工ニューロンからなるニューラルネットワークであり、入力層の複数の入力ユニットと一つの出力ユニットをつなぐ複数の結合をもつ。パーセプトロンの目的は、入力ユニットに提示されるパターンを二つのカテゴリーに分類することだ。出力ユニットで行われる基本的な操作は、それぞれの入力（x_i）と、結合の強さを表す重み（w_i）を掛けた値の総和をとることだ。上の図で、入力値に重みをつけた値の総和（$\Sigma_{i=1,\dots,n} w_i x_i$）が、閾《いき》値《ち》のθと比較されて、ステップ関数に渡される。このステップ関数は、総和が閾値よりも大きければ出力として「1」を、それ以外の場合には「0」を出力する。入力となるのは、たと

えば、ある画像の画素の値であったり、より一般的には、画像内の物体の輪郭線などのような、元画像データから抽出された特徴であったりする。画像は一度に一つずつ提示され、パーセプトロンは、その画像が、あるカテゴリー（たとえば猫というカテゴリー）に属するかどうかを判定する。出力がとりうる状態は二つだけで、画像がカテゴリーに属していれば「オン」、属さなければ「オフ」を返す。「オン」と「オフ」はそれぞれ2進法の値の1と0に対応する。その出力値に対して使用される、パーセプトロンの学習アルゴリズムを式で表すと次のようになる。

$$\Delta w_i = a\delta xi$$

$$\delta = 出力 - 正解$$

ここで出力と正解は両方とも1か0かであるので、出力が正解ならば$\delta=0$、出力が正解でなければ、二つの数の差に応じて、$\delta=+1$または-1となる。Δw_iは重みの変化分を表し、aは変化の速さを決める学習速度係数である。

重要な点は、この変更は徐々に行われるので、重みには、最後の例だけでなくすべての訓練用データの影響が残るということだ。

パーセプトロンの学習について、この説明で腑に落ちなければ、パーセプトロンが入力の分類の仕方をどう学習するか、もっとわかりやすい幾何学的な説明の仕方もある。各入力ユニットが二つという場合には、入力を二次元のグラフとしてプロットできる。入力が、このグラフ上の1点となり、ネットワークの二つの重みによってカテゴリーを分ける1本の直線が決まる。学習の目的は、この線を動かして、カテゴリーに属するものと属さないものをきれいに分けることだ(図3・5)。入力ユニットが三つある場合には、入力の空間は三次元となり、パーセプトロンは、訓練セットが与える三次元上の点を正しく分ける平面を探すこととなる。これは一般化できて、入力値の空間の次元が高くなって視覚化できなくなっても、この同じ原理が成り立つ。

そのように分けられる解があり得るのならば、最終的に、重みはいずれ変わらなくなる。つまり、パーセプトロンは訓練セットのすべての例を正しく分類したのだ。しかし、訓練セットに十分な数の例がない場合には「過学習」が起こり、ネットワークが単

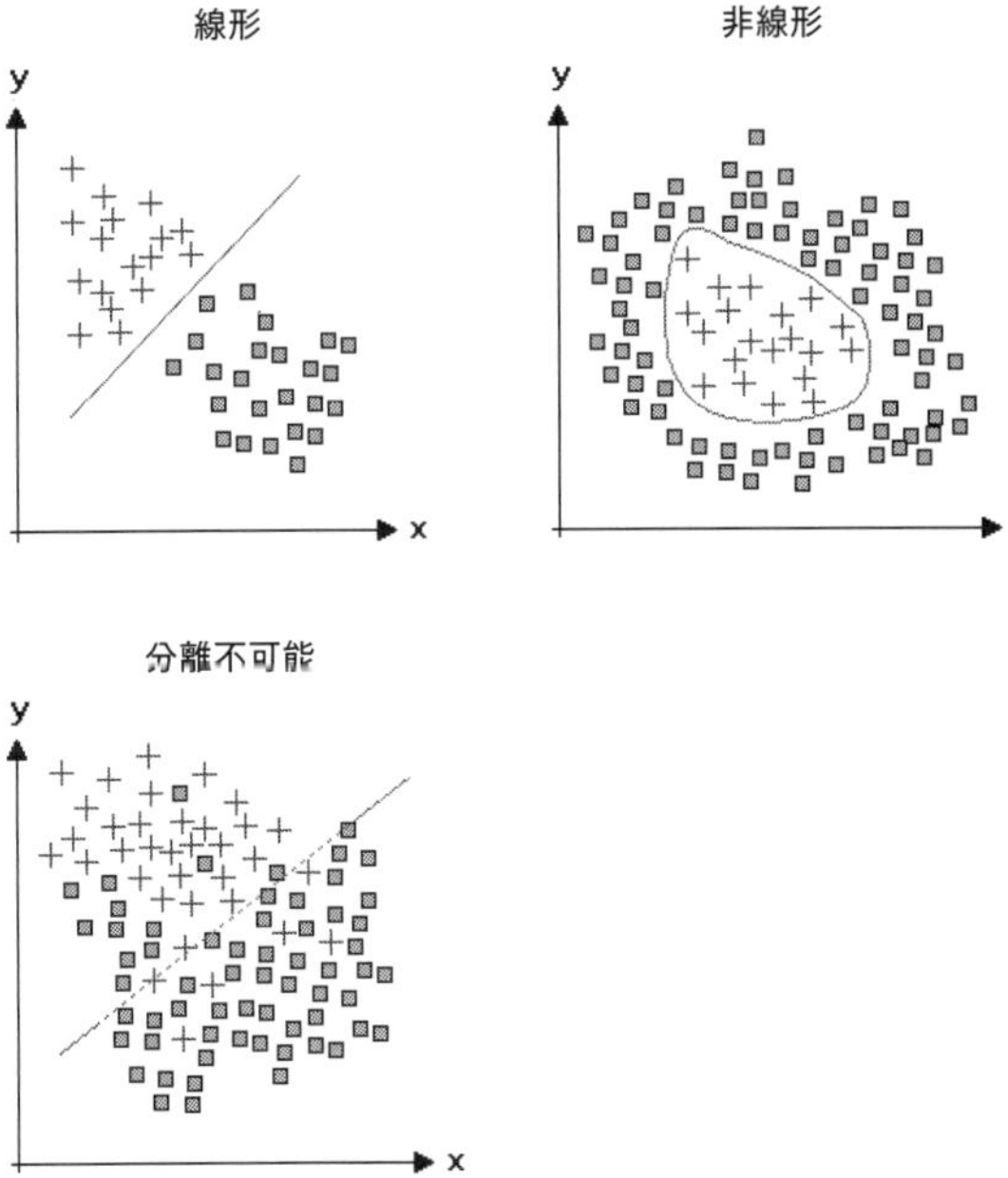

図3.5　パーセプトロンが2種類の物体のカテゴリーをどのように分けるのかを、幾何学的に説明しよう。分類したい物体に、たとえば大きさと明るさのような、二つの特徴量があるとする。それぞれが(x, y)という値をもつとして、グラフにプロットする。左のグラフでは、2種類の物体（十字と四角形）を、両グループの間に1本の直線を引いて分けることができる。ほかの二つのグラフでは直線では分けられないが、中央のグラフは1本の曲線で分けられる。右のグラフでは、2種類を分けるためには、込み入った境界線を引かねばならないだろう。だが、ディープラーニングネットワークならば、十分な訓練データさえあれば、この三つのどのグラフでも学習して分類できるようになる。

に特定の例を記憶するだけで新しい例を正しく分類する能力をつけないことがある。この過学習を予防するには、訓練セットのほかに、ネットワークの訓練には使わない「テストセット」を用意することが重要となる。訓練を終えた後で、このテストセットを分類させてパーセプトロンの性能を測ることで、未使用の新しい例を分類する性能（汎化性能）を知ることができる。ここで重要なのは、一般化（汎化）という概念だ。実生活では、私たちは同じ物体を同じ視点から見ることはまずないし、全く同じ状況に遭遇することもない。しかし、これまでの経験を一般化して、新しい視点や状況に当てはめることができれば、実世界の広範な問題にも対処できる。

男女識別ネットワーク（SEXNET）

実世界の問題を解決するためにパーセプトロンを使うことのできる実例を挙げよう。あなたは男性と女性の顔をどのように見分けているだろうか。髪の毛も、アクセサリーも、男性のほうが大きい喉仏も含まず、顔だけを見る場合である。1990年に私の研究室の博士研究員だったベアトリス・ゴロムは、あるデータベースのなかの大学生の顔を入力して、顔から性別を分類するようにパーセプトロンを訓練した。その結果、81パーセントの精度で識別するようになった[8]（図3・6）。パーセプトロンが分類しづらい顔は、人間にとっても分類が難しく、研究室のメンバーたちが同じ顔のデータセットを分類した結果、平均で88パーセントの精度だった。ベアトリスはまた、多層パーセプトロン（第8章で説明する）の訓練も行ったところ、92パーセントという、研究室のメンバーたちよりもよい成績が得られたのだ[9]。1991年の神経情報処理システム（NIPS）カンファレンスでの発表を、彼女はこう結んだ。「経験によって成績が上がるのですから、研究室のみんなは、性の識別にもっと時間をかけるべきだと思います」。彼女は自分の多層パーセプトロンを「SEXNET」と呼んでいた。質疑応答の時間に、SEXNETで女装者や男装者の顔を検出できるかとの質問があった。「できます」そう答えたベアトリスに、NIPSカンファレンスの創設者であるエド・ポズナーはこう言って笑いを誘った。「それはDRAGNET*だね[10]」

男女の顔の判別が興味深いタスクである理由は、人間は顔の判別をかなりうまくできるにも関わらず、男女の顔の違いを具体的に説明できないという点にある。一つの特徴だけが決定的な意味をもつわけではないので、このパターン認識の問題を解くには、多くの細かい特徴を組み合わせた証拠に頼ることになる。パーセプトロンの利点は、顔のどの部分から性別に関する情報を得られるかという手がかりを、重みが与えてくれるということだ(図3・6)。驚いたことに、人中《じんちゅう》(鼻と唇の間の中央にあるくぼみ)が、区別の目安として最大の特徴であり、一般的に男性のほうが明らかに大きい。目の周りの部分(男性が大きい)や頬骨の周辺(女性が大きい)からも、男女を識別するために有効な情報が得られる。パーセプトロンは、判断を下すために、こういった部分から得られる証拠に対する重みを大きくしている。人間も、自分がどうやっているのか説明できないかもしれないが、同じことをしているのだ。

1957年にローゼンブラットが証明した「パーセプトロンの収束定理」は画期的なものであり、パーセプトロンの実演は多くの人を驚かせた。彼は海軍研究局の支援を受

＊「drag《ドラアグ》」には女装や男装という意味があります。

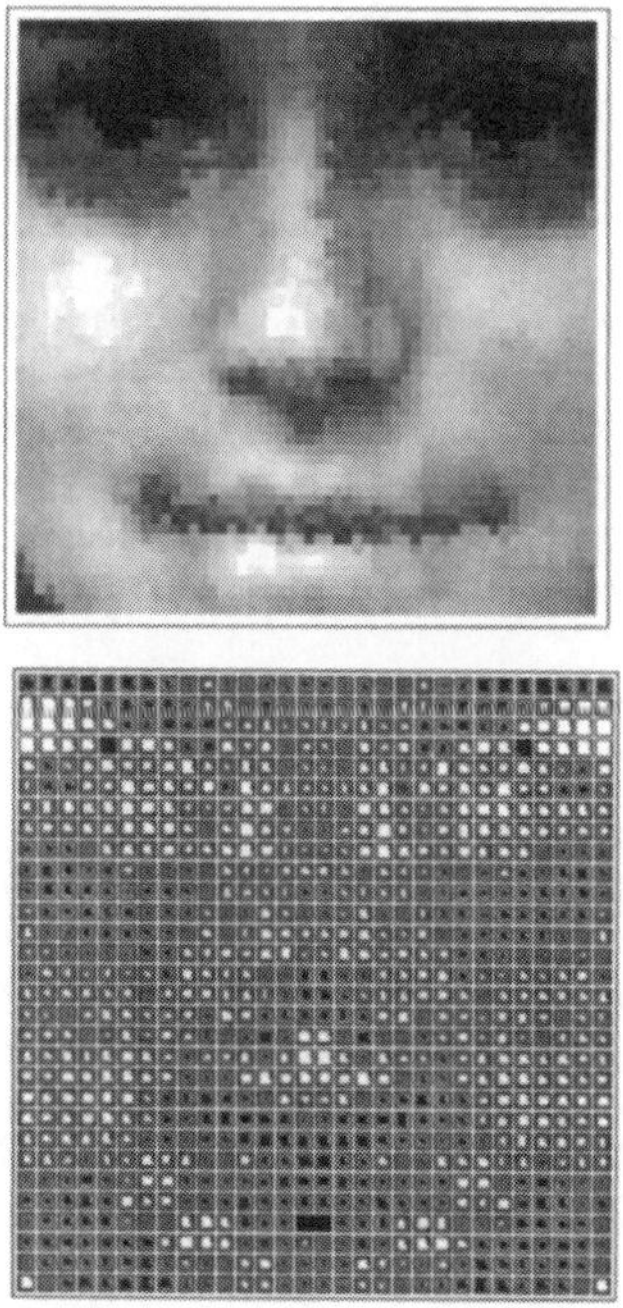

図3.6　この顔は男性だろうか、女性だろうか？　パーセプトロンは男性と女性の顔を見分けるように訓練された。顔の画像（上図）のピクセルと、対応する重み（下図）との積をとり、その総和が閾値と比較された。それぞれの重みの大きさは、ピクセルの面積として表現されている。正の重み（白）は男性らしさを示し、負の重み（黒）は女性らしさを示す。鼻の幅、鼻と口の間の領域、目の周りの画像強度は男性だと判別するために重要であり、口の周りや頬骨の画像強度が女性だと判別するために重要であることがわかる。

出典：M. S. Gray, D. T. Lawrence, B. A. Golomb, and T. J. Sejnowski, "*A Perceptron Reveals the Face of Sex*," Neural Computation 7 (1995): 1160–1164, figure 1.

けて、入力用として400個の光電管を、重みとしてモーターで調整される可変抵抗器(ポテンショメーター)を使用する、特注ハードウェアのアナログコンピューターをつくり上げた。アナログ信号とは、レコード盤から流れる音声と同じく、時間とともに連続的に変化する信号である。ローゼンブラットのパーセプトロンは、戦車が写っている画像と写っていない画像を入力として学習し、学習には使っていない画像であっても戦車が写っているかどうかを見分けられるようになった。これは『ニューヨーク・タイムズ』紙でも報道されて、大きな反響を呼んだ[11](図3・4)。

パーセプトロンは、高次元空間におけるパターン分離という美しい数学的解析の源流となった。数千次元の空間内にある点を考える場合、私たちが生きている三次元空間での点と点の距離といった直感は頼りにならない。のちにロシア人数学者のウラジミール・バプニックは、この解析に基づいた分類手法「サポートベクターマシン[12]」を提案した。これはパーセプトロンを一般化したもので、今日も機械学習で広く使われている。彼が発見したのは、二つのカテゴリーの点から最も離れた平面を自動的に見つける方法だった(図3・5の「線形」)。これにより、空間内の点に測定誤差があってもよりロバストに汎化を行うことができる。そして、「カーネルトリック」と組み合わせて非線形に拡張することによって、サポートベクターマシンのアルゴリズムは、機械学習の定番となった。(13)

パーセプトロンの陰り

しかし、パーセプトロンには限界があり、その流れを汲む研究を行き詰まらせることとなった。パーセプトロンの収束定理の「もしもそのような重みの組み合わせが存在すれば」という条件に対して、パーセプトロンにはどんな問題が解けて、どんな問題は解けないのかが問題とされた。一次元空間の点の非常に単純な分布であっても、残念ながらパーセプトロンでは分けられない場合がある（図３・５の「非線形」）。あの戦車を検出するパーセプトロンは、実は戦車の有無ではなく、撮影した時間の違いをもとに分類を行っていたことが明らかとなった。画像のなかの戦車の有無を分類するのはずっと難しく、実際、パーセプトロンでは不可能である。これは、パーセプトロンが何かを学習したように見えても、必ずしも想定した分類を学習したとは限らないということを示している。そして、パーセプトロンへの最後の一撃となったのは、マーヴィン・ミンスキーとシーモア・パパートが1969年に出版した数学的な解析の集大成『パーセプトロン』[14]だった。二人の幾何解析によって、パーセプトロンの能力に限界があることが決定的になったのだ。パーセプトロンでは線形分離可能なカテゴリーしか分けられない（図3・5）。本の表紙には、ミンスキーとパパートが証明した、パーセプトロンには解くことのできない幾何的な問題が描かれている（図3・7）。同書の終わりに、ミンスキーとパパートは、単層パーセプトロンを一般化して、ある層が次の層へと情報を与える多層パーセプトロンをつくることの見通しについて考察している。二人は、そのようなより強力なパーセプトロンを訓練する方法はないのではという疑念を示した。残念ながら、多くの人がこの疑念を確定的な結論のように受け止めた。その結果、この分野が見捨てられることとなったのだ。ニューラルネットワークの研究者たちがこの問題を新たな視点から見るようになったのは、1980年代に入ってからだった。

パーセプトロンにおいて、それぞれの入力は、独立した形で出力ユニットに寄与して

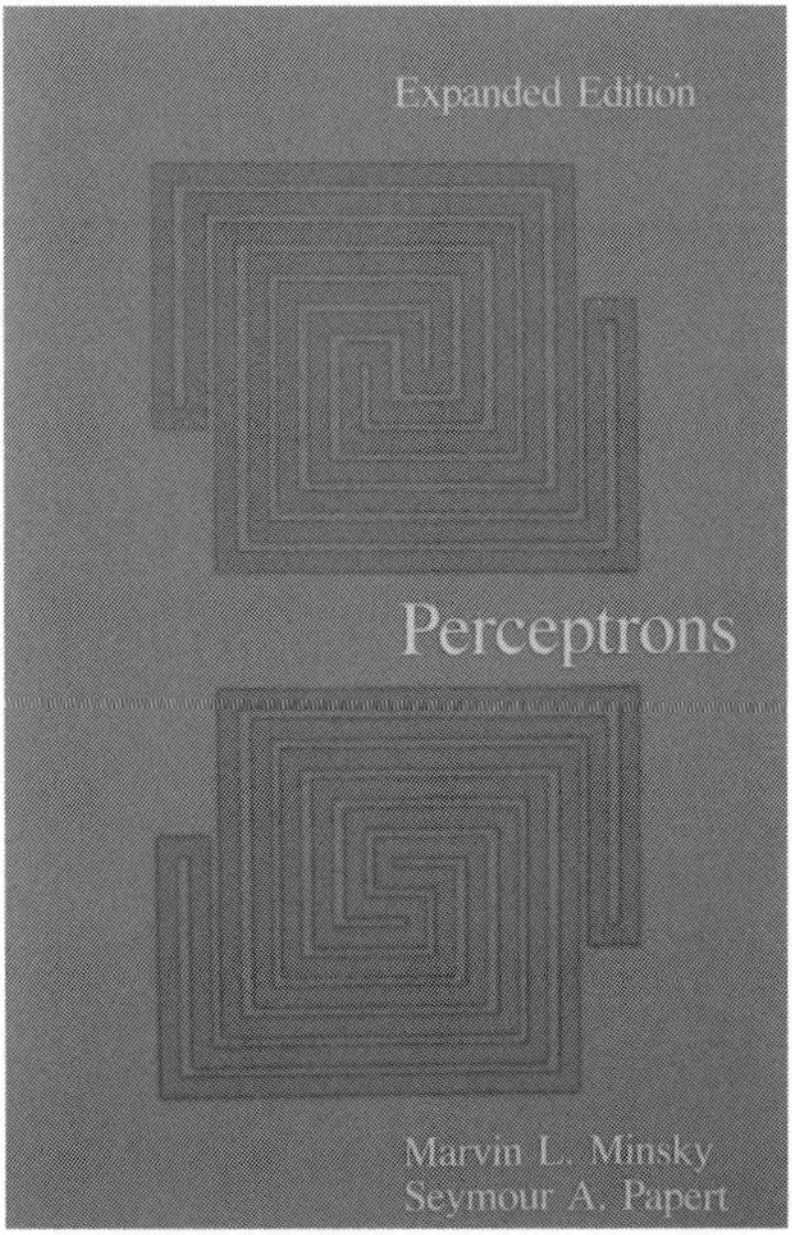

図3.7　ミンスキーとパパート著『パーセプトロン』増補版の表紙。二つの螺旋《らせん》はそっくりに見えるが同じではない。上の絵はつながっていない二つの螺旋だが、下の絵はつながった一つの螺旋なのだ。鉛筆で線の内側をなぞってみれば確認できる。ミンスキーとパパートは、パーセプトロンがこれらの二つの物体を判別できないことを証明した。あなたには、絵をなぞらずに区別がつくだろうか？　なぜできないのだろうか？

いる。しかし、正しい判定のためには、入力ごとではなく入力の組み合わせに依存するような形にする必要があるとすればどうだろう。これこそが、パーセプトロンでは、螺旋がつながっているかどうかを判定できない理由である。一つのピクセルにはそれが輪郭線の内側なのか外側なのかという情報は含まれない。多層のフィードフォワード・ネットワークでは、入力ユニットと出力ユニットの間に、複数の入力の組み合わせとなる中間層を形成できるのだが、1960年代には、入力層と出力層の間のこのような「隠れ層」がたった1層のネットワークであっても、それを訓練する方法はだれにもわかっていなかった。

フランク・ローゼンブラットとマーヴィン・ミンスキーは、ニューヨーク市のブロンクス科学高校の同級生だった。二人はそれぞれの人工知能に対する根本的に異なるアプローチについて、学会などで討論を繰り広げたが、多くの参加者はミンスキーの考えに傾いていった。相違点はあっても、両者が大きく貢献したからこそパーセプトロンに関する理解が深まったのであり、そこからディープラーニングが始まったのだ。

1971年に43歳のローゼンブラットがボート事故で亡くなったのは、パーセプトロンへの反動が最も激しくなっていた頃だった。彼は自殺したのか、それとも単に悲運の事故だったのか？　そんな噂も流れていた。[15] はっきりしていたのは、ニューラルネットワークによる新しい計算手法の発見という英雄の時代が終わりを迎えたことだ。その後、ローゼンブラットの先駆的な研究のもつ可能性に人々が再び気づくまで、一世代の年月がかかることとなる。

第4章
脳型コンピューティング

「もしも私に脳があったなら(If I Only Had a Brain)」は、1939年の名作ミュージカル映画『オズの魔法使い』でカカシが歌う曲だ。カカシが気がついていなかったのは、実は彼にはすでに脳があって、脳がなくては話すことも歌うこともほとんどできないこと、しかしカカシの脳はできて2日しか経っておらず、彼の本当の問題は経験の欠如だったということだ。時間が過ぎるにつれて、カカシは世界について学び、自分自身の限界がわかるくらい十分に賢くなって、ついにはオズで一番賢い男と認められるまでになった。一方で、ブリキの木こりは「もしも私に心があったなら(If I Only Had a Heart)」と歌う。彼とカカシは脳があるのと心があるのでは、どちらが重要なのかと議論する。オズの世界でも、現実世界と同様に、ともに脳の産物である認知機能と感情とが繊細なバランスの上に協力し合って、人間の知能をつくり出している。この名作ミュージカルを踏まえて、「もしもAIに脳と心があったなら」がこの章のテーマだ。

脳の仕組み

ジェフリー・ヒントン（図4・1）と私は、1979年にジェフリーが企画したワークショップで出会ったとき、ニューラルネットワークモデルの可能性について同じような信念をもっていた。私たちは親友となり、のちに協力して「ボルツマンマシン」（第7章で議論する）という新しいタイプのニューラルネットワークモデルを発見した。このモデルは、一世代にわたる多層ネットワークモデルの学習手法の研究の行き詰まりを打開するものだった。

ジェフリーからは数年に一度、「脳の仕組みを解明したぞ」という第一声で始まる電話がかかってくる。そして毎回、ニューラルネットワークモデルを改良する見事な新しい手法を聞かせてくれる。このような数多くの手法や改良が重ねられてきたからこそ、多層ニューラルネットワークでのディープラーニングが、人間に匹敵するほどの能力で携帯電話の話し声や写真のなかの物体を認識できるようになったのだ。ディープラーニングのこういった能力を一般の人が知るようになったのはほんの数年前からであり、今

A

B

図4.1　（A）幼い頃のジェフリー・エベレスト・ヒントン。彼のミドルネームの由来は親戚のジョージ・エベレスト。インドに調査に行って、世界最高峰の山の高さをどうやって測定するかを解明した人物で、その山には彼の名がつけられている。（B）1994年のヒントン。2枚の写真の間に15年の年月がある。（画像はジェフリー・ヒントンの厚意による。）

ではすっかり有名になったが、ここまで来るのには長い時間がかかっている。

ジェフリーは、ケンブリッジ大学で心理学の学士号を、エジンバラ大学で人工知能の博士号を取得した。博士論文の指導教官はクリストファー・ロンゲ＝ヒギンズという、連想記憶の初期のネットワークモデルを発明した優れた科学者だ。当時、人工知能分野で支配的だったパラダイムは、知的活動を体系化するために、記号や論理、ルールを使うプログラムを書くということを基本としていた。認知心理学者たちは人間の認知機能、特に言語について理解するために、この方法を採用していた。しかし、ジェフリーはこの潮流に逆らって進もうとしていた。彼がいつの日か、脳の働きを、少なくとも脳に似たものの働きを解明することになるとは、だれも予想していなかった。ジェフリーの講義はだれをも納得させ、抽象度の高い数学的概念をほとんど数学を使わずに明快に説明することができる。また、ウィットに富み、控えめなユーモアのセンスがあって感じがいい。ジェフリーはまた、生来の負けず嫌いでもあり、特に脳に関してはなおさらである。

私たちが最初に出会ったとき、ジェフリーは、カリフォルニア大学サンディエゴ校

（ＵＣＳＤ）の、デイヴィッド・ラメルハートとジェームス・マクレランドが率いる並列分散処理（ＰＤＰ）グループで博士研究員をしていた。ジェフリーは、並列で機能し、例から学習するような単純な処理ユニットからなるネットワークこそが、認知機能を理解するために優れた方法だと信じていた。ＰＤＰグループでは、言葉や言語を、ネットワーク内の多数のノードに分散した活動の広がりとして、どのように理解できるかを探求していたが、彼はその中心的存在だった。

認知科学における言語への古典的なアプローチは、記号表現に基づいている。たとえば、「コップ」という言葉は、コップの概念を表す記号であり、特定のコップではなくあらゆるコップを表している。記号の素晴らしい点は、複雑な概念を圧縮した上で、操作できるということだ。そして記号の問題点とは、圧縮されすぎているため、現実世界に対応づけにくいということだ。現実世界では、コップには無限の種類の形や状態、大きさがあるからだ。ほとんどの人は見ただけでそれがコップだと簡単にわかるにもかかわらず、何がコップで何がコップでないかを特定できたり、画像のなかのコップを認識できたりする論理プログラムは存在しない。正義や平和といった抽象的概念は、論理プログラムによって定義するのはさらに難しい。しかし、別のアプローチもある。それは、非常に多くのニューロンの活動パターンによって、コップを表現し、概念の間の類似点と相違点をとらえられるようにする、というものだ。これによって、記号に、その意味を反映する豊かな内部構造が与えられる。問題は、１９８０年代には、このような内部表現をつくる方法をだれも知らなかったことだ。

１９８０年代に、ネットワークモデルで知的活動を実現する可能性を信じていたのはジェフリーと私だけではなかった。世界中の多くの科学者たちが私たちと同じ信念をもち、その多くは孤立しながらも必死の努力を続け、それぞれ独自のネットワークモデルの開発を進めていた。たとえば、クリストフ・フォン・デア・マルスブルク（Christoph von der Malsburg）は、発火してスパイクを生じる人工ニューロンを結合することで、パターン認識を行うモデルを開発した。(1) のちにこの手法によって画像のなかの顔認識が可能になることが示された。(2) また、NHK放送科学研究所の福島邦彦は、ネオコグニトロン(3)を発明している。これは、視覚系のアーキテクチャーに基づく多層ネットワークモデルで、畳み込みフィルターと単純な形のヘッブ型シナプス可塑性が用いられており、ディープラーニングネットワークのまさに先駆けだった。三人目は、テウヴォ・コホネンだ。ヘルシンキ大学の電気工学者であり、類似する入力を集めて二次元マップ上での分類を学習する自己組織化ネットワークを開発した。たとえば音声信号であれば、マップ上の異なる処理ユニットが異なる音声を表し、似たような音声で活性化されるユニットが近い領域に配置される[4]。このコホネン・ネットワーク・モデルの大きな利点は、入力に対する分類ラベル（正解）を用意する必要がないことだ（教師ありネットワークを訓練するためのラベルづくりは手間がかかる）。コホネンが武器とした手法はこれ一つなのだが、それはとにかく素晴らしいものだった。

確率論的ネットワークを体系化する初期の有望な試みとして、カリフォルニア大学ロサンゼルス校（UCLA）のジューディア・パールが提唱した「信念ネットワーク（belief network）」がある。これは、ネットワークのユニットの連結に確率（たとえば、芝がぬれているのはスプリンクラーの水のためか、雨が降ったためかといった確率）を用いるというものだ[5]。パールのネットワークモデルは、世界の因果関係を追うための強力なフレームワークだったが、必要となる確率を手作業で割り当てるのは現実的ではなかった。学習アルゴリズムで自動的に確率を見つけるためのブレイクスルーが必要だった（第2部で議論する）。

ここに挙げたものもそうでないものも、ネットワークベースのモデルにはいずれも致命的な欠陥があった。実世界の問題を解決できるほど有効に機能したものはなかったのだ。さらに、これらを構築した先駆者たちは共同研究をすることがまずなかったため、研究の進展がさらに困難となっていた。結果として、ＭＩＴやスタンフォード大学、カーネギーメロン大学の主導的なＡＩ研究センターでは、ニューラルネットワークが使い物になると考える人はほとんどいなかった。そして、ルールベースの記号処理に予算のほとんどが流れ、そのテーマの仕事ばかりが生まれることとなった。

初期のパイオニアたち

１９７９年に、ジェフリー・ヒントンとブラウン大学の心理学者のジェームス・アンダーソンは、カリフォルニア州ラホヤで連想記憶の並列モデルに関するワークショッ

図4.2　1974年、カリフォルニアでハイキングするトマソ・ポッジオとデイヴィッド・マー、フランシス・クリック（左から順に）。クリックは訪問者たちとさまざまな科学的な問題について長時間議論するのが好きだった。（画像はルシア・バイナの厚意による。）

プを開催した。[6] ほとんどの参加者は初対面だった。当時私はハーバード大学医学部で神経生物学の博士研究員をしており、ニューラルネットワークに関するかなり技術的な論文があまり有名でない雑誌に数本載っていただけだったので、ワークショップに招待されたのには驚いた。後になってジェフリーから、彼とデイヴィッド・マー（図4・2の中央）とで私のことをしっかり調べたのだと聞かされた。マーは、ニューラルネットワークのモデル構築において突出した研究者であり、MIT人工知能研究所を代表する先駆的な人物だった。マーと初めて会ったのは、１９７６年にワイオミング州のジャクソンホールで開催された小さなワークショップだった。私たちは同じことに興味をもっており、ＭＩＴで発表をするようマーから招かれた。

マーはケンブリッジ大学で数学の学士号と生理学の博士号を取得した。彼の博士論文の指導教官のジャイルズ・ブリンドリーは、網膜と色覚を専門とする生理学者であるが、音楽理論や、勃起不全の治療での業績でもよく知られている。ネバダ州ラスベガスで行われたアメリカ泌尿器学会での講演中に、化学物質で引き起こした勃起の有効性を実演するためにズボンを下げてみせたことでも有名だ。マーの博士論文のテーマは、小脳における学習のニューラルネットワークモデルだった。小脳は、脳のなかでも速い運動の制御に関わる部分である。マーはまた、海馬と大脳皮質のニューラルネットワークモデルも構築しており、その内容の濃い論文は先見性に富むものであった(7)。

私がジャクソンホールで初めてマーと出会ったとき、彼はすでにＭＩＴに移っており、視覚の研究に取り組んでいた。そのカリスマ性から、才能のある学生が彼のもとに集まり研究を進めていた。マーはボトムアップの戦略に従い、まず光が電気信号へと変換される網膜から取り組みを始め、網膜のなかの信号がどのように物体の特徴を符号化し、視覚野がどのように物体の表面や境界を表現しているのかを追及していた。彼とトマソ・ポッジオ（図4・2の左）は、立体視のためのフィードバック構造をもつ再帰型のニューラルネットワークモデルを巧みに構築した。このモデルは、ランダムドット・ステレオグラムに対して、それぞれの眼に入る多数の点の画像を少しずつ横方向にずらすことで、物体の奥行きを検知することができた。[8] 両眼による奥行きの知覚は、『マジック・アイ（Magic Eye）』で絵が飛び出して見える仕組みの基本にある。[9]

マーは白血病によって1980年に35歳で亡くなったが、その2年後に、生前彼が取り組んでいた書籍『ビジョン』が出版された。[10] マーは視覚を研究するにあたり、網膜から始めて、それに続く視覚処理の各段階のモデル化へと進むというボトムアップのアプローチを取っていたのだが、皮肉にも彼の本は、まず解決すべき問題の計算理論的解析から始めて、解決のためのアルゴリズムの構築へと続き、最後にそのアルゴリズムの脳のハードウェアでの実装を考えるトップダウンの戦略を推奨することで知られている。だがこれは、解明された後の物事を説明するのにはいい方法かもしれないが、脳のなかで何が起きているのかを発見するためには、あまりいい方法ではない。難題は、最初の段階にある。つまり、どんな問題を脳が解いているのかを決定することだ。人間の直感のなかでも、とりわけ視覚に基づく直感は、私たちを欺くことがよくある。私たちは見るということに非常に長けているのだが、脳はその詳細をすべて隠してしまっている。結果として、純粋なトップダウン方式には欠陥があるが、純粋なボトムアップ方式にもやはり欠陥がある。（後の章で、アルゴリズムを学びながら、視覚の仕組みの徹底的な理解に向けてどれくらい進歩しているかを確認する予定だ。）

ラホヤで行われたヒントンとアンダーソンのワークショップには、フランシス・クリック（図４・２の右）も参加していた。１９５３年に、ケンブリッジ大学で、ジェームス・ワトソンとともにＤＮＡの構造を解明した人物だ。それから数十年後の１９７７年に、クリックはラホヤにあるソーク生物学研究所へと移り、研究テーマを神経科学へとシフトした。クリックは、研究者たちを招いては、神経科学、特に視覚に関するさまざまなトピックについて、長い議論を交わしていた。デイヴィッド・マーはそのうちの一人だった。マーの本の最後には、ソクラテスの対話のような形での議論が書かれている。のちに知ったのだが、これはマーとクリックの議論に基づいているそうだ。私は1989年にソーク研究所に移ったのだが、やはり私も、クリックとの対話の貴重さを理解するようになった。

ジョージ・ブールと機械学習

独学で教師となり、五人の娘をもち、そのうちの何人かは数学好きに育ったイギリス人男性が、1854年に、ある本を書いた。そのタイトルは『思考法則の研究（*An Investigation of the Laws of Thought*）』であり、現在では「ブール論理」と呼ばれる数学の基礎となる本だ。論理表現の操作に関するジョージ・ブールの洞察は、デジタルコンピューティングの心臓部であり、当然ながら、1950年代の誕生直後の人工知能の研究の出発点でもある。ジェフリー・ヒントンは、実はブールの玄孫《やしゃご》、つまり孫の孫であり、ブールが使い、一族が受け継いできたペンをもっていることを誇りに思っている。

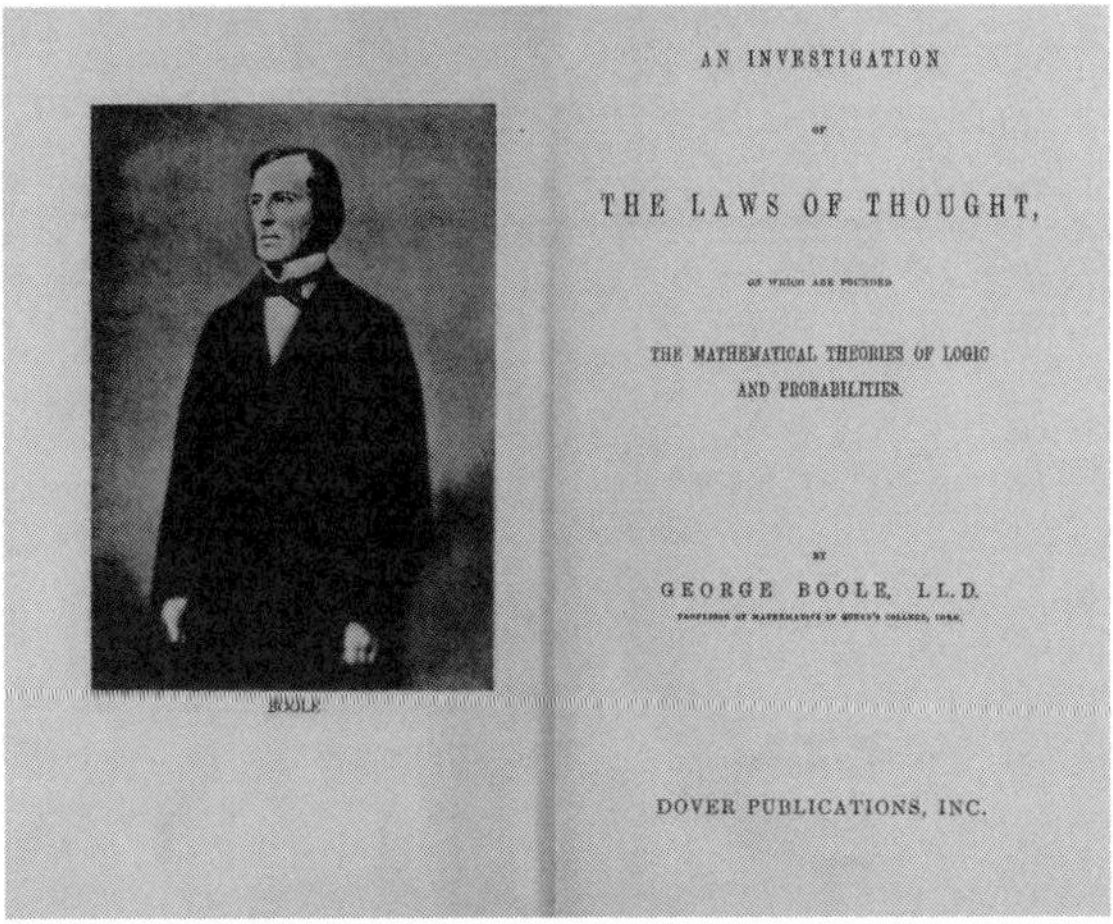

図4.3　ジョージ・ブール著『思考法則の研究』は、思考の基礎として論理学を探求したことで有名だが、確率についての本でもあることを知ってほしい。この二つの数学分野は、人工知能へのアプローチである記号処理と機械学習のそれぞれに影響を与えている。副題には「論理と確率の数学的な理論の基礎となる思考の法則の研究」とある。

私はある講演を準備していて、ブールの有名な本のフルタイトルが『論理と確率の数学的な理論の基礎となる思考法則の研究（*An Investigation of the Laws of Thought, on which are founded the Mathematical Theories of Logic and Probabilities*）』であることを知った（図４・３）。論理に関する洞察でよく知られる本ではあるが、実は、確率理論についても多くのことが書かれている。確率理論は現代の機械学習の核心部にあり、現実世界の不確実性について、論理よりもずっとうまく説明できる理論だ。つまり、ブールもまた、機械学習の祖の一人なのだ。彼の思想の忘れられた部分が、250年ののちに彼自身の玄孫の手によって花開くとは、何という巡り合わせだろうか。ブールもまた、玄孫のことを誇りに思っているに違いない。

「ハンプティ・ダンプティ」プロジェクト

プリンストン大学の物理学科の大学院生だった私は、脳を理解するという問題にアプローチするために、非線形相互作用をもつニューロンのネットワークの式を書き下ろし、それを解析するという方法をとっていた。(11) 物理学者が何世紀にもわたり、数学を使って重力や光、電気、磁気、原子力の性質を理解しようとしたのと同じ方針だ。毎晩寝る前に、私はこう祈ったものだ。「神様お願いです。どうか方程式を線形に、ノイズをガウス分布に、変数を分離可能にしてくださいい」。これらは解析的に解けるための条件だ。しかし、ニューラルネットワークの方程式は非線形であり、それに関係するノイズはガウス分布ではなく、変数は分離不可能であることがわかった。つまり、解析解をもたないのだ。しかも、当時はコンピューターで大規模なネットワークをシミュレーションするには絶望的なほどの時間がかかった。さらに困ったことに、自分が扱っている方程式が正しいのかどうかさえ見当がつかなかった。

プリンストンで授業を受けているときに、神経科学の分野で刺激的な進展があることを知った（神経科学は今から45年ほど前にできたばかりの比較的若い科学分野だ）。それ以前は、脳の研究はさまざまな分野で行われていた。生物学、心理学、解剖学、生理学、薬理学、神経学、精神医学、生物工学などである。１９７１年に開催された北米神経科学学会の第１回大会では、ヴァーノン・マウントキャッスルが入口で参加者全員を出迎えていた。[12]

今では、会員数は４万人を超え、年次大会には３万人が姿を見せる。この伝説的な神経生理学者、大脳皮質のカラム構造の発見者であり、別格の個性の持ち主だったマウントキャッスルに、私はジョンズ・ホプキンズ大学で出会った。１９８２年に私が同大学の生物物理学科で初めての職を得たときのことだった。[13] 私は彼と密接に協力して、マインド/ブレイン・インスティテュート（Mind/Brain Institute）の計画にあたった。この種の研究機関としては世界初のものであり、1994年に設立されている。脳の研究には多種多様なレベルがあり（図4・4）、それぞれで重要な発見がなされている。そのすべての知識を統合することは気が遠くなるほど大変な問題だ。これは、ハンプティ・ダンプティの童謡を思い起こさせる。

ハンプティ・ダンプティ　へいにすわった
ハンプティ・ダンプティ　ころがりおちた
おうさまのおうまをみんな　あつめても
おうさまのけらいをみんな　あつめても
ハンプティを　もとにはもどせない

（『マザー・グースのうた』谷川俊太郎訳・講談社文庫より）

脳研究の多様なレベル

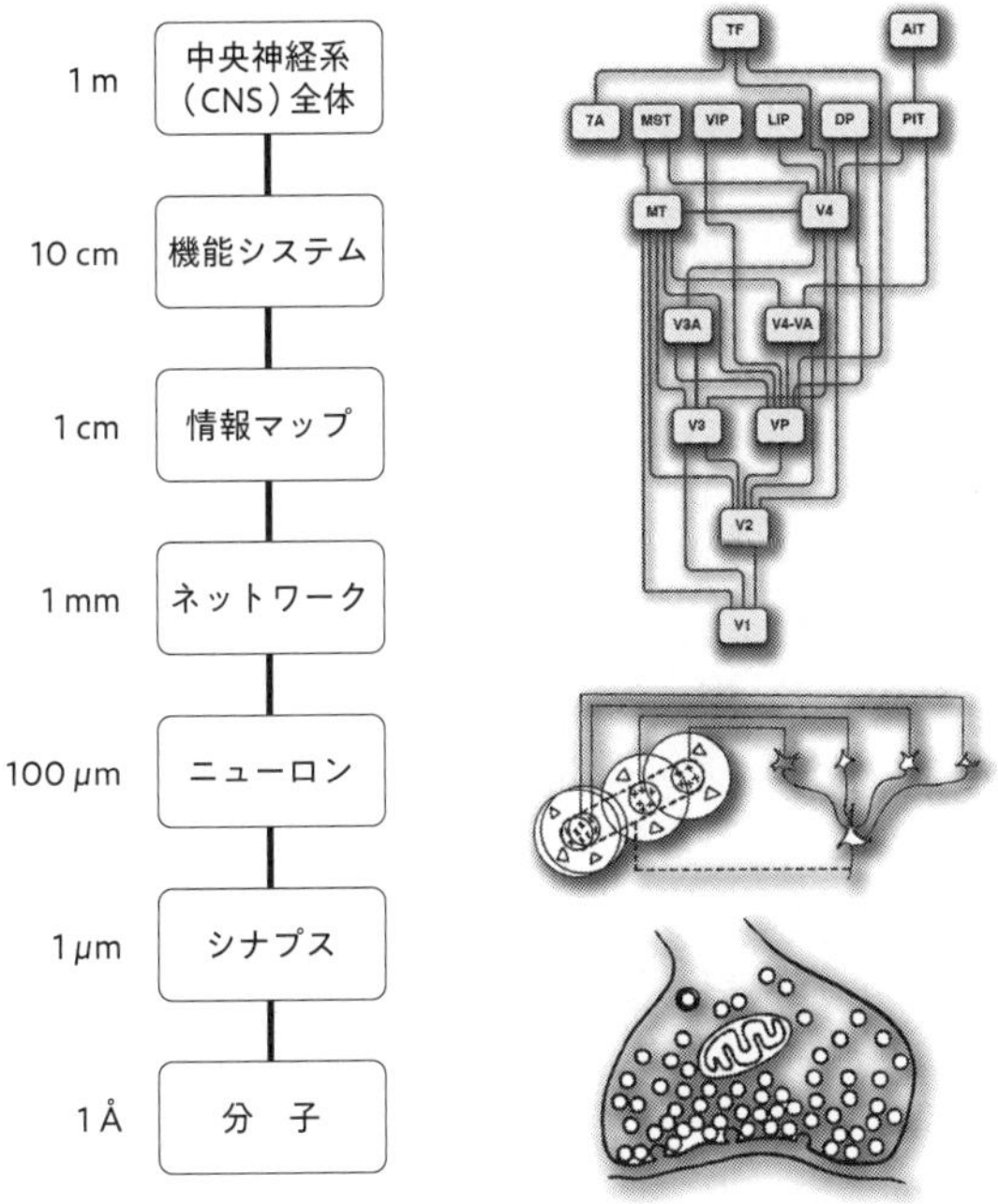

図4.4　脳における研究のさまざまなレベル。（左）空間スケールは、一番下の分子レベルから中央神経系（CNS）全体まで幅がある。それぞれのレベルで多くのことがわかっているのだが、最もよくわかっていないのが密に結合したニューロンの複数の小さなグループからなるネットワークのレベルであり、これは人工ニューラルネットワークによってモデル化されるレベルである。（右下）シナプスの抽象図、（右中）視覚野の単純型細胞、（右上）視覚野の皮質領域の階層構造。

出典：P. S. Churchland, and T. J. Sejnowski, "*Perspectives on Cognitive Neuroscience,*" *Science*, 242 (1988): 741–745, figure 1

脳神経学者は脳を分解することは非常にうまくできるかもしれないが、ばらばらの断片をつなげることはより難しい問題を引き起こす。ただ位置を元に戻すのではなく、全体的な統合が必要なのであり、それが私のやりたいことなのだ。だが、まずは、各部分が何であるかを知る必要があるし、脳にはたくさんの部分がある。

プリンストン大学でサルの視覚系を研究していた心理学者のチャールズ・グロスの大学院向けセミナーで、私はハーバード大学医学部のデイヴィッド・ヒューベルとトルステン・ウィーセルが、視覚野の個々のニューロンからの信号を記録した研究を知り、その進展に感銘を受けた。物理学が脳の機能を理解するための王道でないのならば、神経科学にその可能性があるのかもしれない。ヒューベルとウィーセルは、一次視覚野における先駆的研究によって、1981年にノーベル生理学・医学賞を受賞した。(二人の発見については第5章で議論する。第9章の主題であるディープラーニングの基礎となった。)

ウッズホールで学んだこと

私は、1978年にプリンストン大学で物理学の博士号を取得した後、ウッズホール海洋生物学研究所で開催された実験神経生物学に関する10週間の集中サマーコースに参加した。コースの初日に到着したときの私の服装は、カジュアルな青いジャケットと、きちんとアイロンのかかったカーキ色のズボンだったが、コースの講師だったストーリー・ランディスは私を連れ出し、私に初めてのジーンズを買ってくれた。当時、ストーリーはハーバード大学の神経生物学科の教員で、その後、国立衛生研究所（NIH）の国立神経疾患・脳卒中研究所（NINDS）所長となっている。彼女というと、今でもこの出来事を思い出す。

サマーコースの後も、始めたプロジェクトをまとめるために9月の数週間はそこに残った。サメやエイ（ガンギエイを含む）は非常に弱い電場でも感知できる。大西洋の幅ほどもの距離を1・5ボルト電池1個でつないだ程度の微弱な電位差を感知できるのだ。この第六感を使って、ガンギエイは進行方向を決める。地磁気のなかで体を動かすと微弱な電気信号が発生し、自身の電気受容器でこのマイクロボルトの電気信号を感知することで方向がわかるのだ。私のプロジェクトでは、電子顕微鏡を使って、ガンギエイの電気受容器の素晴らしい高倍率の画像を撮影している[14]。

ウッズホールのローブ・ホール（Loeb Hall）の地下で写真を撮影していたとき、ハーバード大学医学部の神経生物学科を創設したスティーブン・クフラーから、思いがけない電話があった。クフラーは神経科学の伝説的人物だった。彼の研究室で博士研究員として一緒に働かないかと誘われたことで、私の人生は変わった。ボストンに引っ越す前に、短期間だが、アラン・ゲルペリンのところで博士研究員をした。テーマは「マダラコウラナメクジ（Limax maximus）」の足神経節における代謝活動をマッピングすることだった[15]。私は今後もずっと、カタツムリを食べるときには、必ずその脳のことを考えてしまうだろう。アランは動物の行動の神経基盤を研究する神経行動学の流れを汲む研究者だ。この研究で私が学んだこととは、単純だと思われがちな無脊椎動物の神経系のほうが、進化のはしごでもっと高いところにいる生物種の神経系よりも複雑だということだった。無脊椎動物はずっと少ない数のニューロンで生き延びねばならないので、ニューロンのそれぞれが高度に特殊化している。また、「行動という視点がなければ、神経科学は何の意味もなさない」ということも学んだ。[16]

クフラーの研究室では、ウシガエルの交感神経節細胞（図４・５）のシナプスの、極めて遅い興奮性応答についての研究を行った。同じニューロンのほかのシナプスの１ミリ秒という早い応答に比べると、６万倍も遅く応答するのだ。[17] これらの神経節には分泌腺と内臓を制御する、自律神経系に出力を送るニューロンが含まれている。シナプスにつながる神経を刺激してから、このニューロンへのシナプス入力がピークに達するまでの間に、席を立ってコーヒーポットのコーヒーを注いで来ることもできた。シナプス入力がピークに達するまでに約１分間、もとの状態に戻るまでに10分間もかかるのだ。シナプスは脳の基本的な計算要素であり、シナプスの種類の多様性がそれに役立っているのだ。この研究によって、複雑な仕組みを調べ上げることが脳の機能を理解するための王道ではないのかもしれないと考えるようになった。脳を理解するには、自然がどうやって、はるか昔から進化を通してさまざまな問題を解決し、進化のはしごを上がるたびにその解決策を種から種へと渡してきたのかを理解しなければならないのだ。私たち

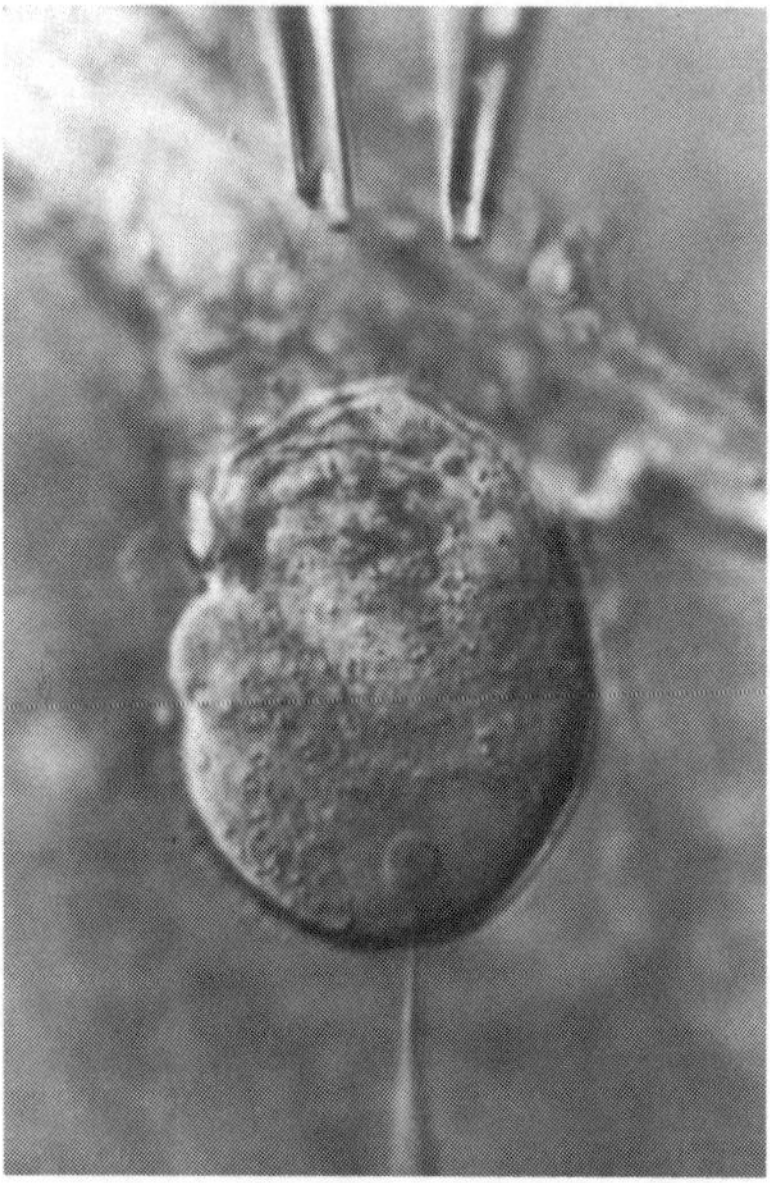

図4.5　ウシガエルの交感神経節細胞。これらの細胞はニューロンであり、脊髄からの入力を受け、ウシガエルの皮膚にある分泌腺を刺激する。サイズが大きく、電気信号を微小電極（画像の下部）で記録するのが容易。樹状突起はなく、神経（上部の背景）または化学物質（上部に見える二つのマイクロピペット）によって電気的に刺激できる。この神経への刺激により誘発されるシナプス信号には3種類ある。一つ目は、速いミリ秒の興奮性応答で、神経筋接合部での反応に似ている。二つ目は、より遅い興奮性応答で、10秒以内にピークを迎え、1分間続く。そして三つ目が、さらに遅い興奮性応答で、1分でピークを迎え、10分間続く。これは、最も単純なニューロンでさえも、広範囲の時間スケールをもっていることを示している。

出典：S. W. Kuffler, and T. J. Sejnowski, "*Peptidergic and Muscarinic Excitation at Amphibian Sympathetic Synapses*," Journal of Physiology 341 (1983): 257–278, plate I.

の脳にはイオンチャネルがあるが、これはもともとは何十億年も前に細菌で進化した機構である。

ミッシングリンク

だが、物理学では単純すぎ、生物学では複雑すぎるとすれば、何を指針にすればよいのだろうか？　物理学での「力」とは違って、脳の回路には目的がある。この世界で生き残るために、たとえば見たり動き回ったりするための計算上の問題を解くという目的だ。一つのニューロンの機能を表す完璧な物理的モデルでさえも、その目的はわからない。ニューロンの働きとは情報を伝える信号処理であり、計算の理論こそが、自然を理解しようとする際のミッシングリンクなのだ。私はこの40年間、この目標を目指して突き進み、「計算神経科学」という新分野を開拓してきたのだ。

ジェフリー・ヒントンは、カリフォルニア大学サンディエゴ校で博士研究員として働いたのち、イギリスに戻り、ケンブリッジにある医学研究協議会（ＭＲＣ）の応用心理学ユニットで研究職についた。1981年のある日の午前2時に、彼に電話がかかってきた。チャールズ・スミスと名乗るその男は、カリフォルニア州パルアルトにあったシステム開発財団(System Development Foundation)の所長だった[18]。スミスによると、彼の財団は、見込みはあるがリスクが高く、成功が難しそうな研究に資金提供をしたいと考えており、ジェフリーが強く推薦されたのだという。ジェフリーは、こんな話が本当にあるのかと信じられなかった。そして、素晴らしい友人である彼は、自分の研究よりもさらに成功しなさそうな研究がありますよと、私の研究のこともスミスに伝えてくれたのだった。

この財団の話は本当で、私たちは初めての助成金を得ることができ、研究は大幅にスピードアップした。おかげで、より高速のコンピューターを購入し、共同研究をする学生を雇えるようになったのだ。ジェフリーは、ピッツバーグのカーネギーメロン大学に移るときにアップルⅡを買い換えて、素敵なＬｉｓｐマシン[19]を手に入れた。私はというと、ボルチモアのジョンズ・ホプキンズ大学に移ったときに手に入れたコンピューターの処理能力は、一時はコンピューター科学科のすべてのコンピューターの合計より

図4.6　1980年にボストンで視覚のネットワークモデルについて議論するテレンス・セイノフスキーとジェフリー・ヒントン。ジェフリーと私がラホヤで開催された「連想記憶の並列モデル」ワークショップで出会ってから1年後の写真である。さらにこの1年後に、私はボルチモアのジョンズ・ホプキンズ大学で研究室をもつようになり、ジェフリーはピッツバーグのカーネギーメロン大学で研究グループを立ち上げた。（画像はジェフリー・ヒントンの厚意による。）

も高いものだった。[20] また、ジョンズ・ホプキンズ大学からＡＲＰＡＮＥＴ（インターネットの元祖）に接続する初めてのモデムも購入できたので、ジェフリーと電子メールで連絡し合うことができた。これ以上は望めないほどの環境で、自分たちのキャリアを新しい方向へと進めることができたのだ（図４・６）。さらに、幸運なことに、フランク・ローゼンブラットやほかの多くのニューラルネットワーク研究者を支援した海軍研究局から、長年にわたって助成金を得ることもできた。

第5章

視覚系からの知見

幼稚園に入る前の私の最初の記憶の一つは、ジグソーパズルのピースを見わたして、形や色や模様をヒントにピースを当てはめるというものだ。私の両親は、まだ幼い息子がジグソーパズルをすぐに完成させられるのをパーティーで披露しては、友達を驚かせていたものだ。当時はわかっていなかったが、私の脳は、脳が最も得意とする、パターン認識での問題解決を行っていた。科学には、ピースが足りなくて、そこに潜んでいる図を知るためのヒントも曖昧なパズルのような問題がたくさんある。そして、脳がどうやって問題を解くのかということこそが、究極のパズルなのだ。

ヘルムホルツ・クラブ(Helmholtz Club)は、南カリフォルニアの、視覚の研究者たちがつくる小さなグループで、カリフォルニア大学のサンディエゴ校、ロサンゼルス校とアーバイン校、カリフォルニア工科大学、南カリフォルニア大学などからの参加者が、月に一度、アーバイン校で午後に集まっていた[1]。ヘルマン・フォン・ヘルムホルツとは19世紀の物理学者であり医師でもあった。ヘルムホルツが実験的手法により発展させた視覚の数学理論は、現代の視覚の基礎となっている。ヘルムホルツ・クラブに外部から人を呼んで、15~20人ほどの会員やゲストの前で講演をしてもらうのは、幹事である私の役割になっていた。外部の人の講演に次いで、会員による講演が行われた。講演といっても対話を含むもので、十分な時間をかけて深い議論がなされた。外から来た講演者で活発な質疑に驚いてこう言った人もいる。「みなさん、本当に答えを知りたいんですね」。出席者全員にとって、このクラブは最も高い知性が集まる場所であり、毎月の例会は、視覚に関して学ぶ最高の場となっていた。(2)

視覚は、人間の感覚のなかで最も鋭く、また、最も研究されてきた。正面についた二つの目による、精緻な奥行き知覚の仕組みをもち、大脳皮質の半分は視覚に関係している。「百聞は一見に如かず（Seeing is believing）」という諺に、視覚が特別な地位にあることが現れている。皮肉にも、私たちの視覚が非常によくできていることが、自然が何億年もかけて進化させて解決してきた、視覚の問題の途方もない計算論的な複雑さを、見えにくくしている（第2章でも指摘した通り）。この視覚野の構造こそが、今日大きな成功を収めたディープラーニングネットワークの着想を与えたのだ。

視覚野にある１００億個のニューロンが同時に協同して働くことで、散らかった場所にあるコップでも10分の１秒ほどで見つけることができる。そのコップをこれまでに見たことがなかったとしても、また、コップがどんな場所にあって、どんな大きさで、私たちから見てどの方向を向いていても見つけられるのだ。プリンストン大学の大学院生だった頃、視覚に魅了された私は、夏の間、チャールズ・グロスの研究室で働いた。彼はサルの下側頭皮質を研究しており（図5・1）、その部分のニューロンは複雑な物体、たとえば顔や、有名になった話としてはトイレ用ブラシなどに反応していることを発見している(3)。

ハーバード大学医学部の神経生物学科では、スティーブン・クフラーと共同研究を行った。クフラーは、網膜内の神経節細胞がどのように情景を符号化するかを発見しており、1980年に亡くなっていなければ、この網膜に関する発見によって、デイヴィッド・ヒューベルとトルステン・ウィーセルとともに1981年にノーベル生理学・医学賞を受賞していただろう。私は1989年にソーク研究所に移ってからは、フランシス・クリックと研究を行った。クリックは1977年に研究テーマを分子遺伝学から神経科学へとシフトしており、視覚における意識と神経活動の関連を発見することに没頭していた。このような、時代を代表する最高の視覚科学者たちとともに働け

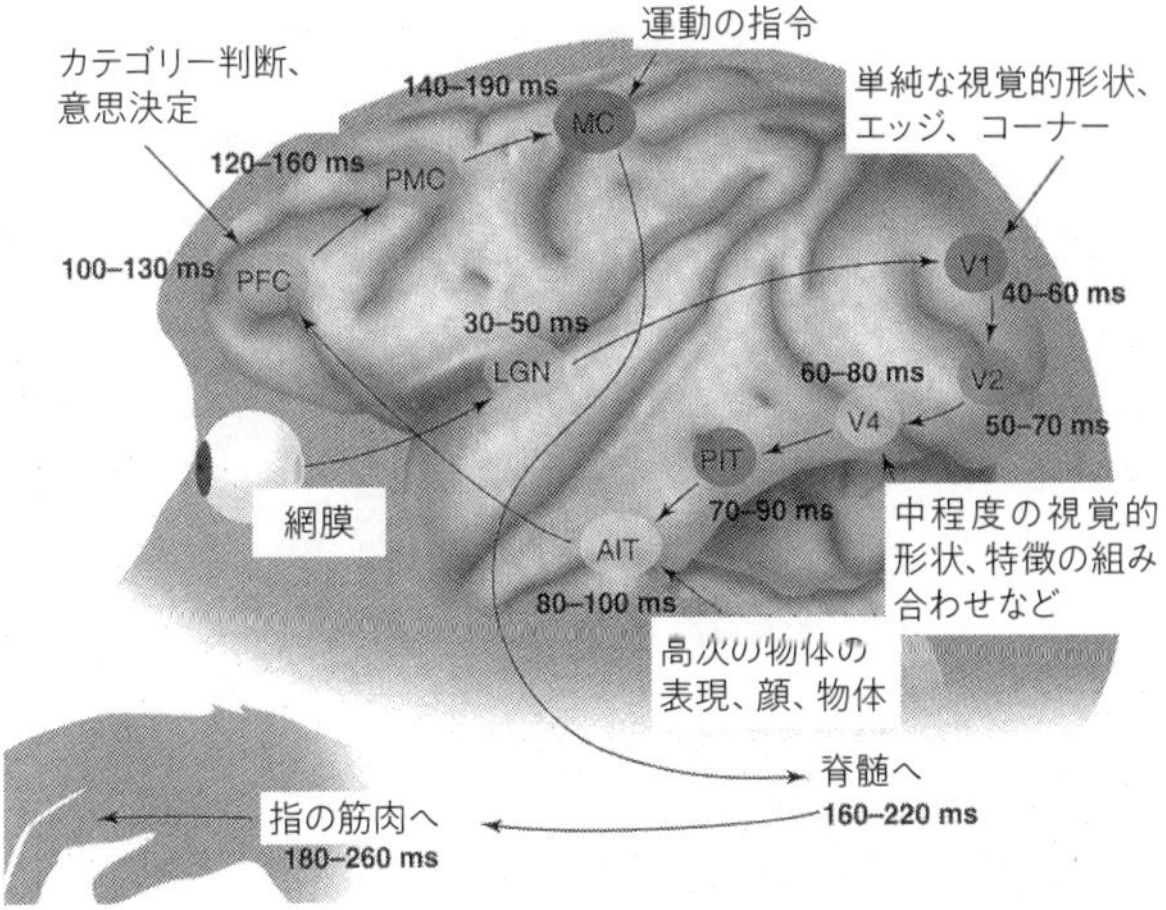

図5.1　マカクザルの視覚系における情報の流れの概略図。矢印は網膜で始まる視覚野の間の投射路を表している。視覚処理の各段階へと視覚情報が到着するごとに、ミリ秒単位の遅れが生じる。マカクザルの視覚は人間の視覚と似ており、視覚処理の各段階は共通している。LGN：外側膝状体（がいそくしつじょうたい）、V1：一次視覚野、V2：二次視覚野（V2野）、V4：四次視覚野（V4野）、AITとPIT：下側頭皮質前部と後部、PFC：前頭前野、PMC：運動前野、MC：運動野。

出典：S. J. Thorpe and M. Fabre-Thorpe, "*Seeking Categories in the Brain*," Science 291, no. 5502 (2001): 261.

たことは、私にとって名誉なことである。

ボトムアップでの視覚

ある画像によって生起された信号を脳内で追跡すると、処理の段階を移るたびに、その信号が繰り返し変換されることがわかる(図5・1)。視覚は網膜から始まる。網膜では光受容細胞によって光が電気信号に変換される。網膜のニューロンは2層になっており、そこで時間的・空間的に視覚信号が処理されて、最後に神経節細胞に入る。この神経節細胞は長く伸びて視神経となっている。

スティーブン・クフラー(図5・2の左)が1953年に行った古典ともいえる実験の結果は、どの哺乳動物にも当てはまる。クフラーは、生きた猫の網膜の出力ニューロンの信号を記録した。一点の光を当ててニューロンに刺激を与え、発火する様子を記録するのだ。彼の報告によると、出力ニューロンには、ある領域の中心に光を当てたときに反応するものと、消したときに反応するものがあった。しかし、中心の周りの同心円

図5.2　（左から順に）スティーブン・クフラー、トルステン・ウィーセル、デイヴィッド・ヒューベル。ハーバード大学医学部の神経生物学科は1966年に設立された。写真はその初期の頃に撮られたものだ。私はこの三人が平日に研究室でネクタイをしていたのを見たことがないので、何か特別な機会だったのに違いない。（画像はハーバード大学医学部の厚意による。）

の範囲内に光が当たるようにすると、その反応は逆転した。つまり、ON中心OFF周辺型と、OFF中心ON周辺型があるのだ（図5・3）。光のパターンに対する神経節細胞の反応は、「受容野」特性と呼ばれる。

本当はニューロン間のシナプスの性質に強い科学的関心をもつクフラーに、なぜ網膜を研究しているのかと訊ねたことが

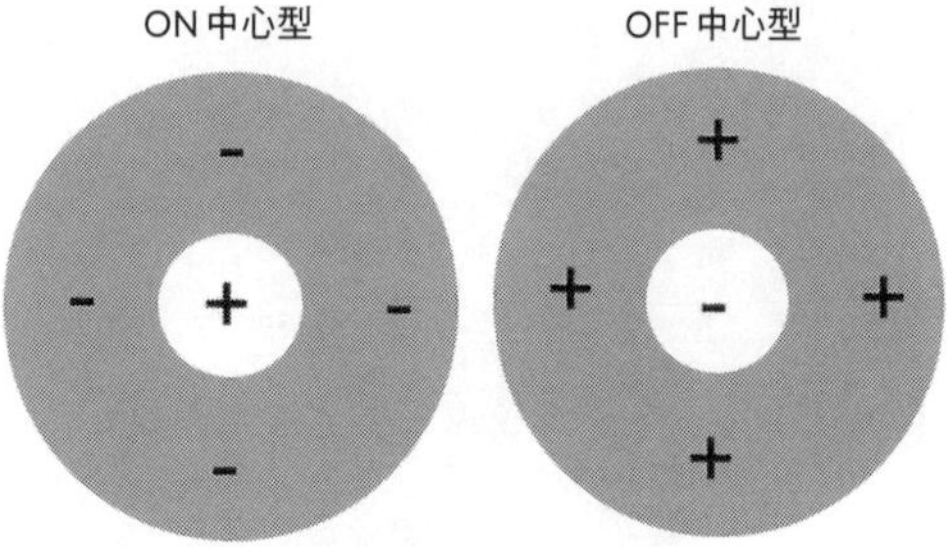

図5.3　網膜にある神経節細胞の反応特性。網膜から符号化した信号が脳に送られるので、人はものを見ることができるのだが、図の二つのドーナツ型は、この網膜にある2種類の神経節細胞の反応を表現したものだ。左のON中心型は、中心細胞に光が入ったとき（＋）と、周辺部に当たっていた光が消えたとき（－）に応答してスパイクを生じる。OFF中心細胞で起きることはその逆で、中心部に当たっていた光が消えたとき（－）と、周辺部に光が入ったとき（＋）にスパイクを生じる。明るさの変化は、刺激や物体の周りの明暗の境界の動きについての重要な情報を与えてくれる。これらの特性は、1953年にスティーブン・クフラーによって発見された。

ある。彼の答えは、ジョンズ・ホプキンズ大学の自分の研究室はウィルマー眼科研究所に属しているので、目の研究をしないと罪悪感を覚えるからだというものだった。網膜にある単体の神経節細胞に対する先駆的な研究をしたクフラーは、研究室の博士研究員だったデイヴィッド・ヒューベルとトルステン・ウィーセル（図5・2の右と中央）にプロジェクトを譲り、脳内の信号を追うようにとアドバイスした。１９６６年、クフラーと二人の博士研究員はハーバード大学医学部に移り、神経生物学科をスタートさせた。

大脳皮質のなかの視覚

ヒューベルとウィーセルは、皮質ニューロンが、一点の光よりも、ある方向の棒状の光や明暗の境界線によく反応することを発見した。入力信号は皮質内の回路によって変形される。彼らは細胞を大きく二つに分けた。一つは、神経節細胞のようにＯＮとＯＦＦの領域をもつ単純型細胞（図５・４）で、もう一つが、向きをもつ刺激を受容野のどこに与えても同じような反応を示す、複雑型細胞である（図５・５）。

視覚皮質のそれぞれのニューロンは、視覚的特徴検出器だと考えることができる。視野の特定の部分でそれぞれの特徴についてある閾値以上の入力を受けたときだけ、活動状態になるのだ。各ニューロンが反応する特徴は、ほかのニューロンとの連結の状態によって決まる。哺乳動物の新皮質は機能が特化した六つの層に分かれている。ヒューベ

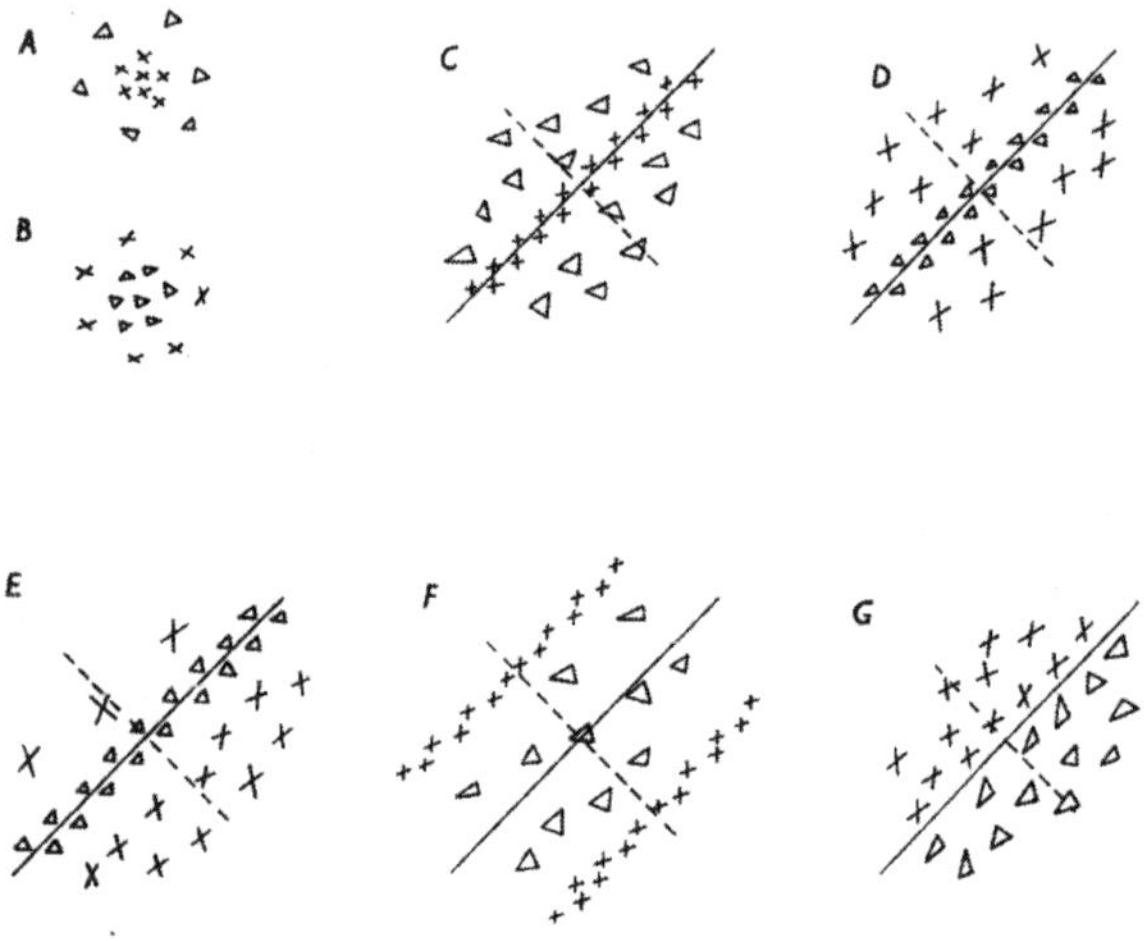

図5.4 脳の一次視覚野における単純型細胞の受容野。これは単純型細胞を発見したヒューベルとウィーセルの1962年の論文で使用された図だ。×印は、視野において、一点の光がON反応する場所を示しており、三角形はOFF反応する場所を示している。

(A) 網膜内のON中心型細胞（**図5.3**の左図に対応）。(B) 網膜内のOFF中心型細胞（**図5.3**の右図に対応）。(C～G) さまざまな一次視覚野の単純型細胞の受容野。いずれも、網膜の受容野と比べると引き伸ばされた形になっており、ON領域とOFF領域がより複雑な配置をしている。

出典：D. H. Hubel and T. N. Wiesel, "*Receptive Fields, Binocular Interaction and Functional Architecture in the Cat's Visual Cortex*," Journal of Physiology 160, no. 1 (1962): 106–154.2, figure 2.

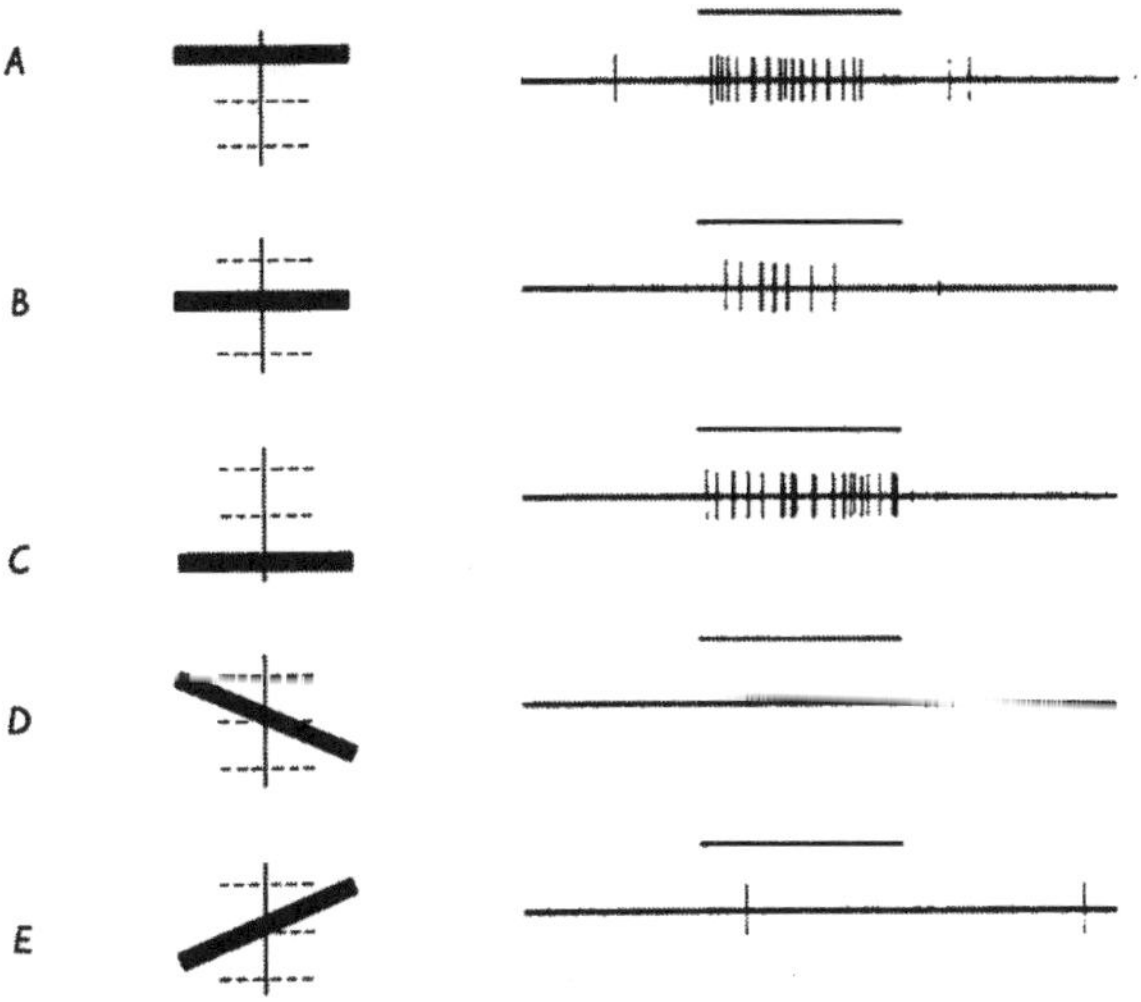

図5.5　猫の一次視覚野にある複雑型細胞の反応。この図は複雑型細胞を発見したヒューベルとウィーセルの1962年の論文のものである。黒色の細長い棒が、複雑型細胞の受容野（破線）内のどこに置かれても、向きさえ正しければ、一連のスパイクが誘起される（上の三つ）。向きが最適でない場合には、反応が弱いか、まったく起きない（下の二つ）。

出典：D. H. Hubel and T. N. Wiesel, "*Receptive Fields, Binocular Interaction and Functional Architecture in the Cat's Visual Cortex*," Journal of Physiology 160, no. 1 (1962): 106–154.2, figure 7.

ルとウィーセルは以下のことも発見した。皮質の中央の層（第4層）には「右目からの入力のコラム」と「左目からの入力のコラム」という2種類の列が交互に並んでおり、両眼からの入力は視床で中継されてその第4層へと入る。そして、第4層の単眼に対応するニューロンから、上層（第2、3層）のニューロンへと投射され、それらは両眼の入力を受けることになる。さらにそこから上層のほかの皮質野に投射され、また、下層（第5、6層）にも投射されてさらに皮質下へと投射される。一つのコラムのなかのすべての細胞は、どの向きに応答するかと（方位選択性）、左右どちらの目が優位か（眼優位性）が同じであり、皮質の上でなめらかに変化している。

シナプス可塑性

猫の片方の目を生後数カ月間、閉じたままにすると、通常は両方の目からの入力に応答する皮質ニューロンが、開いていたほうの目の入力にしか応答しなくなる[4]。片目からの刺激が遮断されたことで、最初に同じニューロンが両方の目からの入力を受け取る場所である一次視覚野で、シナプスの強度の変化が引き起こされたのだ。一次視覚野の皮質可塑性の臨界期を過ぎると、閉ざされた目が皮質ニューロンに影響を与えることはできなくなり、「弱視（amblyopia）」と呼ばれる状態になる。裸眼での視線のずれである「斜視」は、赤ちゃんでは普通に起こることだが、そのままにしておくと両眼性の皮質ニューロンが大幅に減り、両眼立体視が不可能になってしまう[5]。だが、臨界期を超えない適切な時期に目の向きを揃える手術を受ければ、両眼性ニューロンを救うことができる。

片目の遮断は、発達の初期段階で生じる高度の可塑性の一例である。発達の初期段階では、環境によって、皮質のなかのニューロンと脳のほかの部分をつなぐシナプスの結合が形づくられる。こういった活性依存性の変化は、すべての細胞で常に起きている新陳代謝に加えて起こっている。私たちの脳にあるニューロンのほとんどは、出生時と同じものだが[6]、ニューロンとそれをつなげるシナプスのほとんどすべての構成要素は、日々入れ替わっている。傷んだタンパク質は取り替えられ、膜の脂質も新しくなるのだ。非常にダイナミックな入れ替わりがあることを考えると、どうやって私たちの記憶が一生にわたって維持されているのかという謎が生じる。
記憶が長続きしているらしい理由を説明できそうな説が一つある。記憶は私たちの体の傷跡のようなもので、人生における過去の出来事のマーカーとして生き残っているという説だ。これらのマーカーを探すべき場所は、常に入れ替わりが生じているニューロンのなかではなく、ニューロンの間の空間だという。そこにある細胞間質は、傷口に生じるコラーゲンに似たプロテオグリカンという物質でできており、何年も持ちこたえられる強靭な性質を備えている。[7] もしもこの推測が正しいと証明されたなら、私たちの長期記憶は脳の「外骨格」に埋め込まれていて、私たちは間違った場所を探し続けてきたことになる。[8]
シナプスに含まれる何百種類もの特有なタンパク質が、神経伝達物質の放出と、それを受け取る側のニューロンにある受容体の活動を制御している。ほとんどの場合、シナプスの強さは選択的に増加したり減少させたりすることができ、その振れ幅は広く、皮質の場合は100倍ほどの違いが出る(脳で発見されているシナプスの学習アルゴリズムの例は、後の章で議論する)。さらに注目すべきことに、皮質では新たなシナプスが常に形成され、古いシナプスが除去されており、体内で最も変化の激しい細胞小器官といえる。脳のなかにはおよそ１００種類のシナプスが存在する。グルタミン酸は皮質で最も一般的な興奮性の神経伝達物質であり、別のアミノ酸、γ-アミノ酪酸（ＧＡＢＡ）が、最も一般的な抑制性の神経伝達物質である。これらの神経伝達性物質がほかのニューロンに電気化学的な影響を及ぼす時間スケールも広い幅がある。たとえば、第４章で登場したウシガエルの交感神経節細胞のシナプスは、ミリ秒から分まで時間スケールに幅があった。

陰影からの形状の認識

コンピューター・ビジョンと生物の視覚の融合を研究テーマとしているスティーブン・ザッカー（図５・６）は、私が彼と出会った30年以上前からずっと、視覚の機能を説明する本を書こうとしている。問題は、スティーブンが視覚に関する新しい発見をし続けていることだ。これは、ロレンス・スターンの小説の主人公、トリストラム・シャ

図5.6　イェール大学のスティーブン・ザッカー。この写真では右上から照らされている。セーターのさまざまな影から、しわの形を認知することができる。後ろの黒板に書かれた数式は、サルの視覚野に触発されたものだが、どうやって私たちが、光源がどこであっても、見たものが同じ形状だと認知するのかを説明している。（写真はスティーブン・ザッカーの厚意による。）

ンディが書く本の完成が、シャンディが新たな発見をするほどに、どんどん先に延びてしまうのにも似ている。視覚に関するスティーブンのアプローチは、一次視覚野（図5・7）が、極めて規則的な構造をもっていることに基づいている（皮質のほかのどの部分も、これほど規則的な構造はしていない）。一次視覚野では、ニューロンがほとんどモザイクのような配置で整理されていて、幾何学的に解釈してくれと言わんばかりなのだ。コンピューター・ビジョンの

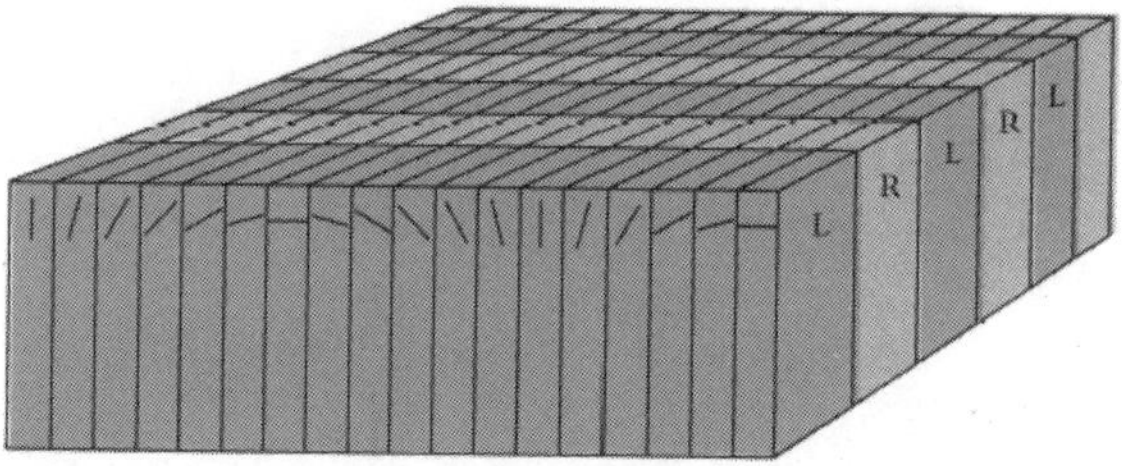

図5.7　一次視覚野におけるニューロンのコラム（柱）のアイスキューブモデル。皮質表面に対して垂直に貫かれたコラムがあり、一つのコラムのなかのすべてのニューロンは、応答する向き（方位選択性）と、左右どちらの目が優位か（眼優位性）が同じである。皮質の約１平方ミリメートルには、少しずつ異なる方位と（キューブの前面）、左右の目からの入力（キューブの側面）を受けるコラムの完全な組が揃っている。

出典：D. Hubel, *Eye, Brain and Vision* (New York: W. H. Freeman and Company, 1988), 131.

研究者の多くは、物体を背景から切り出して、その物体を特定する特徴を探すことで物体認識を行おうとする。

だが、スティーブンはもっと野心的で、人間が表面の陰影や折り目やしわなどの特徴から物体の形を抽出する方法を理解したいと考えた。北米神経科学学会の２００６年の大会では、船の帆のような建物（図５・８）を設計した建築家、フランク・ゲーリーへのインタビューが行われ、建物を設計するためにどこからアイデア

図5.8　スペインのビルバオ・グッゲンハイム美術館。フランク・ゲーリーが設計した。カーブする表面の陰影や反射が、形状と動きの強い印象を与えている。歩道の人々の小ささから、この建築物の巨大さがわかる。

を得ているのかという質問がされた[9]。

ゲーリーは、くしゃくしゃにした紙の形を見るとインスピレーションが得られるのだと答えた。だが、人間の視覚系は、どうやって表面の複雑な折り目や陰影のパターンをつなぎ合わせて、くしゃくしゃにした紙の複雑な形を認識できるのだろうか。そして、ビルバオ・グッゲンハイム美術館の表面の変化に富んだ形状をどうやって認識しているのだろうか(図5・8)。

スティーブン・ザッカーは、最近、陰影のある画像から人がどのように起伏を見るのかを、山の等高線地図のような三

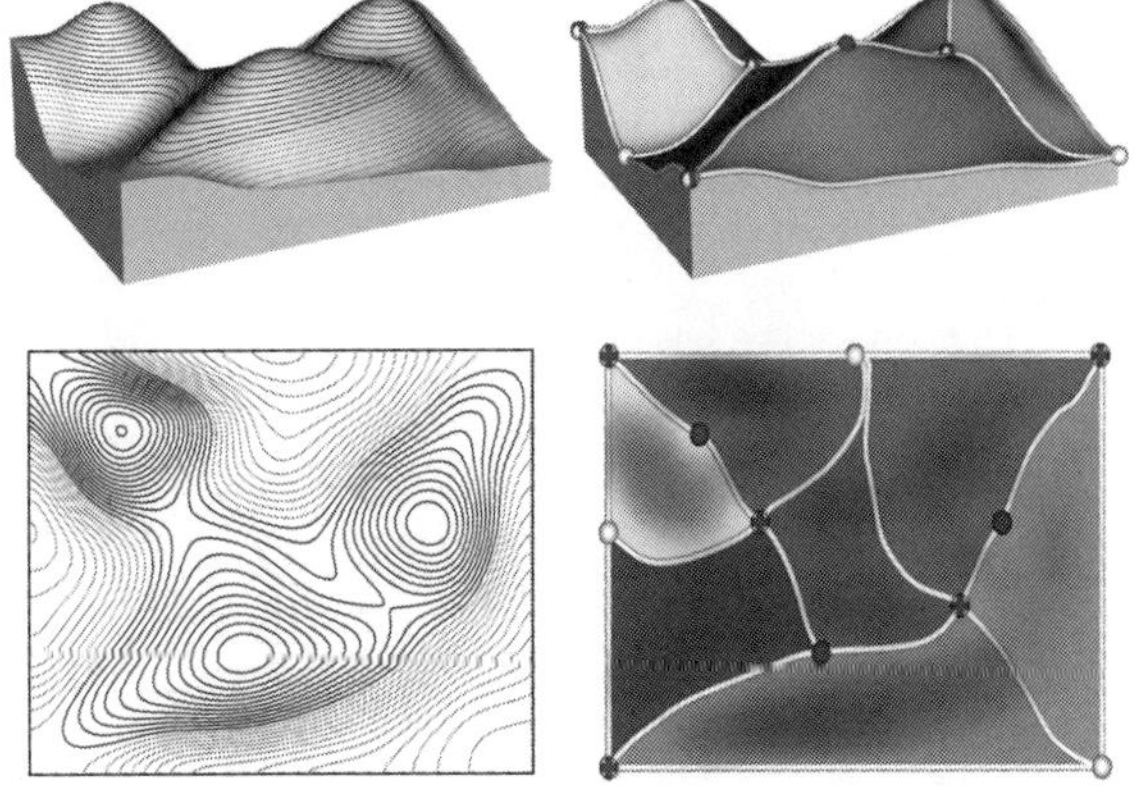

図5.9　ある表面の等高線（左上）と、同じ表面の画像の等光線（右上；光の強度が等しい部分の輪郭線）を比較している。等高線図（左下）の極大、極小を与える点をつなぐ線は、等光線と一致する（右下）。

出典：Kunsberg and Zucker, *"Critical Contours: An Invariant Linking Image Flow with Salient Surface Organization,"* figure 5, (2017): arXiv:1705.07329（画像はA・G・ジュラッシー博士の厚意による。）

次元表面の等高線と、画像内の明るさが等しい点をつなげたなど〝光〟線との密接な関係に基づいて説明することに成功した[10]（図5・9）。この関係は、表面の幾何学的構造から導かれる[11]。これによって、なぜ人間が、照明や物体表面の特徴とはほとんど無関係に、形状を認識できるのかが説明される。また、私たちが、等高線が明確に描かれた等高線地図を読むのに長けている理由や、漫画で輪郭線の内側に描かれた数本の特別な線だけで物体の形状を理解できる理由も説明できる。

1988年、シドニー・リーキーと私は、陰影のある画像から表面の凹凸を計算するように、隠れユニット層が一つのニューラルネットワークを訓練することができるかどうかを試した。[12] それはうまくいったのだが、驚いたことに、隠れ層のユニットは単純型細胞のように応答を示した。しかし、さらに詳しく調べると、すべての「単純型細胞」が同じというわけではなかった。ある学習アルゴリズム（第8章で議論する）を使って凹凸を計算するように訓練したときの出力層への写像の様子を見ると、正（凸）であるか、負（凹、図5・10）であるかを判定するために、隠れ層のユニットのいくつかが使われていたのだ。ある種の単純型細胞と同様に、これらのユニットは特徴検出器になっていた。それらの活動は、非常に低いか高いかという、二峰性の分布を示す傾向が見られた。それとは対照的に、隠れ層のほかのユニットは、連続的な応答を示し、凹凸の方向と大きさを出力ユニットに伝えるフィルターとして機能していた。

この結論は驚くべきものだった。ニューロンの機能は、それが入力にどのように反応

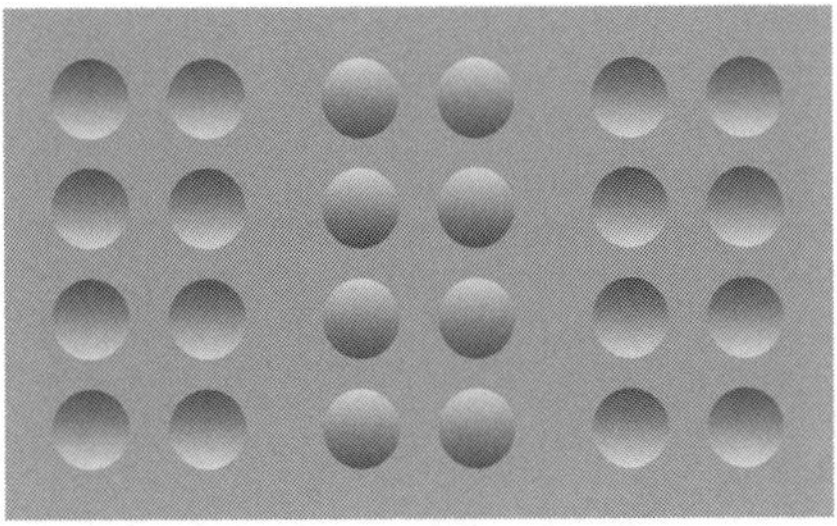

図5.10　陰影から認識される表面の凹凸。人間の視覚系は、輪郭線の内側で徐々に変化する明るさから、物体の形を抽出することができる。陰影の向きと、光の向きをどう想定するかによって（たいていは上から光が当たると想定する）、卵が並んでいるようにも、空の卵ケースのようにも見えるだろう。この本を上下逆さまにすれば、卵とケースが逆になることが確認できる。

出典：V. S. Ramachandran, “*Perception of Shape from Shading*,” Nature 331, no. 6152 (1988), figure 2.

するかだけではなく、それが活発化させる下流のニューロン、つまり「投射野」によっても決まるのだ。最近まで、ニューロンの出力は、入力よりも確認するのがずっと難しかったのだが、新しい遺伝的・解剖学的技術によって、軸索からの下流への投射を非常に正確に追うことができるようになった。また、光遺伝学の新技術によって、特定のニューロンを選択的に刺激して、認知と行動への影響を調べることもできるようになっている[13]。とはいえ、私たちの小さなネットワークでは、膨らみやへこみの曲がり具合を特定できただけである。心理学の文献で「ゲシュタルト」と呼ばれる、全体として組織化された認知が、皮質においてどのように構成されるのか、まだわかっていない。

１９８４年、スティーブン・ザッカーと私は、かつてデンバーにあったステープルトン国際空港で足止めされたことがある。搭乗予定の便が吹雪で遅れたのだ。しかし、計算神経科学という、まだ始まったばかりの学問に興奮していた私たちは、待ち時間のうちに、理論系と実験系の研究者が集合するようなワークショップを立ち上げることを思いつき、ウッズホールで開催することまで決めてしまった。ウッズホールは、かつて私が神経生物学のサマーコースに参加し、その後も幾夏かをスティーブン・クフラーとともに生理学実験をして過ごした海洋生物学研究所がある場所だ。ケープコッドにある海沿いの美しい村であり、ボストンからそれほど遠くない。それから長年にわたり、視覚の研究をリードする研究者の多くがこの毎年のワークショップに参加してくれており、私にとってとても楽しみな科学イベントの一つとなっている。このワークショップから生まれたものとして、視覚野の計算理論がある。だが、この理論が認められるまでには、さらに30年という年月が必要だったのだ。（第9章では、最も成功したディープラーニングネットワークのアーキテクチャーが、驚くほど視覚野のアーキテクチャーと似ていることを見ていこう。）

皮質の視覚マップの階層構造

ジョン・カースとジョン・オールマンは、ウィスコンシン大学の神経生理学部にいた1970年代初めに、一次視覚野からの入力を受ける皮質の領域を調べて、領域ごとに異なる性質をもつことを発見した。たとえば、彼らは、「中側頭皮質」または「MT」と呼ばれる領域にある視覚野の地図を発見した。その領域のニューロンは、特定の方向へと動く視覚刺激に反応した。オールマンから、学部長だったクリントン・ウールジーにこの発見を認めてもらうのが大変だったと聞いたことがある。それ以前の実験では、ウールジーは精度の低い記録方法を使っていたために、カースとオールマンがのちに、より精密な記録方法を使って発見した一次視覚野以外の視覚領野を見逃していたのだ。[14]

さらに最近の研究では、サルの視覚野で、20から30の視覚領域が発見されている。

1991年、カリフォルニア工科大学にいたデイヴィッド・ヴァン・エッセンは、皮質の視覚野ごとに入力と出力を注意深く洗い出し、階層的ダイアグラムとして配置した(図5・11)。皮質の複雑さを表すだけのためにに使われることもある彼のダイアグラムは、大都市の地下鉄の路線図のようである。長方形が駅で、それを結ぶ線が路線だ。ダイアグラムの一番下で、網膜神経節細胞(RGC)からの視覚入力が、一次視覚野(V1)に投射される。そこから、信号が階層の上部へと伝わっていく。各領域は、たとえば形態認知など、視覚のさまざまな側面に対応するよう特化している。階層最上部付近の右側にある、下側頭皮質前部と中部と後部(それぞれ

図5.11 サルの脳における視覚野の階層構造。網膜神経節細胞(RGC)からの視覚情報は、視床にある外側膝状体(LGN)に投射され、そこにある中継細胞から一次視覚野(V1)へと投射される。皮質野の階層は、海馬(HC)で終結する。このダイアグラムにある187本の結合のほぼすべてが双方向性をもつ。つまり、低次からのフィードフォワード結合と、高次からのフィードバック結合がある。

出典:D. J. Felleman and D. C. Van Essen, "*Distributed Hierarchical Processing in Primate Visual Cortex*," Cerebral Cortex 1, no. 1 (1991): 30, figure 4.

出典:フェルマンとヴァン・エッセン(1991年)

図 5.11

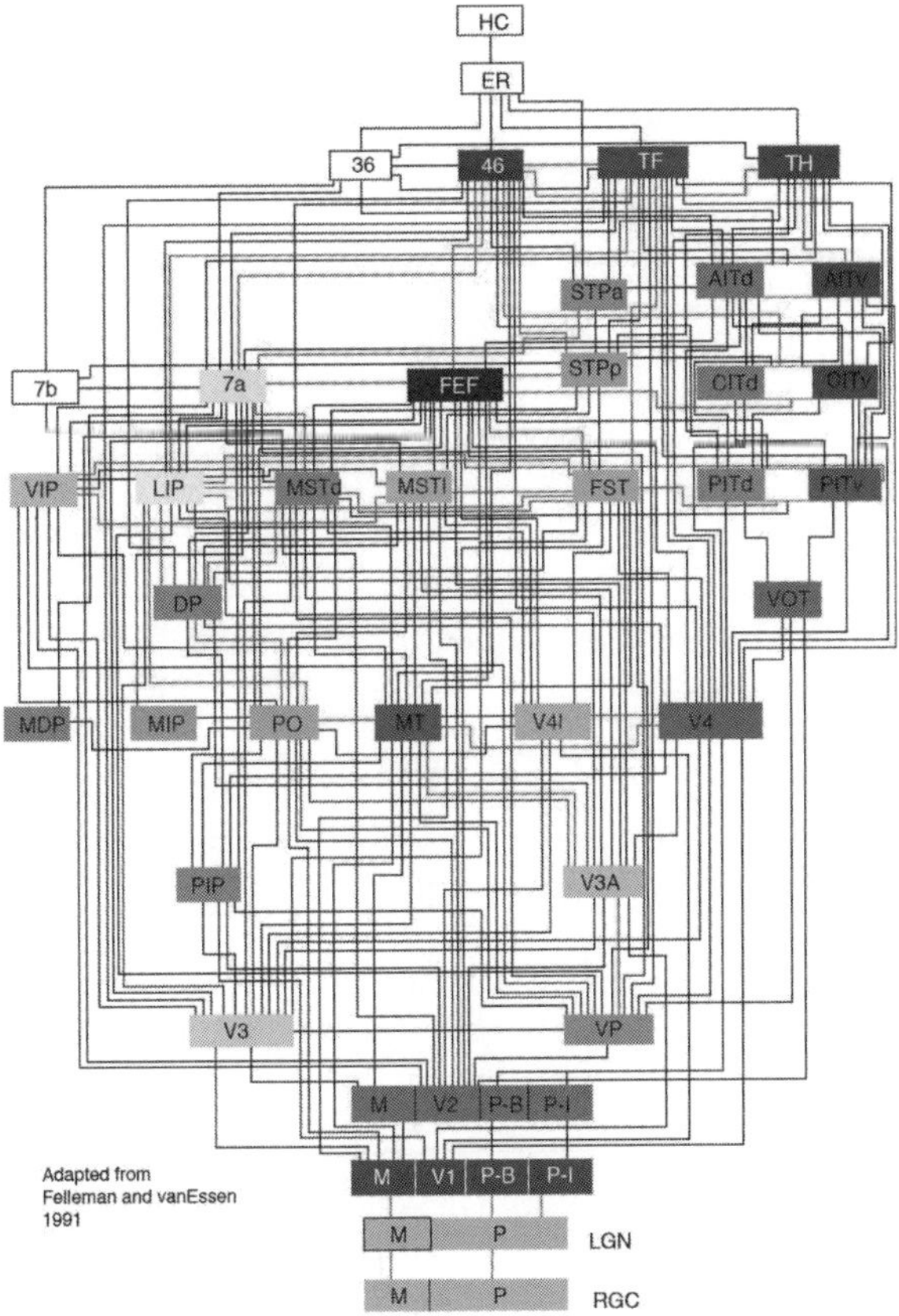

Adapted from
Felleman and vanEssen
1991

ＡＩＴ、ＣＩＴ、ＰＩＴ）のニューロンの受容野は、視野全体をカバーしており、顔などの物体の複雑な視覚刺激に対して選択的に反応する。ニューロンがどうやってそれを実現しているのかはわからないが、経験によって結合の強さが変わることで、ニューロンが新しい物体にどう反応するかを学習するということはわかっている。ヴァン・エッセンは、その後、セントルイスのワシントン大学に移り、国立衛生研究所（ＮＩＨ）が資金を提供するヒトコネクトームプロジェクトのリーダーの一人となった。[15] 彼の研究チームの目標は、磁気共鳴画像法（ＭＲＩ）に基づく画像技術[16]を用いて、人間の大脳皮質のすべての領野間の結合のマップをつくり上げることだ（図5・12）。

認知神経科学の誕生

1988年、私はマクドネル財団とピュー財団のある委員会のメンバーを務めていた。「認知神経科学」という新分野をどのように立ち上げるべきか[17]、著名な認知科学者と神経科学者から話を聞いて助言をもらうための委員会だった。委員たちは世界中を飛

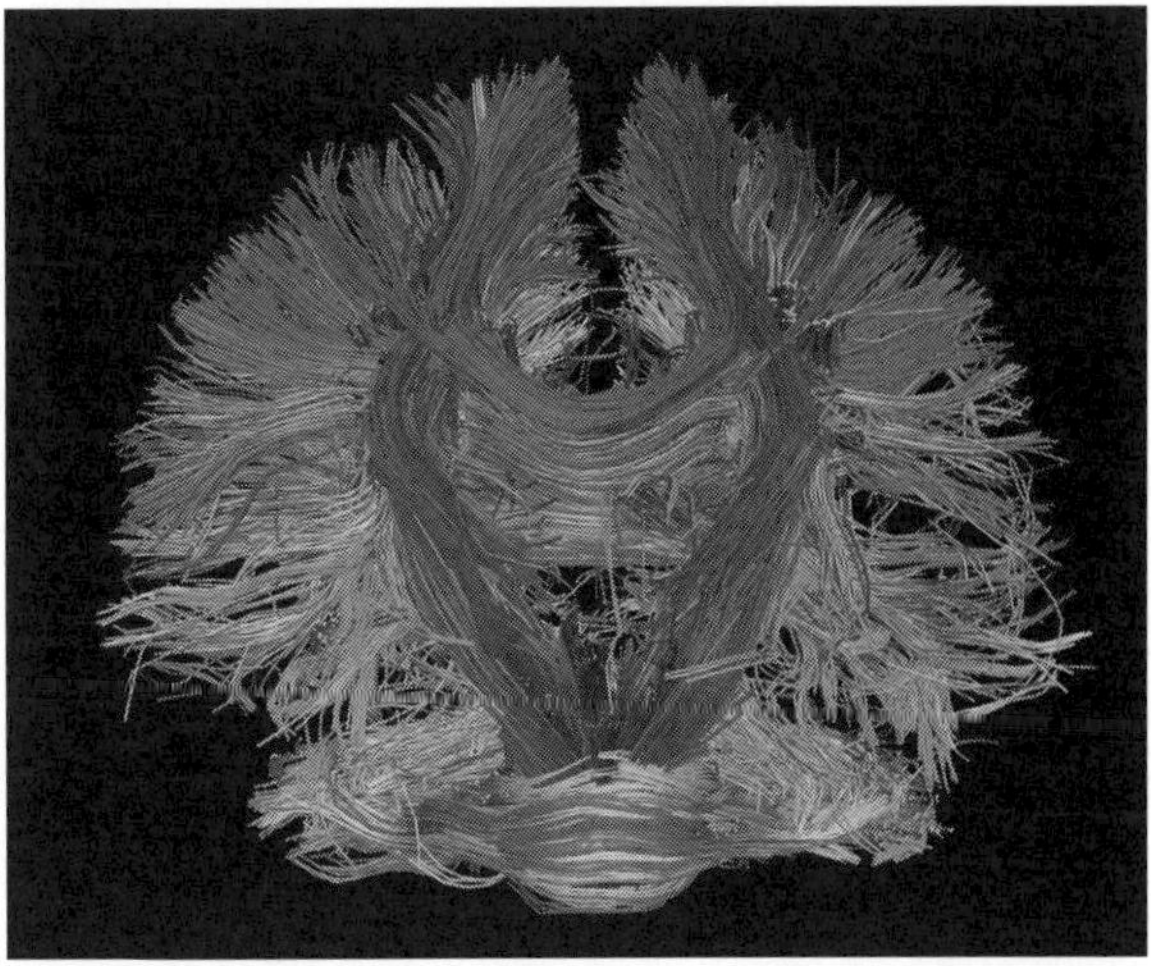

図5.12　ヒトコネクトーム。水分子の不均一な拡散を利用した磁気共鳴画像法（MRI）を使えば、組織を傷つけることなく、大脳皮質に含まれる白質のなかの長い神経線維を追うことができる。線維の色は、経路の方向を表している。

出典：ヒトコネクトームプロジェクト

び回り、専門家たちに会って、どの研究テーマが最も有望か、認知神経科学の新しい研究機関をどこに設置すべきかについて助言をもらった。8月のある暑い日の午後、ハーバード・ファカルティ・クラブ（Harvard Faculty Club）で、思考の言語の専門家であり、心のモジュール性を唱えるジェリー・フォーダーと会った。彼は最初から喧嘩腰で、こう言った。「認知神経科学など科学ではないし、これから科学になることもあり得ない」。自分は神経科学の視覚と記憶に関するあらゆる論文を読んでいるが、どれも自分が認めるレベルには達していないと言わんばかりだった。彼は「マクドネル財団は金をどぶに捨てている」とまで言ったが、財団の会長のジョン・ブルーアーは「あなたはマクドネル財団をどこぞのハンバーガー屋と間違えているのでは」と即座に切り返した。

フォーダーはそれにも動じず、心を、知的なコンピュータープログラムを走らせているモジュール性の記号処理システムだと見なすべき理由を説明し始めた。カリフォルニア大学サンディエゴ校の哲学者であるパトリシア・チャーチランドが、彼の理論は猫にも適用されるのかと訊ねると、彼は「適用される。猫は、猫のプログラムを走らせているのだ」と答えた。だが、NIHの神経科学者で視覚と記憶を研究しているモーティマー・ミシュキンが、フォーダー自身の研究室で何が発見されたのかを説明してくれと訊ねると、フォーダーは、言語について脳波の一種である事象関連電位を使った実験について、何かはっきりしないことを言ったが、私には理解できなかった。

ありがたいことに、その瞬間に消防訓練が始まって、私たちはぞろぞろと外に出た。中庭に立っていると、ミシュキンがフォーダーにこう言うのが聞こえた。「言う割にたいしたことのない結果だね」。消防訓練が終わったときには、フォーダーの姿は消えていた。

その後、認知神経科学は、重要な分野へと成長し、科学の多くの分野の研究者をひきつけている。たとえば、それまでは神経科学とはおそらくは直接の関連がなかったか、あってもごくわずかであった、社会心理学や経済学などが含まれる。これが可能になったのは、１９９０年代初めに、組織を傷つけずに脳の活動を視覚化できるいくつかの手法が導入されたためであり、特に、今では数ミリメートルという空間分解能をもつ機能的磁気共鳴画像法（ｆＭＲＩ）が挙げられる。ｆＭＲＩによる膨大なデータセットが、独立成分分析（第６章で議論する）といった、新しい計算手法で解析されている。

脳は酸素なしでは機能せず、血流はミリメートル以下のレベルで精密に調節されているので、ｆＭＲＩでは脳活動の代わりに血中酸素濃度依存（ＢＯＬＤ）信号を測定している。血液中の鉄分の酸化の度合いによって磁気的特性が変化し、ｆＭＲＩを用いることで組織を傷つけずにそれを観察できる。数秒という時間分解能で脳の活動を動画として得られるので、実験の間に脳のどの部分が活動しているかを記録できるのだ。fMRIは視覚的階層のさまざまな部位が情報を統合している時間スケールを調べるのにも使われている。

プリンストン大学のウリ・ハッソンは、fMRIの実験を行って、さまざまな長さの動画を処理するのに視覚的階層のどの部分が関係するかを調べた。[18] チャールズ・チャップリンの無声映画を、それぞれ4秒、12秒、36秒の長さに分割して並べ替えたものを被験者に見せた。被験者は4秒では場面を、12秒では一連の行動を、36秒では始まりと終わりのある物語を認識する。fMRIによる実験の結果、階層の一番下にある一次視覚野には、時間スケールによらず、強い確実な反応があった。しかし、より上の層では、明確な反応が引き起こされたのは長い時間スケールの場面のみで、最上層の前頭前野皮質の反応には最長の継続時間が必要だった。この結果は、作業記憶、つまり、電話番号や自分が行っている作業の要素のような情報を保持する能力もまた階層化されていて、前頭前野皮質が作業記憶の最長のタイムスケールをもつことを示すほかの実験結果とも一致している。

神経科学における最もエキサイティングな分野の一つである、脳における学習の研究は、分子から行動まで、さまざまなレベルで行われているのだ。

第2部

さまざまな学習方法

年表

1949年　ドナルド・ヘッブ、『行動の機構』を出版。シナプス可塑性に関するヘッブの法則が提唱された。

1982年　ジョン・ホップフィールド、論文「*Neural Networks and Physical Systems with Emergent Collective Computational Abilities*（創発的な集合的計算能力を伴うニューラルネットワークと物理系）」を発表、ホップフィールド・ネットワークを提唱した。

1985年　ジェフリー・ヒントンとテレンス・セイノフスキー、論文「*A Learning Algorithm for Boltzmann Machines*（ボルツマンマシンのための学習アルゴリズム）」を発表。多層ネットワークのための学習アルゴリズムは可能ではないという、マーヴィン・ミンスキーとシーモア・パパートの広く受け入れられていた説への反証となった。

1986年　デイヴィッド・ラメルハートとジェフリー・ヒントン、論文「*Learning Internal Representations by Error-Propagation*（誤差伝播による内部表現の学習）」にて、現在ディープラーニングで使われている「誤差逆伝播法（backprop、バックプロパゲーション）」という学習アルゴリズムを導入。

1988年
リチャード・サットン、論文「*Learning to Predict by the Methods of Temporal Differences*（時間差分法（TD法）による、予測のための学習）」を論文誌『*Machine Learning*（機械学習）』に発表。時間差分学習（TD学習）は現在、報酬学習を行うためにあらゆる脳に組み込まれているアルゴリズムだと考えられている。

1995年
アンソニー・ベルとテレンス・セイノフスキー、論文「*An Information-Maximization Approach to Blind Separation and Blind Deconvolution*（ブラインド分離とブラインド・デコンボリューションへの情報最大化アプローチ）」を発表、独立成分分析のための教師なしアルゴリズムを説明している。

2013年
ジェフリー・ヒントン、「NIPS 2012」の論文「*ImageNet Classification with Deep Convolutional Neural Networks*（深層畳み込みニューラルネットワークによるImageNetの分類）」で、画像中の物体を正しく分類するときのエラー率を26・2パーセントから15・3パーセントに下げる。

2017年
アルファ碁というディープラーニングネットワークのプログラムが、囲碁の世界王者、柯《カ》潔《ケツ》を打ち破る。

第6章

カクテルパーティー問題

混雑したカクテルパーティーでは、周囲の大勢の話し声が邪魔して、目の前にいる人の話を聞きとるのも一苦労だ。だが、耳が二つあることで正しい方向に聴覚を向けることができ、相手の話の聞こえなかった部分もこれまでの記憶から補完することができる。さて、カクテルパーティーが開かれている部屋に100人がいて、100本の無指向性マイクがあちこちに置かれているとしよう。どのマイクも全員の声を拾うが、マイクの位置に応じて、人ごとに音声の強さが異なる。では、それぞれの声を分離して、異なる出力として取り出せるようなアルゴリズムをつくることはできるだろうか。問題がさらに難しくなるが、音源がわかっていない場合、たとえば、音楽や拍手、自然音、さらにはランダムノイズも含まれるとすると、どうだろう。これが、「ブラインド信号源分離問題」(図6・1)と呼ばれる問題だ。

1986年4月13〜16日にユタ州スノーバードで開催された、「計算のためのニューラルネットワーク(Neural Networks for Computing)」をテーマにしたAIPカンファレンス(NIPSカンファレンスの前身)で、「Space or Time Adaptive Signal Processing by Neural Network Models(ニューラルネットワークモデルによる時間

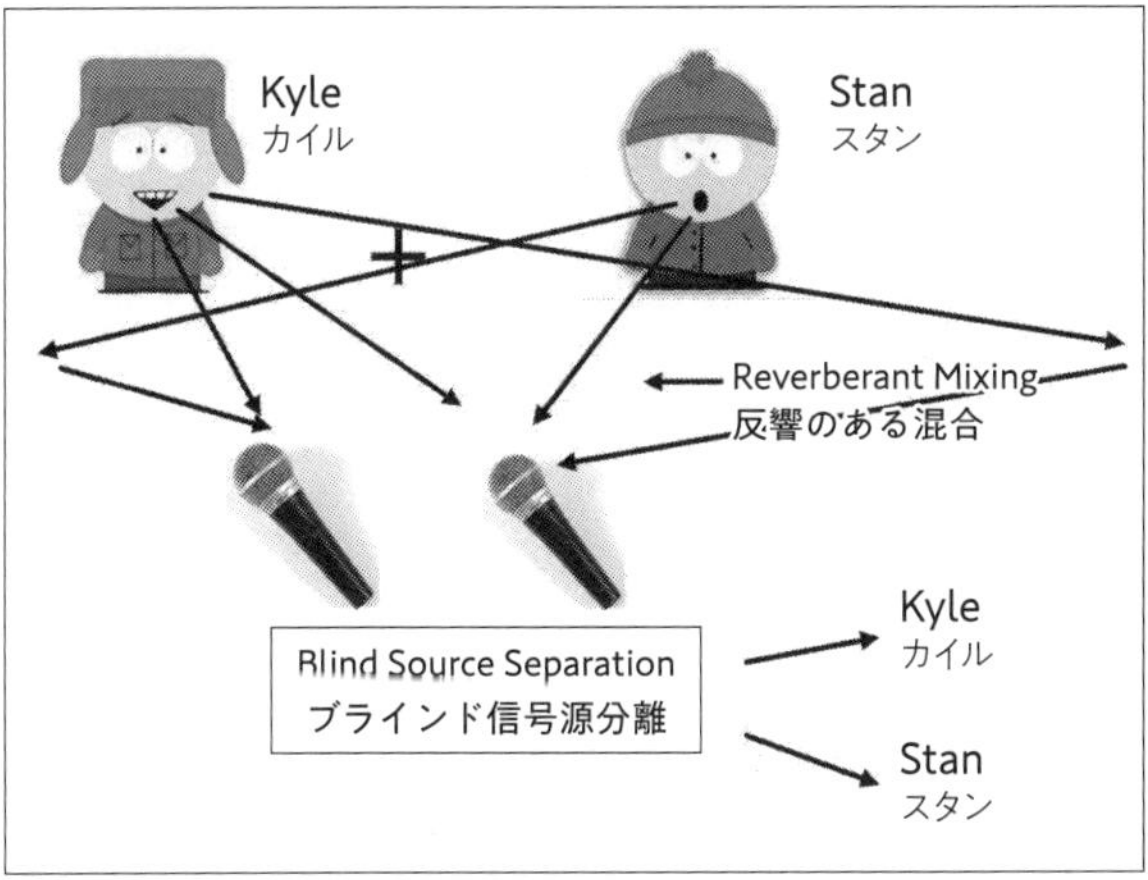

図6.1　ブラインド信号源分離。カイルとスタンが同時に話しており、その部屋には二つのマイクがある。それぞれのマイクは、話者からの信号と、部屋の壁を反射した信号を拾う。目的は、それぞれの特徴を知らなくても二人の声を、分離することだ。独立成分分析（ICA）とは、信号源について何も知らずにこの問題を解決するアルゴリズムである。

または空間適応信号処理）」と題するポスター発表があった。著者のジャニー・エローとクリスチャン・ジュタンは、さまざまな正弦波（単一の周波数をもつ波）が混合した未知の信号源を、ニューラルネットワークモデルに与えて分離する学習アルゴリズムを導入していた。彼らが指し示したのは、教師なし学習アルゴリズムの新たなクラスだった[1]。当時は、種類の異なる未知の信号を分離できるような一般的な解法があるかどうかわかっていなかったが、その10年後に、アンソニー・ベルと私は、一般的な問題を解決できるアルゴリズムを発見した[2]。

独立成分分析

パーセプトロンとは、ニューロンが一つのニューラルネットワークである。その次に最も単純な構造は、出力層に二つ以上のニューロンをもつネットワークだ。それぞれの入力ニューロンがそれぞれの出力ニューロンと接続しており、入力層でのパターンが変形されて、出力層でのパターンとなる。このネットワークは、入力を単に分類する以上のことができる。ブラインド信号源分離を実行するよう、学習できるのだ。

１９８６年にスイス連邦工科大学チューリッヒ校（ＥＴＨチューリッヒ）で夏期インターンとして働いていた学部生のアンソニー・ベル（図６・２）は、早い時期からニューラルネットワークに興味をもち、ニューラルネットワークの先駆的研究者たちの４回の

図6.2　独立した思考にふけるアンソニー・ベル。1995年頃、独立成分分析に取り組んでいた頃の写真。専門家は、問題の解の失敗の前例をたくさん知っているものだが、その問題を初めて見ただれかが新しいアプローチを思いついて解決してしまうことが往々にしてある。アンソニーと私が発見した、ブラインド信号源分離問題を解決する反復アルゴリズムは、今では工学系の教科書にも載り、実践的な応用例が何千もある。（写真はアンソニー・ベルの厚意による。）

講演を聞くため南のジュネーブ大学へと向かった。そして、ブリュッセル自由大学で博士号を取得したのち、１９９３年にラホヤに移って、博士研究員として私の研究室に加わった。

「一般情報量最大化学習則（general infomax learning principle）」によって、ネットワークにおける情報の流れは最大化される[3]。アンソニーは樹状突起での信号伝達に取り組んでいた。樹状突起とは脳の神経細胞が情報を集めるのに使う細長いケーブルで、そこには何千ものシナプスがついている。彼が直感的に考えていたのは樹状突起にあるイオンチャネルの密度を変えることで、樹状突起を通る情報を最大化できるはずだということだった。この問題を簡略化して（樹状突起を無視して）、アンソニーと私が発見したのが、情報理論的な新しい学習アルゴリズムである「独立成分分析」（ＩＣＡ）であり、出力の情報量を最大化することによってブラインド信号源分離問題を解決したのである[4]（コラム６・１）。

以来、独立成分分析からは何千という応用例が生み出され、今では信号処理の教科書にも載っている[5]。屋外風景の自然画像のパッチ（断片）にこのＩＣＡを適用すると、ＩＣＡの独立成分は局所で特定の向きをもつエッジフィルターとなる（図６・３）。これは、猫やサルの視覚野にある単純型細胞のフィルターと似ている[6]（156ページ図５・４）。ＩＣＡを使えば、多くの信号源（独立成分）のうちごく一部を用いて、画像のパッチを再構成することができる。このような再構成は、数学的に「スパース」であるという[7]。

コラム 6.1
独立成分分析はどのように機能するか

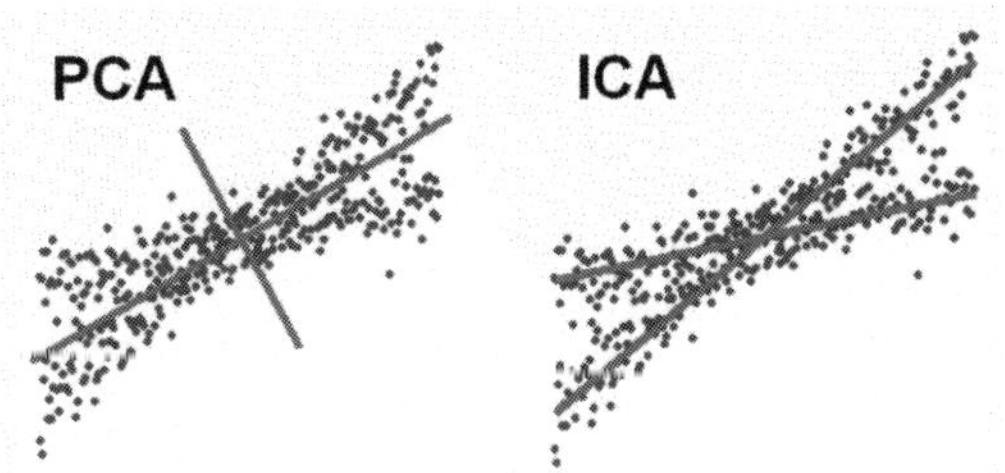

主成分分析（ＰＣＡ）と独立成分分析（ＩＣＡ）の比較。図６・１の二つのマイクからの出力を、それぞれ縦軸と横軸にプロットする。各点の座標は、ある時点でのそれぞれの値を示す。ＰＣＡはよく使われる教師なし学習の手法であり、二つの信号を混合して振幅が最大になる方向がまず選ばれ、この場合二つの信号の中間をとっている。また、ＰＣＡの軸は常に直行するように選ばれる。ＩＣＡの軸は点の方向に沿っており、信号が分離されたことを表している。また、軸は直行するとは限らない。

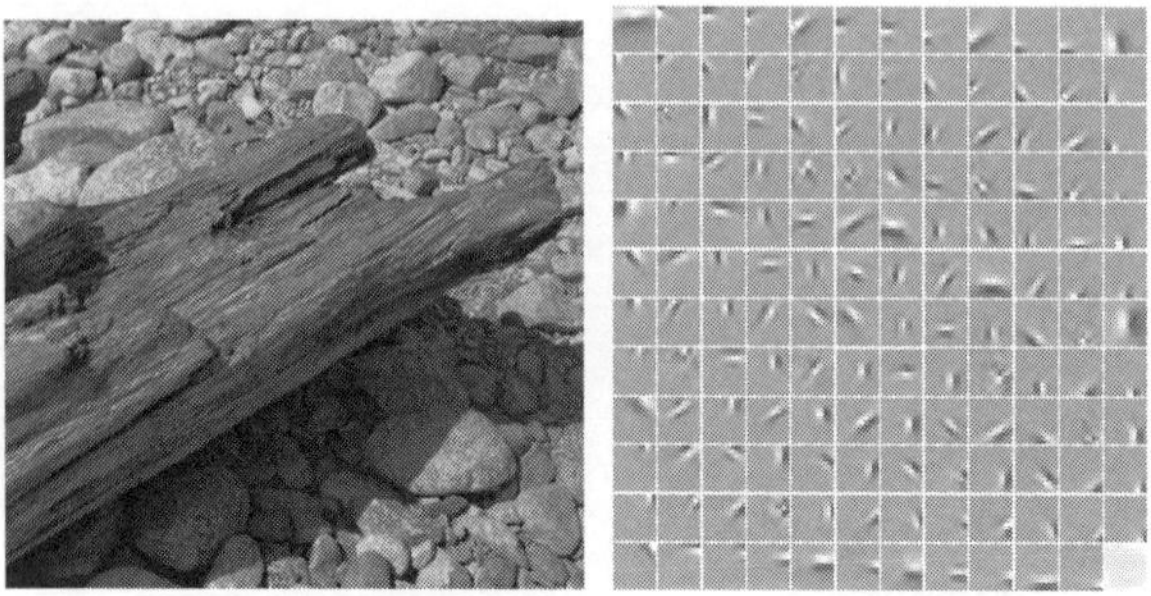

図6.3 自然画像から得られた独立成分分析フィルター。左の風景画像の小さなパッチ(12×12ピクセル)を、144個の出力ユニットをもつICAネットワークへの入力として使用した。右図が、結果として得られた独立成分であるが、一次視覚野で見られる単純型細胞とよく似ている。いずれも局所化され、正の領域(白)と負の領域(黒)が向きをもっている(グレーが0である)。任意のパッチを表現するには、このフィルターのうちの少数個を使うだけでよい。この性質は「スパース性」と呼ばれる。

左図はMichael Lewickiの厚意による。右図の出典:*Bell and Sejnowski, "The 'Independent Components' of Natural Scenes Are Edge Filters,"* Vision Research 37 (1997): 3327-3338 figure 4.

これらの結果は、デイヴィッド・ヒューベルとトルステン・ウィーセルが視覚野の単純型細胞を発見したときに、視覚に関する著名な科学者であるホラス・バーローが立てた仮説を裏づけるものだった。

画像内では、近くのピクセルは同じような値をもつことが多いので(空の画像のピクセルなど)、かなり多くの冗長性を含んでいる。バーローの仮説とは、単純型細胞は、自然の風景の表現に含まれることの冗長性を減らすことによって、画像の情報をより効率的に伝達している、というものだった。[8]彼の直感を裏づけるための数学的なツールを開発するのに、50年かかったわけだ。

アンソニーと私は、独立成分分析を自然音に適用すると、その独立成分が、聴覚系の初期段階で見つかっているフィルターと類似する、さまざまな周波数と継続時間をもつ時間フィルターとなることも示した。[9]これで私たちは、感覚信号が感覚皮質の初期段階でどのように表現されるのかという基本原理の理解に向け正しい方向に向かっていることを確信した。この原理を線形フィルターの独立特徴部分空間へと拡張することで、視覚系の複雑型細胞をモデル化することも可能になった。[10]

ＩＣＡネットワークには、同数の入力ユニットと出力ユニットがある。すべての入力ユニットと、すべての出力ユニットの間に接続があり、重みがついている。ブラインド信号源分離問題を解くには、マイクが拾った音を入力層で再生する。このとき、すべてのマイクに対して入力ユニットが一つずつ対応している。ＩＣＡ学習アルゴリズムは、パーセプトロンのアルゴリズムと同様に、重みが収束するまで、繰り返し、出力層に対して重みを変更する。しかし、教師あり学習アルゴリズムのパーセプトロンとは違って、独立成分分析は、出力ユニット間の独立の度合いをコスト関数として用いる教師なし学習アルゴリズムである。出力の目標があるわけではない。重みは、出力が可能な限り独立になるように変更されるので、もとの音源が完全に分離される。別の言い方をすると、もし独立でなければ、可能な限り「相関をなくす」よう重みを変更する。教師なし学習を使うと、さまざまな種類のデータセットにおいて、これまで知られていなかった統計構造を発見することができる。

脳の独立成分

アンソニー・ベルの情報量最大化ＩＣＡアルゴリズムを、私の研究室のメンバーたちが脳のさまざまな信号に適用し始めると、アハ体験が次々と起きた。脳の電気信号を最初に記録したのは、１９２４年、ハンス・ベルガーであり、頭皮から記録した信号は脳波記録（ＥＥＧ）と呼ばれる。神経科学者たちは、これらの複雑に振動する信号を使って、刻々と変化する私たちの脳の状態をなんとか知ろうとしてきた。脳の状態は、覚醒の度合いや、感覚や運動に相関して変化する。頭皮につけた電極は、大脳皮質内の信号だけでなく、筋肉や目の動きによるアーチファクト（雑音やエラー）など、多種多様な源からの電気信号を受けとる。頭皮のあちこちにつけたそれぞれの電極は、脳内の複数の同じ信号源からの信号を、異なる強さで受けとることになる。つまり、カクテルパーティー問題とまったく同じ設定なのだ。

スコット・マケイグは、１９９０年代にソーク研究所の私の研究室でスタッフをしていた。彼はＩＣＡを使って、脳波記録から、皮質内にある、脳波の源となる何十もの微小な電流源と、その時間変化を抜き出した（図６・４）。双極子は、脳の信号源のなかでも、特に単純なパターンの一つを生み出す。最も単純なのは、点電荷によって生じる、頭皮全体にわたる一様なパターンだが、次に単純なのが、皮質の錐体細胞内で生じる直線状の電流によって生み出される、双極子のパターンなのだ。双極子を矢だと考えると、頭皮の表面では、矢の先が向いていれば正で、矢の後ろが負となる。このパ

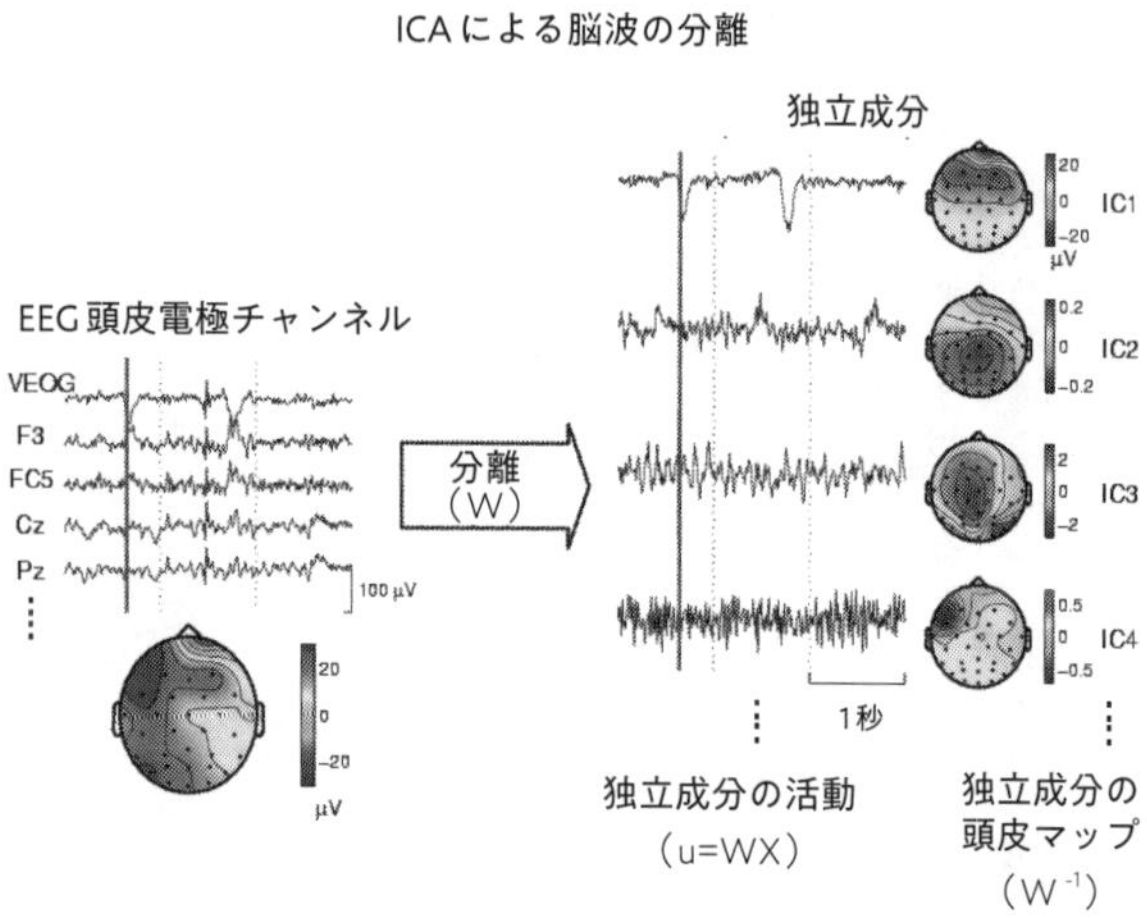

図6.4 独立成分分析を、頭皮から得られた脳波記録(EEG)に適用。上図の頭皮マップ(鼻が上側)では、黒い点が電極の位置を、色分けはある時点での電圧(単位はマイクロボルト:μV)を表している。左の図で、揺らいでいるEEGの5種類の信号は、頭皮上の電極(チャンネル)から得られたものだが、まばたきや筋肉からの信号などのアーチファクトの影響が含まれている。右図で示されるように、ICAによって脳の成分がアーチファクトから分離される(記号「IC」は独立成分(Independent Component)を意味する)。IC1は、まばたきであるが、これは時間変化が遅いことと、頭皮マップで目の周りが最も高い値(赤)であることからわかる。IC4は筋肉からの信号であり、これは高周波・高振幅のノイズであることと、頭皮マップ上で信号源が局所化していることからわかる。IC2とIC3は脳内の信号源によるものである。これは、頭皮上に双極子のパターン(正の赤色領域の反対側に負の青色領域がある)が現れていることから示される。これと比べると、左図のEEG記録の頭皮マップは、もっと複雑なパターンをしている。(画像はチーピン・ジュンの厚意による。)

ターンは頭部全体で現れるため、同時に活発化する脳の多くの信号源を分離するのが非常に難しい。図６・４で、ＥＥＧから抽出されたＩＣ２とＩＣ３は、双極子を信号源とする電位パターンとして近似できる。独立成分分析によって、目の動きや電極のノイズなどによるアーチファクトが分離可能となり、高い精度で取り出すことができる（図６・４のＩＣ１とＩＣ４）。この研究以降、ＩＣＡを使ってＥＥＧ記録を解析するという論文が何千本も発表されており、さまざまな脳の状態をＩＣＡで解析することで重要な発見がなされている。

　私の研究室で博士研究員をしていた、神経学を専門とするマーティン・マキューンは、ｆＭＲＩに独立成分分析を適用するために、どのように空間と時間を扱えばよいかを考えついた[11]（図６・５）。ｆＭＲＩを使って脳画像を得るために、血液の酸素化レベルが測定されるのだが、これは、脳内の数万という場所での神経活動と間接的に関係している。図６・５では、ＩＣＡの信号源となっている脳の領域は、共通の時間変化をするけれどもほかの信号源とは空間的に独立している。この空間領域におけるスパース性は、任意の時間において、高い活発性を示すのはごく少数の領域しかないというこ

図6.5

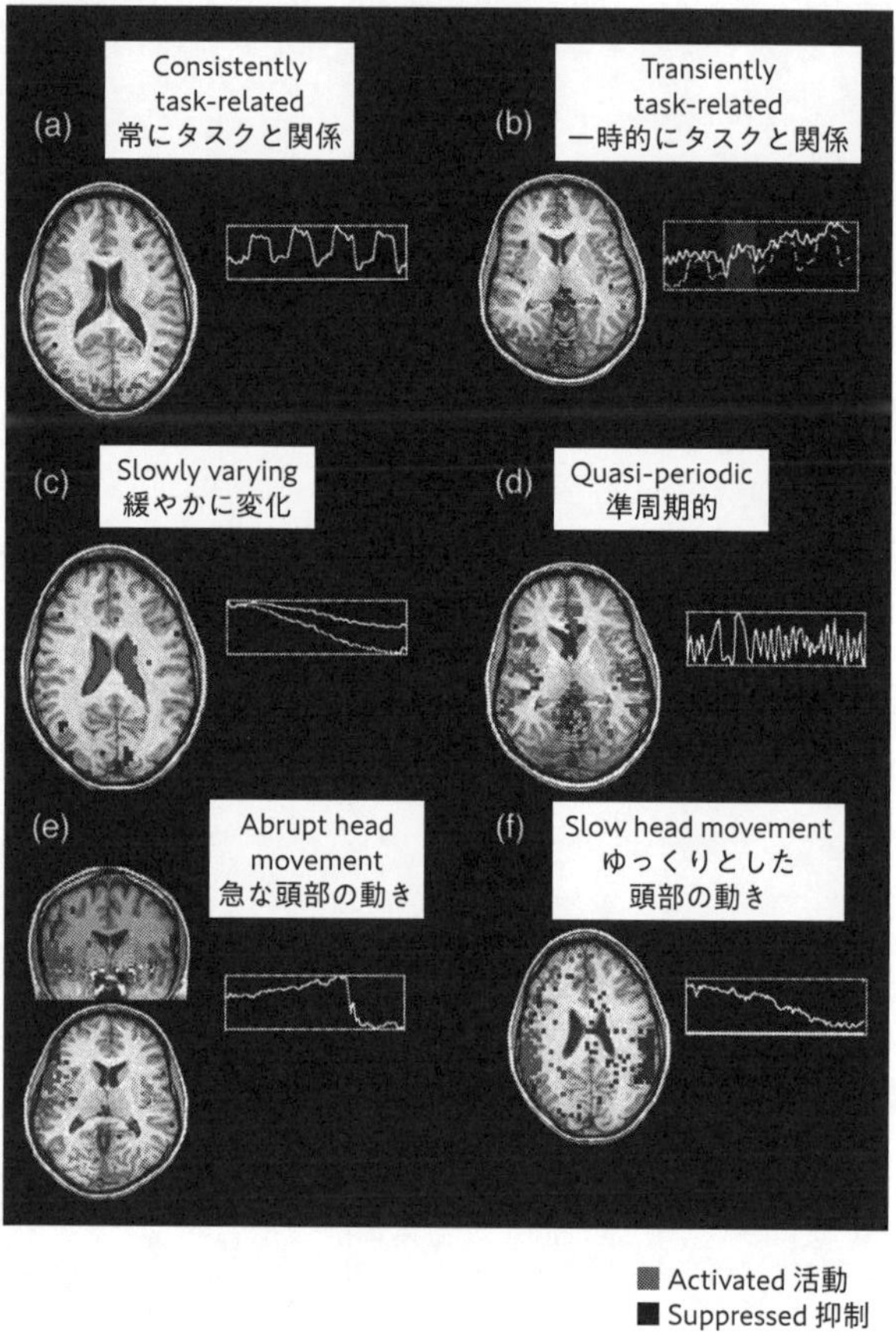
(a)
Consistently
task-related
常にタスクと関係
(b)
Transiently
task-related
一時的にタスクと関係
(c)
Slowly varying
緩やかに変化
(d)
Quasi-periodic
準周期的
(e)
Abrupt head
movement
急な頭部の動き
(f)
Slow head movement
ゆっくりとした
頭部の動き
Activated 活動
Suppressed 抑制

とを意味する。
独立成分分析は教師なし学習なので、連携している脳の領域同士のネットワークを明らかにすることができる。これは、ある領域の活動を、感覚刺激や運動反応と関連づけようとする教師あり学習よりも、さらに先を行っているということだ。たとえば、ＩＣＡによって、検査装置のなかで安静にするように言われた被験者たちのｆＭＲＩデータから、複数の安静時の状態を取り出すことができる。[12] それらの安静時の状態が何を意味するのかまだわかっていないが、私たちが空想にふけったり、頭のどこかに引っかかっていることがあったり、ディナーの予定を考えているときに脳で起きていることの原因となる脳の領域の組み合

図6.5　独立成分分析を、fMRIのデータに適用した。一つの成分に、脳活動のマップと信号の時間変化が含まれている。いくつかの成分タイプを図に示した。タスクとして5秒間の視覚刺激が繰り返し被験者に与えられるが、タスクと関係する成分が、それに対する応答を捉えている。長方形のなかのグラフは信号の約1分間の時間変化であり、(a)のグラフから、タスクが4回繰り返されたことがわかる。ほかの成分は、頭部の動きのようなアーチファクトを拾っている。

出典：M. J. McKeown, T.-P. Jung, S. Makeig, G. D. Brown, S. S. Kindermann, T.-W. Lee, and T. J. Sejnowski, "*Spatially Independent Activity Patterns in Functional MRI Data during the Stroop Color-Naming Task*," Proceedings of the National Academy of Sciences of the United States of America 95, no. 3 (1998): 806, figure 1.

わせを現しているのかもしれない。

　この独立性最大化の原理は、スパース符号化の原理と関係している。ＩＣＡによって多くの独立成分が見つかるが、自然画像の任意のパッチを再構成するために必要となるのはそのうちの少数だけである。また、この原理は視覚野にも適用できる。視覚野には網膜からの入力の１００倍もの細胞が存在する。人間の片目の網膜には１００万個の神経節細胞があり、一次視覚野には1億個の神経細胞がある（一次視覚野は、皮質にあるたくさんの視覚の階層の、最初の層だ）。網膜において視覚信号はコンパクトに符号化されているわけだが、皮質ではそれが拡張されて、高度に分散されたスパース性の高い新しい符号となる。この、ずっと高い次元の空間への拡張は、聴覚皮質や嗅覚皮質など、ほかの符号化スキームでも使われている。また、「圧縮センシングのアルゴリズム」と呼ばれる新しいクラスのアルゴリズムでは、スパース性の原理を一般化して、複雑なデータセットの記憶や解析の効率性を高めている。[13]

独立成分分析を越えて

このＩＣＡの話は、科学と工学の分野で何かを新しく発見するために、重要なテクニックがあることを示している。私たちは、テクニックのことを顕微鏡や増幅器のような測定装置のことだと考えがちだ。しかし、アルゴリズムもまたテクニックであり、それにより、古い装置で得られたデータを使って新しい発見ができることもある。脳波は測定され始めてから１００年近くになるが、独立成分分析がなければ、脳内に潜む信号源を突き止めることは不可能だった。脳それ自体もさまざまなアルゴリズムの複合体であり、脳の一部にＩＣＡを組み込む方法を自然が発見していたとしてもおかしくない。[14]

１９９０年代、ニューラルネットワークのための新しい学習アルゴリズムの開発に関してほかにも多くの進展があり、たとえばＩＣＡなど、今ではその多くが機械学習の数学的道具の一部となっている。これらのアルゴリズムは、みなが使っているさまざまな製品に組み込まれているが、どれも「ニューラルネットワーク内蔵」などと宣伝もしていない。たとえば、ヘッドセットや携帯電話を考えてみよう。私の研究室で以前博士研究員をしており、その後、「ソフトマックス（SoftMax）」という会社を立ち上げたティーウォン・リーとチーピン・ジュンは、一つのBluetooth（ブルートゥース）ヘッドセットに二つのマイクを組み込み、それにＩＣＡを適用してバックグラウンドノイズを除去することで、騒がしいレストランやスポーツイベントで話していても通話相手に声が届くようにした。２００７年、ソフトマックス社は、クアルコムに買収された。クアルコムは多くの携帯電話で使われている半導体チップを開発している会社であり、今では、ＩＣＡのようなソリューションが何十億という携帯電話に組み込まれているということになる。ＩＣＡを使う携帯電話1台につき1セントもらえたとすれば、億万長者になれるだろう。

アンソニー・ベルは、長年にわたって、さらに困難な問題について考え続けている。人間である私たちの体内にはたくさんのネットワークが含まれており、そのなかから情報が生成される。あるネットワークのレベルから次のレベルへ、あるいは、分子からシナプスへ、そしてニューロン、ニューロンの集団、ついには意思決定を形成するまで、すべてが物理と生物化学の法則で説明される。しかし私たちは、物理でも生物化学でもなく、自分こそが主導権を握っているのだと感じている。私たちの脳にあるニューロンの集団から生成した内的な活動が、どうやって私たちに決断をさせて、たとえばこの本を読ませたり、テニスをさせたりしているのか。これは謎である。これらの決断は、意識のレベルよりずっと下のところで行われている。分子メカニズムに基づくプロセスによってシナプスは形成され、そのシナプスを通してニューロンは相互作用し、そのニューロンから意思が何らかの形で湧き上がってくるのだ。だが、私たち人間の視点からすると、これらのことを脳内で起こしているのは、自分たちの意思によるものだとなる。人間の感じ方では、因果関係が、物理学や生物化学で導かれるものとは逆向きになっているようなのだ。この二通りの視点をどのように一致させるのか。これはディープな科学的な問題である。[15]

第7章

ホップフィールド・ネットワークとボルツマンマシン

コンピューター科学者のジェローム・フェルドマンは、1980年代にロチェスター大学で、コネクショニスト・モデルの手法により人工知能（AI）の研究を行った。いつも本当のことしか言わないジェロームは、AIで使用されるアルゴリズムは数十億ステップもかかって間違った結果を出すことがよくあるのに、脳は約100ステップで、たいていは正しい結果を導くと指摘した。[1] 当時、フェルドマンのこの「100ステップの法則」はAI研究者にあまり知られていなかったが、少数ながらこれを制約条件として使う研究者もおり、有名どころではカーネギーメロン大学のアレン・ニューウェルもその一人だった。

かつて、ニューヨーク州ロチェスターの空港に足止めされてしまったとき、ジェロームに救われたことがある。私はスケネクタディにあるGE社の研究所への訪問を終えて、ボルチモアに戻る便に乗ったつもりだったのに、パイロットがなぜかロチェスターの天候を告げ始めた。飛行機を乗り間違えていたのだ。ロチェスター空港に降りてボルチモアへの一番早い便を予約したが、翌日まで待たなければならなかった。ちょうどそのとき、ワシントンD・C・で開かれた委員会から戻ったばかりのジェロームにばったり会ったのだ。彼は親切にも私を招待してくれて、家に一晩泊まらせてくれた。ジェロームはその後、カリフォルニア大学バークレー校に移ったのだが、私は空港に足止めされるたびに彼のことを思い出す。

ジェロームは、コネクショニスト・モデルを「ごちゃごちゃの（scruffy）」モデルと「きれいな（neat）」モデルで分けて考えていた。ジェフリー・ヒントンと私が取り組んでいたのは「ごちゃごちゃの」モデルに相当し、物体や概念の表現を、ネットワークの多くのユニットが分散してもっている。一方、ジェロームが支持する「きれいな」モデルでは、一つのユニットに一つのラベルが対応するような、物体や概念の、計算上コンパクトな表現だった。ざっくり言うと、「ごちゃごちゃの」科学では近似値を使用して定性的な解を得るのに対して、「きれいな」科学では問題の厳密解を突き止めようとする。現実的には、この両方を進展させる必要があった。(2) 私は足掛かりが散らかっていても気にならなかったが、説明はきちんとしたものになるよう、可能な限り努めた。その甲斐あって、ジェフリーと私は、まさに「きれいな」素晴らしいものにたどり着こうとしていた。

ジョン・ホップフィールド

物理学の博士号を取得するには、何らかの問題を解く必要がある。よい物理学者とは、どんな問題でも解決できるだろうが、抜きん出た物理学者とは、解決すべき問題を知っている。ジョン・ホップフィールドは抜きん出た物理学者だった。彼は物性物理学で輝かしい成功を収めたのち、生物学へと関心を移し、特に「分子の校正機能」の問題に興味をもった。細胞分裂の際にDNAが複製されるときエラーは避けられないが、エラーを修正して娘細胞のDNAの忠実度を維持しなければならない。ジョンは、DNAが修正される巧妙な仕組みを考えついた。それはエネルギーが消費されるような仕組みではあったが、その後の実験により、彼の考えが正しいことが明らかとなる。生物学では何かを正しく示すということ自体が、めざましい業績だ。

実は、ジョンは、私の博士課程の指導教官だった。当時彼はプリンストン大学にいて、神経科学に興味をもち始めたところだった。ボストンを本拠地とする神経科学研究プログラム（NRP）の会合で神経科学者から学んだ内容を、素晴らしく情熱的に教えてくれたものだ。私は、ＮＲＰによって出版された小さなワークショップの会議録が貴重な情報源であることに気づいた。どのような問題が研究されているのか、当時の現場の考え方などをうかがい知ることができたからだ。神経行動学者として名高いセオドア・ホームズ・ブロックが開催した神経符号化に関するワークショップの会議録は今でももっている。彼はのちに、カリフォルニア大学サンディエゴ校で私の同僚となった。セオドアとエイドリアン・ホーリッジとの共著による無脊椎動物の神経系に関する本はよく知られている。[3] 私はセオドアとの共同研究で、サンゴ礁で見られる集団的挙動をモデル化した。セオドアは２００８年に最後の科学論文を発表したが、私はその共著者であることを誇りに思っている。[4]

もとの層へのフィードバック接続があるニューラルネットワークや、同じ層のユニット間で再帰結合があるニューラルネットワークは、フィードフォワード（順方向の）接続しかないネットワークよりもダイナミクスがはるかに複雑になりうる。正の重み（興奮性）と負の重み（抑制性）を使用して任意に接続したユニットをもつ一般的なネットワークの解析は、数学的に非常に困難な問題なのだ。１９７０年代後半、シカゴ大学のジャック・コーワンとボストン大学のスティーブン・グロスバーグは、上記のようなニューラルネットワークを使用して錯視[5]と幻視[6]を再現できることを示すなど進歩もあったが、研究者たちはこのようなネットワークで複雑な計算問題を解くのは困難だと考えていた。

連想記憶ネットワーク

1983年の夏、ジェフリー・ヒントンとジョン・ホップフィールド（図7・1）と私は、ジェローム・フェルドマンがロチェスター大学で開催したワークショップに参加していた。ホップフィールドは私たちに、強い相互作用をもつネットワークの収束問題を解決したと話した。彼が証明したのは、「ホップフィールド・ネットワーク」と現在呼ばれる特殊な非線形ネットワークモデルが、「アトラクター」と呼ばれる安定状態に必ず収束することだった[7]（図7・2、コラム7・1）。（非線形性の強いネットワークは、振動や、さらにはカオス的な挙動を示すこともあるのだが。）しかも、アトラクター

図7.1　1986年頃、マサチューセッツ州ウッズホールの海辺で問題を解いているジョン・ホップフィールド。1980年代にホップフィールドがニューラルネットワークに与えた影響は計り知れない。彼の名前を冠したネットワークによって、ディープラーニングへとつながる扉が開かれた。（写真はジョン・ホップフィールドの厚意による。）

が記憶として機能するよう、ネットワークの重みを選ぶことができた。つまり、ホップフィールド・ネットワークを使用すれば、いわゆる「連想記憶」を実現できる。記憶の一部を提示すると、ネットワークがそれを完成させるという形で、格納された記憶を引き出せるのだ。これは、私たちが記憶を引

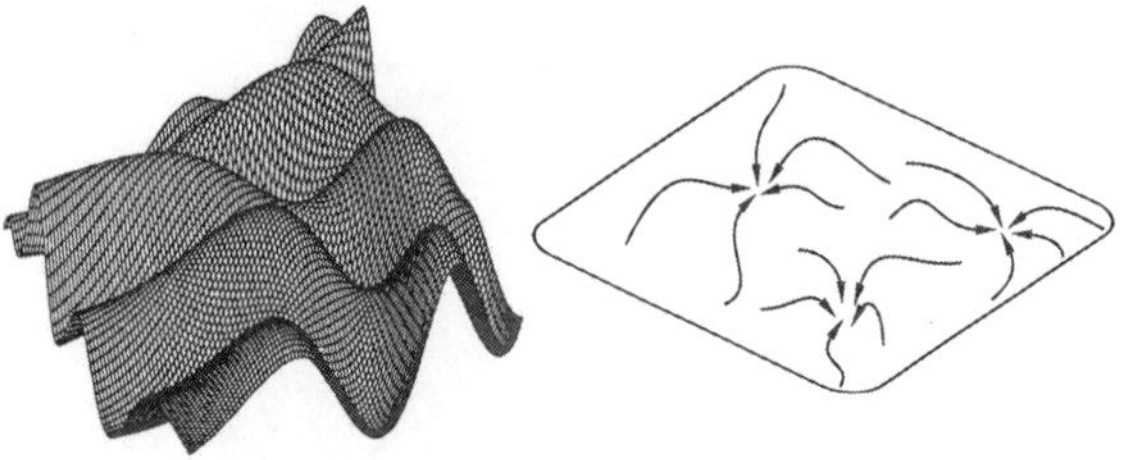

図7.2　ホップフィールド・ネットワークのエネルギー地形。(左図)ネットワークの状態はエネルギー曲面におけるある1点として視覚化される。(右図)更新されるごとに、ネットワークの状態は「アトラクター」と呼ばれるエネルギーの極小値(局所的な最小値)の一つに近づいていく。

出典：A. Krogh, J. Hertz, and R. G. Palmer, *Introduction to the Theory of Neural Computation* (Redwood City CA: Addison-Wesley, 1991). 左図は論文のfigure2.6、右図はfigure2.2。

き出す方法を思わせる。知っている顔を見れば、その人の名前や交わした会話を思い出す。

ホップフィールド・ネットワークが大きな突破口となったのは、収束が数学的に保証されたためだ。研究者は、非線形性の強いネットワークは、一般的に解析不可能だと思っていた。このようなネットワークですべてのユニットが同時に更新される場合、ダイナミクスは極めて複雑になり、収束するという保証はない[8]。しかし、ホップフィールドは、ユニット間の結合の双方向の重みの値が等しい対称ネットワークでは、ネットワークのユニットが1個ずつ更新されるとすると問題が解けて、確かに収束することを示したのだ。

さらに、海馬（特定の出来事や物体を長期記憶するために重要な部位）の神経回路内に、ホップフィールド・ネットワークに似たアトラクター状態があることが実証されつつある。(9) ホップフィールド・モデルは非常に抽象度が高いが、その定性的な挙動は海馬で観察される活動に似ている。ホップフィールド・ネットワークは、物理学から神経科学への橋渡し役となり、１９８０年代に多くの物理学者が神経科学へ参入した。理論物理学の洗練された手法を使って、ニューラルネットワークや学習アルゴリズムが解析され、驚くような洞察が得られた。神経科学の理論分野では、物理学と計算と学習とが深く結びつき、脳の機能の解明が進んでいる。

当時ベル研究所にいたジョン・ホップフィールドとデイヴィッド・タンクは、ホップフィールド・ネットワークの派生形（ユニットが0から1の連続した値をもつ）を使用して、「巡回セールスマン問題」のような最適化問題のよい解を求めることができることを示した。巡回セールスマン問題とは、多くの都市を一度だけ訪れる最短経路を見つ

コラム 7.1　ホップフィールド・ネットワーク

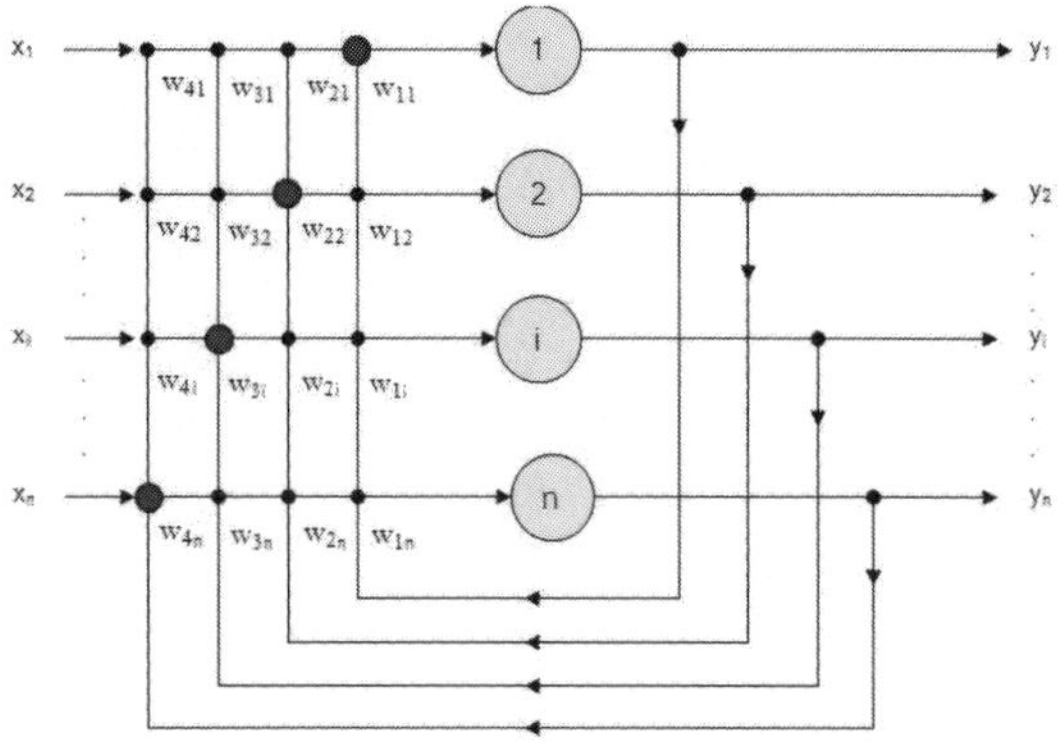

ホップフィールド・ネットワークでは、各ユニットはネットワークのほかのすべてのユニットに出力を送る。入力はx_iで、出力はy_jである。ユニット間の結合の強さ、すなわち重みは対称（$w_{ij}=w_{ji}$）である。各時間ステップで更新が行われるのは、ユニットのうちの一つだけである。そのユニットへの入力の総和を求め、閾値と比較する。入力が閾値よりも大きければ、ユニットの出力を1に、そうでなければ0とする。ホップ

フィールドは、ネットワークにはユニットのどの更新によっても決して増加しないエネルギー関数があることを示した。

$$E = \Sigma W_{ij} X_i X_j$$

最終的に、ホップフィールド・ネットワークは「アトラクター」に到達する。どのユニットも変化しなくなり、エネルギー関数は局所的な最小値をとる。この状態は格納された記憶に対応する。格納された状態の一部をもつネットワークからスタートすることによって、その状態を復元できるのだ。このようにして、ホップフィールド・ネットワークは、連想記憶の仕組みを提供する。格納されたベクトルの重みは、ヘッブのシナプス可塑性によって学習させることができる。

$$\Delta W_{ij} = \alpha X_i X_j$$

ここで、左辺は重みの変化、αは学習率、X_iは格納されたベクトルである。

（右図はデイル・ヒースの厚意による。）

ける問題である。[10] これは、コンピューター科学における超難問として知られている。このネットワークのエネルギー関数には、各経路の長さと、各都市を一度だけ訪れるという制約が含まれる。ホップフィールドとタンクのネットワークは、しばらく更新を繰り返すと、よい経路に相当するエネルギー最小状態に到達する。ただし、これは常に最良の経路とは限らないが。

エネルギーの大域最小値を探す

ダナ・バラードは、1982年にクリストファー・ブラウンと共著でコンピューター・ビジョンの古典となる教科書[11]を書いた人物だが、1983年のワークショップにも参加していた。ジェフリー・ヒントンと私は、ダナと一緒に、画像解析のある先駆的なアプローチについてレビュー論文を書き、『ネイチャー』誌に掲載された。[12] そのアプローチはこのようなものだ。ネットワークモデル内のノードは画像の特徴を表し、ネットワーク内の結合は特徴同士の制約に相当する。つまり、矛盾のないノードは互いに正の相互作用をもち、矛盾のあるノードは負の相互作用をもつ。視覚においては、すべての特徴が矛盾しない解釈を見つけ出す必要がある。すべての制約が満たされるということだ。

ホップフィールド・ネットワークを使用して、この制約充足問題を解決できるだろうか。エネルギー関数は、ネットワークがすべての制約をどの程度うまく満たすかという尺度である（コラム7・1参照）。このコンピューター・ビジョンの問題では、エネルギーが最小になる解、すなわち最良の解を求める必要があったが、ホップフィールド・ネットワークは、その設計上、エネルギーの局所的な最小値を見つけるだけだった。私は『サイエンス』誌でニューヨーク州ヨークタウンハイツのＩＢＭのトーマス・Ｊ・ワトソン研究所のスコット・カークパトリックの論文をたまたま読んでおり、あれが役立ちそうだと思いついた。[13] カークパトリックが極所最小値の問題を回避するために使っていたのは、「焼きなまし法」という手法だった。ここで、大量の回路部品を2枚の回路基板に装着しなければならないと仮定してみよう。基板の間を接続するのに必要なワイヤーの数を最小にする部品の最適な配置はどうなるだろうか。

最初に部品を無作為に配置して、次に、部品を一度に1個ずつ別の基板に移動してみてワイヤーの本数が小さくなる方に置く、ということを繰り返すのではよい解は得られない。配置が簡単に局所最適解に陥ってしまい、どの部品を動かしても改善しなくなるからだ。極小値を抜け出すには、配線数が一時的に増えるようなランダムなジャンプを認めることが必要である。極小値を跳び出す確率は、最初は高くしておき、徐々に低くして最後には0にする。この確率が十分にゆっくりと下がれば、部品は最終的に、基板間の配線が最小となるような配置となる。冶金学では、この過程を「焼きなまし」と呼ぶ。金属の温度を上げてからゆっくりと冷却すると、結晶が大きくなって、欠陥が最も少なくなるのだ。欠陥があると、金属はもろくなり、割れやすくなる。

ボルツマンマシン

ボルツマンマシンの目的は、ホップフィールドネットワークのエネルギーの大域的な最小点を見つけることである。ホップフィールド・ネットワークでの焼きなまし法は、エネルギーが谷に下りるだけでなく、山を越えることもできるように、更新の過程で温度を上げることに対応する。高温にするとユニットはランダムに状態を変えるが、温度を徐々に下げて０にすると、ホップフィールド・ネットワークは最小のエネルギー状態で動きを止める確率が高くなる。具体的には、シミュレーションを一定温度で始めてネットワークが平衡に達するのを待つ。そこでは隣接する多くの状態を訪れることができるので、可能な解を広範囲に探索できるのだ。

たとえば、図７・３の白黒の図は複数の意味をもつ。どの部分に注目するかによって壺に見えたり、二つの顔に見えたりするが、両方同時には見えない。この、画像のどの部分が図で、どの部分が背景（「地」と呼ばれる）かを決定する問題について考えてみよう。私たちは、図と地の決定過程を模した確率的なネットワークを設計した(14)。図か地かを表すユニット（活性化が図に対応）と、エッジを表すユニットを用意した。すでに見てきたように、視覚野にはエッジによって活性化される単純型細胞がある。しかし、図はエッジのどちらの側にも存在しうる。私たちのボルツマンマシン・ネットワークでは、２種類のエッジ・ユニットを用意して、それぞれ異なる側が図であるエッジに対応

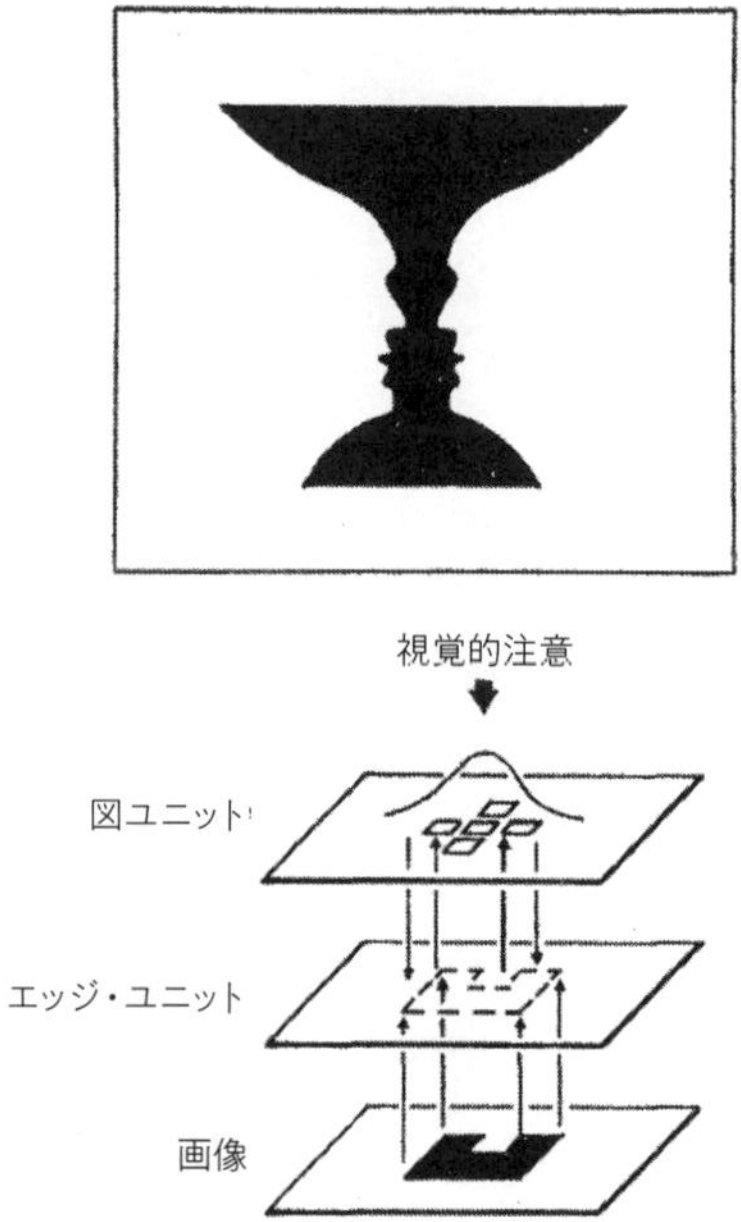

図7.3　曖昧さをもつ図と地（背景）の問題。（左図）黒い部分に視覚的注意を向けると、壺が見え、白い部分は地になる。しかし、白い領域を注視すると、向き合った二つの顔が見える。二つの図を行ったり来たりはできるが、両方の解釈で同時に見ることはできない。（右図）図と地を分離するネットワークモデル。物体のエッジ（線分）を表しているユニットと、あるピクセル（正方形）が図の一部なのか地の一部なのかを判断するユニットの2種類がある。画像の入力はボトムアップだが、視覚的注意の入力はトップダウンになる。視覚的注意は、図として認識すべき領域に対するバイアスとして作用する。

出典：P. K. Kienker, T. J. Sejnowski, G. E. Hinton, and L. E. Schumacher, “*Separating Figure from Ground with a Parallel Network,*” Perception 15 (1986): 197–216. 左図は論文のfigure 1、右図はfigure 2。

するようにした。のちに、このような機能をもつ神経細胞が視覚野で見つかっており、「ＢＯ選択性細胞」（ＢＯとはborder-ownership、境界所有権）と呼ばれている。[15]

　このネットワークでは、重みを手作業で設定して制約を組み込んだ（図７・４）。隣接する図ユニットの間は興奮性結合で、異なる側の図に対応するエッジ・ユニットの間は抑制性結合である。エッジ・ユニットと図ユニットの結合は、エッジ・ユニットが支持する図に対しては興奮性だが、支持しない図には抑制性である。視覚的注意は、図ユニットの一部に対するバイアスとして組み込まれている。このネットワークでホップフィールド・ネットワークの更新ルールを使うと、部分的なパッチとは無矛盾だけれども全体像としては矛盾のある、エネルギーの局所的な最小値に落ちてしまう。更新時にノイズの効果を加えるとこのネットワークは極小値を跳び出すことができ、ノイズの温度をゆっくり焼きなませば、ネットワークは、大域的なエネルギーの最小値である、全体像として無矛盾な解へと落ち着く（図７・４）。更新は非同期で独立して行われるので、このネットワークは並列で動作する数百万のユニットをもつコンピューターによって実装が可能であり、一度に　つの操作を逐次的に実行するデジタルコンピューターよ

図7.4

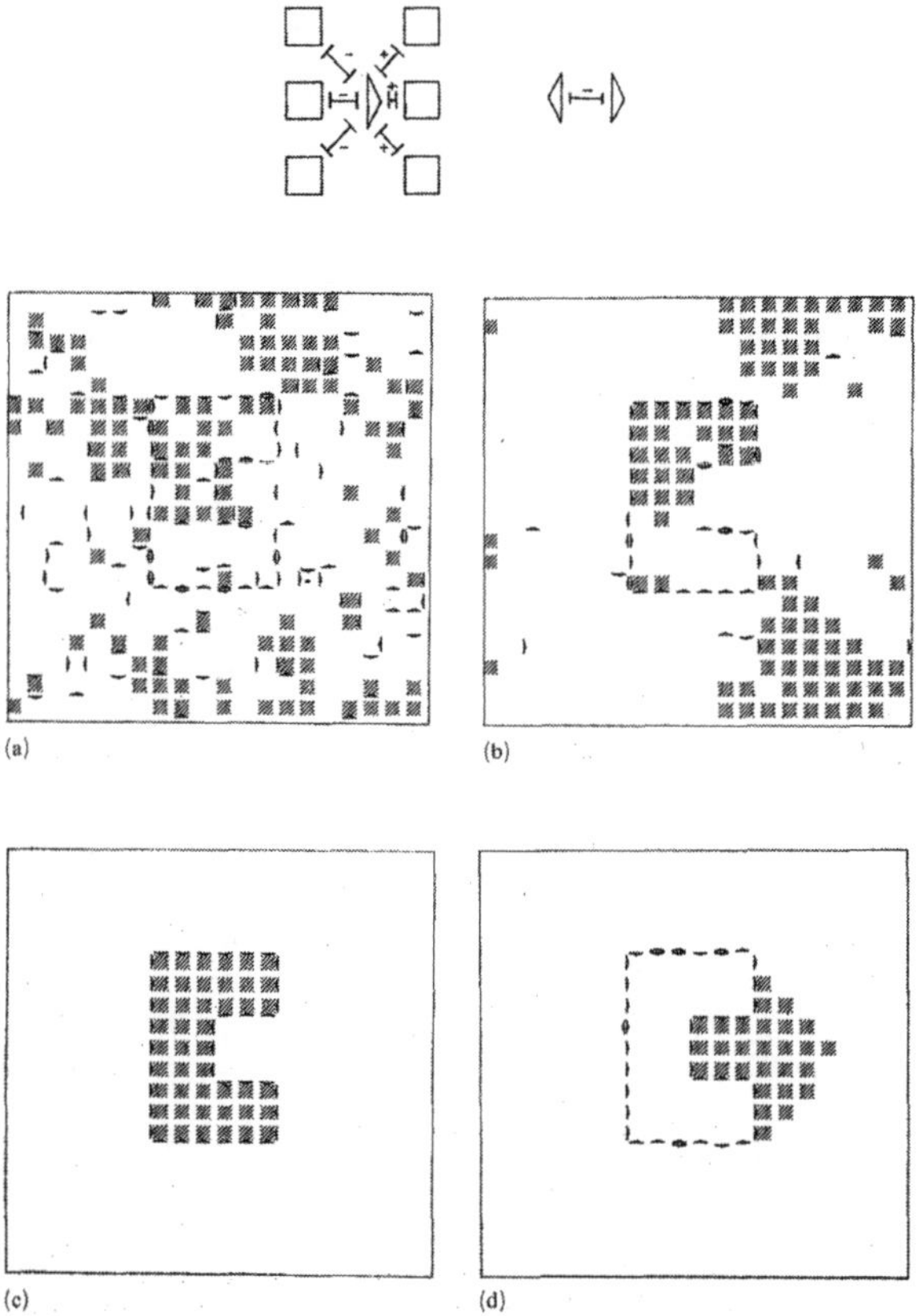

(a) (b) (c) (d)

りもはるかに早く解に収束できる。

私はスティーブン・クフラーの下、ハーバード大学医学部で博士研究員をしていたが、この頃には、最初の職を得てジョンズ・ホプキンズ大学の生物物理学科に移っていた。ジェフリー・ヒントンはカーネギーメロン大学のコンピューター科学科の教員となり、幸運にも、人工知能の新しい道を開いたアレン・ニューウェルのサポートが得られるようになった。ピッツバーグとボルチモアは近いので、ジェフリーと私は週末に互いに行き来したものだ。私たちは、自分たちがつくったホップフィールド・ネットワークの新しいモデルを「ボル

図7.4　ボルツマンマシンで図と地を分離する。（上図）ネットワーク内の正方形のユニットは図を特定し、三角形のエッジ・ユニットは輪郭を特定する。ユニット同士の結合の符号を図に示した。エッジ・ユニットは図のほうを指すことも、反対側を指すこともあり得る。（下図）(a) 文字「C」の内側に視覚的注意が向いている場合のネットワークの状態。ユニットがオンとオフの間で揺らぐよう、高い温度から開始する。(b) 温度が下がるにつれて、内側を指すエッジ・ユニットからの支持によって「C」の内側の図ユニットの活動が高まりつながっていく。視覚的注意を得ておらず、エッジ・ユニットからの入力がない外側の図ユニットの活動は弱まる。(c) 視覚的注意が内側に向いている場合、温度が０に達したときに「C」の内側が埋まる。(d) 視覚的注意が外側に向いている場合、同様の過程を経ると、「C」の外側が埋まる。

出典：P. K. Kienker, T. J. Sejnowski, G. E. Hinton, and L. E. Schumacher, “*Separating Figure from Ground with a Parallel Network*,” Perception 15 (1986): 197– 216. 下図は論文の figure 6、上図は figure 3。

ツマンマシン」と名づけた。統計力学の基礎を築いた19世紀の物理学者、ルートヴィッヒ・ボルツマンにちなんだ名である。私たちは統計力学を道具として揺らぎのあるニューラルネットワークモデルを解析していたが、このモデルが強力な学習機械でもあることをじきに発見することとなった。

「温度」が一定に保たれると、ボルツマンマシンは平衡状態に到する。そして平衡状態では魔法のようなことが起きて、永遠に閉ざされたままだろうとだれもが思っていた扉が開かれた。多層ニューラルネットワークを学習する方法が見つかったのだ。ある日、ジェフリーが電話をかけてきて、ボルツマンマシンのための単純な学習アルゴリズムをたった今、導出したぞと言った。そのアルゴリズムの目的は入力ユニットから出力ユニットへのマッピングを行うことだが、パーセプトロンと違って、ボルツマンマシンには入力と出力の間に「隠れユニット」と呼ばれるユニットがある（コラム7・2）。対となる入出力を提示して学習アルゴリズムを適用すると、ボルツマンマシンのネットワークは望ましいマッピングを学習した。しかし、目標は、対を記憶することだけではなく、ネットワークの訓練に使用していない未知の入力を正しく分類することにもあった。ボルツマンマシンは常に揺らいでいるので、確率分布（与えられた入力パターンに対して各出力がどの程度の頻度で現れたか）をも学習する。すなわち、ボルツマンマシンは生成的ネットワークであり、学習終了後、出力のカテゴリーを固定することによって、それに応じた新しい入力サンプルを生成できるのだ。

ヘッブのシナプス可塑性

驚くべきことに、ボルツマンマシンの学習アルゴリズムには、心理学者ドナルド・ヘッブまでさかのぼる神経科学の長い歴史がある。ヘッブは彼の著書『行動の機構』のなかで、二つの神経細胞が同時に発火するとそれらの間のシナプス結合が強化されるという仮説を提唱した。

そこで、反響性活動（すなわち〝痕跡〟）の持続ないし反復は、その活動の安定性を増すような永続的な細胞の変化を引き起こす傾向がある、という仮定を立てることにしよう。正確を期すなら、その仮定は以下のように述べることができる。すなわち、細胞Aの軸索が細胞Bの興奮を引き起こすのに十分なほど近接して存在し、その発火活動に、反復してまたは持続して関与する場合には、一方の、あるいは双方の細胞になんらかの成長過程や代謝的な変化が生じ、細胞Bを発火させる細胞群の一つとして、細胞Aの効率が増大する。[16]（『行動の機構―脳メカニズムから心理学へ』より引用）

これは神経科学すべてにおいて最も有名な予言と言えるかもしれない。このヘッブのシナプス可塑性は、のちに、海馬で実際に起こることが発見された。海馬は長期記憶のために重要な部位である。海馬の錐体細胞が強力な入力を受けて同時に発火すると、シナプスの結合強度が増大する。その後の実験によって、この結合強度の増大は、シナプスが神経伝達物質を放出し、それと同時に受け手の神経細胞で電位が上昇した場合に起きることが示された。さらに、この同期的な現象は、特別な受容体であるＮＭＤＡ（Ｎ－メチル－Ｄ－アスパラギン酸）型グルタミン酸受容体により認識され、長期増強

（ＬＴＰ）という現象が引き起こされる。急速に立ち上がり長く持続するＬＴＰは、長期記憶の根底にある機構の有力な候補と考えられている。ヘッブのシナプス可塑性は、ボルツマンマシンの学習アルゴリズム（コラム7・2参照）と同様に、入力と出力の同時性によって支配されている。

さらに驚いたことに、ボルツマンマシンは学習するために眠りにつく必要があった。学習アルゴリズムには二つの段階がある。第1段階すなわち「wake」段階では、入力と出力のパターンが望ましい対応関係に固定され、ネットワークの隠れユニットが平衡状態に達するまで何度も更新され、すべてのユニットの対がともにオンになる時間の割合がカウントされる。第2段階すなわち「sleep」段階では、入出力ユニットを固定せず、すべてのユニットの対がともにオンになる時間の割合をカウントする。その後、それぞれの結合強度は、「wake」段階と「sleep」段階においてともにＯＮとなった割合の差に比例する値で更新される（コラム7・2）。「sleep」段階を計算する理由は、入出力を固定したときの相関のどの部分が外部要因によるものかを特定するためである。内部的に生成される相関を取り除かなければ、ネットワークは、内部の活動パターンを

コラム 7.2　ボルツマンマシン

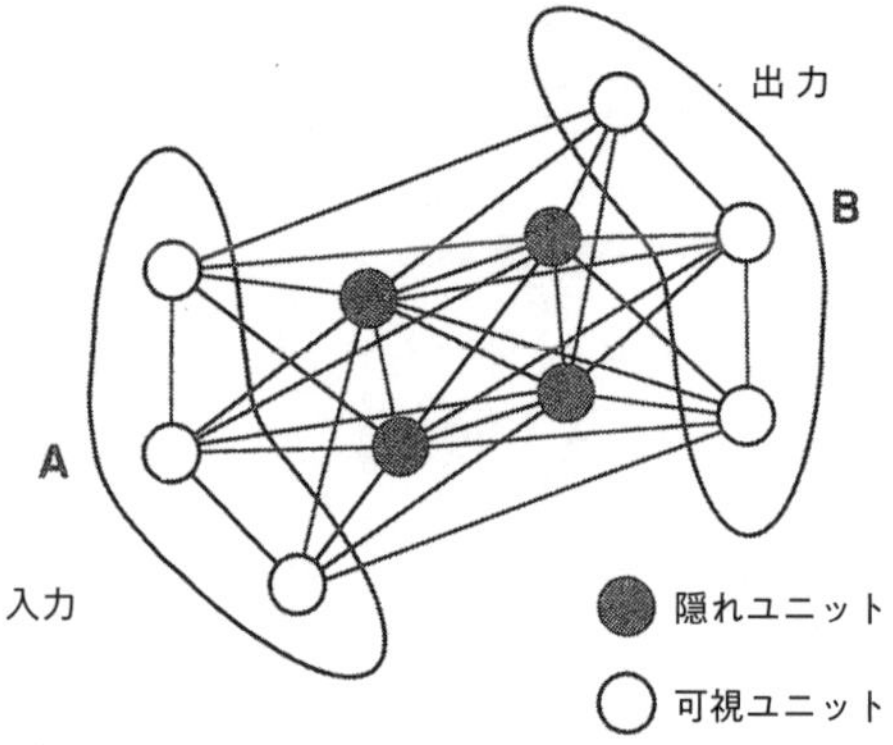

ボルツマンマシンの2値ユニット

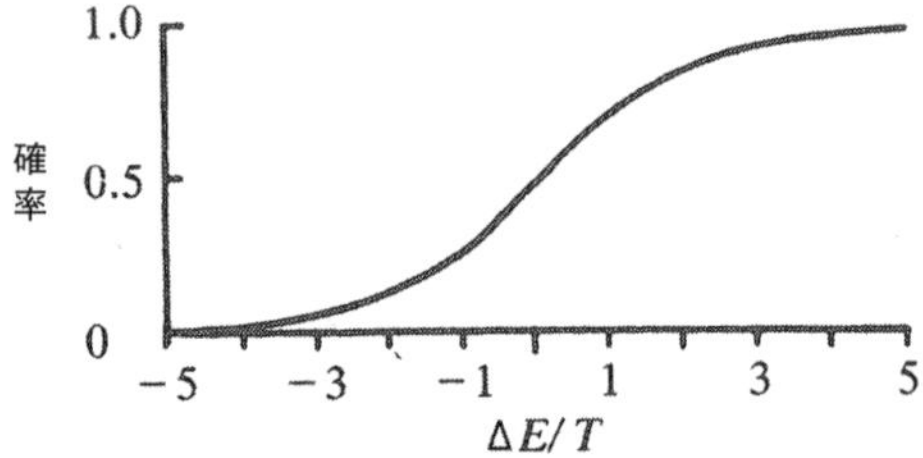

ボルツマンマシンのすべての結合は対称であり、これはホップフィールド・ネットワークと同様である。2値変数（0か1の値をとる）のユニットの更新は一度に1個ずつで、上図のシグモイド関数の確率に応じて $s_i = 1$ に設定される。ここで、入力ΔEは温度Tを単位として測られている。入力層と出力層は「可視」であり、これは外部世界との相互作用があるという意味だ。「隠れユニット」はその数に応じた自由度をもつ特徴を表し、可視ユニットに影響を与える。ボルツマンマシンの学習アルゴリズムは2段階からなる。「wake」段階では、入出力を固定して、ネットワークが平衡に達した後で対になるユニット間の平均相関を計算する。「sleep」段階では、入出力を固定せずに再度相関を計算する。それから、重みを次式によって逐次的に更新する。

$$\Delta W_{ij} = \varepsilon \left(\langle s_i s_j \rangle^{wake} - \langle s_i s_j \rangle^{sleep} \right)$$

強化して、外部の影響を無視するように学んでしまうだろう。誘導性妄想障害のネットワークバージョンとも言えるだろう。面白いことに、極度の睡眠不足によって人は妄想的な精神状態になる。窓がなく、ずっと明かりがついたままの病院の集中治療室で起こりやすい問題だ。統合失調症の患者は睡眠障害を伴うことがあり、これが妄想観念の一因となることがある。ともかく、私たちは、自分たちが正しい方向に進んでいて、脳がどのように働くのかを理解しつつあるという確信を深めていた。

鏡面対称性の学習

ボルツマンマシンでは解けるけれどもパーセプトロンでは解けない問題の一つが、鏡面対称性の学習[17]である。人間の体は垂直軸に対して左右対称である。私たちは、この垂直の対称軸だけでなく、図7・5に示すように、水平と対角線の対称軸をもつランダム・パターンを多数生成できる。私たちのボルツマンマシン・ネットワークでは、2値入力からなる10×10のブロックを、まず、16個の隠れユニットへ写像する。次に隠れユ

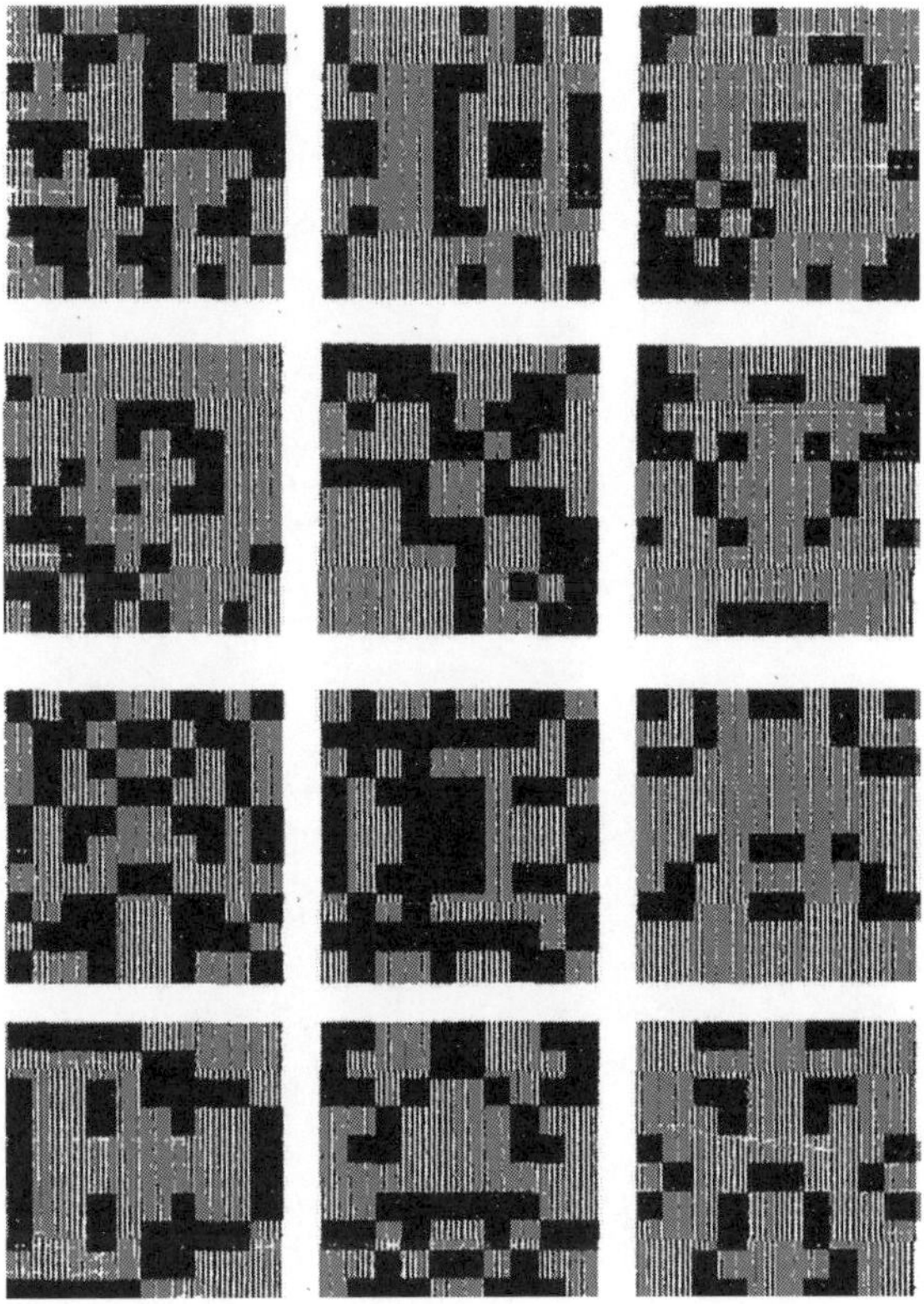

図7.5　対称性のあるランダムなパターン。10×10の配列は、それぞれ、垂直または水平、対角線の鏡像対称軸をもつ。ネットワークモデルの目的は、訓練に使用されていない新しいパターンに対して、対称軸の分類を学習することだ。

出典：T. J. Sejnowski, P. K. Kienker, and G. E. Hinton, "*Learning Symmetry Groups with Hidden Units: Beyond the Perceptron*," Physica 22D (1986): 260–275, figure 4.

ニットは3個の出力ユニットへ写像する。出力ユニットのそれぞれが、3通りの対称軸のいずれかに対応している。6000個の対称な入力パターンで訓練すると、ボルツマンマシンは新しい入力パターンの対称軸の分類に90パーセント成功するようになった。単一の入力ではパターンの対称性の情報を伝えられないので、パーセプトロンでは偶然と同じレベルの成績しか出せない。入力対の相関を調べなければ対称性の情報は得られないからだ。特筆すべき点は、人間の観察者が見ている入力配列はボルツマンマシンが見ている配列とは違っていることだ。ボルツマンマシンのそれぞれの隠れユニットは配列全体のうちどれが左でどれが右に位置するといった情報なしに入力を受ける。人間の観察者で言えば、入力ユニットの位置をランダムに並べ換えて見ていることに相当するだろう。隠れた対称性があっても、観察者にはランダムな配列に見えるのだ。

ある日、私はディスプレイを見ながら各入力パターンがどの軸に対して対称であるか、1秒間に2回の割合で判定していた。当時の同僚で、ジョンズ・ホプキンズ大学の心理学科にいたニール・コーエンも一緒にディスプレイを見ていたが、彼は時間をかけてパターンを確認しないと対称性を分類できず、私の速さに驚いていた。ボルツマンマシンが学習するのと同じように、何日間もディスプレイを見ているうちに私の視覚系は訓練されて、ディスプレイをじっくり見なくても対称性を自動的に検出できるようになっていたのだ。ニールと私は、そういったことをやったことのない学部生を被験者とした実験を行い、彼らの成績を日を追って記録した。[18] 開始時には、学部生は対称性を正しく分類するのに何秒もかかっていた。しかし数日も経つとずっと速くなり、実験の最終日までには、対称性を即座に、しかも楽々と検出できるようになり、私たちと話しながら判定してもすべて正解するほどになった。これは驚くほど速い知覚学習だった。

私は、ジョンズ・ホプキンズ大学で「計算の生物物理学」という講義を担当し、何人もの才能ある学生や研究者がこの講義を受講した。電気工学科の大学院生だったベン・ユーハスは、博士論文に向けて、ニューラルネットワークを訓練して唇の動きからその言葉を理解する研究を私とともに行った。[19] 人の唇の動きには声の情報が含まれている。ベンの設計したネットワークは、口の画像を、各時間ステップで生成される声の周波数スペクトルへと変換するものだった。この推定された周波数スペクトルを、雑音の多い実際の音声の周波数スペクトルと組み合わせることで、音声認識の能力が改善されることを示したのだ。ユーハスと同期のギリシャ系キプロス人大学院生のアンドレアス・アンドレウは、よく響く声の持ち主で、バートン・ホールの地下室でアナログＶＬＳＩ（超大規模集積回路）のチップを製作していた。（これらのチップについては第14章で取り上げる）。１９８０年代、彼らの学科の教員からニューラルネットワークは敵視されていた。これは多くの研究機関で共通の現象だった。だが、ユーハスもアンドレウもニューラルネットワークへの取り組みをやめたりはしなかった。今では、アンドレウはジョンズ・ホプキンズ大学の教授になり、同大学の言語・音声処理センターを共同設立した。そしてユーハスは、政治家や企業関係者を対象としたデータサイエンスのコンサルティング・グループを経営している。

手書き郵便番号認識の学習

もっと最近の例に、ジェフリー・ヒントンが学生とトロント大学で3層の隠れ層をもつボルツマンマシンを訓練して手書き郵便番号を高精度で分類した研究がある[20]（図7・

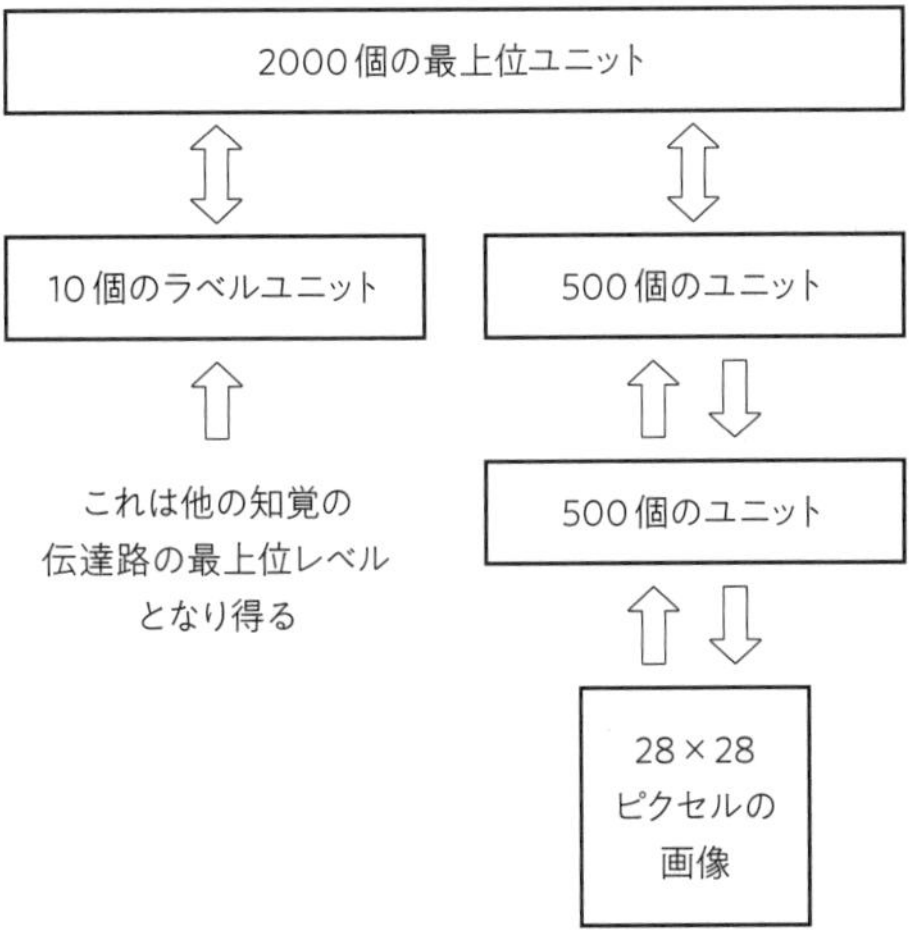

図7.6　手書き数字の認識および生成のための多層ボルツマンマシン。画像は28×28=784個のピクセルからなり、ピクセルは白または黒の状態をとる。このネットワークの目標は10個の出力ユニット（0～9）によって数字を分類することである。

出典：G. E. Hinton, “Learning Multiple Layers of Representation.” Trends in Cognitive Sciences 11 (2007): 428-434, figure 1.

6）。ボルツマンマシンにはフィードフォワード結合だけでなくフィードバック結合もあるので、出力ユニットの一つを1に、他を0に固定してネットワークを逆向きに実行して入力パターンを生成することができる。生成された入力パターンは固定された出力ユニットのカテゴリーに対応する（図7・7）。

図7.7　手書き数字認識用に訓練された多層ボルツマンマシンによって生成された入力層パターン。各行は、10個の出力ユニット（**図7.6**）の一つを１に、他を０に固定して生成された結果を表す。上図のように、入力層は連続的に画像を変形させた。これら数字のいずれも、訓練用データセットのものではなく、訓練されたネットワークの内部構造が「夢見た」ものである。

出典：G. E. Hinton, S. Osindero, and Y. Teh, “*A Fast Learning Algorithm for Deep Belief Nets*.” Neural Computation 18 (2006): 1527–1554, figure 8.

生成ネットワークは訓練データセットの統計的構造をうまく表現しており、生成されたサンプルはそれらの特性を継承している。それはまるで、ネットワークが眠りについた後、ネットワークの最上位の活動によって入力層に夢のような状態が連続的に生まれているかのようだ。

物理学と工学において、ニューラルネットワークは急速に存在感を増したが、従来型の認知科学者はニューラルネットワークを記憶と言語処理を理解するための表現の一つとしてなかなか認めようとしなかった。ラホヤの並列分散処理（ＰＤＰ）グループと、独立して研究を進めるわずかな数の小さなグループを例外として、当時はまだ、記号処理が唯一の選択肢と思われていた。ジェフリーと私が出席した１９８３年の認知科学会のシンポジウムでは、短期記憶とイメージについて研究している心理学者のゼノン・ピリシンが、ボルツマンマシンを馬鹿にして、グラスの水を壇上にこぼしながら叫んだ。「こんなのはコンピューター処理じゃない！」また、ほかの出席者からは、この方向の取り組み全体が、単なる「統計データ」として片づけられてしまった。しかし、ジェフリー・レトビンだけは違っていて、私たちがやっていることをとても気に入っていると言ってくれた。レトビンは、1959年にウンベルト・マトゥラーナとウォーレン・マカロック、ウォルター・ピッツとの共著で「*What the Frog's Eye Tells the Frog's Brain*（蛙の目は蛙の脳に何を伝えるか）」という有名な論文を書いている。[21] この論文は、蛙の網膜には小さな黒い点に最もよく反応する神経細胞があり、これがエサとなる虫の検出器として働き得るという証拠を示したものであり、この考え方はシステム神経科学に大きな影響を及ぼした。生まれたばかりのニューラルネットワークモデルに対するレトビンの支持は、前の時代との重要なつながりを意味していた。

教師なし学習と大脳皮質の発達

ボルツマンマシンは、入力と出力の両方を固定して教師あり学習モデルとして使用することも、入力だけを固定して教師なし学習モデルとして使用することもできる。ジェフリー・ヒントンは教師なし学習モデルで、一度に一つずつ層を増やして行き、深層ボルツマンマシンを構築した。[22] 最初に一つの層の隠れユニットを入力ユニットと結合し

（これは制限つきボルツマンマシンと呼ばれる）、ラベルなしデータ（正解と組になっていない単なるデータ）を使って、これらを訓練した。ラベルなしデータはラベルつきデータよりはるかに入手しやすく（インターネットにはラベルなしの画像や録音データが大量にある）、学習もはるかに速い。教師なし学習の第１段階は、データすべてに共通する統計的な規則性をデータから抽出することだ。しかし、１層目の隠れユニットは、一つのパーセプトロンで表現できる程度の単純な特徴しか抽出できない。次の段階では、１層目の重みを固定して、その上に２層目の隠れユニットを追加する。次の段階、さらに次の段階とボルツマンマシンの教師なし学習をすればするほど、より複雑な特徴のセットを抽出できる。この過程を繰り返せば、多層のネットワークを構築できるのだ。

上層のユニットは、下層の特徴をより非線形性の強い形で組み合わせることで、上層のユニットの集団は下層での個別的な特徴をより一般的な特徴として引き出すことができる。そのため、上層では分類がはるかに容易になり、より少ない訓練データで高いレベルに性能が収束する。なぜ上層では分離しやすい特徴が得られるのか、数学的に説明することはまだ今後の課題として残っているが、このようなディープネットワークを扱う新たな幾何学的ツールが生み出されつつある。[23]

大脳皮質も層から層へと発達するようだ。視覚系の発達段階の初期では、一次視覚野の神経細胞(目からの入力を最初に受ける)の可塑性が高く、視覚入力の経験によってつなぎ換えが簡単に起こり得る。だが、臨界期が終わると、可塑性が失われる。(これは第5章で説明した。)視覚野や他の知覚の階層的な経路は、脳の後部で最初に成熟する。だが、脳の前部により近い皮質領域は、成熟するのにもっと時間がかかる。大脳の最も前の部分にある前頭前野皮質は、成人期の初期まで完全に成熟しないことがある。臨界期とは、その皮質領域における神経細胞の結合が、神経細胞の活動の影響を最も受けやすい時期であるが、この臨界期は重なりながら、脳の発達は緩やかな波のように進行するのだ。カリフォルニア大学サンディエゴ校の認知科学者であるジェフリー・エルマンとエリザベス・ベイツは、ほかの同僚とともに、子どもが世界のことを学ぶにつれて現れる新しい能力に対して、大脳皮質の漸進的な発達がいかに大きな役割を果たしているかという点を、コネクショニスト・モデルを構築して説明した。[24] この取り組みから、長い子ども時代が、どのようにして人間を自然界で最高の学習者にしてきたのかを明らかにするという新しい研究の方向が開かれた。また、ある種の挙動を生れつき備わったものだとする従来の主張への新しい視点が示された。

『*Liars, Lovers, and Heroes*（嘘つき、恋する者、そしてヒーローたち）』[25]は、私の研究室の元博士研究員で現在カリフォルニア工科大学教員のスティーヴン・クウォーツと私の共著である。そのなかで、脳は幼少期から青年期にかけて長期間にわたり発達するが、その間の経験が、神経細胞内の遺伝子の発現に大きく影響することにより、挙動の原因となる神経回路が変化することについて書いた。遺伝的差異と環境からの影響はどのように相互作用するのかというテーマは、脳の発達の複雑さに新たな光を投げかける活発な研究領域であり、「生まれか育ちか」という論争を社会生物学の観点から捉え直すものである。生物としての人間が、私たちの文化を生み出し、逆に文化によって、生物としての人間が形づくられるのだ[26]。そして、最近の発見によって、この物語に新しい章が加わることになった。出生後、脳の発達初期に神経細胞間のシナプス形成の急激な増加が起こると、神経細胞内のＤＮＡがメチル化されることで、遺伝子発現が制御されることがわかったのだ。これは脳に特有の現象である。(27) このエピジェネティックなDNA修飾こそが、クウォーツと私が想像していたような、遺伝子と経験とのリンクなのかもしれない。

1990年代まで、ニューラルネットワーク革命は順調に進んでいった。認知神経科学は進歩し、コンピューターは高速化しつつあったが、まだ十分な速さではなかった。ボルツマンマシンは技術的には魅力的だったが、シミュレーションには恐ろしいほど時間がかかった。本当の意味での進歩のためには、もっと速い学習アルゴリズムが必要だった。そして、私たちが最も必要としたそのときに、それは登場したのだ。

第8章

誤差逆伝播法

１９６０年に創立されたカリフォルニア大学サンディエゴ校は、現在、生物医学研究の主要拠点となっている。１９８６年、同校では認知科学科が世界で最初に開設された[1]。デイヴィッド・ラメルハート（図８・１）は、１９７０年代に人工知能研究の主流であった記号処理によるルールベースの伝統のなかで、数理的な認知心理学者としての地位をすでに確立していた。私が初めてデイヴィッドと会ったのは、１９７９年にジェフリー・ヒントンがカリフォルニア大学サンディエゴ校で開催したワークショップでのことだった。デイヴィッドとジェームス・マクレランドは人間の心理に対する新しい手法に先駆的に取り組んでおり、彼らはそれを「並列分散処理（ＰＤＰ）」と名づけていた。デイヴィッドは問題についてじっくり考えるタイプで、その発言は洞察力に富んでいた。

ボルツマンマシンの学習アルゴリズムによって、隠れユニットを必要とする問題が解けるらしいということは、マーヴィン・ミンスキーやシーモア・パパートをはじめ、その分野の研究者ほぼ全員の考えが間違いであることを、つまり、多層ネットワークを訓練してパーセプトロンの限界を超えることが可能であることを示していた。ネットワー

図 8.1　『*Parallel Distributed Processing*（PDP モデル）』全 2 巻* を 1986 年に出版した頃の、カリフォルニア大学サンディエゴ校のデイヴィッド・ラメルハート。ラメルハートは多層ニューラルネットワークの学習アルゴリズムの技術的発展に大きな影響を及ぼし、そのアルゴリズムを使って、言語や思考の心理学的な解明を進めた。（写真はデイヴィッド・ラメルハートの厚意による。）

＊　原著の一部の章を訳した『PDP モデル―認知科学とニューロン回路網の探索』が出版されている

クの層数にも、層内のどの結合にも制限はない。しかし、一つ問題があった。平衡状態に近づけて、統計データを集めようとすると、シミュレーションが急激に遅くなった。また、ネットワークの規模が大きくなるほど、平衡状態に達するまでの時間が長くなったのだ。

原理的には、大規模並列処理アーキテクチャーをもつコンピューターをつくれば、一度に一つの命令しか実行できない従来のフォン・ノイマン型アーキテクチャーのコンピューターよりも、はるかに速い処理速度を達成できる。1980年代のデジタルコンピューターの1秒当たりの命令実行回数はたったの100万回だった。今日のコンピューターは数十億回であり、何千ものコアを接続した高性能コンピューターの実行速度は当時の100万倍に達する。かつてないほど技術力が進歩したのだ。

かつてアメリカは、原子爆弾が実現できるという確証もないまま、2016年でいうと260億ドルもの費用を投じて極秘のマンハッタン計画を進めた。そして最大の秘密は、それが実現できたということだった。ボルツマンマシンを用いれば多層ニューラルネットワークを訓練できるという秘密がいったん明らかになると、新しい学習アルゴリズムが爆発的に開発された。私がジェフリー・ヒントンとボルツマンマシンに取り組んでいたのと同じ時期に、デイヴィッド・ラメルハートは多層ニューラルネットワークのための別の学習アルゴリズムをすでに開発していた。そして、そのアルゴリズムによって、さらに有用な結果がもたらされることになる[2]。

最適化

最適化は機械学習における重要な数学的概念である。多くの問題に対して、あるコスト関数を選び、そのコストを最小とする状態を探すことでその問題の解を見つけることができる。ホップフィールド・ネットワークの場合、そのネットワークの状態のエネルギーがコスト関数であり、目的はコスト関数を最小化する状態を探索することだ（第６章で説明した）。フィードフォワード・ネットワークの場合によく使われる学習のコスト関数は、出力層で得られた値と訓練データセットとの二乗誤差の和である。「最急降下法」は一般的な手法であり、最も大きくコストが減る方向にネットワークの重みを更

コラム 8.1　誤差逆伝播法

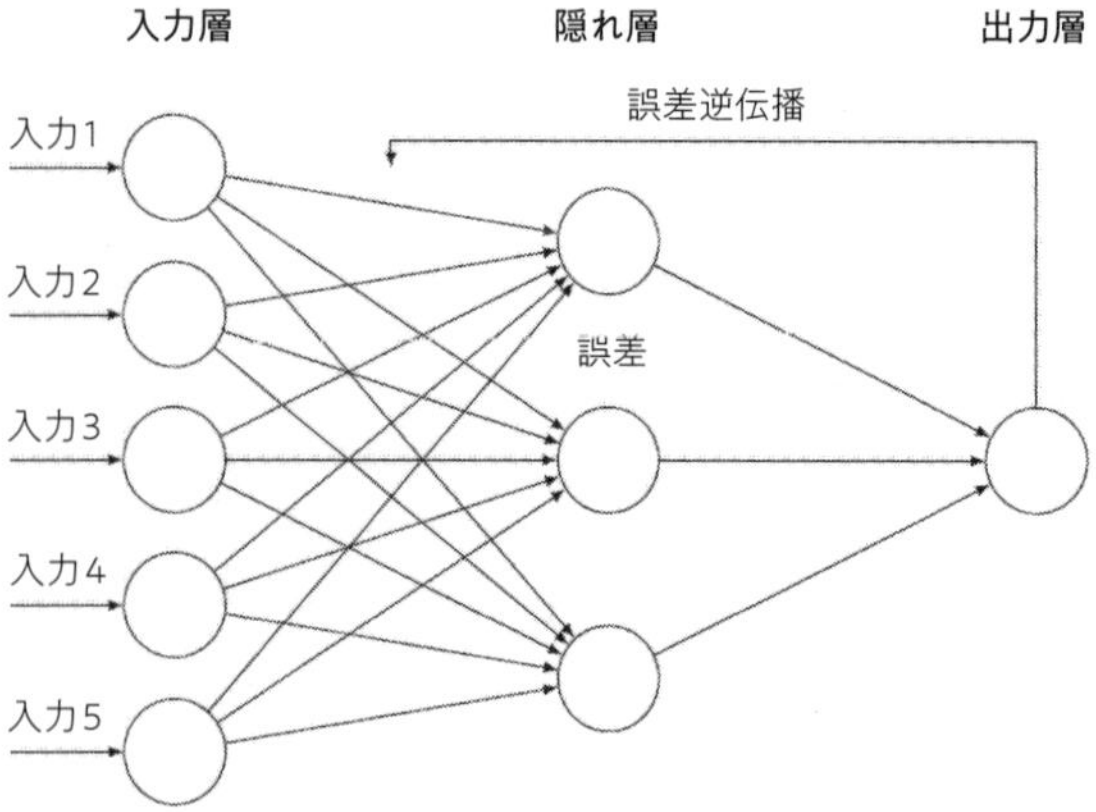

誤差逆伝播ニューラルネットワークへの入力はまず順方向に伝播される。上図において、左側の入力は結合(矢印)を順伝播して隠れユニットに伝搬し、次に隠れユニットから出力層へと投射する。出力値は、訓練者が用意した値と比較されて、その差を使用して、出力ユニットでの誤差が減少するように重みが更新される。入力ユ

ニットと隠れ層のユニットとの間の結合の重みは、それぞれの重みがどの程度誤差に寄与するかに応じて誤差を逆伝播することで更新される。多くの入出力の例で訓練することによって、隠れユニットは、入力パターンの違いを区別できるような選択的な特徴を表現するようになり、それによって出力層は別々のカテゴリーに分けることができるようになる。これを「表現学習」と呼ぶ。（マフムード博士の厚意による。）

新していってコスト関数を最小化する。[3] コスト関数が起伏のある山並みだとすると、最急降下法とは、そこを最も速くスキーで滑り降りるときに選ぶ経路である。

ラメルハートは、「誤差逆伝播法」または「バックプロップ（backprop）」（コラム8・1）と呼ばれる処理によって、ネットワークの各重みの勾配を算出する方法を考案した。誤差がわかっている出力層を起点として、出力ユニットへの重みの勾配を算出するのは簡単である。次のステップとして、出力層の勾配を使用して一つ前の層の重みの勾配を算出する。そして、次のステップではもう一つ前の層、その次はさらに一つ前の層という順に、入力層まで戻る。これは、誤差の勾配を計算する非常に効率的な方法である。

誤差逆伝播法は、ボルツマンマシンの学習アルゴリズムのようにエレガントでも物理学に深く根ざしているわけでもなかったが、より効率的であり、研究の進展も早かった。代表的な誤差逆伝播法の論文は、デイヴィッド・ラメルハートとジェフリー・ヒントン、ロナルド・ウィリアムスの共著で、1986年に『ネイチャー』誌に掲載された。[4] その後、他の論文に4万回以上も引用されている。(ちなみに、発表される論文の半数は一度も引用されない。論文の著者さえも引用しないのだ。100回でも引用されると、その分野に顕著な影響を与えたことになる。つまり、この誤差逆伝播法の論文は大ヒットしたということだ。)

NETtalk(ネットトーク)

1984年にプリンストン大学で、大学院生チャールズ・ローゼンバーグによるボルツマンマシンについての講演を聴いた。通常は自分が講演する側となるテーマだが、私はその話に感心した。その後、チャールズから、私の研究室でサマープロジェクトに取り組みたいと頼まれた。彼と相談して、彼がボルチモアに到着する頃には、誤差逆伝播法の研究に切り替えるという方針が固まった。誤差逆伝播法を使用すれば、それまでに扱っていたおもちゃのようなモデルでなく、現実世界の課題に取り組むことが可能となる。彼は言語学の専門家として有名なジョージ・ミラー教授から指導を受けていたので、私たちは言語に関する手頃な問題（先に進めなくなるほど難しくはなく、既知の手法で解けるほど簡単でもない問題）を探し回った。言語学は広範な学問分野であり、さらに細かいたくさんの領域に分かれる。少し挙げるだけでも、単語の発音に関する音韻論や、単語がどのように配置されて文になるかを研究する統語論、単語や文が表す意味を研究する意味論、文脈がどのように言語の意味に寄与するかを研究する語用論などがある。私たちは音韻論から始めて、徐々に範囲を広げることにした。

英語というのは発音が特に難しい言語である。発音のルールが複雑なうえに、例外が多いのだ。たとえば、単語の最後の子音に続いて無音の「e」がある場合、母音は通常は長音になる（「gave」「brave」など、母音「a」が「エイ」と長く発音される）。しかし「have」のように不規則な挙動を示す例外がある（母音「a」が短い「ア」の音となる）。私は図書館で、音韻学者がこれらのルールや例外を数百ページにまとめた本を見つけた。例外的なルールも多く、また、例外的なルールにさらに例外がある場合もある。要するに、言語学者にとってのルールとは、「どこまでいっても」ルールが続く[5]というものだった。さらに悪いことに、すべての人が同じように単語を発音するわけではない。たくさんの訛りがあり、訛りそれぞれに一式のルールがあるのだ。

　この計画の初期段階の頃、チャールズと私を訪ねてジョンズ・ホプキンズ大学に来たジェフリー・ヒントンから、英語の発音は難しすぎるので取り組むには不向きだと思うと言われた。そこで私たちは目標設定を下げて、子どもたちが初めて読む本として使われる、語彙が１００語だけの本を手に入れた。設計したニューラルネットワークは7文字分のウィンドウをもち、それぞれが29個のユニットをもっていた（アルファベット26文字と空白、句読点に対応）。すなわち、合計２０３個の入力ユニットで構成されていた。このネットワークの目標は、ウィンドウの中央にある文字の音声を予測することだった。入力ユニットは80個の隠れユニットに接続され、隠れユニットは26個の出力ユニットへ写像する。それぞれの出力ユニットが、英語の基本の音声（「音素」と呼ばれる）に対応した。文字を音声に変換するこのニューラルネットワークを、私たちは「NETtalk」[6]（図８・２）と名づけた。このネットワークには１万８６２９個の重みがあった。１９８６年の基準からすると、重みの数としてはかなり多い。また、当時の数理統計学の基準からすればとんでもなく大きな数だった。これほどパラメーターが多ければ、ネットワークが訓練セットに過剰適合してしまって、汎化（未知のデータに対応すること）ができないだろうといわれた。

　複数の単語が7文字分のウィンドウのなかを通っていくのだが、1文字ずつずれるたびに、ニューラルネットワークは、ウィンドウの中央にある文字に音素を割り当てる。このプロジェクトで最も時間がかかったのは、音素を対応する正しい文字と手作業で揃える作業だった。それぞれの単語で文字数と音素の数が同じではないからだ。それとは対照的に、学習はみるみるうちに進み、複数の文章がウィンドウ内を繰り返し通るにつれて精度がどんどん向上し、学習が収束するときには、ネットワークは、１００語の

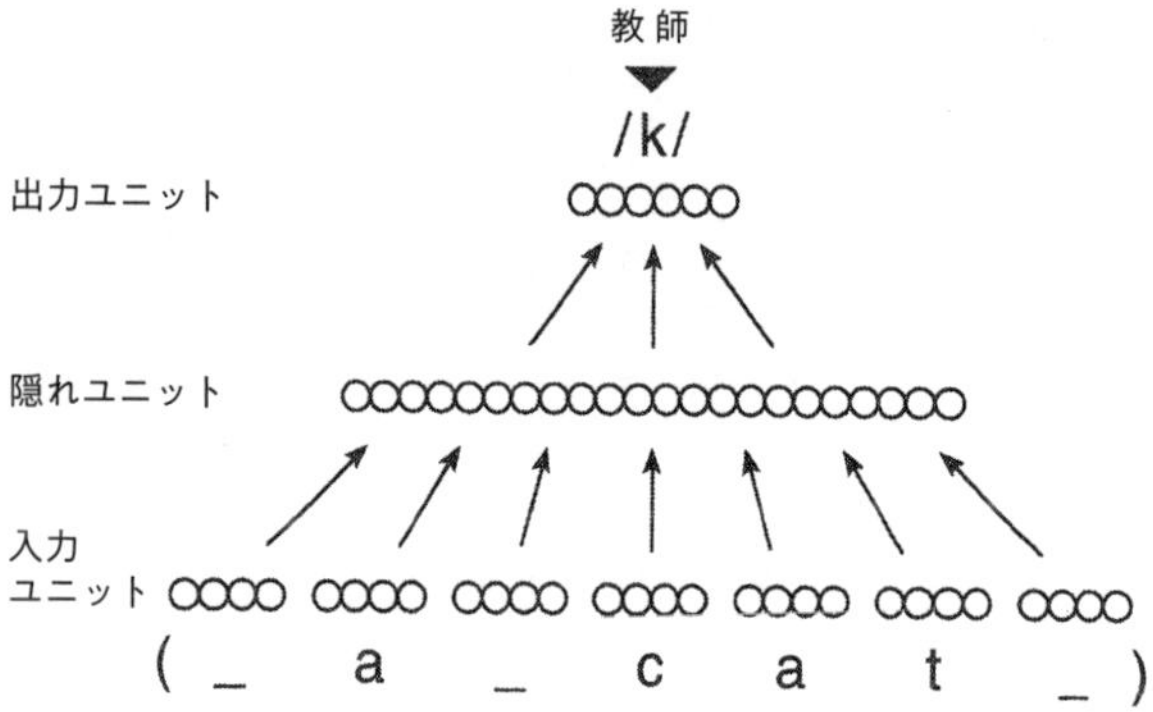

図8.2 NETtalkのフィードフォワード・ニューラルネットワークのモデル。最下層の入力ユニットで構成される七つのグループは、ウィンドウ内を一度に1文字ずつずれながら移動する7文字に対応している。このニューラルネットワークの目標は、中央にある文字の音声を正確に予測することである。図の例では、硬い「c」、つまり/k/の音素である。入力層の各ユニットはすべての隠れユニットに接続し、次にすべての隠れユニットからすべての出力ユニットへと写像される。誤差逆伝播法の学習アルゴリズムにより、教師からのフィードバックを用いて重みを学習する。正しい出力パターンがネットワークの出力と比較されるのだが、図の例の場合、ネットワークの出力は/k/と比較され、その誤差が、前の層の重みへと逆伝播される。

訓練セットに対してほぼ完璧な答えが出せるようになっていた。新しい単語でテストをしたときの成績は悪かったのだが、このような小さな訓練セットではそもそも汎化能力が低いだろうと予想していたので、この予備実験の結果は満足できるものだった。

次に、２万語のブラウン・コーパス[7]を使用して各文字に音素とアクセント符号を割り当てた。文字と音声の対応づけの作業に数週間かかったが、学習が始まるとニューラルネットワークは一夜のうちにコーパスすべてを取り込んだ。だが、どの程度うまく汎化できただろうか？　結果は見事なものだった。１００語のときと同じアーキテクチャーと学習アルゴリズムを使って、ネットワークは英語の発音の規則性を見つけ、例外も認識できていた。今日の基準からすると小さいシステムであるが、NETtalkは、誤差逆伝播法で学習したニューラルネットワークがいかに効率的に英語の音韻を表せるようになるかという証拠となった。また、この研究は、言語（記号表現の代表格）をニューラルネットワークが学習する過程が、人間の学習過程とぴったり一致していることを示す、最初のヒントともなった。

NETtalkが音読の能力を獲得する際、最初に通過したのが幼児語の段階だった。この段階では、子音と母音の違いを認識したが、子音すべてに音素「ｂ」を割り当て、母音すべてに音素「ａ」を割り当てた。最初、「ｂａｂａ（バーバー）」のように聞こえ、より学習が進むと「ｂａｇａｄａ（バーガーダー）」となった。これは、赤ちゃんの喃《なん》語《ご》と不気味なほど似ていた。次に、短い単語を正しく理解するようになり、訓練の終わり頃には大部分の単語を理解した。

NETtalkが訛りをどう学習するかテストしようとしていたところ、ロサンゼルスのバリオに住むラテン系の少年のインタビューを音韻表記したものが手に入った。訓練されたニューラルネットワークは、少年がいつ、どのようにして祖母を訪ねてお菓子をもらったかを話すスペイン語訛りの英語を再現した。私は、NETtalkの出力を、「DECtalk」と呼ばれる音声合成器（一連の音素ラベルを音声に変換する装置）に入力して再生させて、各学習段階における断片的な音声を録音した。このテープを講演中に再生すると、聴衆は仰天した。ニューラルネットワーク自身がしゃべっているのだから当然だろう。[8] このサマープロジェクトは期待以上の成果を挙げた。そして、ニューラルネットワークの学習を初めて現実世界で応用した例として注目を集めたのだ。１９８６

年、私はNETtalkとともに『Today（トゥデイ）』というニュース番組に出演した。この番組の視聴者は驚くほど多かった。そのときまでは、ニューラルネットワークは研究者しか知らない学術研究のテーマであった。今でも、番組を見て初めてニューラルネットワークを知ったという人たちに出会うことがある。

NETtalkは、ニューラルネットワークによって言語のいくつかの側面を表すことができることを見事に実証してみせた。だが、人間がどのように読む能力を獲得するのかを示すよいモデルとはいえない。第一に、人間は読むより先に、話すことを学ぶ。第二に、私たちが声に出して上手に読む能力を身につけるという困難な課題に取り組む際には、きっかけとして少しばかり発音ルールを教えてもらう。だがすぐに、意識的にルールを適用することなく、高速でパターン認識することで音読を行うようになる。英語を話す人のほとんどは、ルイス・キャロルの「ジャバウォックの詩」で使われる「brillig」や「slithy」、「toves」のような意味をなさない造語を、普通の単語を発音するのと同じように、特に苦もなく発音できる。NETtalkも同じだ。これらの造語はどの辞書にも載っていないが、似た英語の文字列のパターンから、ありそうな音素が選ばれる。

NETtalkは視聴者に強烈な印象を与えたが、チャールズ・ローゼンバーグと私はニューラルネットワークがどのように機能しているかを解き明かす必要があった。そのために、隠れユニットの活動パターンにクラスター分析を適用した。その結果、NETtalkは、似たような母音と子音のグループ分けを、言語学者が同定したのと同じ形でしていたことがわかった。マーク・サイデンバーグとジェームス・マクレランドは、同様の手法を出発点として用いて、子どもたちが読み方を学ぶときにたどる一連の段階とモデルとを詳細に比較している。[9]

NETtalkはだれも予想しなかった形で世界に影響を与えた。ジョンズ・ホプキンズ大学のトーマス・C・ジェンキンズ生物物理学科の教員だった頃、私はタンパク質の折りたたみの問題に興味をもつようになった。タンパク質は、アミノ酸が鎖状につながったものであり、それが折りたたまれて複雑な形状をとることで、さまざまな機能をもつようになる。たとえば、ヘモグロビンというタンパク質には、赤血球のなかで酸素と結合する機能がある。アミノ酸配列からタンパク質の三次元の構造を予測することは計算科学における難問であり、最も高性能のコンピューターを使っても、ほとんどのタンパク質について、この問題を解くことはできない。しかし、アミノ酸の鎖の二次構造と呼ばれる部分的な形状は、もっと簡単に予測できる。二次構造には、アミノ酸の鎖が螺旋状に巻いているαヘリックス構造と、シート状に並ぶβシート構造、ランダムコイル構造がある。生物物理学者が使用していたアルゴリズムは、さまざまなアミノ酸の化学的性質が考慮されたものだったが、タンパク質の三次元構造を予測できるほどの性能はなかった(これを三次元フォールディング問題という)。

ニン・チェンは私の研究室の大学院1年生だったが、中国のすべての物理学科学生から選出されて、1980年に大学院生としてアメリカに来た数名のうちの一人だった。チェンと私は、NETtalkを使用して、各アミノ酸にαヘリックス、βシートまたはランダムコイルを割り当てて、アミノ酸配列に対してタンパク質の二次構造を予測できないものかと考えた。タンパク質は三次元構造によって機能が決まるので、構造予測は重要な問題なのだ。文字の連なりの代わりに、アミノ酸の連なりをネットワークに入力して、音素を予測する代わりにタンパク質の二次構造を予測すればよい。訓練セットはX線結晶構造解析によって特定済みの三次元構造である。驚いたことに、訓練セットに使っていないタンパク質の二次構造を予測させたところ、生物物理学に基づく最良の方法よりも、はるかによい結果が得られた。[10] この画期的な研究は、分子の配列に対して初めて機械学習を適用した例だった。この分野は現在、バイオインフォマティクスと呼ばれている。

保守的なルールベースの研究者が前衛的なPDPグループと激しい戦いを繰り広げるなかで、認知心理学の世界で大きな論争を呼んだのが、英語の動詞を過去形にする方法を学習する新たなニューラルネットワークだった。[11] 英語の動詞を過去形にする通常の方法は単語の最後に「ed」をつけるというもので、たとえば「train」を過去形にすると「trained」となる。しかし、「run」の過去形は「ran」となるなど、不規則な例外も多い。だが、ニューラルネットワークでは、規則と例外の両方に対応することに何の問題もない。このことについて議論する人はもうあまりいないが、明示的な形のルールが脳内で果たす役割についての根本的な疑問は、まだ解決されていない。ニューラルネットワークに言語を学習させる最近の実験によると、単語の活用などの語形変化の習得は緩やかに進むことが示され、これは人間の学習とも一致している。[12] ディープラーニングがグーグル翻訳やそのほかの自然言語アプリケーションで言葉のニュアンスまで表現することに成功しているということは、脳は明示的なルールを使用する必要がないという可能性を強く示すものである。たとえ言語行動はそれが必要であるかのように感じさせるとしても。

ジェフリー・ヒントンとデイヴィッド・トゥーレツキーと私は、１９８６年にカーネギーメロン大学で第1回のコネクショニスト・サマースクールを開催した（図８・３）。当時、ニューラルネットワークを授業で教えられる教員のいる大学はほんのわずかだった。NETtalkに基づいた演習では、学生たちの一人ひとりがこのネットワークのユニットとなって、何層かに並んでもらった（「Sejnowski」を伝播する際には、「j」は英語のパターンに従わないで「y」のように発音されるので、誤りが記憶されることになったけれども）。参加した学生の多くは、その後、それぞれが重要な発見を成し遂げ、一流のキャリアを築いた。第２回サマースクールは１９８８年にカーネギーメロン大学で、第3回サマースクールは１９９０年にカリフォルニア大学サンディエゴ校で開催された。新しい概念が学問の本流に入るためには、一世代は必要である。これらのサ

図8.3　1986年にカーネギーメロン大学で開催されたコネクショニスト・サマースクールに参加した学生たち。ジェフリー・ヒントンは最前列の右から3番目で、その両隣はテレンス・セイノフスキーとジェームス・マクレランド。この写真は今日のニューラルコンピューティング研究の著名人録となっている。1980年代のニューラルネットワークは、20世紀にありながら、少しだけ21世紀の科学を先取りしていた。（写真はジェフリー・ヒントンの厚意による。）

マースクールは受講者にとって強烈な経験となり、ニューラルネットワーク研究の黎明期に、この分野を促進するために成し得る最高の投資となった。

ニューラルネットワークの復興

現在では古典ともいえる、ラメルハートとマクレランドが編集した『*Parallel Distributed Processing*（ＰＤＰモデル）』全２巻は１９８６年に出版された。ニューラルネットワークと多層の学習アルゴリズムが、精神や行動のさまざまな現象を理解する上でどのような意味をもちうるかを俯瞰《ふかん》した最初の本である。５万冊以上が販売され、学術書としてはベストセラーとなった。誤差逆伝播法によって訓練したニューラルネットワークが、視覚皮質の神経細胞とよく似た性質をもつ隠れユニットをもつようになるといっただけではなかった。[13] これらのネットワークが破損したときに示すパターンは、脳に損傷を負った人の問題と多くの共通点があった。[14]

フランシス・クリックはＰＤＰグループのメンバーの一人で、グループの会議やセミナーのほとんどに出席していた。並列分散処理モデルがいかに「生物的」かということについての議論では、クリックは、並列分散処理モデルを脳そのもののモデルとみなすのではなく、脳の性質を表すものだと考えるべきだという立場をとった。彼は上記の『*Parallel Distributed Processing*』で、大脳皮質について当時わかっていたことに関する章を書き、私は、大脳皮質についてわかっていないことをまとめる章を書いた。* 今、これらの章を書くとすれば、どちらもずっと長くなるだろう。

一般には知られていない、１９８０年代のサクセス・ストーリーがある。ニューラルネットワークで最も利益を上げた企業の一つは、ロバート・ヘクト＝ニールセンが立ち上げたＨＮＣソフトウェア社だった。この企業がクレジットカード詐欺を防止するために用いたのはニューラルネットワークだった。創立者のヘクト＝ニールセンは、カリフォルニア大学サンディエゴ校の電気工学・コンピューター工学科でニューラルネットワークの実用的応用を教え、その講義は人気を集めた。さて、クレジットカードは毎日、世界中のサイバー犯罪者により不正利用されている。クレジットカードの決済データは怒涛のような膨大な流れをなし、そのなかから不審なクレジットカード決済を見つけ出すのは至難の技だ。１９８０年代には、人間が、クレジットカード決済を承認するか拒否するかを限られた時間のなかで判断していた。だが、そのために、年間１５００億ドルを超える不正クレジットカード決済が発生した。ＨＮＣソフトウェア社は、ニューラルネットワークの学習アルゴリズムを使用し、人間よりはるかに高精度にクレジットカード詐欺を検出できたので、クレジットカード会社は年に何十億ドルも節約できた。ＨＮＣソフトウェア社は２００２年にクレジットスコアの提供で有名なフェア・アイザック社（ＦＩＣＯ）に10億ドルで買収されている。

ネットワークの学習を観察していると、わずかなステップ数でどんどん性能が向上し、その様子にはどこか魔法のようなところがある。学習に時間がかかる場合もあるが、訓練データが十分たくさんあってネットワークの規模が十分大きければ、学習アルゴリズムによって、未知の入力データにもうまく対応できるよい表現をネットワークは見つけられる。初期重みの集合を乱数で選んで学習過程を繰り返す場合、その都度、学習されるネットワークは異なるが、すべてが似たような性能に達する。つまり、多くのニューラルネットワークが同じ問題を解けるようになるのだ。これは、仮に一人ひとりの脳の結合状態を完全に再構成できるようになったとして、それで何が期待できるかを示唆している。多くのネットワークが同じ動作をするならば、それらを理解するための鍵は、脳が使用している学習アルゴリズムであり、こちらのほうが解明しやすいはずだ。

＊　訳書『ＰＤＰモデル』にはいずれも含まれていません。

ディープラーニングの理解

凸最適化問題では、複数の極小値が存在することはなく、最小値への収束が保証されるのに対して、非凸最適化問題にはそれが当てはまらない。最適化の専門家たちは、隠れユニットのあるニューラルネットワークの学習は非凸最適化問題であって極小値に陥るだけだから(図8・4)、研究しても時間の無駄だと言っていた。だが、経験を重ねるうちに、彼らの言うことが誤りであることがわかった。だが、なぜ誤りなのだろう。非常に高次元の空間では、学習の最終段階まではコスト関数に極小値があることは稀であることがわかっている。学習の初期段階では、ほとんどすべての方向が下り坂になっている。途中に鞍点《あんてん》があるものの、鞍点はある次元で見るとくぼ地だが、ほかの次元では尾根の頂なので、さらに下って誤差を減らすことができる。ニューラルネットワークが極小値に陥るはずだと直感的に思うのは、避ける方向がより少ない低次元空間で問題を解いた経験をもとにしているせいなのだ。

現在のディープネットワークモデルには数百万個のユニットと数十億の重みがある。

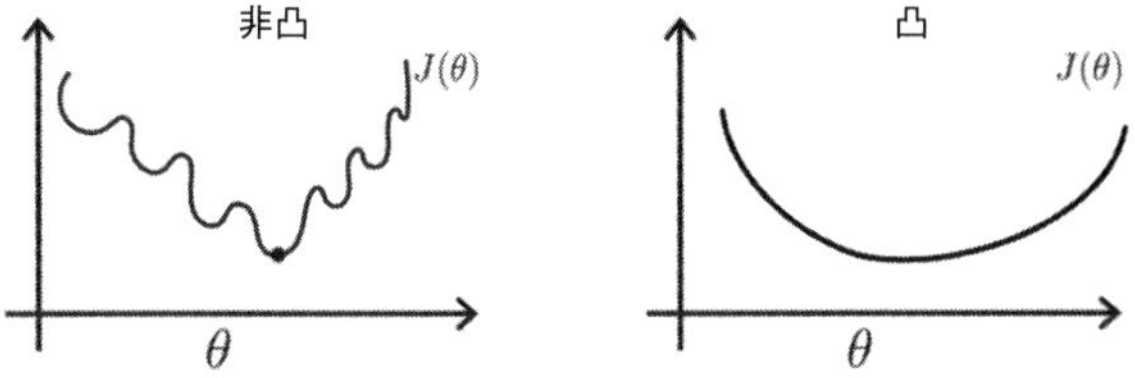

図8.4　非凸コスト関数と凸コスト関数。グラフは、コスト関数J(θ)を、パラメーターθの関数として描いたものだ。凸関数には最小値が一つしかなく（右図）、関数表面のどの位置からでも勾配を下ることによって最小値に到達できる。スキーで山を下りていて、板の先を常に最も勾配が急な方向へ向けると考えよう。あなたが谷底に到達することは保証されるだろう。一方、非凸コスト関数には極小値がある（左図）。極小値は、山を下りて最小値を見つける妨げになる落とし穴だ。そのため、非凸コスト関数は最適化が難しい。しかし、この一次元の例は誤解を招く恐れがある。一般に、ニューラルネットワークにはパラメーターがたくさんあって（典型的なネットワークで数百万ある）、その場合、鞍点といってある次元では上に凸だけれども別の次元では下に凸というポイントがあり得る。鞍点では、勾配を下る方向が常に存在する。

統計学者たちは、小さなデータセットを使用して定理を証明できるようにと、パラメーターが数個しかない単純なモデルの解析を続けてきたので、そんな彼らにとって十億次元の空間は悪夢だった。パラメーターが多すぎる場合、どうしようもないほどデータに過剰適合するはずであり、ネットワークは単に訓練データを覚えるだけで未知のテストデータへの汎化には失敗するに決まっていると、統計学者には断言されたものだ。だが、さまざまな正則化手法を使用すれば、過剰適合を緩和することができる。たとえば、役に立っていない重みを強制的に減衰させるといった手法がある。

なかでも特に巧妙な正則化の手法が、ジェフリー・ヒントンが考案した「ドロップアウト」だ。[15] 学習の段階ごとに、多数の訓練データによって重み空間での勾配を推定して重みを更新するのだが、その際に、ユニットの半分をネットワークからランダムに外してしまうのだ。これにより、エポックごとに異なるネットワークが訓練されることになる。また、各エポックで訓練するパラメーターは少なくなり、結果として得られるネットワークでは、もとの大きなネットワークをエポックごとに訓練した場合よりも、ユニット同士の依存関係が少なくなる。「ドロップアウト」を使って、ディープラーニングニューラルネットワークの誤り率を10パーセントも減少させることができる。これは大幅な改善である。２００９年にネットフリックス社が開催した公開コンテストは、同社のレコメンデーション・システムの誤差を最初に10パーセント減少させた人に賞金１００万ドルを提供するというものだった。[16] コンテストには機械学習を専攻するほとんどすべての大学院生が参加した。ネットフリックス社が１００万ドルという賞金によって促した研究の規模は、おそらく１０００万ドル分にも上るだろう。そして、ディープネットワークは、今やオンライン・ストリーミングのコア技術となっている。[17]

興味深いことに、大脳皮質のシナプスは、高い割合でドロップアウトする。ある入力に伴う発火に対して、大脳皮質の典型的な興奮性シナプスは90パーセントの割合で伝達に失敗するのだ。[18] これは、ほとんどすべての選手が打率１割しかない野球チームのようなものだ。これほど信頼性の低い皮質シナプスを使用しながら、脳の機能はどのようにして高い信頼性を維持しているのだろうか。まず、一つの神経細胞に確率的に動作するシナプスが何千もある場合には、トータルとしての活動のばらつきは比較的少なくなるので、[19] 想像するほどには性能は低下しないのかもしれない。また、シナプスのレベルでドロップアウトがある場合、学習における利益のほうが、精度の低下という代償を上回るのかもしれない。さらに、シナプスが動作するには多くのエネルギーが必要なので、ドロップアウトはエネルギーの節約にもなる。最後に、大脳皮質は確率を使って「ありそうな」結果を計算するので（「確実な」結果ではないのだ）、確率的に動作する部品を使えば、効率的に確率を表現できる。

皮質のシナプスは、信頼性は低いかもしれないが、強度に関しては驚くほど正確である。皮質のシナプスの大きさと対応するシナプス強度は100倍以上の幅がある。一つのシナプスの強度が、この範囲で増減しうるのだ。最近、私の研究室では、テキサス大学オースティン校の神経解剖学者クリステン・ハリスと協力して、ネズミの海馬（長期記憶の形成に関わる脳部位）のある切片の構造を調べ尽くした。この切片には450個のシナプスが含まれていた。大部分の軸索は一つの樹状突起に一つのシナプスで結合していたが、少数の例では、一つの軸索が同じ樹状突起と二つのシナプスで結合していることもあった。驚いたことに、その場合二つのシナプスはサイズがほぼ同一であった。既存の研究結果からすると、それらは同じ強度をもつことを意味する。シナプス強度が変化する条件については多くのことがわかっており、入力スパイクの履歴と、対応する樹状突起の電気的な活動に依存する。つまり、同じ軸索から信号を受けて同じ樹状突起につながる二つのシナプスの条件は、同じだということだ。こういった観察を通して、私たちは、情報がシナプス強度として格納される精度はかなり高く、少なくとも5

ビットの情報を格納できるだろうと推測した[20]。ちなみに、多層の再帰型ネットワークの学習アルゴリズムは、5ビットあれば高水準の性能を達成できるという。上の推察との一致は、偶然ではないかもしれない[21]。

脳の神経回路の次元は非常に高次であり、どの程度高次なのかを適切に見積もることさえできていない。大脳皮質のシナプスは全部で約100兆個と、天文学的に大きな数字である。人間の寿命はたかだか数十億秒である。単純計算すると、生涯通して1秒当たり10万個のシナプスが割り当てられることになる。実際には、神経細胞はクラスター化した局所的な結合を形成する傾向がある。たとえば、皮質のあるコラムには、10万個の神経細胞が結合して10億個のシナプスがある。これでもまだ大きな数だが、天文学的な数ではない。長距離の結合は、局所的な結合よりずっと少ない。貴重な空間がそれで占められるうえに、多くのエネルギーが消費されるためだ。

一つの物体や概念を表現するために、大脳皮質の神経細胞がいくつ使われているかというのは、突き止める価値のある数字だ。大まかに見積もると、必要なシナプスの数は約10億、必要な神経細胞は約10万個で、これらが10カ所の皮質領域に分散している[22]。つまり、100兆個のシナプスには、大体10万個の独立した物体や概念のクラスを格納できることになる。実際には、似ている物体を表す神経細胞の集団は重複しているので、関連する物体や物体の間の関係を表現するための大脳皮質の容量は大幅に増える。この容量は、哺乳類のなかでも人間が突出して大きい。進化の過程を通して、人間の脳の大脳皮質連合野（感覚野と運動野の上位）が途方もなく拡大したためだ。

高次元空間の確率分布の研究は、1980年代の統計学では未開拓のテーマであり、高次元空間と高次元データ集合を扱うときに現れる統計上の問題を研究していた統計学者はわずかだった。そういった統計学者の一人であるスタンフォード大学出身のレオ・ブレイマンは、神経情報処理システム（NIPS）のコミュニティーに、居場所を見つけた。逆に、カリフォルニア大学バークレー校のマイケル・ジョーダンのように、このコミュニテイから統計部門へと誘われて移った人もいる。大勢としては、ビッグデータ時代の機械学習は、統計学者が恐れていた場所へと踏み込んでいる。しかし私たちは、大規模なニューラルネットワークを訓練して素晴らしいことをさせるだけでは飽き足らない。ネットワークがどうやってそれを実現しているのかを解析して理解する必要がある。その面では物理学者たちが先陣を切って、ネットワーク内のニューロンとシナプスの数を増やしたときの学習の特性を、統計物理学の手法を使用して解析してきた。

ロングビーチで開催された2017年のNIPSカンファレンスでは、カリフォルニア大学バークレー校のベンジャミン・レヒト、グーグルのアリ・ラヒミの共著の2007年の論文(23)に対して、時の試練を耐えた研究（Test of Time）賞が贈られた。彼らの論文は、ランダムな特徴によって1層の重みが学習するネットワークの性能が効果的に改善されうることを示したものだ。1960年にフランク・ローゼンブラットがパーセプトロンに関して経験的に知っていた内容である。ラヒミは、受賞後のプレゼンテーションで、機械学習の厳密さについて熱く語った。そして、ディープラーニングには厳密さが欠けていると嘆きながら、ディープラーニングを嘲るように「錬金術」と呼んだ。私の隣に座っていたヤン・ルカンは憤慨していた。ラヒミの話を聞いた後、ヤンはブログに次のように書いた。「我々の現在の理論的な道具立てが実践に追いついていないというだけの理由で、『錬金術』を行っているなどと言い、コミュニティーの全体を（しかも非常にうまくいっているコミュニティーを）批判するのは危険だ。なぜ危険か？　ニューラルネットワークが多くの状況において非常にうまく機能するという経験的証拠が十二分にあったにもかかわらず、機械学習のコミュニティーにニューラルネットワークを10年以上も見捨てておかせたのは、まさにこういった態度ではなかっただろうか[24]」。これは、科学に対する「ごちゃごちゃの」アプローチと「きれいな」アプローチとの間の、昔ながらの小競り合いそのものだった。両者ともに、前に進む必要がある。

ニューラルネットワークの限界

ニューラルネットワークによって、ある問題の正しい答えが得られるかもしれないが、現在のところ、ニューラルネットワークがどうやってその答えを導き出したかを説明する手立てはない。たとえば、胸部に鋭い痛みを感じる女性患者が救急処置室にいるとしよう。心筋梗塞だろうか。その場合はすぐに処置を開始しないといけない。だが、単なる症状の重い消化不良なのかもしれない。たまたまそこにいて対応する医師よりも、診断の訓練を受けたニューラルネットワークの診断のほうが、より正確な場合もあるだろう。しかし、ネットワークがどのようにして診断したのかを説明できなければ、当然ながら、なかなか信用できるものではない。医師もまた、ある種のアルゴリズムに従うよう訓練を受けている。一連の検査や判断ポイントに従って、一般的な症例のどれに相当するかを確認していくのだ。問題は、この医師の「アルゴリズム」の範囲からは漏れてしまう、珍しい症例があることだ。一方、ニューラルネットワークの場合は、平均的な医師が一生の間に出くわす症例よりずっと多くの症例で訓練されていれば、そういった珍しい症例でも診断できるかもしれない。だが、あなたが患者ならば、それらしい説明をしてくれる医師の診断よりも、説明はないけれども統計的な強みのあるニューラルネットワークの診断を信用するだろうか。実際には、珍しい症例について非常に正確な診断を下せる医師には幅広い経験があって、彼らの大部分は、アルゴリズムではなくパターン認識を使って診断している。(25) おそらくどんな分野でも、最高レベルの専門家は、パターン認識を使って判断をしているだろう。

ニューラルネットワークが専門家レベルの診断をするよう訓練するのと同様に、診断の説明を訓練セットに加えることで、ネットワークが診断の説明もするように訓練できるだろうか。これができれば診断能力も高まるかもしれない。この方針の問題は、医師による説明の多くは、不完全であったり、単純化しすぎていたり、間違っていたりするという点にある。人体の複雑さは現時点での私たちの理解をはるかに超えているので、医療は一世代違うだけで劇的に変化する。もし、ネットワークモデルの内部状態を解析することで、因果関係の説明を引き出すことができたなら、医学の進歩のために検証すべき新たな知見や仮説が得られるだろう。

ニューラルネットワークに対して、その結論を理解できないブラックボックスだといって否定してかかる人がいるが、それは脳にも当てはまることだ。実際、同じデータを与えられても、結論は人によって大きくばらつく。そして、脳が経験からどのようにして結論を導くのかも、まったくわかっていない。第3章で示したように、結論は必ずしも論理に基づいているとは限らないし、認識の偏りもある。[26] しかも、私たちが受け入れる説明も、往々にして、単なる正当化であったり、もっともらしく聞こえるだけのお話であったりする。そのうちに、何らかの超大規模な生成ネットワークが話し始めて、私たちがそれに説明を求めるようになる可能性も否定はできない。このようなネットワークから、人の専門家から聞くよりもましな話や理由づけが聞けるようになることを期待すべきなのだろうか。意識も、脳のなかの働きにはアクセスできないことを思い出そう。ディープラーニングのニューラルネットワークからは、一般に、一つの予測だけでなく、有力な予測がランク順に提供されるので、そこから結論の信頼性について何らかの情報を得ることができる。教師ありニューラルネットワークは、ネットワークを訓練するために使用されたデータの範囲内にある問題しか解くことができない。ネットワークが似た症例や事例などで訓練されていれば、内挿することで未知の事例にもよい判断が下せるだろう。しかし、未知の入力が訓練データの範囲外にある場合は、外挿しても正しい結果が得られない可能性が高い。そう聞いても、驚く人はいないだろう。同じような限界が人にも当てはまるのだから。物理学の専門家に対して、政治問題に関するよい意見は期待できないし、物理学の問題ですらも専門が違っていれば、よいアドバイスを期待するべきではない。だが、入力の可能性があるどんなデータをも包含するほど訓練データセットが大きければ、ニューラルネットワークの未知データに対する汎化能力は高くなるはずだ。実際は、人間はアナロジーを用いて、既知の領域から未知の領域のことを外挿しがちだが、二つの領域が根本的に違っていれば、誤ったアナロジーを使ってしまっていることがある。

入力を分類するニューラルネットワークには、すべて何らかのバイアスがかかっている。第一に、分類のためのカテゴリーの選択には、私たちがどのように世界を切り分けているかという人間の偏見が反映される。たとえば、芝生のなかの雑草を見つけるネットワークを訓練すると便利そうだ。だが、雑草とは何なのか？ある人にとっては雑草でも、別の人からすれば野の花だ。分類とは、文化的バイアスを反映した、非常に幅のある問題なのだ。ネットワークの訓練に使用するデータセットによって、さらに曖昧さが増す。たとえば、複数の会社が、顔認識によって犯罪者を特定するシステムを法執行機関に提供している。ところが、これらのネットワークの訓練に使用されるデータベースには白人の顔のデータが黒人よりもずっと多く含まれており、データが多いほど検出精度が上がるため、黒人の顔のほうが白人の顔よりも誤検出されやすくなるのだ[27]。データベースの偏りはデータのバランスを再調整することによって修正できるが、データをどこで入手したとか、データで何を判断するかによって、どうしても隠れたバイアスが加

わることとなる。(28)

ニューラルネットワークを信用することへのまた別の反論として、ネットワークが公平性を犠牲にして利益を最大限に高めようとする可能性があるというものがある。たとえば、社会的マイノリティに属する人が住宅ローンを申請して、何百万もの申請を使って訓練したニューラルネットワークに融資を断られたとしよう。ネットワークへの入力項目には、マイノリティであることと高い相関関係のある、現住所やそのほかの情報が含まれている。マイノリティをあからさまに差別することを禁じる法律があっても、ネットワークはこれらの情報を使って、社会的少数者を暗に差別してしまうかもしれない。さて、ここで問題になっているのは、ニューラルネットワークではなく、最適化に使用するコスト関数である。利益が唯一の目的とされた場合には、ネットワークは与えられた情報を使用して利益を最大化する。この問題の解決策は、コスト関数に、公平性を別の項として組み込むことだ。最善の解決策は慎重に利益と公平性のバランスをとることだが、コスト関数ではトレードオフを明確に定める必要がある。つまり、どうやってそれぞれの目的に重みづけするかをだれかが決めねばならないということだ。そのようなトレードオフには、人文科学や社会科学で議論されてきた倫理的な観点が反映されるべきだ。しかし、公平に見えるコスト関数を選択したとしても、意図しなかった結果を生じうることを、私たちはいつも心に留めておかなければならない[29]。

ＡＩ利用の規制を求める声が、イーロン・マスクやスティーヴン・ホーキング、多くの国会議員や研究者たちから上がっている。２０１５年には、ＡＩとロボット工学の研究者３７２２名が署名した公開状によって、自律型兵器の禁止が以下のように求められた。

私たちが信じることをまとめると、ＡＩにはさまざまな形で人類の利益となる大きな可能性があり、この分野の目標をそこに置くべきだということです。人工知能を利用した軍拡競争が始まるというのはひどい考えであり、人の意図による制御の及ばない攻撃的自律型兵器を禁止することによって防がなくてはなりません[30]。

この禁止の呼びかけは善意によるものだが、裏目に出る可能性がある。すべての国が禁止を受け入れるとは限らない。ロシアのウラジミール・プーチン大統領は次の考えを表明した。

人工知能は、ロシアだけでなく、全人類にとって未来を開くものだ。そこには大きなチャンスがあるが、予測するのが難しい脅威もある。だれがこの分野のリーダーになっても、その者が世界の支配者となるだろう。[31]

また、全面禁止で問題になるのは、ＡＩは単独で存在する分野ではなく、さまざまな種類のツールや応用例があり、それぞれに個別の影響があるということだ。たとえば、１９８０年代における機械学習の初期の応用例として、クレジットスコアの計算の自動化がある。当時、郵便番号で自動的に判断されるのは不公平につながるのではないかという懸念があった。その結果、スコアの計算に使用する情報に関して制限を設ける法律が制定され、企業はスコアを改善する方法を利用者に通知することが義務づけられるようになった。応用例ごとに、研究の全面禁止ではなく、個別に対処すべき課題があるのだ。

時の流れ

1987年に、私はサバティカルでコルネリス・ワイズマ神経生物学客員教授としてカリフォルニア工科大学に滞在しており、そのときにソーク研究所のフランシス・クリックのもとを訪ねた。フランシスは、私も強い関心をもっていた、視覚に注力した研究グループを立ち上げているところだった。教員たちとのランチの席でNETtalkのデモテープを流したところ、活発なディスカッションが巻き起こった。1989年、私はラホヤに移ったが、これはジョンズ・ホプキンズ大学での若手教員からソーク研究所の教授になるという素晴らしい栄転だった。一夜にして多くの機会が開け、なかでもハワード・ヒューズ医学研究所でのポジションを得ることができた。この研究所は26年間にわたって、私の研究を手厚く支援してくれたのだ。

私が1989年にカリフォルニア大学サンディエゴ校に移ったとき、残念なことに、かつて私たちに誤差逆伝播法を教えてくれたデイヴィッド・ラメルハートはすでにスタンフォード大学に移動しており、その後、彼とはたまに会うだけになった。何年かするうちに、私はデイヴィッドの言動が気掛かりな変わり方をしたことに気づいた。その後、彼は前頭側頭型認知症と診断された。前頭皮質の神経細胞がしだいに失われていくことによって、性格や挙動、言葉に影響が出る病気だ。ラメルハートは、やがて家族や友人をも認識できなくなり、２０１１年に68歳で亡くなった。

第9章

畳み込みネットワークの学習

1980年代に火がついたニューラルネットワークブームは、2000年までにはすっかりその熱が冷めてしまい、通常の科学に戻った。トーマス・クーンはかつて、科学革命と科学革命の間の期間を、科学者が、すでに確定されたパラダイムや説明の枠組みのなかで、理論立てと観察、実験を行う、通常科学の期間として特徴づけた。(1) ジェフリー・ヒントンは1987年にトロント大学に移り、かつてボルツマンマシンがもたらした魔法には及ばないものの、一歩ずつ着実に改善を続けていた。ヒントンは、カナダ先端研究機構(CIFAR)の「神経計算と適応知覚(NCAP)」プログラムの、21世紀最初の10年間を担うリーダーになっていた。

このプログラムは、カナダをはじめとするさまざまな国の研究者たち約25名で構成され、機械学習に関連する困難な課題に集中的に取り組んでいた。私はヤン・ルカンが議長を務めるNCAP諮問委員会のメンバーだったので、NIPSカンファレンスの直前に開かれるプログラムの年次会合に出席していた。ニューラルネットワークの先駆者たちは機械学習のさまざまな新しい手法を研究し、ゆっくりではあるが着実に歩を進めていた。彼らのニューラルネットワークはさまざまな形で応用され役立ってはいたものの、1980年代にこの分野に寄せられた大きな期待には応えられないままだった。しかし、この先駆者たちは信念を貫いた。今にして思えば、劇的なブレイクスルーに向けた、助走期間だったのだ。

機械学習の着実な進展

1980年代のNIPSカンファレンスは、ニューラルネットワークを守り育む場所であり、大規模な高次元のデータセットを扱うことのできるアルゴリズムへの道を開いた。1995年にウラジミール・バプニックのサポートベクターマシン(SVM)が突然現れて、1960年代に頓挫したかと思われたパーセプトロン・ネットワークに新たな章が開かれた。SVMを強力な分類器にしたのが「カーネルトリック」という手法であり、今や、すべてのニューラルネットワーク研究者の道具となっている。カーネルトリックとは、データ空間から高次元空間への写像により、データ点を分離しやすいように配置する数学的変換である。また、トマソ・ポッジオは、「HMAX」と呼ばれる階層構造のネットワークモデルを開発し、限られた数ではあったが物体を識別できることを示した[2]。このモデルは、より深いネットワークにすることで性能が改善されることを示唆するものだった。

21世紀初めの数年間に、さまざまな確率モデルを表現できるベイジアンネットワークが開発された。このベイジアンネットワークは、英国の数学者トーマス・ベイズに示された、新たな事実により信念をいかに更新すべきかを表す「ベイズの定理」に基づいている。カリフォルニア大学ロサンゼルス校のジューディア・パールは、すでにベイズの理論に基づく「信念ネットワーク[3]」を人工知能に導入していた。信念ネットワークは、その確率パラメータをデータから学習する手法が開発されたことで、強化され拡張された。これらと、ほかのネットワークのアルゴリズムによって、機械学習研究者のための強力な道具立てが揃ったのだ。

コンピューターの処理能力が指数関数的に増加し続けて、より大規模なネットワークも訓練できるようになった。多くの人は、隠れユニットの数を多くしてニューラルネットワークを広くするほうが、層数を増やしてより深いネットワークにするよりも効果的だと考えていたが、ネットワークの層を一つずつ訓練する場合はそれが当てはまらないことが示された[4]。深いネットワークでは、入力層に近づくにつれて学習が遅くなるという勾配消失問題が指摘されていたが[5]、この問題は最終的に克服されて、深い誤差逆伝播ニューラルネットワークの訓練が可能となり、ベンチマークテストで高い成績を収めた[6]。ついに、コンピューター・ビジョンという古くからの問題に対する、深層の誤差逆伝播ニューラルネットワークを用いた取り組みが始まったのだ。２０１２年のＮＩＰＳカンファレンスの話題は「神経が神経情報処理システム（ＮＩＰＳ）に戻ってきた」であった。

コンピューター・ビジョンでは、20世紀の最後の10年間から今世紀の最初の10年間で、物体画像認識は着実に進歩して、ベンチマークテストの成績は毎年少しずつ上がっていた。手法がゆっくりとしか改善しなかった理由は、新しい物体のカテゴリーが加わるたびに、それを物体の姿勢によらないほかの物体と区別するための特徴量を、専門家が特定しなければならなかったからだ。２０１２年にジェフリー・ヒントンは、二人の学生アレックス・クリジェフスキーとイリヤ・サツケバーと共著で、ディープラーニングで訓練されたアレックスネット（AlexNet）による画像内物体認識に関する論文をNIPSカンファレンスに提出した。AlexNetで使用された深層畳み込みネットワークが本章の主眼である。[7] イメージネット（ImageNet）データベースには1500万枚以上のラベルつき高画質画像が2万2000以上のカテゴリーに分類されて収録されている。これをベンチマークに使用して、アレックスネットはエラー率を26・2パーセントから15・3パーセントというかつてない割合で引き下げた。[8] この飛躍的な性能の向上は、コンピューター・ビジョンの研究者たちに衝撃を与え、さらに大規模なネットワークの開発へとみなを導き、その結果、現在ではその性能が人間のレベルにまで到達している。2015年までに、イメージネットのデータベースをベンチマークとしたエラー率は3・6パーセントにまで下がった。[9] カイミン・ヒと共同研究者が、この低いエラー率を達成するために使用したディープラーニングのニューラルネットワークは、視覚野との共通点が多い。だが、このネットワークをもともと考案したのはヤン・ルカンで、彼は「ル・ネット（Le Net）」と呼んでいた。

ヤン・ルカン（図9・1の右）にジェフリー・ヒントンと私が初めて会ったのは

図9.1　ディープラーニングを極めたジェフリー・ヒントンとヤン・ルカン。この写真は、2000年頃に、カナダ先端研究機構の「神経計算と適応知覚」プログラムの会合で撮影された。このプログラムによって育まれたものが、やがてディープラーニングという分野へと成長した。（写真はジェフリー・ヒントンの厚意による。）

１９８０年代のことで、彼はまだフランスで学生をしていた。９歳のときに見た１９６８年のＳＦ大作映画『２００１年宇宙の旅』に登場する、宇宙船に搭載されたコンピューターのＨＡＬ９０００がきっかけとなって、人工知能研究の道に入ったそうだ。彼はある形の誤差逆伝播法を独自に発見しており、１９８７年の博士論文[10]にそれを書いたのち、トロントに移ってヒントンとともに研究を行った。さらにその後、ニュージャージー州ホルムデルのＡＴ＆Ｔベル研究所に移り、アメリカ国立標準技術研究所が提供する手書き数字のラベルつきデータベース（MNISTデータベース）を使って、手書きの郵便番号を読み取るようにニューラルネットワークを訓練した。アメリカでは毎日、数億通の手紙が郵便受けに配達されているが、現在、手書き郵便番号の読み取りは完全に自動化されている。同じ技術を使って、ATMで銀行小切手の金額が自動的に読み取られるようにもなった。面白いことに、一番の難関は、数字の読み取りではなく、小切手のどこに数字が書かれているかを探すことだった。小切手はそれぞれ形式が違っているためだ。1980年代からすでに顕著だったが、ヤンには、原理を証明して（ここまでは多くの基礎研究者が得意とするが）さらにそれを現実世界で機能させるという並外れた才能があった。現実世界で通用させるためには、製品が数々の試験をパスして、安定した性能を示す必要がある。

畳み込みニューラルネットワーク

ヤン・ルカンは2003年にニューヨーク大学に移ったが、今日「畳み込みネットワーク（ConvNet）」（図９・２）と呼ばれる視覚ニューラルネットワークの研究をその後も続けた。ネットワークの基本となるのは畳み込み計算であり、これは小さなフィルターが画像上をスキャンしていくような計算だと考えればよい。このフィルターによって、画像全体にわたる特徴量の層が生成される。このフィルターは、たとえば第５章で登場したような、特定の向きをもつエッジに反応する検出器である。フィルターの枠の範囲内に物体の正しい方向のエッジがあるとき、あるいは、物体内の正しい方向のテクスチャーがあるときにのみ、その出力が大きくなる。最初の層では、枠に入るのは画像の小さなパッチにすぎないが、フィルターの種類はたくさんあるので、各パッチをたくさんの特徴で表現することができる。この最初の層で画像を畳み込むのに使われるフィルターは、デイヴィッド・ヒューベルとトルステン・ウィーセルが「単純型細胞」と呼んだ一次視覚野の細胞と似ている[11]（図９・３）。２層目以降のフィルターは、もっと複雑な特徴に対応する。[12]

畳み込みニューラルネットワークの初期のモデルでは、各フィルターの出力は「シグモイド関数」という非線形関数に通される。シグモイド関数は０から１に滑らかに増加する関数で、活動の弱いユニットの出力を抑止する（226ページコラム7・2のグラフがシグモイド関数だ）。1層目から入力を受ける2層目では、枠は視野のより広い領域をカバーすることになるので、何層も後になると、どのユニットも画像全体から入力を受けるようになる。この一番上の層は、視覚系の階層構造の最高次の層に対応している。霊長類では「下側頭皮質」と呼ばれる部位で、その受容野は視野の大部分をカバーしている。この一番上の畳み込み層が、分類出力層にとっての入力となり、この二つの層は全結合される。そして、画像内の

図9.2 画像内の物体認識に関する、視覚野と畳み込みネットワークの比較。（上）（a、b）視覚野の階層構造。網膜と視床（RGC、LGN）から一次視覚野（V1）への入力から始まって、下側頭皮質（PIT、CIT、AIT）へと続く。皮質領域と畳み込みネットワークの層との対応が見てとれる。（下）（c）左側の画像からの入力が、1層目の畳み込み層へ投射される。畳み込み層は複数の特徴面で構成される。それぞれの特徴面は、視覚野にある特定の方向をもつ単純型細胞のようなフィルターに対応する。フィルターの出力に対して、1層目全体にわたって閾値とプーリングの処理が行われ、正規化されて、パッチ内の位置によらない応答を生成する。これは視覚野にある複雑型細胞と似た機能をもっている（吹き出し：線形—非線形層での演算）。この演算は、ネットワークの各畳み込み層において繰り返し行われる。出力層は、最後の畳み込み層からの入力と全結合している。

出典：Yamins and DiCarlo, “*Using Goal-Driven Deep Learning Models to Understand Sensory Cortex*,” figure 1, Nature Neuroscience 19 (2016): 356-366 .

図9.2

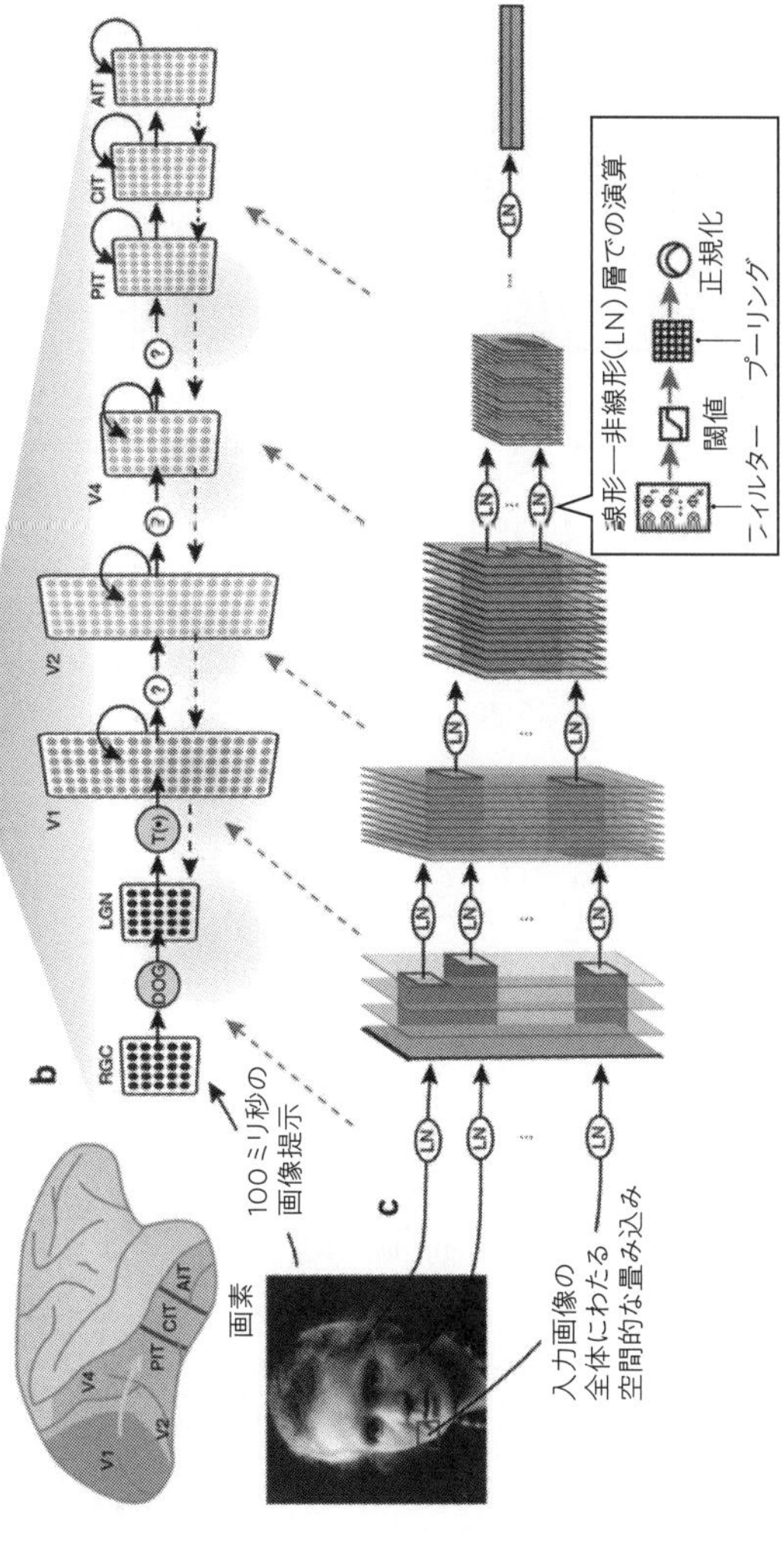
a
b
c
刺激
符号化
神経細胞
復号
行動
RGC
DOG
LGN
V1
V2
V4
PIT
CIT
AIT
100ミリ秒の
画像提示
画素
入力画像の
全体にわたる
空間的な畳み込み
LN
線形ー非線形(LN)層での演算
フィルター
閾値
プーリング
正規化

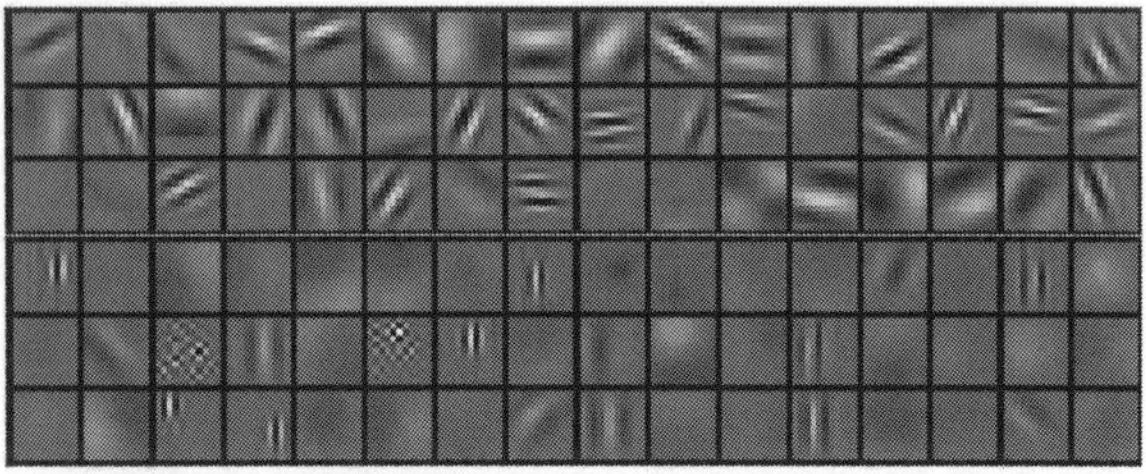

図9.3　畳み込みネットワークの1層目のフィルターの数々。各フィルターは視野内の各小領域に適用される。上部3列のフィルターにとって好ましい刺激とは、視覚野の単純型細胞のように特定の方向を向いた刺激である。下部3列に示す2層目のフィルターにとって好ましい刺激は、もっと広がりがあり、複雑な形状をしている。

出典：Krizhevsky, Sutskever, and Hinton, "*ImageNet Classification with Deep Convolutional Neural Networks,*" figure 3, Advances in Neural Information Processing Systems, 25 (2012) .

物体を分類できるよう、誤差逆伝播法によってネットワーク全体が訓練される。

畳み込みニューラルネットワークは何年もかけてさまざまな改良が加えられた。なかでも重要なのが、領域全体にわたって特徴を集約する操作であり、「プーリング」と呼ばれる。これによって、入力位置がずれていても対応できるようになる。これはヒューベルとウィーセルが一次視覚野で発見した複雑型細胞と似ている。複雑型細胞は、視野のパッチ内ならどこであっても、線分が同じ方向を向いていればそれに反応するのだ。もう一つの有用な操作が、ゲインの正規化（gain normalization）である。入力の大きさを調節して、各ユニットが動作範囲内で機能するようにする。これは、皮質で行われているフィードバックによる抑制の機構に相当する。さらに、出力関数として、シグモイド関数の代わりに整流線形（ReLU）関数が使われるようにもなった。ReLU関数は、ある閾値までは0を出力するが、閾値を超えると線形に増加する（シグモイド関数のように変化が滑らかではなく、閾値で急に変わる）。この関数の利点は、閾値を超えないユニットを効率よくネットワークから取り除けるということであり、これは実際のニューロンの閾値での動作に近い。

畳み込みニューラルネットワークに加えられたそれぞれの変更には、エンジニアに理解できるような、ネットワークの性能を改善するための計算上の理由があった。だが、畳み込みニューラルネットワークは、これらの変更によって、1960年代に明らかにされた視覚野の構成にますます似てきたのだ。もっともその当時は、単純型細胞や複雑型細胞の機能にしても、階層構造の一番上の層での分散的な表現が何のためにあるのかにしても、単なる推測にすぎなかったのだが。これは、生物学とディープラーニングの間に、有用な共生的な関係があるという可能性を示している。

ディープラーニングと視覚の階層構造の類似性

心の哲学者であるパトリシア・チャーチランドは、カリフォルニア大学サンディエゴ校でニューロフィロソフィーを専門としている。[13] 知識は、突き詰めれば、脳が知識をどう表現するかに依存している。だが明らかなことに、哲学者は、知識をイマヌエル・カント言うところの「Ding an sich（物自体）」として、つまりこの世界とは独立した何かとして考えることをやめはしなかった。それと同様に明らかなことは、動物たち、特に人間には、生き延びるため現実世界に根ざした知識が必須だということだ。訓練した多層ニューラルネットワークの隠れユニットの活動パターンと、個々の脳神経細胞の活動記録から明らかになった集団の活動パターンが驚くほど類似していたことが動機となって、パトリシアと私は1992年に『*The Computational Brain*（計算論的な脳）』を出版し、多数の神経細胞の集団に基づく神経科学の概念的な枠組みを提示した。[14]（第2版が出ており、脳型コンピューティングについて知りたい人にとってよい入門書である。）最近、マサチューセッツ工科大学のジェームス・ディカルロは、物体認識用に訓練されたニューラルネットワークとサル視覚野の各階層における神経細胞応答を比較した。同じ画像を提示したときの各層のユニットの応答とを比較した[15]（図９・２）。彼の結論は、ディープニューラルネットワークの低次から高次の層のユニットで見られる統計的特性が、皮質の階層構造の低次から高次の階層の神経細胞で見られる統計的特性と非常によく一致するというものだった。

ディープラーニングでできたニューラルネットワークのユニットの動作とサル視覚野神経細胞の動作が似ているのは、不思議なことである。何しろ、サルの脳が誤差逆伝播法で学習していることはありそうもないからだ。誤差逆伝播法では、詳細な誤差信号をネットワークの各層の各神経細胞へ正確にフィードバックする必要がある。神経細胞にもフィードバック結合があることは知られているが、その精度は、誤差逆伝播法で必要なレベルよりもはるかに低いのだ。生物学的には誤差逆伝播法よりもほかの学習アルゴリズムのほうがあり得そうだ。たとえば、ボルツマンマシンの学習アルゴリズムには、大脳皮質で発見されたヘッブのシナプス可塑性が使われている。ここから、興味深い問題が生じる。皮質における学習アルゴリズムをはじめとする、大規模な学習アルゴリズムに適用できるような、ディープラーニングの数学理論はあるのだろうか。第7章で、視覚の階層の高次の層において分類曲面の絡み合いが少なくなることについて述べた。上層での決定曲面は下層の曲面より平らなのだ。決定曲面の幾何解析によってディープラーニングと脳の学習の両方の数学的理解が深まるかもしれない。

ディープニューラルネットワークの利点の一つは、ネットワーク内の各ユニットの内容を「記録」できて、層から層へと変換される情報の流れを追いかけられることだ。このようなネットワークを解析する手法は、脳の神経細胞の解析へと応用できる。機能している技術には素晴らしい点がある。その技術の裏側にはたいていよい説明があって、その説明を理解したいという強い動機につながるという点だ。最初の蒸気機関は、技術者によって直感的に組み立てられた。そののち、蒸気機関がどのように働くかを説明する熱力学の理論がつくられて、それによって蒸気機関の効率が向上した。物理学者と数学者によるディープニューラルネットワークの解析は、現在進行中だ。

作業記憶と活動の持続

1960年代以降、神経科学は大きく進歩しており、現在の脳についての知見から多くのことが導き出せる。1990年にパトリシア・ゴールドマン＝ラキーシュは、光点で短時間だけ示した位置を記憶し一定遅延時間後にそこへ視線を向けるようサルを訓練した。[16] 彼女はサルの前頭前野からの信号を記録して、光点に反応した一部の神経細胞が遅延時間の間もその反応を維持していたことを報告した。心理学者はこれを「作業記憶（ワーキングメモリー）」と呼び、このおかげで、電話番号をダイヤルするような時に、よく7±2個といわれる数の項目を覚えていられるのだ。

従来型のフィードフォワード・ネットワークは入力を1層ずつ高次層に伝播する。だが、作業記憶を組み込めば、後からの入力が、ネットワークへの以前の入力から残った情報と相互作用できるようになる。たとえば、フランス語の文章を英語に翻訳すると き、ネットワークに入力した最初のフランス語の単語がその後の英単語の並びに影響することになる。ネットワークに作業記憶を実装する最も簡単な方法は、再帰的な結合を追加することだ。再帰的な結合は人間の大脳皮質でよく見られる。ニューラルネットワークのある層内の再帰的な結合と一つ前の層へのフィードバック結合があれば、入力の時系列データを時間的に統合することができる。このようなニューラルネットワークは、1980年代によく研究されて、音声認識に広く使用されている。[17] 実際には、このネットワークは短期の依存関係に対してはうまく機能するが、入力の影響が時間とともに減衰する傾向があるため、時間差が大きい入力同士だと効果がなくなる。

1997年、セップ・ホッホライターとユルゲン・シュミットフーバーが、この減衰問題を克服する「長短期記憶(LSTM)」という方法を考案した。[18] LSTMによって、活動は基本的に減衰されることなく過去から未来へともち越される。これこそまさに、サルの前頭前野で遅延期間の間に起きていることだ。また、LSTMには、新しく入ってくる情報と古い情報とをどのように統合するかを決める複雑な仕組みが備わっている。結果として、長期間の依存関係が選択的に保持される。だが、このタイプのニューラルネットワークの作業記憶はあまり使われないまま眠り続けた。そして、20年後に呼び起こされてディープラーニングネットワークに実装されたのだ。この作業記憶は、映画や音楽、動作、言語など、入力と出力の順序の学習が欠かせない多くの領域で大成功を収めている。

シュミットフーバーが副所長を務めるダッレ・モーレ人工知能研究所（Dalle Molle Institute for Artificial Intelligence Research）は、アルプスでも随一のハイキングコースにほど近い、スイス南部ティチーノ地方の小さな町マンノにある。(19) このシュミットフーバーは創造的かつ独特の個性の持ち主であり、ニューラルネットワーク業界のロドニー・デンジャーフィールド*ばりに、自分の創造的な業績が十分に認められていないと信じている。２０１５年にセントリオールで開催されたＮＩＰＳカンファレンスでは、聴講席から「〝またお前か〟のシュミットフーバーだけど」と名乗ってパネルディスカッションに割って入ったし、バルセロナで開催された翌年のＮＩＰＳカンファレンスでは、チュートリアルの講演者に向かって、自分が提示したアイデアに十分に注意を払っていないと5分間にわたって文句を言い続けた。

＊　〝I don't get no respect!〟が決まり文句の有名コメディアン

２０１５年、ケルビン・シュイは共同研究者とともに、画像中の全物体を特定するディープニューラルネットワークとＬＳＴＭネットワークを組み合わせて、画像にキャプションをつけるシステムをつくった。彼らは、全物体を特定するディープニューラルネットワークから渡される単語を入力として、その場面を説明するキャプションの一連の英単語を出力するようにＬＳＴＭネットワークを訓練した（図９・４）。また彼らは、キャプション内のそれぞれの単語に対応する物体の画像内での位置を特定するように、ＬＳＴＭネットワークを訓練することにも成功している。[20] このアプリケーションが印象的なのは、ＬＳＴＭネットワークは

図9.4　ディープラーニングを使用した、画像のキャプション生成。図上部は写真を解析する手順を示している。第1段階で畳み込みニューラルネットワーク（CNN）によって写真のなかの物体にラベルをつけて、これを再帰型ニューラルネットワーク（RNN）に渡す。RNNは、適切な一連の英単語を出力するよう訓練されている。下側の4枚の画像は、視覚的注意（白っぽい範囲）を使用して、写真のなかの単語の指示対象を認識する精度を上げる様子を示している。上図はトム・ミッチェルの厚意による。

出典：M. I. Jordan and T. M. Mitchell, "*Machine Learning: Trends, Perspectives, and Prospects,*" Science 349, no. 6245 (2015): 255– 260, figure 2. 下図はケルビン・シュイの厚意による。

出典：Xu et al., "*Show, Attendand Tell,*" 2015, rev.2016,figures 1 and 3, https://arxiv.org/pdf/1502.03044.pdf.

図9.4

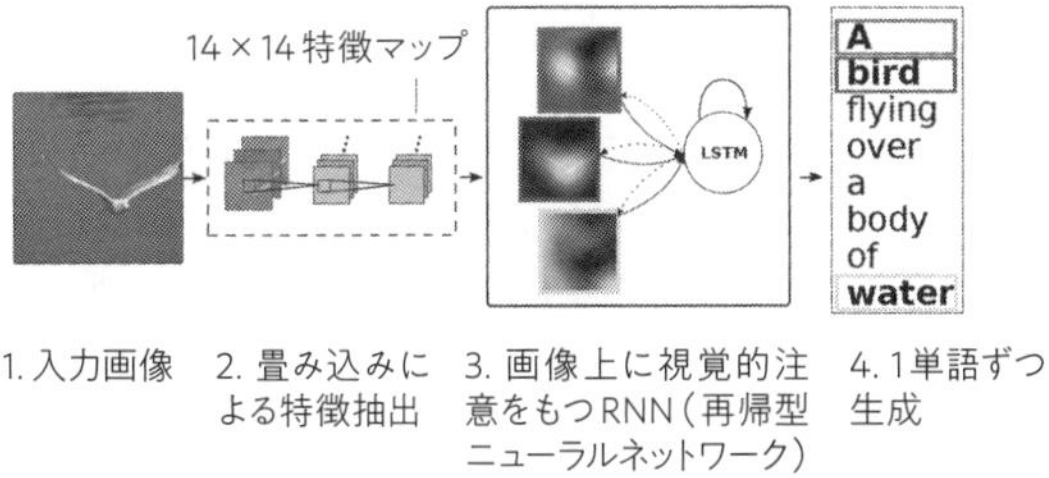
14×14特徴マップ
LSTM
A
bird
flying
over
a
body
of
water
1. 入力画像
2. 畳み込みによる特徴抽出
3. 画像上に視覚的注意をもつRNN（再帰型ニューラルネットワーク）
4. 1単語ずつ生成

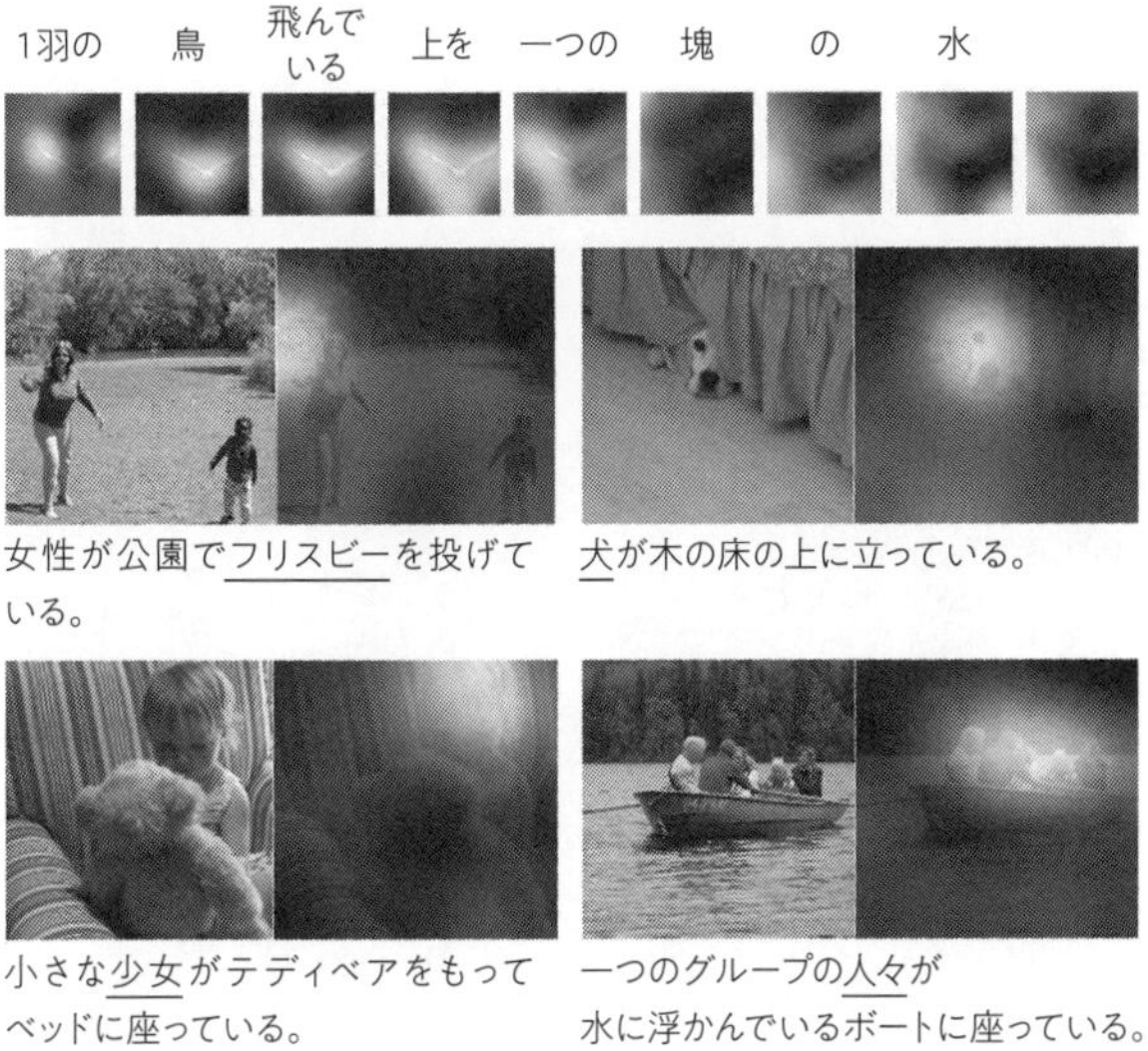
1羽の
鳥
飛んでいる
上を
一つの
塊
の
水
女性が公園でフリスビーを投げている。
犬が木の床の上に立っている。
小さな少女がテディベアをもってベッドに座っている。
一つのグループの人々が水に浮かんでいるボートに座っている。

キャプションの文の意味を理解するように訓練されたわけではなく、物体とその物体の画像内位置に基づいて構文的に正しい一連の単語を出力するように訓練されただけだということである。これは、第8章で先に紹介したNETtalkの例と合わせて、ニューラルネットワークと言語には、まだ解明されていない何らかの理由で親和性があるというさらなる根拠となる。LSTMネットワークを解析することで、新しい言語理論が登場して、ネットワークの動作と自然言語の性質の両方が明らかになるかもしれない。

敵対的生成ネットワーク

第7章で、ボルツマンマシンは、認識するよう学習させたカテゴリーの一つを表す出力層を固定すると、活動パターンが入力層に伝わって新しい入力サンプルを生成できる生成的モデルになることを紹介した。[21] この手法は「敵対的生成ネットワーク（GAN）」と呼ばれ、画像生成用の畳み込みネットワーク（生成ネットワーク）に加えて、画像が本物か生成された偽物か見分けようとするもう一つの畳み込みネットワーク（識別ネットワーク）を用意する。この識別ネットワークをだまそうとする（本物の画像だと誤認識させる）ように、生成ネットワークを訓練することで、生成ネットワークがよりよい画像のサンプルを生成するようになるのだ。生成ネットワークの出力は、識別ネットワークの入力となる。識別ネットワークは、入力が本物の画像の場合は1を、偽物の画像の場合は0を出力するように訓練されている。これら二つのネットワークが互いに競い合うのだ。生成ネットワークは識別ネットワークのエラー率を増やそうとし、識別ネットワークは自らのエラー率を減らそうとする。これらの目標のせめぎ合いによって、驚くほどリアルで写真のような画像が生成されるようになる[22]（図９・５）。

これらの生成された画像はつくり物であって、画像内の物体は実在しないことを覚えておいて欲しい。これらは訓練セットのラベルなし画像が一般化されてつくられたものだ。つまり、敵対的生成ネットワークは教師なし学習モデルであり、使えるデータはいくらでもある。こういったネットワークは、たとえば、非常に解像度の高い銀河の天文画像のノイズ除去[23]から、感情に訴えるスピーチの学習[24]まで、さまざまな形で応用されている。

また、生成ネットワークの入力ベクトルを徐々に変化させることによって、画像を少しずつ変えることができる。たとえば、画像の一部に窓が現れたり、それが少しずつ変形しながら戸棚のようなほかの物体に変わったり[25]。さらに驚くことに、図9・6に示すように、入力ベクトルを加算したり減算したりすることで、画像内の物体を組み合わせた画像を得ることもできる。こういった実験からわかるのは、私たちが部屋にある物を説明するときと同じような方法で、生成ネットワークにおける画像表現でも、部屋が描写されているらしいということだ。この技術は急速に進歩しており、次

図9.5 敵対的生成ネットワーク（GAN）。一番上の図は画像サンプルを生成する畳み込みネットワークを示しており、識別側の畳み込みネットワークをだますように訓練される。左側の入力は、さまざまな画像を生成するためにランダムに選択された百次元の連続値をもつベクトル。入力ベクトルに各層でフィルターが適用されて、空間的スケールがどんどん大きくなる。下側の図は、単一のカテゴリーの写真を用いてGANを訓練することで生成されたサンプル画像。上の図はスーミス・チンタラの厚意による。

出典：A. Radford, L. Metz, and S. Chintala, "*Unsupervised Representation Learning with Deep Convolutional Generative Adversarial Networks*," figure 1, arXiv:1511.06434, https://arxiv.org/pdf/1511.06434.pdf. 下の図はアイン・グエンの厚意による。

出典：A. Nguyen, J. Yosinski, Y. Bengio, A. Dosovitskiy, and J. Clune, "*Plug & Play Generative Networks: Conditional Iterative Generation of Images in Latent Space*," figure 1, https://arxiv.org/pdf/1612.00005.pdf.

図9.5

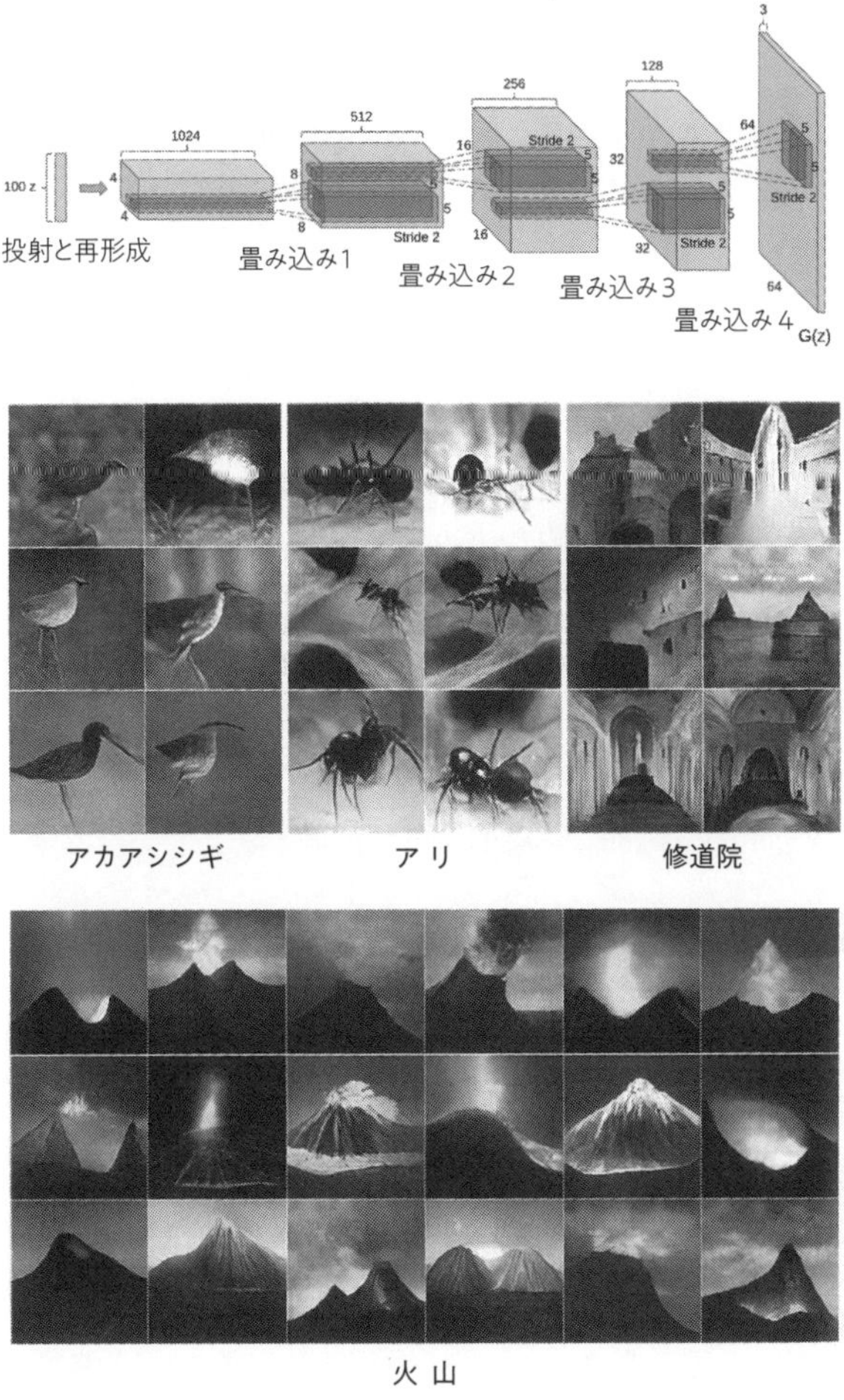
100 z
1024
4
4
512
8
8
5
5
Stride 2
256
16
16
Stride 2
5
5
128
32
32
5
5
Stride 2
3
64
5
5
Stride 2
64
投射と再形成
畳み込み1
畳み込み2
畳み込み3
畳み込み4
G(z)
アカアシシギ
アリ
修道院
火山

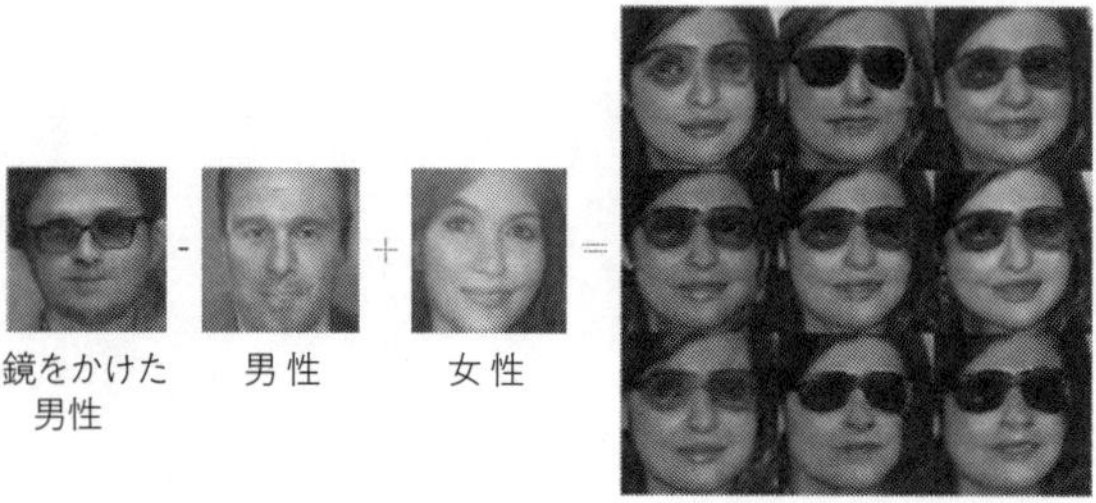

図9.6 敵対的生成ネットワークにおけるベクトル演算。顔について訓練された生成ネットワークに、複数の入力を混合したものを入力して生成されたのが、左側の3枚の画像である。この3枚の出力を使用して、選択した入力ベクトルを減算および加算することで、右側のブレンドした画像が生成される。ブレンドは、モーフィングで行われるような平均処理とは違って、最上位の表現レベルで行われるので、パーツや姿勢が継ぎ目なく組み合わされる。

出典：A. Radford, L. Metz, and S. Chintala, “*Unsupervised Representation Learning with Deep Convolutional Generative Adversarial Networks*,” figure 7, arXiv:1511.06434, https://arxiv.org/pdf/1511.06434/.

の目標はリアリティーがある動画の制作だ。たとえば、ある俳優の映画に対して再帰型の敵対的生成ネットワークを訓練することによって、マリリン・モンローのようにすでに亡くなっている俳優のパフォーマンスを新しくつくることも可能となるはずだ。

ミラノ・ファッション・ウィークでは、超然とした表情のモデルがもったいぶった足取りで細長いス

図9.7　ジョルジオ・アルマーニのミラノでの2018年春夏メンズウェアのショー。

テージを歩く（図９・７）。実は、このファッションの世界でも大きな変化が起きつつある。シルヴィア・ヴェントゥリーニ・フェンディは、ショーが始まる前にこう話した。「多くの仕事が消えつつあるわ。ありきたりの仕事はアンドロイドに取って代わられるでしょう。でもアンドロイドに代わりができない唯一のものがある。それは、人間の創造性や心なのよ[26]」。さて、ここで、新しいスタイルやオートクチュールをほとんど無限に生成するよう訓練された敵対的生成ネットワークについて想像してほしい。創造性で成り立っているほかの多くのビジネスと同様、ファッション界も新時代の一歩手前にあるのかもしれない。

スケーリングがすべて

現在使われている学習アルゴリズムは25年以上前に見つけられたものが大半だ。なぜ、現実の世界に影響を与えるまでにそんなに長くかかったのだろうか。１９８０年代のコンピューターと、当時の研究者が入手できたラベルつきデータでは、単純化した問題について原理を証明してみせることしかできなかった。なかには期待できそうな成果もあったが、現実世界の課題の複雑さに合うようユニットや結合の数を増やしたときに、ネットワークの学習や性能がどの程度、それに合わせて向上するか（スケールするか）ということは知る由もなかった。ＡＩのアルゴリズムの大部分はスケールすることができず、非常に単純な問題を解く以上のことはできなかった。現在では、ニューラルネットワークの学習はよくスケールして、ネットワークのサイズや層数を増やすと性能も上昇し続けることがわかっている。特に、誤差逆伝播法を使ったネットワークは非常によくスケールする。

これは驚くべきことだろうか。大脳皮質は哺乳類の進化とともに発明されたものであり、霊長類、とりわけ人類で急激に大きくなった。大脳皮質が大きくなるにつれて、より大きな容量を使用できるようになり、より多くの層が、上位の表現のための連合皮質に加わった。これほどよくスケールする複雑系はめったにない。インターネットは、そのサイズを１００万倍にスケールアップした数少ない工学的なシステムの一つである。通信パケットのためのプロトコルが確立されたことで、インターネットは発展した。これは、ＤＮＡの遺伝子コードによって細胞の進化が可能となったことと似ている。

さまざまなディープニューラルネットワークを同じデータセットで訓練すると、さまざまなネットワークが多数できるわけだが、それらはほぼ同じレベルの平均性能を示す。興味があるのは、これらの同レベルのネットワークのすべてに共通することとは何かということだ。ネットワークを一つだけ解析してもこれは明らかにならないだろう。ディープラーニングの背景にある法則を理解するもう一つの方法は、学習アルゴリズムの空間をさらに探ることである。私たちはまだ、すべての学習アルゴリズムの空間のごく一部を試してみただけだ。もっと広範に調べることで、ほかの科学領域の理論と同じくらい深遠な、学習の計算理論が現れる可能性がある。[27] その理論がわかれば、自然によって発見された学習アルゴリズムにも、待ち望まれる光を投じられるかもしれない。

モントリオール大学のヨシュア・ベンジオ[28]（図9・8）とヤン・ルカンは、カナダ先端研究機構の「神経計算と適応知覚」プログラムの10年目の評価の後、ジェフリー・ヒントンの後を継いでプログラム責任者となった。この時、名称が「機械と脳の学習（Learning in Machines and Brains）」プログラムへと変更された。ヨシュアが率いていたモントリオール大学のグループでは自然言語にディープラーニングを適用する研究が行われていたので、これが「機械と脳の学習」プログラムの新たな重点分野になるだろう。「神経計算と適応知覚」プログラムの10年にわたる会合で、わずか20人あまりの教員や研究員によって、ディープラーニングが誕生した。この5年間で、以前は解決困難だと思われていた多くの問題にディープラーニングが適用され、非常に大きな成果を上げているが、それはこの人々に端を発している。だがもちろん、彼らはさらに大きなコミュニティーの一部なのだ（このコミュニティーについては第11章で詳しく見ていい

図9.8　ヨシュア・ベンジオはCIFARの「機械と脳の学習」プログラムの共同責任者である。フランス生まれのカナダ人コンピューター科学者であるヨシュアは、自然言語の問題へのディープラーニングの適用に関して、主導的役割を担ってきた。ジェフリー・ヒントン、ヤン・ルカンおよびヨシュア・ベンジオがもたらした進展が、ディープラーニングの成功に大きな影響を与えた。（写真はヨシュア・ベンジオの厚意による。）

こう）。

ディープニューラルネットワークはさまざまな形で応用されて成果を上げてきたが、それ自体の力だけで現実世界で生き残れるわけではない[29]。実際には、研究者たちがデータを与え、収束性がよくなるように学習率や層数、ユニット数などのハイパーパラメーターを細かく調整し、強力なコンピューター資源を提供するなど、大変な手間がかかっている。一方、大脳皮質も、自律性を与えてくれて支えてくれる脳のほかの部分や体がなくては、現実世界で生き延びることはできない。不確かな世界においては、生き延びることがパターン認識よりもはるかに難しい問題なのだ。第10章で紹介するのは、昔からある学習アルゴリズムだ。私たちはこのアルゴリズムによって、報酬が得られる経験を求めるよう動機づけされ、自然のなかで生き延びてきたのだ。

第10章
報酬学習

中世から伝わる話だ。チェスの発明者が、それに喜んだ王様から、褒美として畑いっぱいの小麦を与えようと言われた。発明者はそれを断って、代わりにチェス盤の最初のマス目に1粒の小麦粒を、2番目のマス目には2粒、3番目のマス目には4粒といった具合に、1マス進むごとに倍の数の小麦を置いて、64個のマス目すべての分の小麦がいただきたいのですが、と言った。これを聞いた王様は、なんと控えめな望みだろうと考えて、すぐに承諾した。しかし実際にその望みをかなえるには、王国のすべての小麦どころか、全世界の小麦を何世紀にもわたって発明者に与えなければならないことになる。なぜなら、64番目のマス目に置く小麦は2^{63}（およそ10^{19}）粒になるからだ。[1] これは「指数関数的な増加」と呼ばれる。チェスや囲碁のようなゲームのボード上の駒配置の数は、この小麦の数よりもっと急激に大きくなる。チェスでは、各盤面において可能な駒の動きは平均35手である。囲碁の場合は250手もある。このような多くの分岐ため、指数関数的増加ははるかに急なものとなる。

バックギャモンの対戦方法の学習

ゲームには、ルールが明確に定義されているという長所がある。プレーヤーは盤面に関する完全な知識をもっており、意思決定は現実世界ほど複雑ではないにしても、知力を試されるほど十分に複雑である。商用デジタルコンピューターが登場してから間もない1959年に、機械学習の先駆者の一人であるIBMのアーサー・サミュエルが、チェッカーのプログラムを書いた。その見事な対戦ぶりから、発表された日にはIBMの株価が跳ね上がった。チェッカーは比較的簡単なゲームである。サミュエルのプログラムは、それまでのゲームのプログラムと同様に、さまざまな手の強さを評価するコスト関数に基づくもので、IBMの最初の商用コンピューターである真空管式のIBM 701上で動作した。しかしこのプラグラムが印象的だったのは、まったく新しいある特徴があったからだ。自分と対戦して学習したのだ。

ジェラルド・テサウロは、ニューヨーク州ヨークタウンハイツにあるIBMのトーマス・J・ワトソン研究所に移る前、イリノイ大学アーバナ・シャンペーン校の複雑系研究センターにいた。このとき、彼と私は共同で、ニューラルネットワークにバックギャモンの対戦方法を学習させるという問題に取り組んだ[2](図10・1)。私たちは、熟達した人間のプレーヤーを教師につけてニューラルネットワークを訓練し、盤面の配置と可能な駒の動きを誤差逆伝播法で評価するようにした。この方法の欠点は、教師以上にプログラムの腕が上がることは決してないということであり、実際私たちの教師は世界選手権レベルではなかった。だが、自分自身と対戦をすることで、プログラムの腕が上がる可能性はある。しかし、当時の自己対戦の問題点は、ゲームが終わった時点での勝ち負けからしか学べないということだった。対戦をして一方が勝ったとき、多くの駒の動きのうちのどの手が有効だったのだろうか。この問題は「時間的な貢献度分配問題」と呼ばれる。

この貢献度分配問題を解決する学習アルゴリズムは、1988年にリチャード・サットンによって考案された[3]。彼はマサチューセッツ大学アマースト校で、博士課程の指導教官アンドリュー・バートと緊密に連携しながら、強化学習の難問に取り組んでいた(図10・2)。強化学習とは、機械学習の一分野で、動物の行動実験における連合学習

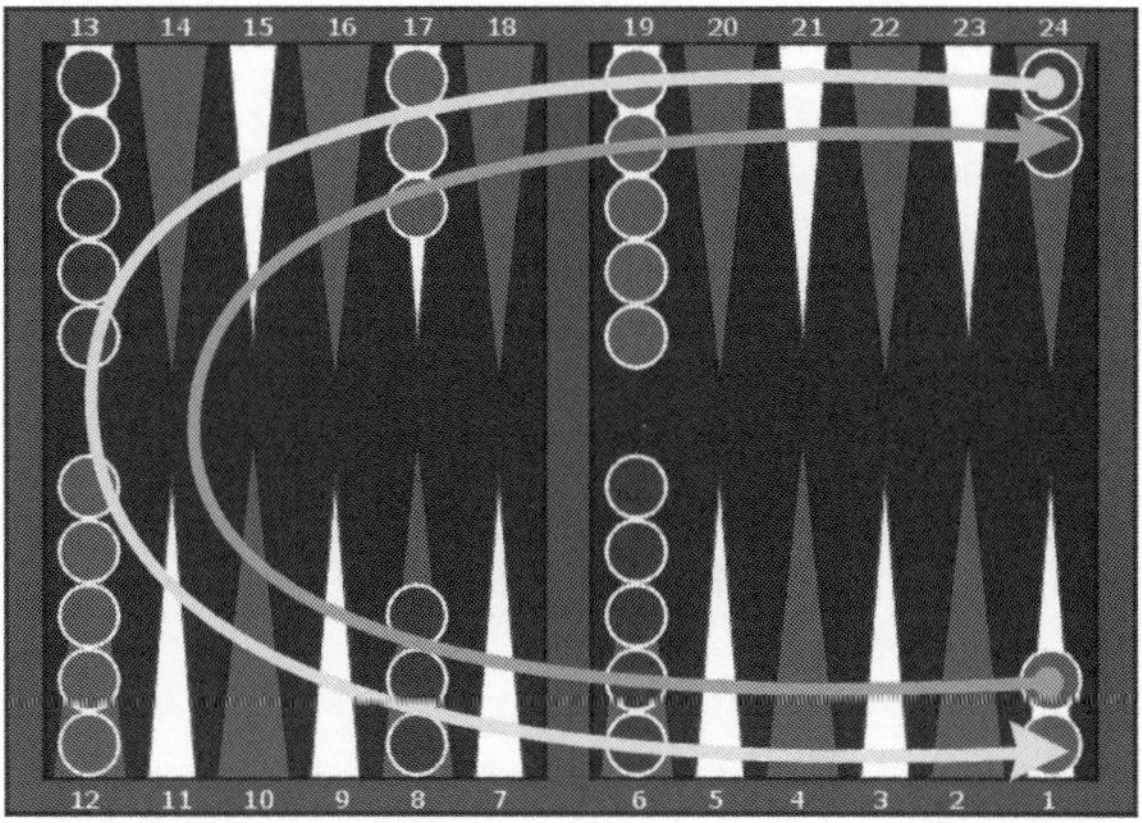

図10.1　バックギャモンの盤面。バックギャモンは、赤い駒と黒い駒をそれぞれ反対方向（矢印の向き）に動かしてゴールを目指すゲームである。初期配置を図に示す。2個のさいころを転がして出た二つの数によって、二つの駒をどれだけ動かせるかが決まる。

がヒントとなって始まった。入力を出力に変換するだけのディープラーニングネットワークとは違い、強化学習のネットワークは閉ループで環境と相互作用しており、センサー入力を受けて、意思決定を行い、行動を起こす。強化学習は、動物が不確かな条件下での困難な問題を解決する様子を観察した結果に基づいている。環境内でさまざまな選択肢を試してみて、その結果から学習するのだ。学習が進むにつれて試す行動は減り、やがて学習によって見つけた

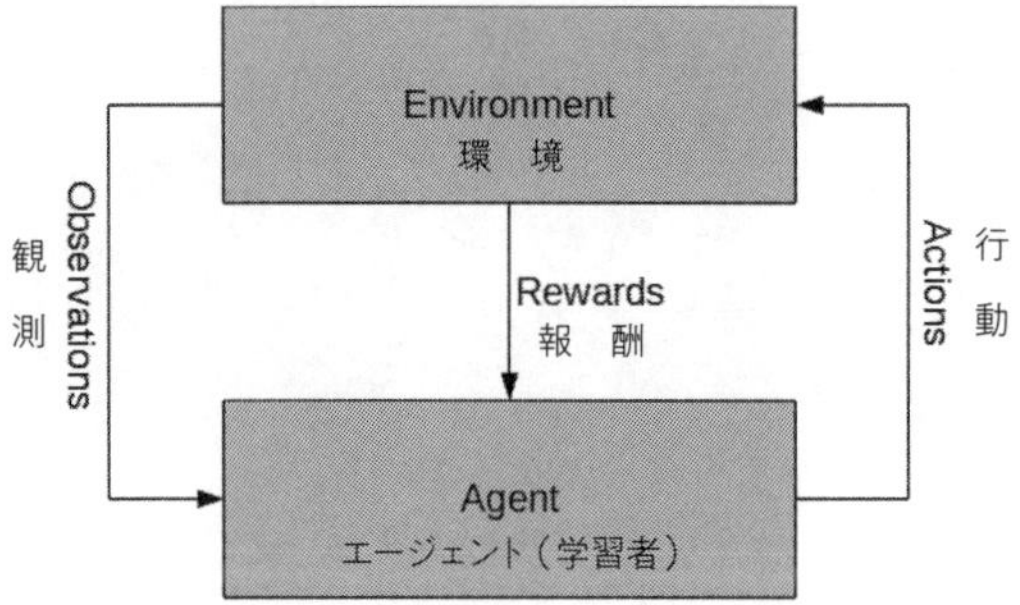

図10.2　強化学習の模式図。エージェントは、行動を起こし、状態を観測することで、環境を能動的に探索する。ある行動が成功につながると、エージェントは報酬を受けとる。目標は、将来にわたって受ける報酬を最大化する行動を学習することである。

最善の戦略のみを選択するようになる。

　ゴールに達するまでに、いくつもの行動を選択する必要があると仮定しよう。可能な選択肢すべてとそれぞれによって期待できる将来の報酬がすでにわかっている場合、探索アルゴリズム（具体的にはリチャード・ベルマンによる動的計画法のアルゴリズム[4]）を使用して、将来にわたる報酬を最大化する行動選択の系列を見つけ出すことができる。ただし、可能な選択肢の数が増加するにつれて、問題のサイズが指数関数的に大きくなる。これは「次元の呪い」と呼ばれ、本章の冒頭で説明した問題である。しかし、選

図10.3　エドモントンにあるアルバータ大学のリチャード・サットン（2006年撮影）。将来的な報酬につながる道をどう学習すればよいかを教えてくれた。リチャードは癌を克服してからも強化学習の第一人者であり続け、革新的なアルゴリズムの開発を続けている。彼が惜しみなくかけた時間と広めた知見は、強化学習分野のだれもが大きな価値を認めている。彼とアンドリュー・バートの共著による『強化学習』はこの分野の定番本であり、第2版（英語版）は、インターネット上で自由に読むことができる。（写真はリチャード・サットンの厚意による。）

択肢の結果について事前にすべての情報がない場合は、試行しながら、可能な最善の選択肢を選ぶことを学習する必要がある。これは「オンライン学習」と呼ばれる。

リチャード・サットン（図10・3）が開発したオンライン学習アルゴリズムは、期待していた報酬と得られた報酬との差（予測誤差）によるもので、時間差分学習（ＴＤ学習）と呼ばれる（コラム10・1）。ＴＤ学習においては、現在の状態から得られる長期的な報酬を「価値ネットワーク」が予測し、その出力を、実際に得られた報酬と次の状態から価値ネットワークが予測する長期的な報酬の和に基づくより確かな推定値とを比較する。以前の推定値を、より確かな推定値に変更することによって、行動についての決定の精度はどんどんよくなる。価値ネットワークは、それぞれの盤面配置に対して予測される将来の報酬をこの更新により学習し、それにより次の手が決定される。このＴＤ学習アルゴリズムは、十分な時間をかけて可能な選択肢を試すことができれば、任意の状態において最適な行動を選択するルールへと収束する。実際に試されるのは可能となるあらゆる盤面配置のごく一部にすぎないが、それでも新たなゲームで起こり得る類似の盤面に対してよい戦略を立てるのには十分であり、次元の呪いを免れることができる。

ジェラルド・テサウロの「ＴＤギャモン（TD-Gammon）」と呼ばれるプログラムは、バックギャモンで重要とされる盤面やルールの特徴は組み込まれていたが、どんな手がいい手であるかという知識は与えられていなかった。学習の最初の段階では、ランダムに駒を動かすが、いずれはどちらかが勝って最終的な報酬を得る。バックギャモンでの勝者とは、最初にボードからすべての自分の駒をゴールさせた者、つまり「ベアオフ」させたプレーヤーである。

実際の報酬はゲームが終わった時点でのみ発生するので、TDギャモンは、まずゲームの終盤を、次に中盤を、最後に序盤を学習すると思えるだろう。実際に、各状態における価値を表にして学習する「表形式の強化学習」ではそれが起きる。だが、価値ネットワークで起きることは、それとは全く違う。価値ネットワークは入力の特徴量から単純で信頼できる信号を先に取り込み、複雑で信頼性のない信号は後で取り込むのだ。TDギャモンが最初に学習する概念は「駒のベアオフ」であり、ベアオフされた駒の数を表す入力特徴量に正の重みをつけて学習する。2番目の概念は「相手の駒をヒットする（ふりだしに戻す）」であり、勝負のどの段階でも効果の高い、かなりよい経験則である。ヒットした相手の駒の数を符号化している入力ユニットに正の重みをつけて学習する。3番目の概念は「ヒットされない」であり、2番目の概念への自然な対応である。ヒットされる可能性がある駒（同じ位置に1個しかない駒はヒットされうる）に負の重

コラム 10.1　TD 学習

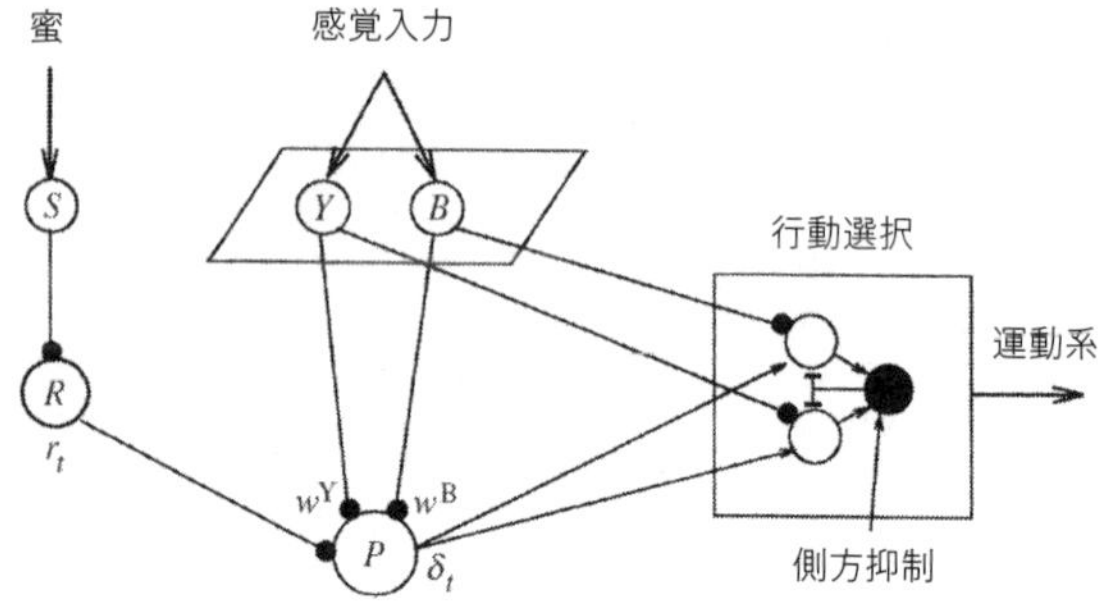

このミツバチの脳のモデルにおいて、行動（花にとまるなど）は、将来にわたっての時間に応じて割り引かれた報酬の合計が最大になるように選択される。

$$R(t) = r_{t+1} + \gamma r_{t+2} + \gamma^2 r_{t+3} + \cdots$$

ここで、r_{t+1}は時間 $t+1$ における報酬、$0 < \gamma < 1$は割引率。現在の感覚入力$s(t)$に基づいて予測される将来の報酬は、神経細胞Pにおいて次のように計算される。

$$P_t(s) = w^y s^y + w^b s^b$$

黄色の花(Y)と青色の花(B)からの感覚入力は w_y と w_b で重みづけされ

る。時間 t における報酬予測誤差 $\delta(t)$ は次のように表わされる。

$$\delta_t = r_t + \gamma P_t(s_t) - P_t(s_{t-1})$$

ここで、r_t は現時点で得られた報酬であり、$P_t(s_t)$ は今後予測される報酬、$P_t(s_{t-1})$ は以前に予測した報酬である。それぞれの重みの変化は次のように与えられる。

$$\delta w_t = \alpha\, \delta_t\, s_{t-1}$$

ここで、α は学習率である。現時点の報酬が予測された報酬より大きい場合、すなわち δ_t が正の場合は、感覚入力の重みの値が増やされる。現在の報酬が予測された報酬より小さい場合、すなわち δ_t が負の場合は、重みが減らされる。

出典：Montague, P. R. and Sejncwski, T. J., *The Predictive Brain: Temporal Coincidence and Temporal Order in Synaptic Learning Mechanisms*, figure 6A, Learning & Memory, 1 (1994): 1-33.

みをつけて学習する。４番目の概念は相手の駒の進行をブロックする「新たなポイントをつくる（駒を重ねる）」であり、ポイントをつくる入力に正の重みをつけることによって学習する。これらの基本的な概念を学ぶのに、数千回のゲームを戦い学習する必要がある。1万回で中級者レベルの概念を学習し、10万回で上級者レベルの概念を学習し始める。そして100万回で、世界レベルの、あるいは人間を超えるレベルの概念を、1990年代初めに学習したのだ。

1992年にジェラルド・テサウロが、TDギャモンを世界に向けて発表したとき、私をはじめとしてほかの多くの人が驚いた[5]。価値ネットワークは80個の隠れユニットを持ち、誤差逆伝播で学習する。30万ゲームの後、プログラムはジェラルドを打ち負かした。そこで、彼はバックギャモンの世界チャンピオンとして有名で著作もあるビル・ロバーティーに連絡をとり、TDギャモンのプログラムと対戦をしてもらうためにヨークタウンハイツのIBMに彼を招待した。ロバーティーは対戦のほとんどで勝ったが、いい勝負になった何回かのゲームで敗れたことに驚いて、今までに対戦したバックギャモンのプログラムのなかで最も強いプログラムだと太鼓判を押した。ロバーティーによると、TDギャモンが時折見せる独特な動きは、彼が見たことのないものだった。詳しく調べたところ、それらの手は人間の対戦レベルをも全体的に引き上げるものだとわかった。TDギャモンの自己対戦が150万回に達したとき、ロバーティーはIBMを再訪したが、再戦の結果は驚いたことに引き分けだった。TDギャモンはプログラムは以前よりもかなり上達しており、人間の世界トップレベルに達しているようにロバーティーには感じられた。バックギャモンの達人の一人であるキット・ウールジーは、「安全策をとる」（低リスク／低報酬）か「大胆に攻める」（高リスク／高報酬）かを決める形勢判断は、彼がそれまでに対戦したどの人間よりもTDギャモンのほうが優れていると感じたそうだ。150万回は訓練の回数としては多いと思うかもしれないが、バックギャモンで可能な駒配置が全部で1020通りあることを考えればそのごく一部を試したにすぎない。つまり、TDギャモンはほとんど毎回、新たな駒配置に臨むことになるので、汎化能力が必須だった。

TDギャモンはIBMのディープ・ブルーほどは評判にならなかった。ディープ・ブルーは1997年にチェスの試合でガルリ・カスパロフに勝利したプログラムだ。

チェスはバックギャモンよりはるかに難しいし、カスパロフは当時の世界チャンピオンだった。しかしながら、いくつかの点で、TDギャモンが成し遂げたことのほうが画期的だった。第一に、TDギャモンは、ゲームの仕方を自分で身につけた。パターン認識を使用して、人間のプレイと似た形で学習したのだ。それに対して、ディープ・ブルーは、力任せのやり方での勝利だった。特注のハードウェアを使用して、どんな人間も読めないずっと先の手まで調べ尽くしたのだ。第二に、TDギャモンは独創的であり、精緻な戦略を発見し、人間の試合では見たことがない駒の進め方で対戦した。それにより、人間の対戦レベルまで上がったのだ。この業績は人工知能の歴史の重要な転換点になった。人間がAIプログラムから何か新しいことを学んだのだから。このプログラムは、人間がやり尽くしたと思った領域で、人間が興味をもち身につける価値があると思うような複雑な戦略を、自分だけで習得したのだ。

脳の報酬学習

ＴＤギャモンの核心は、ＴＤ学習アルゴリズムである。このアルゴリズムは動物の学習実験からアイデアを得ている。これまで実験されたほとんどすべての動物種、たとえばハチから人間に至るまで、パブロフの犬のような連合学習が可能であった。パブロフの実験では、ベルの音のような感覚刺激に続いて餌を与える。すると、餌に反応して唾液が分泌される。これを何度か繰り返すと、ベルだけで唾液が分泌されるようになる。種によって、この連合学習で報酬となる無条件刺激は異なる（犬にとっては餌だ）。ハチは花の色、匂いや形状と、蜜の報酬とを連合させるのが非常に巧みで、この連合学習能力を使って、季節ごとに似ている花を見つけ出す。幅広い動物種で認められるこの学習能力は、何か重要なものに違いない。１９６０年代、心理学者たちは、連合学習を生じさせる条件について集中的に研究し、それを説明するモデルを発展させた。Ｂ・Ｆ・スキナーのような行動分析学者は、ハトが写真にうつった人間を見分けられるよう訓練をしたという。これを聞いて、ディープラーニングも写真にうつったものを見分けられることを連想するかもしれないが、両者には大きな違いがある。誤差逆伝播法での学習では出力層の全ユニットへの細かいフィードバックが必要だが、連合学習で与えられるのは正しいか正しくないかを示す一つの報酬信号だけなのだ。脳は、世のなかのどの特徴量が正しい行動選択に寄与するかを見つけ出さねばならない。

報酬の直前に発生する刺激のみが報酬と結びつく(連合する)。これは理にかなったことで、報酬の直後の刺激より、報酬の直前の刺激の方が、報酬をもたらした可能性が高いからだ。因果律は自然界の重要な原則である。条件刺激に続いて罰を与えると(たとえば足に電気ショックを与えるなど)、正反対のことが起こり、動物は刺激を避けることを学習する。条件刺激から罰までの時間が非常に長い例もいくつかある。1950年代にジョン・ガルシアは、ラットに甘みをつけた水を飲ませて、数時間後に吐き気を催すようにした結果、ラットは数日後にはその甘い水を飲まなくなることを示した。これは「味覚嫌悪学習」と呼ばれ、人でも同様のことが起こる。(6) 吐き気が間違った食べ物と結びつけられることもある。たとえば、吐き気が起きたときにたまたま食べていただけで、吐き気の原因ではないチョコレートなどだ。その場合、チョコレートは問題なかったと頭ではわかっていても、結果として生じた味覚嫌悪が何年も続くこともある。

ドーパミンとは、脳幹（図10・4）に集まる神経細胞からの拡散的な投射により放出される神経修飾物質である。ドーパミンは報酬学習に関連すると長らくいわれてきたが、どんな信号を大脳皮質に送っているかは正確には知られていなかった。1990年代に私の研究室で博士研究員をしていたピーター・ダヤンとリード・モンタギューは、ドーパミン神経細胞がTD学習を行っている可能性があることに気づいた。[7]私の研究人生において最も刺激的な時期の一つだったこの頃に、これらのモデルと彼らの予測についての論文が発表されるとともに、その裏づけがウォルフラム・シュルツたちによるサルの神経細胞の活動記録や[8]（図10・5）、人間の脳画像計測により得られた。[9]現在では、ドーパミン神経細胞の活動の一時的な変化が、報酬予測誤差信号を表すという知見が確立されている。

霊長類の報酬予測誤差に関する私たちの研究が進展するさなかの1992年に、私はベルリンにいるランドルフ・メンツェルのもとを訪れた。彼が研究していたのはハチの脳で起きる速い学習についてだった。ハチは昆虫の世界でトップレベルの学習者であ

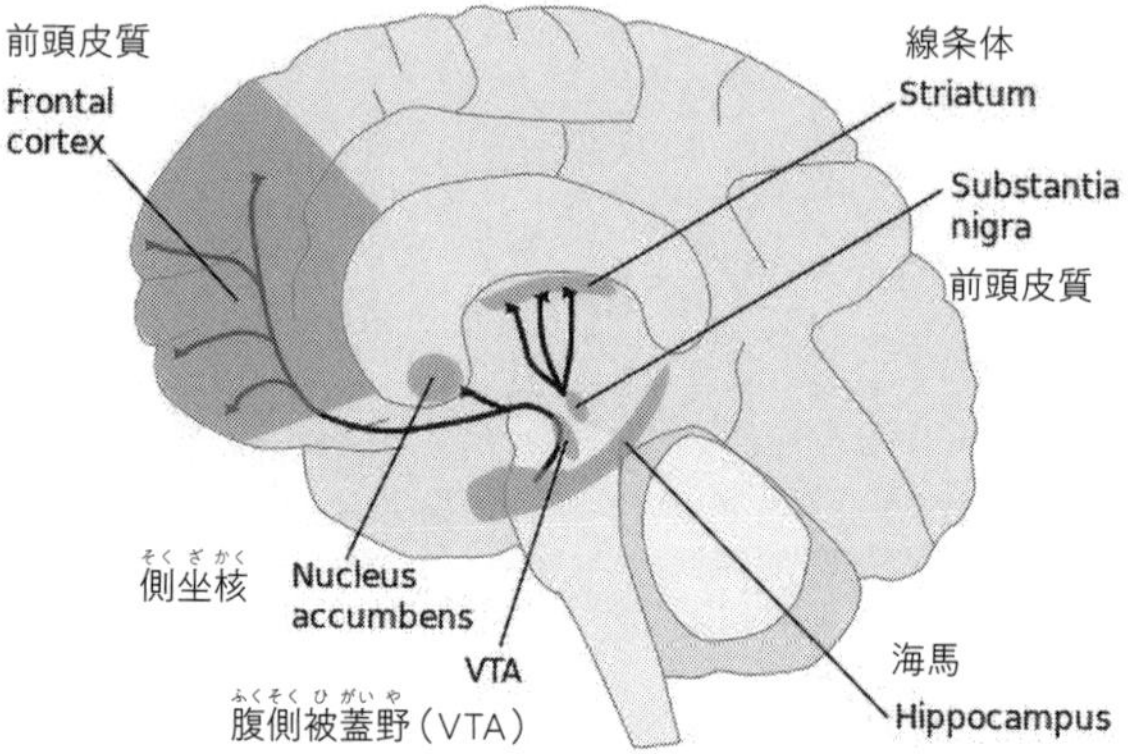

図10.4　人間の脳のドーパミン神経細胞。中脳のドーパミン神経核（腹側被蓋野および黒質）は、大脳皮質と大脳基底核（線条体および側坐核）へ軸索を投射している。ドーパミン神経細胞の一時的な発火は、予測した報酬と得られた報酬の差を信号として送り、行動の選択や予測の修正に使われる。

る。報酬をくれる花のもとをわずか数回、訪れるだけで、その花を覚える。ハチの脳には約100万個のとても小さい神経細胞があるが、神経細胞が小さすぎて、その活動を記録することは非常に難しい。メンツェルのグループが見つけていた特別な神経細胞「VUMmx1」は、ショ糖には反応するが匂いには反応しなかった。ところが、匂いを出したすぐ後に報酬のショ糖を与えると、VUMmx1が匂いにも反応するようになる。[10]

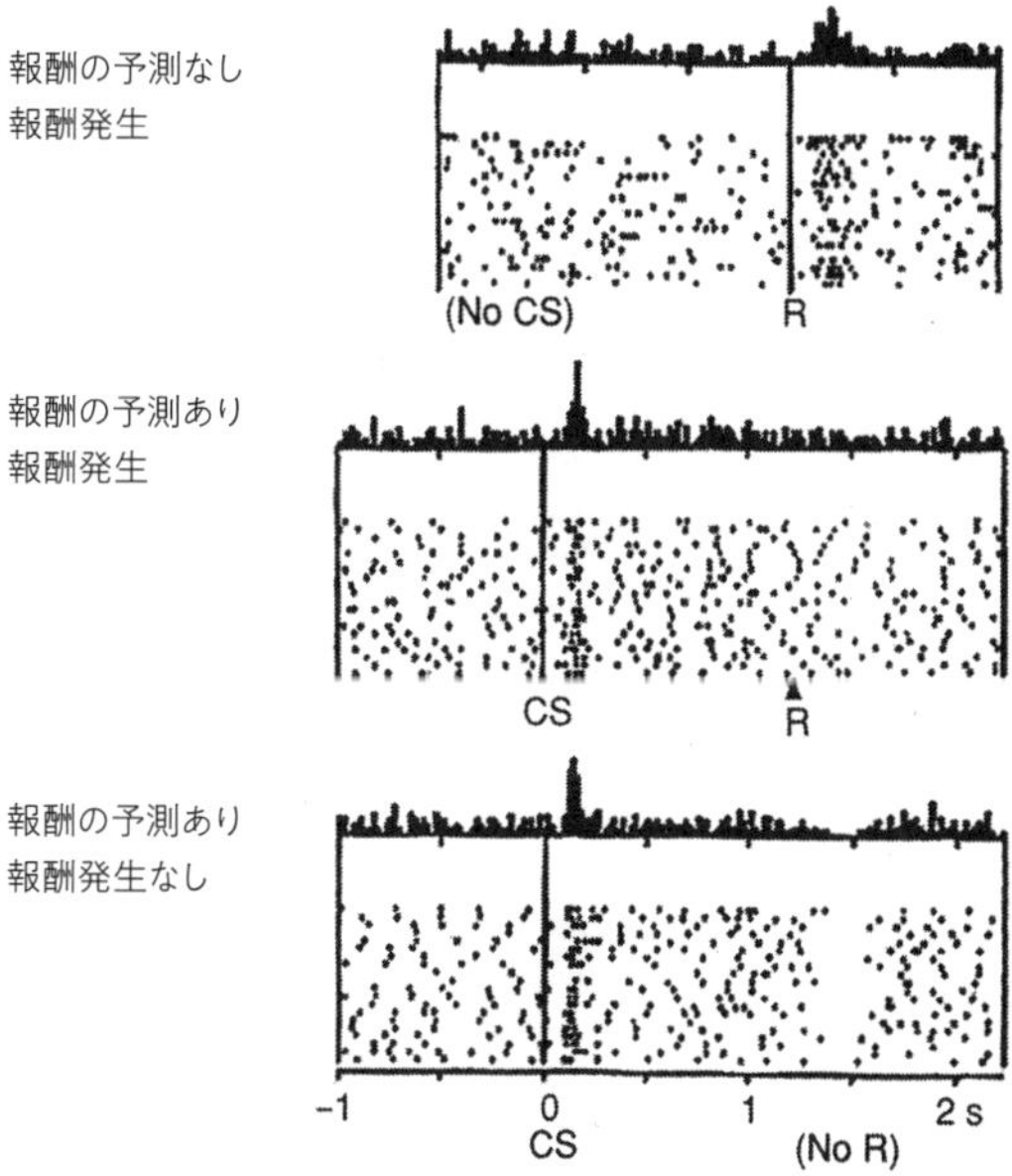

図10.5　ドーパミン神経細胞が脳内で報酬予測誤差信号を伝達していることを証明する、サルのドーパミン神経細胞の活動。三つの図の下部の一つ一つの点はドーパミン神経細胞の発火を、各行は1回の学習試行を表し、上部には短い時間幅ごとの全試行にわたる総発火回数を棒グラフで示す。（上）学習前には、報酬は予測されず、ドーパミン神経細胞は常に報酬（R）の直後に発火する。（中）報酬を与える前に常にライトを点灯（条件刺激、CS）する試行を多数回行った後では、ドーパミン神経細胞は、報酬（R）ではなく、CSに反応する。TD学習によって報酬を予測するようになったので、報酬後の応答がキャンセルされている。（下）ときおり、光を点灯させたにも関わらず報酬を与えないと、報酬が予測される時刻の直後に発火の減少が見られた。

出典：Schultz, Dayan, and Montague, "*A Neural Substrate of Prediction and Reward*," 1594, figure 1.

TD学習のドーパミンモデルがハチの脳の単一の神経細胞で実現されているのかもしれないということだ。VUMmx1はドーパミンに化学的によく似た神経修飾物質のオクトパミンを放出する。このハチの学習モデルによって、ハチの心理の微妙な側面、たとえばリスク回避などを説明できるようになる。[11] たとえば、ハチが、一定の報酬か、報酬は2倍だけれども報酬をもらえる回数が半分になるという二つの選択肢を与えられた場合、平均すれば報酬は同じなのだが、ハチは一定の報酬のほうを選ぶ。[12] ドーパミン神経細胞はハエでも見つかっており、短期および長期の連合記憶のための複数の並列の強化学習経路があることがわかっている。[13]

動機づけと大脳基底核

ドーパミン神経細胞は、意欲を調節する脳機構の中核をなしている（図10・4）。依存性の薬物はすべて、ドーパミン活性レベルを上げることによって作用する。ドーパミン神経細胞の細胞死が多くなりすぎるとパーキンソン病の症状が現れる。症状としては、手足がふるえ、動作を始めるのが難しくなり、やがて、いかなる活動にもまったく喜びを感じないようになり（快感消失症）、最終的には動きと反応が全くなくなるのだ（カタトニア）。しかし、正常に動作しているドーパミン細胞は、予測されていない報酬が発生すると、ドーパミンを瞬間的に大脳皮質や脳のほかの部分へと放出する。また、報酬が予測よりも少ないとドーパミンの放出量が減る。これはまさに、時間的差分アルゴリズムの特徴的な性質である（図10・5）。

意思決定を下す必要が生じたときには、ドーパミン神経細胞に問い合わせることができる。メニューから何を注文すればいいだろう？　メニューを一品思い浮かべるごとに、ドーパミン細胞は予測される報酬の推定値を出す。この人と結婚すべきだろうか？　ドーパミン細胞の「直感的」意見は、論理的思考より信用できる。しかし、あちらを立てればこちらが立たずといった多次元的な問題は、結論を出すのが最も難しい。ユーモアを盛り込みたいけれど話がとっちらかるのは困る。結婚相手を選ぶとなると相手のいい面と悪い面のトレードオフが何百と出てきてしまう。人間の報酬システムは、こういったすべての次元を、ドーパミンの瞬時の応答という共通通貨へと落とし込む。自然は、共通通貨という経済の武器を、私たちよりずっと前に発見していたのだ。

TD学習アルゴリズムには、二つのパラメーターがある。コラム10・1での、学習率αと割引率γだ。ハチのようなある種の昆虫は高い学習率をもつ。ハチは、1回その場所に行っただけで花と報酬を結びつけて学習する。哺乳類の学習率はもっと低く、通常は何回かの試行を通して学習する。割引率も広範囲にわたって変動する。$\gamma=0$ならば、後のことは考えない近視眼的な学習アルゴリズムで、目先の報酬だけに基づいて決定が下される。$\gamma=1$は、将来の報酬もすべて同じ割合で重みづけされるということだ。幼児に今すぐマシュマロを1個食べるか、15分待って2個もらうかという、二つの選択肢を与えるという有名な実験がある。[14] 年齢は強力な予測因子であり、幼い子どもは、目先の欲求を辛抱できないのだ。私たちは、遠い将来に得られる大きな報酬が期待されるとき、その必要性が強いと判断した場合には、短期的にはよくない報酬でも選ぶことがある。

ドーパミン神経細胞は、「大脳基底核」と呼ばれる脳の部分から入力を受ける(図10・

4）。この大脳基底核は系列学習や習慣的行動の形成にとって重要であることがわかっている。大脳基底核の線条体にある神経細胞は大脳皮質全体から入力を受ける。前頭皮質の後ろ半分からの入力は、目標の達成に向けた運動の系列を学習することに特に関与している。また、前頭前野から大脳基底核への入力は、行動の系列の計画を立てることに、より深く関与している。情報が大脳皮質から大脳基底核に伝わり、それがまた大脳皮質に戻るというループには100ミリ秒かかるので、1秒間に10回情報を循環させることになる。これにより、目標達成に向けた一連の行動決定が迅速になされる。大脳基底核にある神経細胞も、大脳皮質の状態を評価して価値を割り当てる。

大脳基底核は、いってしまえば、ジェラルド・テサウロがTDギャモンで駒の配置の評価値を予測するために訓練した価値関数の高性能版として機能している。第1章で登場した、囲碁の世界トップレベルに達するという驚くほどの成功を収めたディープマインド社のアルファ碁も、TDギャモンと同じアーキテクチャーに基づいている。とはいっても、かなり強化されたアーキテクチャーである。TDギャモンの価値ネットワークの隠れユニットは1層だけだったが、アルファ碁では12層もあり、しかも何百万ゲームも自己対戦したのだ。だが、基本的なアルゴリズムは同じだった。つまり、ニューラルネットワークの学習アルゴリズムが非常によくスケールすることが劇的な形で示されたのだ。ネットワークのサイズと訓練時間を増やし続けたとしたら、性能はどこまでよくなるのだろうか?

ゲームは、現実世界と比べれば、はるかに単純な環境である。もっと複雑で不確かな環境への次のステップはビデオゲームの世界によってもたらされた。2015年にディープマインド社は、TD学習によって、アタリ社の『ポン』(卓球ゲーム)などのアーケードゲームを、ゲーム画面を入力として超人的なレベルでプレイできることを示した。[15] 次のステップは3D環境でのビデオゲームだ。『スタークラフト(StarCraft)』は歴史に残る戦闘ビデオゲームである。ディープマインド社は、このゲームを使って、ゲームの世界で勝ち残る自律的な深層学習ニューラルネットワークを開発しようとしている。マイクロソフトリサーチは最近、別の人気ビデオゲーム『マインクラフト』の権利を購入し、ゲームをオープンソース化した。ほかの人々がマインクラフトの3D環境をカスタマイズできるようにして、AIの進歩の速度を上げるためだ。

バックギャモンや囲碁の腕前が世界トップレベルに達したことは素晴らしい成果であるし、ビデオゲームをできるようになったのは次の重要なステップである。では、現実世界の問題の解決はどうなのだろうか。「知覚 - 行動サイクル」（図10・2）は、感覚入力データに基づいて行動を計画する任意の問題に適用できる。行動の結果と予測されていた結果とを比較して、その誤差を使用して、予測システムの状態を更新する。以前の状態の記憶を使って、感覚リソースを最適に活用して、起こり得る問題を予測することも可能になる。

カナダのオンタリオ州ハミルトンにあるマックマスター大学のサイモン・ヘイキンは、この枠組みを使用していくつかの重要な工学的ソフトウェアシステムの性能を改善した[16]。たとえば、通信チャネルを動的に割り当てるコグニティブ無線（認知無線）、周波数帯域を動的に切り替えて干渉障害を減らすコグニティブ・レーダー、電力網の電力の負荷を分散させるコグニティブ・グリッドがある。「知覚 - 行動サイクル」の同じ枠組みを使ったリスク管理も可能だ[17]。「知覚 - 行動サイクル」の枠組みが適用されることで、それぞれのソフトウェアが改善され、また、そのシステムが管理する対象も改善されることで、現実世界における性能の大幅な向上と、コスト削減につながっている。

舞い上がり方の学習

2016年、カリフォルニア大学サンディエゴ校の物理学者マッシモ・ベルガッソーラと私は、TD学習を使用して、グライダーに、多くのエネルギーを消費することなく鳥のように高く舞い上がり何時間も空中にとどまる方法を教えられないだろうかと考えた[18]。上昇温暖気流に乗って鳥はかなりの上空まで運ばれるが、その内部には気流の乱れや下降気流がある。激しい気流のなか、鳥が何をきっかけにしながら上向きの軌道を維持しているのかはわかっていない。研究の第1段階は、乱れた対流の物理的にリアルなシミュレーションと、グライダーの航空力学モデルを開発することだった。第2段階で、乱流中におけるグライダーの軌道のシミュレーションを行った。

最初、グライダーは柱状の上昇気流を活用できず、下向きに滑空した(図10・6)。上昇に対して報酬を与えるようにすると、グライダーは戦略を学習し始めた。数百回の

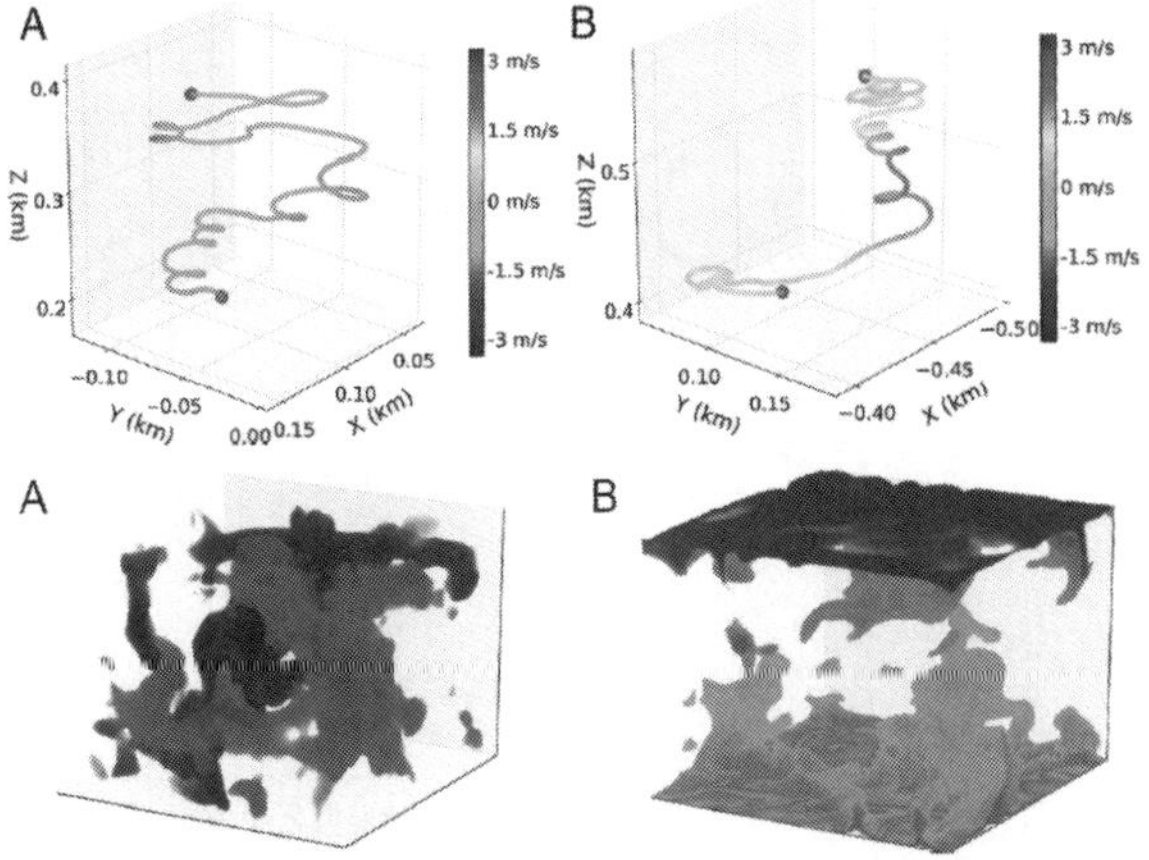

図 10.6　上昇温暖気流（サーマル）のなかで舞い上がる方法を学習するグライダーのシミュレーション。（上）（A）訓練前のグライダーの典型的な軌道。（B）訓練後のグライダーの軌道。ともに、レイリー＝ベナール対流の乱流内。軌道の色は、グライダーが受ける垂直方向の風速を示す。緑色と赤色の点は、それぞれ軌道の開始点と終点である。訓練前のグライダーはランダムな行動を行い、降下してしまう。一方、訓練後のグライダーは、強い上昇気流のある領域で、特徴的な螺旋状の旋回パターンで飛行する。鳥やグライダーの実機が上昇気流に乗って舞い上がるときに観察されるのと同じパターンだ。（下）私たちの三次元レイリー＝ベナール対流の数値シミュレーションにおける（A）垂直方向の速度のスナップショットと（B）温度場のスナップショット。垂直方向の速度場において、赤色と青色はそれぞれ大規模な上昇流と下降流の領域を示す。温度場において、赤色と青色はそれぞれ高温と低温の領域を示す。

出典：G. Reddy, A. Celani, T.J. Sejnowski, and M. Vergassola, "*Learning to Soar in Turbulent Environments*." Proceedings of the National Academy of Sciences of the United States of America, 113 (2016) E4877-E4884. 上図は figure 2、下図は figure 11。

試行の後、グライダーは、鳥が舞い上がるときの旋回とよく似た軌道を示すようになった（図10・6）。また、グライダーは乱流の度合いに応じてさまざまな戦略を学習した。これらの戦略を解析することで、私たちは仮説を構築し、滑空する鳥が実際にその戦略を用いているのかという問いを立てることが可能になった。さらに、翼幅が約2メートルの本物のグライダーを製作して、空に舞い上がって、空中にとどまることも学習させた[19]。

さえずり方の学習

強化学習の強みを示す別の例として、小鳥のさえずり方の学習と、子どもの話し方の学習に共通する仕組みを見てみよう。どちらの場合も、先に聴覚学習期があり、それに続いて、徐々に進行する運動学習期がある。キンカチョウは父鳥のさえずりを幼鳥のときに聴くが、数カ月が経つまでは発声はしない。運動学習期に入る前に父鳥から隔離されとしても、雑音の連なりのようなぐぜり（学習中の不完全なさえずり）の期間を経て少しずつ上達して、最後には父鳥の方言を引き継いださえずりを完成させる。キンカチョウは、さえずりによって別のキンカチョウが森のどの辺りから来たかを判断する。私たちがその人の方言を聞けば出身地がわかるのと同じことだ。小鳥のさえずりの研究を支えた仮説は、聴覚学習期に記憶した手本を鋳型のように用いて、運動学習期に運動系による自分のさえずりを洗練させていくというものだ。人間も、鳴き鳥も、運動学習期に関与する経路は大脳基底核にある。そう、強化学習が行われる場所だ。

1993年に、私の研究室で博士研究員をしていた銅谷賢治《どうやけんじ》は、さえずりの運動学習を説明する強化学習モデルを構築した（図10・7）。鳥の発声器官（「鳴管」）のモデルにつながる運動神経回路のシナプスを変化させ、モデルの生成するさえずりが以前のさえずりより鋳型により近いかどうか評価した。新たなさえずりが鋳型により近くなっていれば調整したシナプスをそのままにし、鋳型から遠ざかっていれば変化させる前の値へと戻した。[20] 私たちは、連続した音節を生成する運動神経回路の最上位に、さえずりの単音節に対してのみ活発となる神経細胞があるはずだと予測した。そのような細胞があれば、各音節を個別に調整しやすくなる。その後、マサチューセッツ工科大学のマイケ

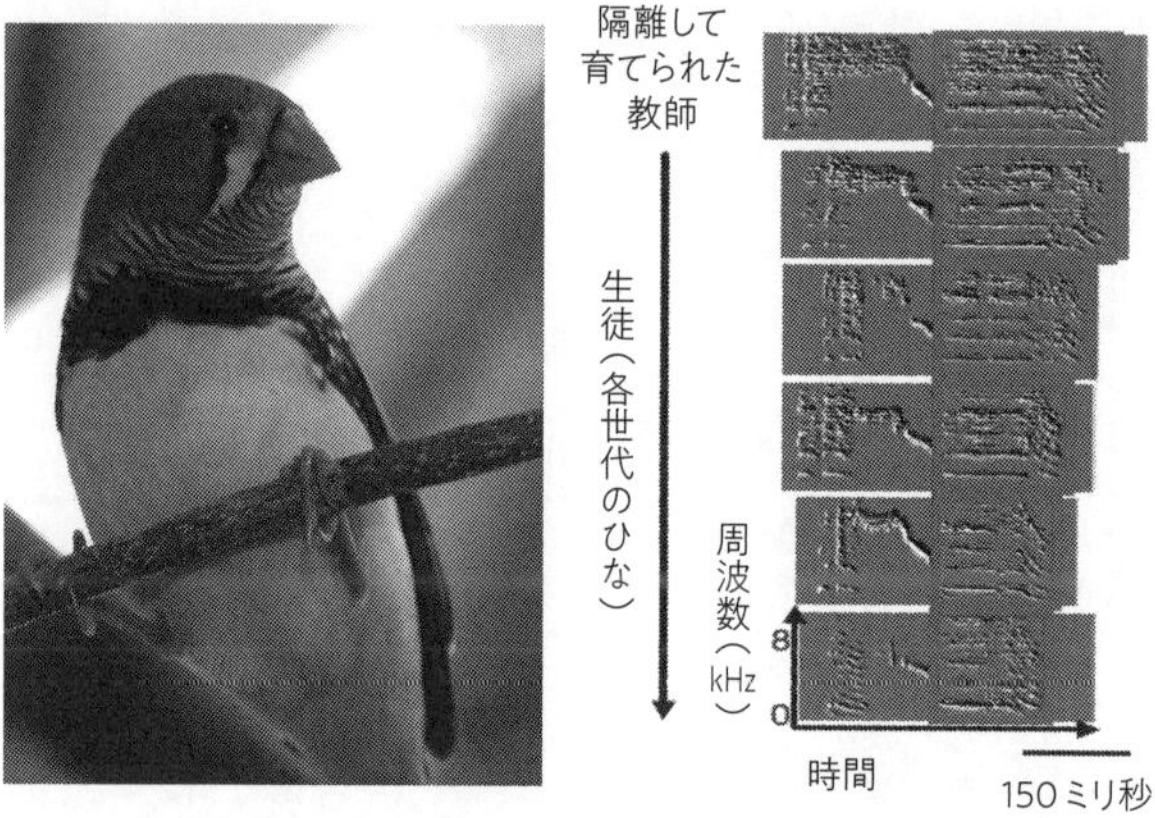

図10.7　キンカチョウのさえずり。右図の音声スペクトログラムにおいて、最上段は、父鳥（教師）のさえずり。上から2番目は、父鳥が教えた息子（生徒）のさえずり。3番目から6番目は、さえずりの方言が世代から世代へと伝えられることを示す。スペクトログラム（時間の関数で表したパワースペクトル）におけるモチーフ（赤い線で囲んだ箇所）の類似性に注意。モチーフは世代を経るごとに短くなる。（左）

出典：http://bird-photoo.blogspot.com/2012/11/zebra-finch-bird-pictures.html;（右）

出典：Olga Feher, Haibin Wang, Sigal Saar, Partha P. Mitra, and Ofer Tchernichovski, “*De novo Establishment of Wild- Type Song Culture in the Zebra Finch*,” figure 4, 459 Nature (2009): 564–568.

ル・フィーの研究室やそのほかの研究室によって、上述の予測をはじめ、このモデルによる重要な予測がいくつも裏づけられている。

さえずりの学習を研究したカリフォルニア大学サンフランシスコ校のアリソン・ドープと、赤ちゃんの言語能力の発達を研究したシアトルにあるワシントン大学のパトリシア・クールは、鳴き鳥の学習と幼児の発話の多くの類似点を指摘した。[21] 鳥の音節と赤ちゃんの音素はともに、最初、音声として学習され（聴覚学習）、そののち鳥は「ぐぜり」による、赤ちゃんは喃語による運動学習の初期に入る。脳には、新しいスキルの習得のために協調して働く必要のある領域特有の学習と記憶のシステムがたくさんある。鳴き鳥のさえずり学習のための強化学習アルゴリズムと、サルや人間、ハチ、そのほかの動物の報酬系のＴＤ学習アルゴリズムは、そのうちの二つにすぎない。

ほかの学習の形

視覚や聴覚などでは認識機能の自動化が進んでいるが、人間の知能に比べて人工知能でさらなる進展が必要な側面はまだたくさんある。大脳皮質の表現学習と、大脳基底核の強化学習の組み合わせは強力に機能する。はたして、囲碁を世界トップレベルで対戦することを学ぶＡＩが、ほかの複雑な問題も解決できるのだろうか。人間の学習の大部分は観察と模倣に基づいている。新しい物体を見分ける学習をする際に人間が必要とする事例数は、ディープラーニングよりもはるかに少ない。だが、ラベルなし知覚データは豊富にあるので、強力な教師なし学習アルゴリズムは、何らかの教師が与えられる前に、これらのデータを活用できるだろう。第７章では、ボルツマンマシン学習アルゴリズムの教師なし学習モデルを使って、深層学習のネットワークが構築されることを見た。また、第６章では、独立成分分析（ＩＣＡ）という教師なし学習アルゴリズムによって自然画像からスパースな集団符号が引き出されることを示した。さらに、第９章では、敵対的生成ネットワークの教師なし学習システムによって、写真のようにリアルな、まったく新しい画像が生成されることを紹介した。教師なし学習こそが機械学習の次の最先端テーマなのだ。私たちは、脳型コンピューティングについて理解し始めたばかりである。

脳には多くの学習システムがあり、またさまざまな形の可塑性があり、それらが協調して相乗的に働いている。大脳皮質のなかでさえ何十もの形の可塑性があり、神経細胞の興奮性とゲインも可塑性をもつ。シナプス可塑性がとる形で特に重要なのが恒常性だ。恒常性によって、神経細胞の活動レベルが最適な範囲内で維持されるのだ。[22]もしも、シナプス強度が0まで下がったら、あるいは最大限に達したらどうなるのだろう。神経細胞が閾値を超えるための十分な入力を受けることがまったくできなくなったり、入力が大きすぎて常に最大限まで活動し続けたりする可能性もある。脳におけるシナプス可塑性の新しい形がジーナ・テュリジアーノによって発見された。これは、個々の神経細胞のすべてのシナプスを正規化することで、神経細胞の活動のバランスを維持するという形で表れる。平均発火率が高すぎる場合は興奮性のすべてのシナプス強度がある割合で減らされて、低すぎる場合はすべてのシナプス強度がある割合で増やされる。抑制性の入力の場合はこれと逆で、発火率が高すぎる場合はすべてのシナプス強度が増やされ、低すぎる場合はすべてのシナプス強度が減らされる。脳における感覚地図の発達モデルでも、類似の正規化が有効であることがわかった。[23]確率的勾配降下法で動作する人工的なニューラルネットワークでも、恒常的なスケーリングは有効だ。

脳の神経細胞の膜組織には、電位感受性と受容体型のイオンチャネルが数十種類あって、興奮性の信号伝達を調節している。神経細胞の樹状突起や細胞体、軸索の活動の局所パターンに基づいて、これらのチャネルの位置や密集度を動的に調整するメカニズムがあるに違いない。このメカニズムを説明するいくつかのアルゴリズムが提案されている[24]。だが、このタイプの恒常性も、シナプス可塑性の恒常性と同様、よくわかっていない。

何が足りないのか？

デミス・ハサビスと私は、２０１５年にモントリオールで開催されたＮＩＰＳカンファレンスの「脳と心と機械」シンポジウムと、２０１６年にバルセロナで開催されたＮＩＰＳカンファレンスの「ビットと脳」ワークショップで、人工知能の将来と次の優先課題についての白熱した議論に参加した。ＡＩの分野には解決すべき問題がまだたくさんある。まず挙げられるのが、因果関係の問題だ。因果関係を学習することで、人間の最高次の論理的思考や意図的な行動が実現されるのであり、いずれも心の理論を前提としている。先に述べたように、私たちが生み出したどんなディープラーニングシステムも、それ自身の力だけでは生き残ることはできない。これまで見てこなかった脳のほかの多くの部分による機能が組み込まれてはじめて、システムが自律的なものになりうるのだ。たとえば視床下部は、摂食、生殖、ホルモンの調節、体内の各器官の恒常性にとって極めて重要であるし、小脳は動きの予測誤差に基づいて動作の精度を改善するのに役立っている。これらはあらゆる脊椎動物で見られる太古からの機構であり、生存のために重要な役割を果たしている。

マサチューセッツ大学アマースト校のコンピューター科学者ハヴァ・シーゲルマンは、アナログ計算は「超チューリング（super-Turing）」であり、デジタルコンピューターの計算能力を超えることを示した(25)。環境に基づいて適応し学習できる再帰型ニューラルネットワークもまた、「超チューリング」計算能力をもつ。訓練セットで学習しても、そこで学習をやめてしまって、動作中の実際の経験から学習しなければ、そのネットワークは単なるチューリングマシンにすぎない。しかし、人間の脳は変化する状況に順応し続けなければならないので、超チューリング・システムとなる。人間の脳が、どうやって以前の知識とスキルを維持しながら、これを成し遂げているのかというのは、未解決の問題である。ハヴァは、DARPAの「生涯学習機械(Lifelong Learning Machines)」プログラムの責任者であるが、このプログラムは、学習し続ける自律システムの新しい統合アーキテクチャーの構築を目的とする先端研究を支援している。

第11章

神経情報処理システム（NIPS）カンファレンス

あるアイデアがどこから来たのか、その起源をたどるのは難しい。科学とは、多くの人の集合的な活動であって、その人々は空間的にも時間的にも広く散らばっていることが多いからだ。神経情報処理システム(NIPS、図11・1)カンファレンスは本書のいろいろな話をつなぐ一本の糸であり、本章までで、このカンファレンスが私だけでなくこの分野に多大な影響を与えたことはわかってもらえたと思う[1]。のちに私の妻となるベアトリス・ゴロムは初期のNIPSカンファレンス(1990年)でSEXNETについて発表したし(第3章で述べた)、結婚後すぐのNIPSカンファレンスでは、私たちは危うく別れることになるところだった。NIPSカンファレンスでは、日中はオーラルセッション、夕方からはポスターセッションに没入してしまい、真夜中を過ぎても議論が続く。そんな熱のこもったセッションから夜中の3時に部屋に戻るとベアトリスの姿はなく、まずいことになったと焦った。それから28年経ったが、私たちは今でも一緒にいる。

ディープラーニングには長い歴史があり、毎年のNIPSカンファレンスとワークショップ、そして初期のパイオニアたちにその起源をたどることができる。1980

図11.1　神経情報処理システム（NIPS）カンファレンスのロゴ。30年前に創設されたNIPSカンファレンスは、機械学習とディープラーニングのトップカンファレンスである。（画像はNIPS協会の厚意による。）

年代に、工学者や物理学者、数学者、心理学者、神経科学者といった多様な分野の研究者がＮＩＰＳカンファレンスに集まって人工知能への新たなアプローチをつくりあげた。物理学者が神経ネットワークモデルを解析し、心理学者が人間の認知機能をモデル化し、神経科学者が脳神経系をモデル化し、神経記録データを解析し、統計学者が高次元空間の膨大なデータセットを探索し、工学者が人間のように見たり聞いたりできる装置を開発したことで、急速な進展がもたらされた。

1987年にデンバーテックセンターで開催された第1回のNIPSカンファレンスには400人が集まった。通常の学会では狭い範囲の研究分野の者たちが集まる。みなが同じ専門用語を話すので楽なのだ。しかし、初期のNIPSカンファレンスの科学的な多様性はまさに驚異的だった。生物学者同士の会話はまるで暗号のようだ。(2)これが数学者や物理学者になるともっと酷くて、数式だけで話をする。工学者は、見ればイメージが伝わるようなモノをつくってくるので幾分ましだ。こうした文化的な障害があるために、専門分野の垣根を越えた研究は、広く望まれながらもなかなか達成されない。初期のNIPSカンファレンスでは、だれもが意味不明の言葉をしゃべっているかのようだった。

1987年、メインのカンファレンスが終わると、参加者はキーストーンという近くのスキーリゾートで開催されたワークショップに移動して、その場で、もっと小さなグループへと自然に分かれた。ここから、形式張らない雰囲気のなか、分野を超えた真のコミュニケーションが始まるのだ。キーストーンでジャグジーにつかっていたとき、ある神経科学者がアメフラシについて議論するワークショップを開こうと提案したのをはっきりと覚えている。[3] 私の隣で湯につかっていた国防総省から来た紳士は、アメフラシが国家安全保障と何の関係があるのだろうかと考えを巡らせていたことだろう。だが、現在のNIPSワークショップは、それぞれのポスターセッションもある、いわばミニ・カンファレンスとなり、何千人もの参加者を集めるものもある。

その後も長年にわたりNIPSをつなぎとめてきたのは、第一に、生物学に発想を得た学習アルゴリズムによって、自分たちが計算上の難題を解決しようとしているのだという空気だった。そして第二に、カリフォルニア工科大学の情報理論学者でジェット推進研究所の主任科学技術社でもあったエド・ポズナー（図11・2）の力による。この分野の長期的なビジョンをもつ彼が、NIPSカンファレンスを運営するための神経情報処理システム財団（NIPS財団）を創設したのだ。

組織の文化というのはその創設者を反映したものになることが多い。エドがNIPSに与えたのは、叡智と、実践的な賢さ、そしてユーモアのセンスだった。みなを元気づける教師であり実際的なリーダーでもあったポズナーは、「カリフォルニア

図11.2　カリフォルニア工科大学のエドワード・「エド」・ポズナー、NIPSカンファレンスの創始者。彼の先見性のおかげで、NIPSは30年経った今でも活況である。（写真はカリフォルニア工科大学の厚意による。）

工科大学の至宝」といわれる「夏期学部生研究フェローシップ（SURF：the Summer Undergraduate Research Fellowships）」プログラムを支え、みなから愛されていた。エドはフィル・ソテルをNIPSの無報酬の法律顧問に雇った。規模や複雑さが増していくなかで、何十年にもわたって軌道からそれずにNIPSが進むことができたのは、このソテルのおかげだ。

エドは、私の妻のベアトリス・ゴロムのことをまだ少女だった頃から知っていたし、それとは別に、私とはＮＩＰＳを通じて知り合っていた。なので、ＮＩＰＳカンファレンスで、私が彼に出し抜けに「私とベアトリスは婚約《エンゲージ》したんだ」と言うと、「何の研究に取り組《エンゲージ》んでいるんだ？」と聞き返してきた。エドが１９９３年に自転車事故で亡くなったとき、私はＮＩＰＳ財団の会長を引き継いだ。財団は今でも規模を拡大し、繁栄を続けている。ＮＩＰＳでは彼を偲んで、毎年「エド・ポズナー・レクチャー（Ed Posner Lecture）」を開催している。ＮＩＰＳの招待講演者はＮＩＰＳの主流以外で活躍する人を呼ぶのが一般的だが、エド・ポズナー・レクチャーは、この分野で大きな貢献をした人物を私たちのコミュニティーから選んでいる。

ＮＩＰＳカンファレンスの実行委員長となるのは、著名な科学者や工学者たちだ。その一部を紹介しよう。スコット・カークパトリックは、「焼きなまし」法といって、難しい計算問題を「加熱」してからゆっくりと「冷やす」という、コンピューターでのシミュレーション手法を発明した物理学者だ（第７章を参照）。セバスチャン・スラン（第

1章を参照のこと）は、2005年のDARPAグランド・チャレンジという、自動運転車レースで優勝し、今日の自動運転への道を開いたコンピューター科学者。ダフニー・コラーは、大規模公開オンライン講座（MOOC《ムーク》）のパイオニアであるコーセラ（Coursera）（第12章を参照のこと）を共同設立したコンピューター科学者だ。

ディープラーニングを軌道に乗せたのはビッグデータである。少し前までは、1テラバイトのデータを保存するのにラック1台分の機器が必要だった。それが今では、1テラバイト（1兆バイト）のデータが、たった1本のメモリースティックに収まるのだ。インターネット企業のデータセンターで保存されているのはペタバイト単位のデータだ。1ペタバイトとは1000テラバイト（1000兆、つまり10^{15}バイト）である。世界中のデータ総量は、1980年代以降、3年ごとに倍増し続けている。毎日、何千ペタバイトものデータがインターネットに追加され、総量は1ゼタバイトに達した。1ゼタバイトは100万ペタバイト（10垓《がい》、つまり10^{21}バイト）である。ビッグデータの爆発的増加によって、科学や工学だけでなく、社会のあらゆる分野に影響が現れている。インターネット上の何百万もの画像をはじめとしたラベルつきデータがなければ、本当に大規模なディープラーニングネットワークを学習させるのは不可能だっただろう。

世界中の大学が、データサイエンスのための新しいセンターや研究所、学部を開設している。2009年、アレグザンダー・ザレーはジョンズ・ホプキンズ大学に「データ集約型科学とエンジニアリング研究所（IDIES）」を設立した。1998年に天文データの収集を開始したスローン・デジタル・スカイサーベイ（SDSS, https://www.sdss.org）というプロジェクトでの経験が活かされている。過去に天文学者が集めた総データの1000倍ものデータを収集し、現在、世界で最も活用されている天文学機関となっている。だが、スローン・デジタル・スカイサーベイが収集したこのテラバイト級のデータセットも、建設中の大型シノプティック・サーベイ望遠鏡（LSST, https://www.lsst.org）で収集される予定のペタバイト級のデータセットからするとたったの1000分の1にすぎない。2013年にヤン・ルカンがニューヨーク大学にデータサイエンスセンターを開設したときには、あらゆる学部の教員がデータを持って彼のドアを叩いたものだ。2018年、カリフォルニア大学サンディエゴ校で、ハリジオル・データサイエンス研究所(Halicioğlu Data Science Institute)が新設された。データサイエンスの修士号(MDS)はMBA並みの人気になっている。

賭博台でのディープラーニング

ディープラーニングはレイクタホで開催された2012年のNIPSカンファレンス(図11・3)で花開いた。ニューラルネットワークの初期のパイオニア、ジェフリー・ヒントンとその教え子たちは、多層ニューラルネットワークが画像内の物体の認識に極めて優れている、という論文を発表した。[4] 彼らのネットワークは当時最先端のコンピューター・ビジョンより物体認識能力が優れていただけではない。その差はもはや異次元レベルで、人間の視覚レベルにずっと近づいたのだ。『ニューヨーク・タイムズ』紙はディープラーニングについての記事を掲載し、フェイスブックもディープラーニングのパイオニアのヤン・ルカンを創設ディレクターに迎えて新たにAI研究所を設立すると発表した。

図11.3　レイクタホのカジノで開催された2012年NIPSカンファレンスはこの分野の転換点となった。神経が神経情報処理システム（NIPS）に戻ってきたのだ。（画像はNIPS協会の厚意による。）

ネバダ州レイクタホ　2013年12月5～10日
https://neurips.cc　神経情報処理システム

　フェイスブックのＣＥＯ、マーク・ザッカーバーグは、同年ＮＩＰＳで開催されたディープラーニングのワークショップに参加した。セキュリティー面では頭痛の種になったものの、大きな反響を呼んで、あふれた人のために別の会議場でビデオ中継がされた。その後のレセプションでザッカーバーグを紹介されたが、彼からは脳についての質問を受けた。ザッカーバーグがとりわけ興味をもっているのは、心の理論だった。心理学によると、人間には自分たちの心の働きについて暗黙の理論があり、それを頼りに他人の心を推察している。たとえば、友達にメールするとき、自分でも意識せずに、何をどう書くのかについて脳が多くの決断を下している。ザッカーバーグはたくさんの質問をしてきた。「脳はどのようにして自分自身の心のモデルをつくっているのか」、「脳はどのようにして経験から他人の心のモデルをつくるのか」、「脳はどのようにして他人の未来の振る舞いを予測するのか」、「ほかの動物種には心の理論があるのか」。私は最近ソーク研究所で心の理論についてのシンポジウムを共同開催したのだが、ザッカーバーグからはシンポジウムのすべての資料を求められた。

機械学習では、データを多くもつ者が勝つ。フェイスブックは人々の好みや友達、写真などのデータをだれよりももっている。この膨大なデータを使えば、フェイスブックは私たちの心の理論を構築して、私たちの好みや政治的傾向を予測することも可能だ。いつか、私たちよりもフェイスブックのほうが、私たちのことをよく知るようになるかもしれない。フェイスブックは、ジョージ・オーウェルの「ビッグ・ブラザー」(5)が顕現したものとなるのか？　あなたはこれを聞いてぞっとしただろうか。それとも自分の世話をしてくれるデジタル執事ができたと便利に感じるだろうか。このような強大な力をフェイスブックがもつべきかどうか疑問に思うだろうが、私たちが口を挟む余地はないのかもしれない。

２０１２年と２０１３年のＮＩＰＳカンファレンスはレイクタホのカジノで開催されたが、参加者は賭博台には近づかなかった。カジノ側が有利であることはわかりきっているし、自分たちの研究のほうがずっとエキサイティングなのだから。賭博は依存症になり得る。私たちの脳にドーパミンの報酬予測誤差システムが含まれているためだ（第10章を参照）。カジノは人を賭けに誘うように条件が最適化されている。大当たりの可能性がある。ランダムな間隔でときどき小さく勝たせる（報酬を与える）というのは、実験用のネズミに餌のためにレバーを押し続けさせる最高の方法だと示されている。スロットマシンで当たりが出たときの騒音と光。照明は昼夜変わらず薄暗いので、光で決まる体内時計が正常な昼夜サイクルから外れて、お金を使い果たすまで賭け続けさせられるようになる。だが、もちろん、最終的にはカジノ側が勝つようになっている。

2015年にモントリオールで開催されたNIPSカンファレンスには、世界中から3800人もの参加者が押し寄せて、パレ・デ・コングレ国際会議場に入りきらなくなった。特に、カンファレンス冒頭でのディープラーニングのチュートリアル講演は大人気で、消防法による規制のために入場を制限せざるをえなかった。ディープラーニングは、ハイテク業界でビッグデータをもっているほぼすべての企業に導入されており、加速度的に拡大している。2016年のバルセロナのNIPSカンファレンスでは、開始の2週間前に参加者数が5400人に達し、仕方なく締め切った。ニューヨークから飛行機で来たものの現地で参加登録ができないことを知ってがっかりした人もいた。2017年のロングビーチのNIPSカンファレンスは申し込み開始後12日目で参加者が8000人に達して締め切らざるをえなかった。2014年以降、参加者は前年の5割増しで増加している。これが続くとすると、最終的には地球上の全人類がNIPSカンファレンスへの参加を希望する計算になる。もちろんバブルはいつか崩壊する。だが、どのバブルもそうだが、いつ崩壊するかはだれにもわからない。

さまざまな科学や工学分野の研究者がこの30年間毎年のようにNIPSカンファレ

ンスに参加し続けているが、バルセロナで開催された2016年のNIPSカンファレンスでは、参加者5400人のうち40パーセントが初参加だった。大きな学会では珍しいことだが、NIPS財団の評議委員会は賢明なことに、シングルトラックでの開催を2015年まで続けてきた。

　この分野を分断化させないよう、全員が同じ部屋に集まるようにしたのだ。だが、全員を収容できる会議室を見つけるのが難しくなったため、2016年からは二つのセッションを並行して進めることにした。それでも、大きな学会では10のセッションを並行させることも珍しくないことを思えば極端に少ない。NIPSの論文の採用率は約20パーセントに抑えており、ほとんどの学術誌の採用率よりも低い。NIPSは「機械学習の女性たち[6]（WiML：Women in Machine Learning）」の活動を協賛しており、2016年のバルセロナの会場には女性が600人近く（全参加者の10パーセント）、2017年のロングビーチでは1000人の女性が参加した。多様性はNIPSカンファレンスの最たる特徴である。たった一つの分野では、ディープラーニングを生み出した多様な才能をまとめることはできなかったはずだ。

多くの業界に影響を与える可能性を考えれば、ディープラーニングの知的財産を保護する特許がほとんどないことは驚きだろう。1980年代、私たちは学習アルゴリズムを土台として新しい科学分野を確立したかったので、特許で守ってもその助けにはならないと感じたのだ。もちろん、現在では企業が特定の応用に対して特許を申請している。企業は知的財産の保護なしに新しい技術に大きな投資をしたりはしないのだ。

未来に備えて

ニューラルネットットネットワークの学習における大きなブレイクスルーは30年ごとに起きている。1950年代のパーセプトロンの発表に始まり、1980年代の多層パーセプトロンの学習アルゴリズム、そして、2010年代のディープラーニングだ。どの場合も、短期間で大きな進歩が急激に遂げられてから、長期間の緩やかで漸進的な進歩の時期が続く。ただし、大きな違いもある。急激な進歩の期間のインパクトが、ブレイクスルーが起こるたびに増大しているのだ。最新のめざましい発展はビッグデータが広く活用できるようになったことで加速された。ＮＩＰＳの歴史は、この日に備えるためのものだったのだ。

第3部

テクノロジーと科学への衝撃

年表

1948年 クロード・シャノンが影響力のある『通信の数学的理論』を発表。現代のデジタル通信の基礎を築いた。

1971年 ノーム・チョムスキー、『ニューヨーク・レビュー・オブ・ブックス』誌に「*The Case against B. F. Skinner*（B・F・スキナーへの反論）」を寄稿。この論考により、多くの認知科学者が学習の重要性を軽視するようになった。

1989年 カーバー・ミードが『アナログVLSIと神経システム』を出版。生物学に発想を得たコンピューター・チップを開発するニューロモーフィックエンジニアリングという分野を創始した。

2002年 スティーブン・ウルフラムが『*A New Kind of Science*（新しい種類の科学）』を出版。セルオートマトンの計算能力を探求した。そのアルゴリズムはニューラルネットワークよりもさらにシンプルであるが、高度の計算を行い得る。

2005年 セバスチャン・スラン率いるチームが、DARPAグランド・チャレンジという、自律自動車レースで優勝。

2008年 トビアス・デルブリュックがスパイキング網膜チップ「ダイナミック・ビジョン・センサー（DVS）」の開発で成功をみる。現在のデジタルカメラのように同期的なフレームではなく、非同期的なスパイクを使用している。

2013年 BRAINイニシアティブ（BRAIN Initiative）を米ホワイトハウスが発表。脳の働きについての理解を加速する革新的なニューロテクノロジーの開発を目的としている。

第12章

機械学習の将来

「コグニティブ・コンピューティング（認知コンピューティング）」の時代が始まろうとしている。まもなく、人間より運転のうまい自動運転車が登場するだろう。家が住人を認識し、その人の習慣から行動を予測し、来客があれば知らせてくれるようになる。最近グーグルが買収した、クラウドソーシングのウェブサイトを運営するKaggle（カグル）では、CT画像から肺癌を検出するプログラムのコンテストで100万ドルの賞金が、また、アメリカ国土安全保障省による空港の全身スキャン画像から不審物を検出するプログラムには150万ドルの賞金が提示された。[1] コグニティブ・コンピューティングを用いれば、医師の助手であっても珍しい病気でも診断できるようになって、医療レベルが向上するだろう。こうした応用例は何千とあるし、まだ想像もされてないものはさらに多い。なくなる職業もあれば、新たに登場する職業もある。コグニティブ・コンピューティングの技術はある意味、破壊的であり、私たちの社会がその衝撃を吸収して適応するまでには時間がかかるだろう。だが、私たちの存在を脅かすものではない。むしろ、これから発見と啓蒙の時代を迎えて、人間はより賢くなり、長生きし、繁栄するようになるだろう。

２０１５年、私はサンフランシスコで開催されたＩＢＭ主催のコグニティブ・コンピューティングに関する会議で講演を行った。(2) ＩＢＭが膨大な投資を行っている「ワトソン」は、歴史から大衆文化まであらゆる事実の膨大なデータベースに基づくプログラムであり、自然言語インターフェースを備えたさまざまなアルゴリズムで、質問に回答することができる。ケン・ジェニングスは、人気クイズ番組『ジェパディ！』で１８２日間にわたり連続74回の勝利を収めた、同番組史上、最長の優勝記録を誇る人物だが、ワトソンはこの彼を２０１１年に同番組で打ち破って世界の注目を集めた。

ホテルから会議場に行くタクシーで、後部座席にいたＩＢＭの幹部二人が仕事の話をするのが聞こえてきた。ＩＢＭは、ワトソンを活用したプラットフォームを発表しようとしていた。このプラットフォームを使えば、医療や財務のサービスなどの専門分野で用いられる構造化されていないデータベースを整理して、質問に答えられるようになる。ワトソンはどんな人間でも敵わない大量のデータに基づいて、質問に答えたり、提案したりできるのだ。もちろん、ほかの機械学習プログラムと同じで、質問をし、提案された選択肢のなかから選ぶには、人間が必要だが。

ＩＢＭはハードウェア部門を事業の主軸から外して久しいし、コンピューターのサービス部門も競争力を失っている。ＩＢＭは、ワトソンを頼りに、ソフトウェア部門で700億ドルの収益を取り戻したいと考えている。同社は、ワトソンＩｏＴ事業の新たなグローバル本部をミュンヘンに設置して2億ドルを投資した。[3] 同社のヨーロッパにおける事業でも最大級の投資額であり、人工知能によって事業の転換を図りたい6000社を超える顧客の要求に応えたものだ。しかもこれは、コグニティブ・コンピューティングに全世界で30億ドルを投資するという計画のほんの一部にすぎない。とはいえ、ほかにも数多くの企業がＡＩ事業に多額の投資をしており、どの会社が勝者となり、どこが敗者となるのか、まだまったくわからない。

21世紀の生活

従来の医療では、ある症状や病気に対して、通常はすべての患者に効くと考えられる同じ治療法が行われていたが、今ではコグニティブ・コンピューティングのおかげで、一人ひとりに合わせた正確な治療が行われるようになった。かつては死の宣告にも等しかった悪性黒色腫だが、患者の癌細胞のＤＮＡシークエンシング（遺伝子塩基配列）に基づいて、患者の癌に合わせた免疫療法を設計できるようになり、今では多くの患者の癌の進行を食い止めて、回復することさえ可能になっている。現在この治療法には25万ドルかかるが、いずれは、黒色腫のほぼ全患者が支払える金額にまで下がるだろう。患者の癌細胞のＤＮＡシークエンシングにかかる原価はわずか数千ドルで、治療に必要なモノクローナル抗体の価格はわずか数百ドルなのだ。患者から得られる遺伝子変異と治療結果についての幅広いデータが十分に蓄積されれば、治療方法の決定が容易になり、費用も下がるはずだ。同じ手法で、一部の肺癌も治療できる。製薬会社は癌の免疫療法の研究に投資しており、ほかの多くの癌もやがては治療可能になるかもしれない。膨大な量の遺伝子データを解析する機械学習の手法がなければ、こうした進歩は起こらなかっただろう。

私は、ＢＲＡＩＮイニシアティブ（ＢＲＡＩＮはBrain Research through Advancing Innovative Neurotechnologies［革新的先端ニューロテクノロジーによる脳研究］の

略)に関して国立衛生研究所(NIH)所長に助言を与える委員会の委員を務めていた。私たちの報告書で強調したのは、新たな神経活動記録技術で生成されたデータを解釈するために、確率的な計算技術が重要だということだ。(4) 現在、機械学習アルゴリズムを使用して、何千ものニューロンから同時に得られるデータの記録の解析や、自由に動き回る動物の複雑な挙動を記録したデータの解析、電子顕微鏡の連続デジタル画像に基づく解剖学的回路の三次元データへの自動的な再構築などが行われている。脳のリバースエンジニアリングによって、自然が発見してきた数多くの新たなアルゴリズムが見つかるだろう。

NIHはこの50年にわたり神経科学の基礎研究に資金を投入してきたが、最近ではますます、医療の現場ですぐ活用できそうな橋渡し研究へと助成金が向けられている。もちろん私たちも、これまでに発見されたものを臨床へと橋渡ししたいが、今、新しい発見にも資金を投入しなければ、これから50年後の医療現場に橋渡しするためのものがほとんどなくなってしまう。将来において、統合失調症やアルツハイマー病など、脳の組織を損なう病気の治療法を発見することは、BRAINイニシアティブのような研究プログラムを、今始めるべきもう一つの理由である。[5]

個人情報の未来

２００６年、アメリカ退役軍人省の職員の家から、退役軍人約２６５０万人の社会保障番号と生年月日が盗まれた。退役軍人省はシステムのＩＤとして退役軍人の社会保障番号を使っていたため、ハッカーらはデータベースを解読する必要すらなかった。社会保障番号と生年月日があれば、どの退役軍人の個人情報でも盗むことができたのだ。

インドでは、10億人を超える国民が、指紋、虹彩スキャン、顔写真、12桁のＩＤ番号（アメリカの社会保障番号より3桁多い）によって一意に識別される。このインドの「アドハー（Aadhaar）」という制度は、世界最大の生体認証プログラムだ。かつてインドでは公的な文書が必要になると、際限なく待たされたうえに、途中で何人もに謝礼を渡さねばならなかった。今では簡単なバイオスキャンによって、受けとる権利のある配給の食糧やそのほかのサービスを直接得られるようになり、出生証明書がなかった貧しい国民でも携帯可能なIDによっていつでもどこでも数秒で身分を証明できるようになった。横行していたなりすましによる生活保護の不正受給もなくなった。その人物の指を切ったり眼球を摘出したりしない限り、個人のIDを盗むことはできないのだ。(6)

このインドの国民登録制度は、アウトソーシング企業、インフォシスの共同設立者にして億万長者のナンダン・ニレカニ(7)による、7年をかけたプロジェクトだ。ニレカニのもつ膨大なデジタルデータベースの助けによって、インドは先進諸国を追い越してしまった。ニレカニはこう話した。「少しずつの小さな変化でも、10億倍すれば大きな飛躍になります。(中略)携帯電話を手に入れるのに1週間かかるのではなく15分で済むとしたら、それが10億人ならば、生産性の膨大な向上が経済にもたらされます。100万人が自分の銀行口座に自動的に入金できれば、経済の生産性は跳ね上がるのです(8)」

デジタルIDのデータベースをもつことのメリットには、プライバシーの喪失というデメリットが伴う。生体認証IDが、銀行口座や医療記録、犯罪歴、交通機関などの公的プログラムのデータベースに紐づけされている場合は特にそうだ。すでに、アメリカをはじめとする多くの国では、データベース同士のリンクについて、たとえそのデータが匿名化されていても、プライバシーの問題が大きな議論を呼んでいる(9)。たとえば、携帯電話は、私たちの好むと好まざるとにかかわらず、持ち主の居場所を追跡している。

ソーシャルロボットの台頭

映画では人工知能が人間のように歩いたり話したりするロボットとして描かれることが多い。だが、現実は１９８４年のＳＦ映画『ターミネーター』に登場するドイツ語訛りのターミネーターのような外見のＡＩを期待してはならない。いずれは、２０１３年のＳＦロマンス映画『ｈｅｒ／世界でひとつの彼女』のサマンサのようなＡＩの音声と会話したり、２０１５年のＳＦファンタジー映画『スター・ウォーズ／フォースの覚醒』のＲ２‐Ｄ２やＢＢ‐８のようなドロイドとやりとりすることにはなるだろう。ＡＩはすでに日常生活の一部になっている。アマゾンのスピーカー「エコー」に搭載されている「アレクサ」のような認知機能のある製品が、あなたに話しかけ、いつも快くあなたの生活を便利に、充実したものにしてくれる。まるで、２０１５年のロマンチックなファンタジー映画『美女と野獣』の時計やティーポットのように。このような創造物のいる世界に住むのはどんな感じだろうか？　では、ソーシャルロボットの世界に一歩踏み出してみよう。

現状の人工知能は、知能のなかでも特に知覚面と認知面とが高度化しているが、運動や動作に関する知能はまだこれからだ。私は講義を、「脳は知られている限り宇宙で最も複雑な装置です」という言葉で始めることがある。しかし、医師である妻のベアトリスによると、脳は身体の一部に過ぎず、身体は脳よりずっと複雑なのだ。もっとも、身体の複雑さは脳の複雑さとは違っており、動きの進化から生じたものだ。

私たちの筋肉や腱、皮膚、骨は、世界の変化や重力やほかの人間たちに、積極的に適応している。人体の内部は、驚異的な化学的処理に満ちており、食物を、精巧につくられた体の一部へと替えてしまう。完璧に機能する、究極の３Ｄプリンターなのだ。私たちの脳は、身体のあらゆる部分にある内臓センサーからの入力を受け取っている。このセンサーは、体内の活動を常に監視しており、最上位の皮質領域もその対象だ。入力を受けた脳は、内的な優先順位を決定し、競合するすべての要求のバランスを保っている。真の意味で、人間の身体は脳にとって不可欠であり、これは「身体性認知」の核となる考え方である[10]。

Rubi

ハビエル・モベラン（図12・1）はスペイン出身で、以前はカリフォルニア大学サンディエゴ校（UCSD）の教員で、神経計算研究所の機械知覚研究室を共同運営していた。彼は、認知についてより深く学ぶためには、人間と交流するロボットを構築するほうが、従来のような研究室での実験よりもよいと考えた。彼が構築した赤ちゃんロボットは、人間が微笑みかけると微笑みを返すというもので、通りかかった人たちの人気者だった。ハビエルは、赤ちゃんとその母親との相互関係を研究して、赤ちゃんは最小限

図12.1　ハビエル・モベランがカリフォルニア大学サンディエゴ校で行ったロボットワークショップで、科学専門動画サイト『The Science Network（ザ・サイエンス・ネットワーク）』のインタビューを受けるところ。ハビエルは、教室におけるソーシャルロボットのパイオニアであり、ソーシャルロボットのRubiをプログラムして1歳半の幼児の注目を引きつけた。（写真はロジャー・ビンガムの厚意による。）

の努力によって、母親の笑顔を最大限に引き出していると結論づけた[11]。

ハビエルの最も有名なソーシャルロボット「Ｒｕｂｉ（ルビ）」は、幼児番組のキャラクター、テレタビーズのような外見で、表情豊かに眉を動かして興味を示し、カメラの目であちこちを見ることができ、両手にはものをつかむ機能がある（図12・2）。ＵＣＳＤの早期幼児教育センターでは、１歳半の幼児たちがＲｕｂｉのおなかのタブレットを使ってＲｕｂｉ

図 12.2　教室で Rubi が幼児と交流する様子。Rubi の顔は左右に動き、目がカメラで、口と眉による表情が豊かである。頭の上のふさふさした光ファイバーは、Rubi のムードに応じて色が変化する。（写真はハビエル・モベランの厚意による。）

とやりとりをした。幼児を喜ばせ続けるのは難しい。集中力が続く時間がとても短いのだ。おもちゃで数分遊んだかと思うと、すぐに興味を失って投げ捨ててしまう。では、子どもたちはＲｕｂｉにはどのように反応したのだろうか？ 初日は、男の子たちがＲｕｂｉの腕を引っこ抜いてしまった。子どもたちの安全のために、産業ロボットのような強度は持たせていなかったのだ。少々修理して、ソフトウェアにパッチを当ててからまた試した。今度は腕を引っ張られるとＲｕｂｉが泣き出すようにプログラムされていた。Ｒｕｂｉが泣くと、男の子たちは引っ張るのをやめて、女の子たちがＲｕｂｉにかけよって抱きしめた。これはソーシャル・エンジニアリングのために重要な教訓となった。

幼児は部屋のなかにある時計などの物体を指差してＲｕｂｉと遊んだ。Ｒｕｂｉが0・5～1・5秒という短い時間内に反応してその物体を見なければ、幼児は興味を失ってどこかへ行ってしまう。Ｒｕｂｉの反応が早すぎると機械的に感じられ、遅すぎると退屈になる。いったん相互の関係が形成されると、幼児はＲｕｂｉをおもちゃではなく知覚力のある存在として扱うようになった。Ｒｕｂｉがいなくなって（アップグレードのために修理場に運ばれたのだ）、幼児たちが動揺すると、「Ｒｕｂｉは気分が悪くなって今日はお家で休んでいます」と伝えられた。研究の一環で、幼児にフィンランド語の単語を教えるようにＲｕｂｉをプログラムすると、幼児たちは英単語を覚えたのと同じくらいの早さで単語を身につけた。人気のある歌にのせるととても効果的だった。[12]

Ｒｕｂｉを教室に導入する際に懸念されたのは、教師たちが、将来ロボットに職を奪われるのではないかと脅威に感じる可能性があることだった。だが、実際に起きたのは正反対で、教師はRubiを、教室を管理するためのアシスタントとして歓迎したのだ。特に訪問者がやって来る場面でRubiは役立った。当時、早期教育に大改革をもたらしうる、ある実験のアイデアがあった。それは、「1000のRubiプロジェクト」というものだ。Rubiを大量につくって、1000カ所の教室に配置し、大量の実験データをインターネット経由で毎日収集するのだ。教育の研究での問題の一つが、ある学校で効果を上げたことが、別の学校では効果が現れない可能性があるということだ。これは学校、特に教師間での違いが非常に大きいためだ。だが、1000体のRubiがあれば、教育現場を向上させるさまざまなアイデアを検証することができる。また、全国の学校ごとに、生徒たちの家庭が属する社会経済的グループが異なっているが、この学校ごとの相違点を明確にすることも可能となる。リソースの問題のために、このプロジェクトは実現しなかったが、アイデアは非常に優れているので、ぜひだれかに挑戦してもらいたい。

二足歩行ロボットは不安定なので、転ばないようにするには精密な制御系が必要だ。

図12.3　ロドニー・ブルックスがテーブルの穴に栓をはめようとするロボット「バクスター」を見守っている。ブルックスは起業家であり、以前はルンバを製造するアイロボット社を共同創設し、今度はバクスターをつくるリシンク・ロボティクスを設立した。（写真はロドニー・ブルックスの厚意による。）

実際に、2本足である人間の赤ちゃんが転ばずに歩けるようになるまで約12カ月かかる。ロドニー・ブルックス（図12・3）は、第2章で少し紹介した人物だが、昆虫のように歩ける6本足のロボットをつくろうと考えた。ゴキブリ型ロボットを前進させせつつ安定を保てるよう、6本の足の動きの順番を決定する、新しい制御装置を発明した。彼のアイデアで革新的だったのは、抽象的な計画立てや計算をさせるのではなく、ロボットの足と環境との機械的な相互作用に任せて制御を行ったことだ。ブルックスの考えによると、ロボットが日常的な動作をするための高次認知機能は、環境との知覚運動的な相互作用に基づくべきであって、抽象的な論理に基づくべきではない。たとえば、ゾウは非常に社会的な動物であり、記憶力もよく、道具を使うことについても天才的だが[13]、「ゾウはチェスをしない」のだ[14]。1990年、ブルックスはアイロボット社を共同創設し、そこで1000万台以上販売されたルンバは、その数倍多くの部屋の床をせっせと掃除しているのだ。

産業用ロボットは、関節部の動きが硬く、強力なサーボモーターもついているので、外見や雰囲気がいかにも機械っぽい。2008年、ブルックスはリシンク・ロボティクスを設立して、人が腕を持って自由に動かせる柔軟な関節を持つ「バクスター」というロボットをつくった（図12・3）。腕を動かすプログラムを書く必要はなく、腕を導いて希望どおりの一連の動きを覚えさせられる。そして、バクスターはその一連の動きを繰り返すように自身をプログラムするのだ。

モベランはブルックスの一歩先を行って、「ディエゴさん（Diego San）」という赤

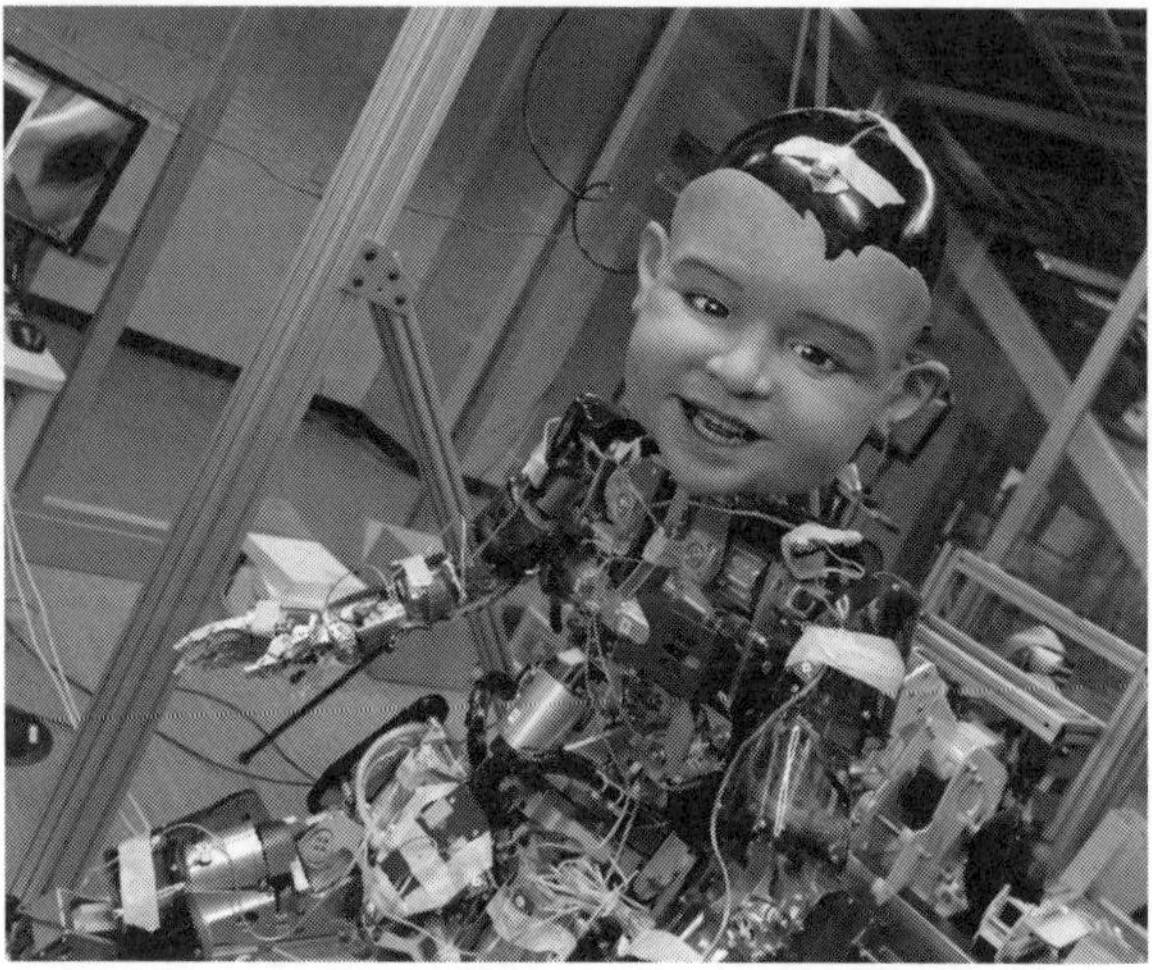

図12.4　ロボット赤ちゃんのディエゴさん。空気圧式のアクチュエーターのおかげですべての関節が柔軟に動いて、握手もできる。顔はデービッド・ハンソンとハンソンロボティクス社の製作。表情の動きについては動画「Diego Installed（ディエゴの導入）」を見てほしい。（写真はハビエル・モベランの厚意による。）https://www.youtube.com/watch?v=knRyDcnUc4U/

ちゃんロボットを考案した（製造は日本[15]）。44個の関節のモーターは空気圧駆動なので、大半の産業ロボットで使用される硬い動きのトルクモーターに比べるとなめらかに動く（図12・4）。ロボットをこのような形でつくったのは、たとえば私たちが何かを拾い上げるとき、体のすべての筋肉がある程度使われているからだ(私たちが一度に一つの関節しか動かさなければ、ロボットのように見える)。そのおかげで、私たちは実世界から受ける負荷や相互作用の変化にもうまく対応できているのだ。脳は、体中のすべての関節や筋肉のあらゆる自由度を同時にスムーズに制御できており、ディエゴさんのプロジェクトの目的はその仕組みを見つけることだった。ディエゴさんの顔には27個の可動パーツがあり、人間のさまざまな表情を表現できる。[16] この赤ちゃんロボットの動きはまるで生きているかのようだった。だが、ディエゴさんは、ハビエルのロボットプロジェクトのいくつもの成功例の一つには数えられていない。単純に、この赤ちゃんロボットを人間の赤ちゃんのようになめらかに動かす方法がわからなかったのだ。

表情は心の窓

株価が暴落していくのをアイフォーンで見ていたら、アイフォーンになぜ動揺しているのかと訊かれたとしよう。あなたの表情はあなたの脳の感情の状態が表れる窓であり、ディープラーニングは今やその窓のなかをのぞき込むことができるのだ。これまで、認知と感情は脳の別の機能だと考えられてきた。一般に、認知は皮質の機能で、感情は皮質下の機能だと考えられていたのだ。実際に、感情の状態を制御する皮質下の構造は存在する。その一例が扁桃体であり、感情のレベルが高い場合、特に恐怖を感じる場合には、扁桃体が活動している。だが、これらの構造は大脳皮質とも強い相互作用がある。たとえば、社会的交流によって扁桃体が活性化すると、そのことが強く記憶される。認知と感情は密接に結びついているのだ。

1990年代、私はカリフォルニア大学サンフランシスコ校の心理学者のポール・エクマン（図12・5）と共同研究を行った。彼は表情研究の第一人者で、連続テレビ番組『ライ・トゥ・ミー　嘘の瞬間』のカル・ライトマン博士のモデルになった人物だ。もっともポールのほうがカルよりもずっと感じがいいのだが。エクマンはパプアニューギニアに行って、産業化以前の人々が、私たちがするのと同じ表情に対して、感情面での反応を示すかどうかを調査した。エクマンが発見したのは、調査したすべての人間社会において、普遍的な6種類の感情表現があることだった。それは、喜び、悲しみ、怒

図 12.5　1967年にパプアニューギニアのフォア族の人たちとともにいるポール・エクマン。エクマンは、喜び、悲しみ、怒り、驚き、恐怖、嫌悪の六つの表情による普遍的な感情表現が存在する証拠を見つけた。ポールはテレビ番組『ライ・トゥ・ミー 嘘の瞬間』を監修して、各エピソードの科学的な妥当性をチェックした。登場人物のカル・ライトマン博士は、エクマンをある程度モデルにしている。（写真はポール・エクマンの厚意による。）

り、驚き、恐怖、嫌悪である。彼の研究以降、ほかの普遍的な表情が提案されているが、完全な合意には至っていない。恐れなどの表現は、いくつかの孤立した社会においては、異なる解釈がされている。

1992年、エクマンと私は、アメリカ国立科学財団（NFS）主催の「表情理解に関する計画ワークショップ（Planning Workshop on Facial Expression Understanding）」を組織した。[17] 当時は、表情に関する研究で資金を得ることは極めて難しかった。このワークショップでは、神経科学や電気工学、コンピューター・ビジョンの研究者と心理学者とが協力することによって、表情の分析について新たな展開がもたらされた。しかし、表情の分析は、科学や医療、経済など、非常に多くの分野で重要なものとなりうるにもかかわらず、資金提供機関から無視されているという状況を知って、私は愕然とした。

エクマンは、顔の筋肉の状態をもとに表情の細かな要素を個別にモニタリングする「顔面動作記述システム（FACS）」を考案した。エクマンのもとで訓練を受けたFACSエキスパートは、動画をフレームごとに解析するため、1分の動画のラベルづけに1時間かかる。表情はダイナミックなものであるが、何秒も続くこともありうる。だが、エクマンは数フレームしか続かない表情がいくつかあることを発見した。こうした「微表情」は、抑圧された脳の状態から感情が漏れ出したものであり、無意識の感情的反応を示している場合もある。たとえば、結婚に問題を抱えた夫婦のカウンセリング中に嫌悪の微表情が表れたとしたら、やがて破局を迎えるサインと考えてよさそうだ。[18]

１９９０年代、私たちは顔の筋肉すべてをコントロールできるように訓練を受けた俳優（エクマンもできる）を撮影した動画を使って、ＦＡＣＳを自動化できるよう、ニューラルネットワークを誤差逆伝播法で学習させた。１９９９年、大学院生のマリアン・スチュアート・バートレット（図12・6）が学習させたニューラルネットワークは、実験室で完璧な照明で真正面を向いた顔を撮影し、手作業で時間分割を施した動画に対して、96パーセントの正答率を示した。[19] この成果は素晴らしいもので、１９９９年4月5日にダイアン・ソイヤーが司会の情報番組『グッドモーニング・アメリカ』で取り上げられて、マリアンと二人で出演した。

マリアンはＵＣＳＤの神経計算研究所の教員となり、「コンピューター表情認識ツール

図12.6 マリアン・スチュアート・バートレットが表情分析を実演している。時系列はディープラーニングネットワークの出力で、喜び、悲しみ、怒り、驚き、恐怖、嫌悪の表情を認識している。（写真はマリアン・スチュアート・バートレットの厚意による。ロバート・ライト／LDVビジョン・サミット2015。）

（CERT：Computer Expression Recognition Toolbox）[20]」の開発を続けた。コンピューターが高速化するとともにCERTはリアルタイム解析に近づき、ストリーミング動画でも人物の変化する表情にラベルづけができるようになった。

2012年、マリアン・スチュアート・バートレットとハビエル・モベランは、表情の自動解析技術を商品化するために「エモティエント（Emotient）」という会社を設立した。ポール・エクマンと私はその科学諮問委員を務めた。エモティエント社の開発したディープラーニングネットワークは96パーセントの精度を出せたが、これはリアルタイムで、照明の条件もさまざま、正面以外の表情も含み、自然な動作に対しての成績である。エモティエントのデモの一つでは、共和党予備選の初回のディベートで、意見を集めるために呼ばれたグループのメンバーに対して、ドナルド・トランプが最も強く感情を揺さぶったことを数分で解析した。世論調査会社はこれと同じ結論にたどり着くのに数日かかり、政治評論家たちは、感情に訴えることが有権者を動かす鍵であることを理解するのに何カ月もかかったのである。このグループで最も強い表情は喜びで、その次が恐怖だった。また、エモティエントのディープラーニングネットワークは、ニールセン社が視聴率を発表する何カ月も前に、どのテレビ番組がヒットするかを予測した。エモティエント社は2016年1月にアップルに買収され、マリアンとハビエルは現在アップル社で働いている。

それほど遠くない将来、アイフォーンは、あなたはなぜうろたえているのかと訊くだけでなく、落ち着かせてくれるようにまでなるかもしれない。

学習の科学

今から12年前、2005年のバンクーバーでのNIPSカンファレンスで、私はUCSDのコンピューター科学・工学科の同僚、ゲイリー・コットレルと一緒に朝食をとっていた。ゲイリーは1980年代のあの並列分散処理(PDP)グループの一員で、UCSDにおける、その最後の生き残りの一人だ。1960年代にしがみついている最後の一人でもあって、長い髪を後ろに結び、蓄えたひげには白いものが混じっている。彼は、アメリカ国立科学財団の「学習科学センター(Science of Learning Centers)」についてのプロポーザルが募集されているのを目にした。彼の目を捉えたのは、5年間にわたって毎年500万ドルの予算が与えられ、追加で5年間の更新もできるという箇所だった。プロポーザルを提出しようと考えたコットレルから、手伝ってくれないかと頼まれた。「成功したら、もう二度と補助金のプロポーザルを書かなくて済むぞ」と言う彼に、「成功したら、研究者生命が終わるような補助金だがね」と返した。ゲイリーはクスクス笑って、私たち二人はさっそく取りかかることにした。

最終的に、私たちのプロポーザルは成功を収めた。私の予想した通り、毎年300ページにわたる年次報告書を作成するのは大変な作業だったが、それが生み出したサイエンスは素晴らしかった。私たちの「学習の時間的ダイナミクス・センター（TDLC：Temporal Dynamics of Learning Center）には世界中の18の機関から100人を超える研究者が集まった。

アメリカ国立科学財団が資金を提供した六つの学習科学センターのうち、私たちのセンターが神経科学と工学への指向性が最も強く、プロジェクトには機械学習の最新テクノロジーを組み込んだ[21]（図12・7）。Rubiも「コンピューター表情認識ツール（CERT）」も、学習の時間的ダイナミクス・センターで資金を得たプロジェクトだ。また、モバイルEEG（脳波記録）ラボもできた。被験者は、脳波を記録する間も、仮想現実の環境内を自由に動き回ることができた。ほとんどのEEGラボでは、被験者はじっと座らされて、アーチファクトを生じさせないために、まばたきも許されない。私たちは独立成分分析（ICA）を使って動きによるアーチファクトを除去できるので、被験者が積極的に環境を探索してほかの人と交流しているときの脳の活動を観察で

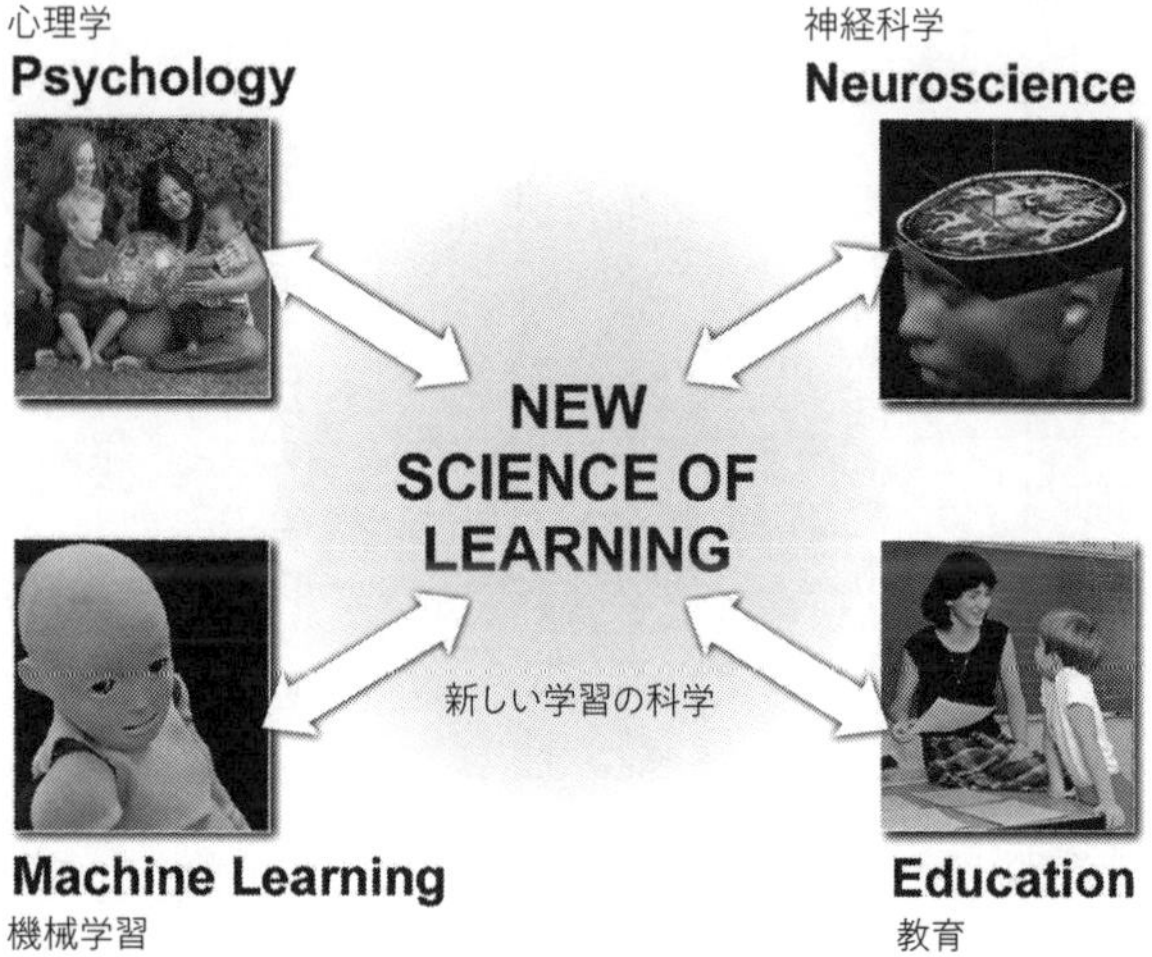

図12.7　新しい学習の科学には、心理学と教育の知見とともに機械学習と神経科学が含まれる。

出典：Meltzoff, Kuhl, Movellan, and Sejnowski, "Foundations for a New Science of Learning," figure 1.

きた。

では、「学習の時間的ダイナミクス・センター（ＴＤＬＣ）」の研究者たちによるさまざまなプロジェクトの一端を紹介しよう。

● ラトガース大学の分子行動神経科学センターのエイプリル・ベネシッチは、乳児が言語獲得と学習において障害をもつようになるかを、乳児の聴覚認知のタイミングに基づいて予測するテストを考案した。そして、それらの障害を修正することが可能であることも示した。音のタイミングと報酬フィードバックのタイミングを適応的に操作することで、乳児が正常な聴覚、発話、学習能力を発達させられるようになるのだ[22]。実験では生後3カ月から5歳までの長期的な経過を観察することで、上の結果を示した。正常に発達している幼児でも、このインタラクティブな環境からメリットを受けられる。エイプリルは、２００６年にＡＡＢリサーチ社（AAB Research LLC）を設立し、乳幼児の学習能力を向上させるために、高速聴覚処理テクノロジー（ＲＡＰＴ）を一般家庭にもたらそうとしている。

- マリアン・スチュアート・バートレットとハビエル・モベランは、機械学習によって生徒の表情を自動的に検出できるようにした。[23] これにより、生徒が苛立ちを感じているように見えたり、教わった内容を理解できていない可能性があったりする場合、それを教師に知らせることができる。現在では、ディープラーニングによって、教室内の全生徒に対して、同時に、自動的かつ正確に検出できるようになっている。表情の解析に関しては、それがまだ取り入れられていない多くの分野、たとえばマーケティングや精神医学、科学捜査などで、さまざまな形での応用が可能だ。
- UCSDのハロルド・パシュラーとコロラド大学ボルダー校のマイケル・モーザーは、長期的な学習記憶の向上に関する調査を行った。その際、個人にカスタマイズされた、復習を間隔を空けて長期間行う学習と、詰め込み学習とが比較され、先行研究で行われていた大学生を対象にした数カ月というタイムフレームから、K-12（幼稚園の年長から高校卒業まで）の生徒を対象とした数年というタイムフレームへと、研究が拡大された。[24] その結果、長期的な記憶が必要な場合は、最適な学習の間隔がより長くなることがわかった。そこで語学コースの学生に対して最適な復習スケジュールを導入したところ、素晴らしい成果が得られた。

● 「学習の時間的ダイナミクス・センター（TDLC）」の博士研究員のベス・ロゴウスキー、ラトガース大学のポーラ・タラル、バンダービルト大学のバーバラ・カルフーンは、その場での理解と長期的な理解のどちらにおいても、聞いて学習することと読んで学習することについて統計的な差のないこと、また各自の好みの学習方法と実際の指導方法が同じでも違っても関係がないこと、を示した[25]。生徒の好みの学習スタイルに合わせてもメリットがないということは、個人の学習スタイルに合わせた学習教材やテスト教材を宣伝する巨大産業が、教育にとって特に価値がないことを意味している。

● ポーラ・タラルは2014年に立ち上げられた1500万ドルの賞金を出すグローバル・ラーニングXプライズ（Global Learning X-Prize）で重要な役割を果たした。この賞は教育におけるイノベーションを奨励し、発展途上国の子どもたちが基礎的な読み書きや算数を18カ月で学ぶことができる、オープンソースで拡張性のあるソフトウェアの開発を目標としている。グローバル・ラーニングXプライズへの取り組みとして行われた研究の成果によって、今後何十年にもわたり、世界は大きな恩恵を受けるだろう。

●学習の時間的ダイナミクス・センター（TDLC）」の科学ディレクターを務めるアンドレア・チバは、2014年に上海で開催された「学習の科学国際会議（International Convention on the Science of Learning）」で、学習による脳の構造変化についての研究を発表し[26]、子どもの能力は生まれたときから決まっており、能力の低い子どもや高齢者を教育するのは無駄であると信じていた多くの参加者を驚かせた。人間の可能性という巨大な宝庫は、まだ手つかずのまま世界中に存在している。

私たちは、教育における最大の問題は、科学的な問題ではなく、社会的・文化的な問題であることを明らかにした。アメリカには学区が1万3500区あり、それぞれに教育委員会があって、カリキュラムや教員資格、教育手法などを決定している。すべての学校や学区と接触してそれぞれの独自の状況における問題に対処するとなると、何十年もかかることだろう。教師たちは勉強を教える以前にクラス運営をしなくてはいけないが、低学年層や、社会的・経済的問題を抱える大都市中心部の学校ではそれが特に困難となる。リソース不足のために極度に疲弊した教師が多いことを認識できていないまま、親が要求を出すこともある。また、教員組合によって進歩的な取り組みが妨げられることもあるのだ。

教育とは根本的に、労働力に強く依存する活動である。最も効果的で最も優れている教育手法とは、熟練した大人の教師と生徒が1対1で相互作用をすることなのだ。[27] 私たちは一斉授業のために設計された工場の組み立てラインのようなシステムに縛られている。生徒は年齢別に分けられ、多人数のクラスで、毎年同じ授業を行う教師から学ぶことになる。自動車を組み立てるのならこれでいいだろうし、労働力として基礎教育だけが求められていた時代には適切なシステムだったのだろう。だが、仕事に高いレベルの訓練が必要とされ、生涯学習によって仕事の技術を更新しなければならない今日では、役に立たなくなりつつある。大人になってから学校に戻るのは、苦痛だったり現実的ではなかったりする。現在の情報革命は、世代というタイムスケールより短いスパンで進んでいる。幸い、新しいテクノロジーがオンラインに登場して、私たちの学び方を変えてくれそうだ。2006年に学習科学センターを設立したときには想像もつかなかった形で、インターネットによって学習をめぐる環境が変わりつつある。

学び方を学ぶ

2011年、大規模公開オンライン講座MOOC《ムーク》が飛躍的に拡大し、『ニューヨーク・タイムズ』紙がスタンフォード大学の人工知能に関するオンライン講義の人気の高さを取り上げて知名度が上がった。[28] MOOCを受講した学生数の多さと、インターネットを介することによる前例のない広がりが世界の注目を集めた。まるで一夜にしていくつもの新しい企業が設立され、世界最高の教育者によるオンライン講義の開発と無料配信とが行われるようになった。インターネット接続さえあれば、いつでも、どこからでも、オンデマンドで受講できる。講座には、講義だけでなく、練習問題や試験、受講生が質問できるフォーラム、授業助手も含まれており、受講者が地元で集まって授業内容についてざっくばらんに議論できるような「オフ会」も自発的に生じた。ＭＯＯＣの受講者数は急激に増えて、２０１５年には約１７００万人から３５００万人へと倍増した。ＭＯＯＣは、学校制度におけるあらゆる障害をすり抜けてしまった。

私がバーバラ・オークリーに出会ったのは、２０１３年1月にカリフォルニア大学アーバイン校で開催されたアメリカ国立科学財団主催の会合でのことだった。今でこそ、ミシガン州オーバーンヒルズとロチェスターヒルズにあるオークランド大学で電気工学の教授を務める彼女だが、学校での数学と理科の成績は悪かったという。人文科学を専攻して、陸軍大尉まで務めたが、退役後は、ときどきベーリング海のソビエトのトロール船上でロシア語通訳をしながら、学校に戻って数学への苦手意識を克服して電気工学の博士号を取得した。夕食の席で、自分とバーバラとは学習についての考え方がよく似ていることに気づき、また、彼女が『直感力を高める 数学脳のつくりかた』という本を執筆中であることを知った。そこで、バーバラをＵＣＳＤに招いて、高校生や教師向けにＴＤＬＣでの講義をしてもらった。

バーバラの講義は学生の間で大評判となった。彼女が教師として優れた才能の持ち主であることは間違いなかった。バーバラのアプローチと実践的な知見は、私たちの脳についての知識に根ざすものだったので、私たちは協力して「学び方を学ぶ：難しい科目をマスターするための強力なメンタルツール（Learning How To Learn: Powerful Mental Tools to Help You Master Tough Subjects）」（図12・8、https://www.coursera.org/learn/learning-how-to-learn/）という、コーセラ（Coursera）でのMOOCを組み立てることにした。この講座は2014年8月に開講され、最初の4年間で300万人が登録して世界で最も人気のあるMOOCとなり、その後も200カ国から1日1000人もの新たな学習者が集まっている。「学び方を学ぶ」は、脳がどのように学習するのかという私たちの知識に基づいて、よりよい学習者となるために必要なツールを与える講義である。受講者からのフィードバックは非常に高評価だった。そこで私たちは、仕事やライフスタイルを変えたい人のための「マインドシフト（Mindshift）」という二つ目のMOOCを開講した。これらのMOOCは無料で受講できる。

図12.8　バーバラ・オークリーの「学び方を学ぶ」MOOC。300万人以上が受講した、世界で最も人気のあるオンライン講座である。（画像はバーバラ・オークリーの厚意による。）

「学び方を学ぶ」では、よりよい学習者になる方法、試験への不安の対処方法、先送りを回避する方法についての実践的なアドバイスが得られ、さらに脳がどのように学習するのかも学べる。この無料の1カ月のコースは、5～10分のビデオ、練習問題やテストが含まれており、20カ国語以上に翻訳されている。この講義の土台の一つは、「何か別のことをやっているときに無意識の脳が何をしてくれるのか」である。19世紀の数学の第一人者であるアンリ・ポアンカレは、何週間も考え続けていた難しい数学の問題をようやく解いたときのことを、こう語っている。休暇を取った彼が、南フランスでバスに乗りこもうとしたところ、問題の答えが突然ひらめいた。休暇を楽しんでいた最中にも、脳の一部はその問題に取り組み続けていたのだ。証明の大筋が正しいことを確信したポアンカレは、パリに戻ってから証明を完成させた。その問題を必死で考え続けることで脳の準備が整って、リラックスしている間にも無意識にその問題に取り組むことができたのだ。どちらの段階も創造性のためには等しく重要である。

驚いたことに、あなたが眠っていて何も気づかない間にも、脳は問題に取り組むことができるのだ。だがこれが起きるのは、眠る前に問題を解こうと一心不乱に考えたときだけだ。そうすれば、翌朝、新しいアイデアが浮かんで問題解決のヒントを得やすくなる。肝心なのは、休暇前や就寝前に徹底的に集中することによって、脳の準備をしておくということだ。さもなければ、脳がほかの問題に取りかかってしまうかもしれない。これは、数学や科学に限ったことではない。たとえば、ずっと気になっている社会問題があれば、数学などの問題と同様、脳はその問題を真剣に解決しようとするだろう。

「学び方を学ぶ」で何よりも嬉しい成果は、学習者から手紙をもらって、最高の講義だったという感謝の言葉や、キャリアを選択するに当たって大きな影響を受けたといっいう学校の先生たちからの手紙もあった。「学び方を学ぶ」で学んだことを授業に取り入れているという学校の先生たちからの手紙もあった。

当初はこの講座の対象者を高校生や大学生と考えていたが、実際には全受講者の1パーセントにも満たなかった。学校では全学共通科目のテストに備えなくてはならないため、ずっと役に立つはずの『学び方』を教える時間がないのだ。また、各学区に「学び方を学ぶ」を取り入れるように頼んでも、運営予算は限られているので、受け入れてはもらえないだろう。学区全体で大々的に「学び方を学ぶ」をカリキュラムに組み込むのは至難の業なのだ。スケジュールの変更や教師の採用、新しい学習材料の考案などに多大な労力がかかるためだ。だが、なんとかして中学高校に入る前の12歳の子どもたちに手を差し伸べなければならない。子どもたちは中学の数学でつまずくことが多いので、バーバラと私は、その前に読んでもらおうと、この世代を対象とした本を執筆した。[30]

MOOCの学習モデルは、学習が「全か無か」になる教室での授業とは違って、いつでも手にとって好きなところを読むことができる本のようなものだ。学習者は、あちこちつまみ食いしながら、その時点のニーズに合う授業を選択する傾向がある。もともとは、従来の教室での授業の代用として想定されていたMOOCだが、今では、ほかのどの教育方法とも異なる方法によって教育界を補完するようになり、従来の方法では不可能だった学習者のニーズを満たしている。たとえば、MOOCは、反転授業のなかで取り入れられるようになっている。生徒たちは自分の時間に授業を見てきて、教室では、その内容を題材にして教師が議論を促すのだ。現在の教育制度は産業化時代にデザインされたものだ。当時は、学校で授けられた知識があれば、ずっと同じ仕事をして、生産性のある市民として生涯を過ごすことができた。今日では、学校で授けられた知識は、卒業する頃にはすでに時代遅れになっている。MOOCは、家庭に直接届けられるので、学校制度を回避できるのだ。コーセラ(Coursera)の受講者の年齢分布を見ると、最も多いのが25~35歳の年代で、全受講者の半数以上がすでに大学教育を終えている。彼らは働く若者たちで、新しいスキルを必要とし、オンラインでそれを学習している。今日の経済で情報の分野において急速に拡大している職種に脳を適用させるためには、今の教育制度を根本から変えなくてはならない。たとえばインターネットを通して情報を収集するには、検索語を系統立てて決定し、誤った結果を選り分けるための、判断力や基本的な技術が求められる。悲しいかな、学校では基礎的なインターネット技術を教える時間がないようだ。受け身で授業を聞くよりも、自分から情報を探す方法を学ぶほうが、生徒の役に立つはずなのだが。

自動運転車で名声を得たセバスチャン・スランが設立したユダシティ（Udacity）も、MOOCを提供する教育企業だ。無料講座を提供するだけでなく、社員のスキルアップを図りたい会社と提携もしている。その会社のニーズに合わせてMOOCを作成するので、社員は意欲的に受講する。会社・社員・ユダシティが、ウィンウィンウィンの関係にある。また、ユダシティは複数のコースも用意していて、たとえば、自動運転車技術といったトピックで「ナノ学位」を取ることができる。受講料は執筆時で800ドルで、6カ月以内に就職できなければ払い戻しも保証される。[31] 従来の学校以外の教育形態は急速に進化しており、MOOCは生涯学習のための多様なソリューションを生み出しているのだ。続編のMOOC「マインドシフト：学習の壁を打ち破り、自分の隠れた才能を発見せよ（Mindshift: Break through Obstacles to Learning and Discover

Your Hidden Potential)」(https://www.coursera.org/learn/mindshift/) は2017年4月に開講された。さらに、バーバラ・オークリーによる新著[32]も出版された。この本は、ケーススタディーを活用して(私もそれに含まれている)、さまざまな人の実体験をもとに、何らかの形で生活を変えようとする人が直面する課題を浮き彫りにしたものだ。私の場合は、物理学から神経生物学へと専門を変えたが、成功していたジャズミュージシャンがそのキャリアを捨てて医者になったという事例などがある。転職がますます一般的になるなか、「マインドシフト」はそのプロセスを受け入れやすくするよう設計されている。「マインドシフト」は現在、世界で最も人気のあるMOOCの第3位だ。

よりよい学習者となるためのもう一つの方法が、インタラクティブなコンピューターゲームだ。ルモシティ(Lumosity)のような会社は記憶や注意力を向上するとされるオンラインゲームを提供している。問題は、そのような主張を裏づける研究がなかったり質が低い場合があることであり、特に、この訓練を実社会でも活かせるかという点がはっきりしない。だが、それも初期のことで、最近では良質な研究が進み始めて、効果のあるものとないものとが区別できるようになりつつある。直感とは逆の研究結果によって驚かされることも多い。

脳トレ

認知機能を幅広く向上させるのに最も効果的なビデオゲームは、ゾンビを追いかけまわすゲームや、悪者を殺さないといけない戦争ゲーム、車を運転するレースゲームなどだ。ジュネーブ大学のダフネ・バヴェリアは、「メダル・オブ・オナー：アライドアサルト」などの本人視点のシューティングゲームによって、知覚や注意力、認知機能が向上することを示した。特に、視覚とマルチタスク、タスク切り替えが向上して、意思決定も早くなったという[33]。こうしたシューティングゲームをプレイすることで、年長者の脳が若い人の脳のように素早く反応できるようになると結論づけられた（年をとる者全員にとって朗報である）。だが、シューティングゲームのなかには長期記憶を減少させるものもある[34]。ゲームごとに利点と弊害が異なるので、個別の検討が必要だ。

カリフォルニア大学サンフランシスコ校のアダム・ガザリーは、マルチタスク能力を向上させる「ニューロレーサー」という3Dビデオゲームを特別に設計した。脳内の神経修飾物質の活動が、注意力や学習、記憶にとって重要であることを示した研究に基づいてつくられている。[35] このゲームのプレーヤーは、曲がりくねった起伏のある道で車を運転する。標識がランダムに表示されるが、何らかの対応が必要なものとそうでないものがある。プレーヤーには、注意力やタスク切り替えなど、複数の認知スキルを使ってのマルチタスクが要求される。ニューロレーサーで実験を行ったところ、被験者は、トレーニング後、これらのスキルが大幅に向上し、トレーニングには含まれていなかった作業記憶や持続的注意力を必要とするタスクでの点数も上がっていた。しかも、この点数はトレーニングを受けていない20歳の若者たちよりも高く、向上したスキルはその後トレーニングを受けなくても6カ月後にも維持されていた。[36] 現在、ニューロレーサーは注意力や記憶に障害をもつ患者への治療法として臨床試験が行われている。

ラトガース大学のポーラ・タラルとカリフォルニア大学サンフランシスコ校のマイケル・マーゼニックは、1997年に言語障害や読書障害（失読症など）のある子どものために、「サイエンティフィック・ラーニング（Scientific Learning）」という会社を立ち上げた。

音声の理解は高速な音の変化を聴きとれるかどうかにかかっている。たとえば「ba」と「ga」と「da」の違いを聞き分けるには、音節の最初のミリ秒というタイミングの違いが重要だ。このタイミングの違いを聞き分けられない子どもは、これらの音をもつ言葉を混同するため、学習が不利になる。文を読めるようになるには、単語のなかの文字が表す一瞬の音を理解し、区別できなくてはいけない。タラルとマーゼニックは、「ファスト・フォーワード（Fast ForWord）」という大シリーズに発展するコンピューターゲームを開発した。これは、聴覚による聞き分け、言語能力、読解力を向上させるゲームである。まず音節、単語、文章における音のタイミングの違いを誇張し、子どもの言語能力や読解力が各レベルで向上するのに合わせてこの違いを徐々に減らしていくのだ[37]。教育ゲームのなかでも最高水準の「ファスト・フォーワード」は、6000校で、250万人以上の子どもたちによって使われてきた。また、55カ国以上で、子どもたちが、第2言語としての英語を学ぶために使っている。さらに、マーゼニックは、同様の科学的原理に基づいて、高齢者の認知機能の衰えを軽減するための「ブレインＨＱ（BrainHQ）」（https://www.brainhq.com）というゲームも開発している。

　脳を鍛えることで運動機能も向上できる。カリフォルニア大学リバーサイド校のアーロン・ザイツは、視力と反応時間を改善するためのコンピュータープログラムを開発した。このプログラムを使用した野球チームは視覚能力が向上して三振の数が減り、選手が塁に出る回数も増えて、最終的に1シーズン54ゲーム中、勝利を収めた回数が4～5回は増えたとの話だ。[38]ザイツは自分の研究成果を役立ててもらおうと、「アルティマイズ（UltimEyes）」という安価なアプリを開発した。だが、連邦取引委員会は、研究が進んで彼の主張が確認されるまで、このアプリの頒布を停止するとした。[39]

　反応時間を競うゲームをプレイすると、特定の認知スキルが向上して、それが転移して別の認知スキルも向上するという傾向がある。だが、記憶ゲームなど、特定の領域にしか効果のないほかの多くのゲームでは、この傾向は見られない。脳機能が改善され、楽しく遊べて、アプリによって提供できるような、インタラクティブなゲームの開発技術は向上している。だが、転移が起こる条件について理解するためにはもっと研究を進める必要がある。全世界の人々の認知機能が向上することの可能性ははかり知れない。

AIビジネス

２０１５年のＮＩＰＳカンファレンスのオープニングイベントでは、私はＮＳＣＡＲばりに全スポンサー42社のロゴつきジャケットを着て、参加者を迎えた（図12・9）。２０１６年のバルセロナのＮＩＰＳカンファレンスではスポンサーが65社となり、多すぎてジャケットに納まりきらなくなった。２０１７年のロングビーチのＮＩＰＳカンファレンスのスポンサーは93社。この爆発的な成長もいずれは収束するだろうが、社会に与えた反響は何十年も続くだろう。こうしたスポンサー企業はＮＩＰＳカンファレンスにヘッドハンターを派遣し、供給が追いついていない能力ある研究者の採用に躍起になっている。私の同僚の多くが、グーグルやマイクロソフト、アマゾン、アップル、フェイスブック、バイドゥ、ほかにも多くのスタートアップで仕

図12.9　2015年のモントリオールのNIPSカンファレンスで著者テレンス・セイノフスキーが着たNASCAR風ジャケット。スポンサーは、トップレベルのインターネット企業から金融やメディア会社まで幅広い。このすべての企業がディープラーニングに関心を寄せている。（写真はNIPS財団の厚意による。）

事を得ている。その結果、大学から才能ある人材が失われている。セバスチャン・スランによると、オットー（Otto）やクルーズ（Cruise）といった自動運転のスタートアップが大企業に買収される際、機械学習のエキスパート一人につき1000万ドルかけている計算になるという[40]。

ジェフリー・ヒントンは2013年にグーグルの従業員となった。グーグルが、彼の会社であるDNNリサーチ（彼とトロント大学大学院生二人の、計3名の会社）を買収したのだ。今ではトロントで夢見た以上のコンピューターパワーにアクセスできるようになったが、一番重要なのはグーグルのもつ膨大なデータである。グーグル・ブレインはジェフ・ディーンが集めた才能あふれるエンジニアや科学者のとてつもない集合体だ。ディーンはグーグルの全サービスの基盤となるマップリデュース（MapReduce）を開発した人物だ。今のグーグル翻訳に使われているのは、ディーン率いるグーグル・ブレインのチームが開発したディープラーニングである。グーグルで検索すると、ディープラーニングが検索結果をランクづけする。グーグルアシスタントに話しかけると、ディープラーニングが話し言葉を認識する。あなたとの会話に上達するほど、ディープラーニングによるサービスの質もよくなる。グーグルはディープラーニングに本腰を入れており、それはほかのハイテク企業も同じだ。だが、これは始まりにすぎない。

アメリカは人工知能分野における主導的立場を失いつつある。この本が読まれる頃にはアメリカはほかの国に追い抜かれているかもしれない。トロントのベクター研究所は、2017年3月にカナダ政府、オンタリオ州政府、トロント大学、民間企業各社から1億7500万カナダドルの資金援助を受けて設立された[41]。ベクター研究所の目標とは、世界トップレベルのAI研究拠点となり、機械学習の博士号や修士号取得者を数多く輩出し、トロントやオンタリオ、ひいてはカナダ全体の経済を牽引するAIスーパークラスターの原動力となることだ。だが、カナダは中国との厳しい競争にさらされることだろう。中国では何千人もの機械学習技術者が養成されており、同国のブレイン・プロジェクト（中国脳計画）を支える両翼の一つがニューロモーフィックコンピューティングだ。2017年に柯潔《カケツ》がアルファ碁に破れたことは、1957年にアメリカが人工衛星スプートニクの打ち上げで受けたのと同様の衝撃をもって受け止められ、北京は新たに巨額の資金を投入してAIイニシアティブを立ち上げ、意欲的なプロジェクト、スタートアップ、学術研究を支えており、その目標は2030年までにこの分野で世界の覇権を握ることだ[42]。膨大な医療データや個人情報が収集され、西欧の民主主義諸国よりもプライバシーに関する意識がはるかに低い中国は、個人情報をほかからアクセスできないよう囲っている西欧諸国を尻目に、この分野で躍進するポテンシャルがある。また中国は農業や製造業もデータ収集の対象としている。最も多くのデータをもつものが勝者である。つまり中国に有利な状況なのだ。

もっと不気味なことは、中国が「AIを誘導ミサイルに組み込み、AIを使って監視カメラで人々を追跡し、インターネットを検閲し、犯罪予測さえしようとしている」ことだ[43]。そんなときに、アメリカの政治指導者は科学技術の予算を削減しようと計画している。1960年代、アメリカは、宇宙競争に現在の価値にして1000億ドルの投資を行った[44]。その結果、宇宙衛星産業が創出され、マイクロエレクトロニクス技術や材料分野で世界のトップに立ち、科学技術における国力の強さをもとに政治的発言力を得たのだ。この投資は現在でも利益を生んでいる。マイクロエレクトロニクスや先進材料は、アメリカが依然として競争力のある数少ない産業に入っている。これと同じで、AI競争への多大な投資により、中国はいくつもの主要産業で先頭に立ち、21世紀のかなり長い期間にわたってそれが続く可能性がある。このことに私たちは目を覚ますべきである。

AIは「無形」の情報経済を加速させている。経済の生産性は国内総生産（GDP）、つまりあらゆる商品とサービスの価値の総額をドルで表した数字によって測られる。この指標は、食品や自動車、医療など主要な製品やサービスが有形であるような産業経済に合わせて設計されている。だが、増大し続けている情報企業の価値は、このような製品に反映されるものではない。たとえばマイクロソフトが所有する建物や設備はわずか10億ドルで、同社の市場価値の1パーセントにすぎない[45]。残りの価値は、同社のソフトウェアとプログラマーの専門技術に基づくものだ。あなたなら、スマートフォンにダウンロードした情報にいくらの価値をつけるだろうか？　あらゆる形態の情報の価値を計上する新しい指標が必要だ。この国内総無形財生産(GDI：Gross Domestic Intangibles)とでもいうべきものをGDPに加えて、生産性の指標とすべきだろう[46]。

現在ある人工知能の応用例は、30年前の基礎研究に基づいている。そして、今から30年後に応用されるものは今日の基礎研究に基づくことになる。だが、最も優れた聡明な研究者たちは産業界で働いて、短期的な製品やサービスに注力している。とはいえ、一世代前なら投資銀行へと流れていただろう最高に優秀な学生たちが機械学習に集まっているので、バランスは取れているようだ。

ＡＩの未来について考えるには、長期的な視野が必要となる。人間レベルに達するのに必要なコンピューターパワーがまだまったく足りないからだ。現在、ディープラーニングネットワークには数百万個のユニットと数十億の重みが使われている。これは人間の大脳皮質を構成する神経細胞とシナプスの数に比べると1万分の1しかない。大脳皮質には1ミリ立方の組織に10億個ものシナプスがあるのだ。世界中のセンサーがインターネットに接続されてディープラーニングネットワークによって相互に関連づけられたら、いつの日か目覚めてこう言うかもしれない。

「Hello, world![47]」

第13章

アルゴリズムの時代

私は、2016年6月にシンガポールの南洋《ナンヤン》理工大学で開催された「21世紀の科学のグランド・チャレンジ（the Grand Challenges for Science in the 21st Century）」会議に出席するために1週間シンガポールに滞在した。ここでの議論は宇宙論から科学政策の発展まで多岐にわたった[1]。W・ブライアン・アーサーは、テクノロジーへの関心を持ち続けている経済学者で[2]、次のことを指摘した。「これまでテクノロジーを前進させてきたのは物理法則である。20世紀には、物理的な世界を理解しようとして、微分方程式と連続変数（時間と区間にわたって連続的に変化する）の数学を使っていた。だが、今日のテクノロジーを前進させているのはアルゴリズムだ。21世紀の私たちは、離散数学とアルゴリズムを使って、計算機科学や生物学における複雑性を理解しようとしているのだ」。アーサーは、複雑系を研究するために20世紀に設立された多くの研究所の一つ、ニューメキシコにあるサンタフェ研究所の招聘《しょうへい》教授である[3]。

アルゴリズムは至るところに存在している。私たちはグーグルで検索するたびにアルゴリズムを使っている[4]。私たちはフェイスブックのニュースフィードのニュースを読むが、ニュースフィードへの表示は、利用者ごとに過去にクリックしたニュースの履歴に基づいてアルゴリズムによって選ばれたものなので、私たちの感情的な反応はそのアルゴリズムの影響を受けていることになる。(5) 携帯電話の音声認識や自然言語機能がディープラーニングによって改善されるに従って、生活へのアルゴリズムの浸透が加速している。

アルゴリズムとは、個々のステップやルールを集めたプロセスのことであり、それに順番に従えば計算を実行したり問題を解決したりできる。「アルゴリズム（algorithm）」という言葉は、ラテン語の「algorismus」からきているが、さらにその由来は、9世紀のペルシャの数学者アル＝フワーリズミー（al-Khuwārizmi）にさかのぼる。これが17世紀にギリシャ語の「arithmos（数字）」の影響を受けて「algorism」から「algorithm」へと変わった。このように、アルゴリズムの起源は古代までさかのぼるが、最近になってデジタルコンピューターのおかげで科学や工学の最前線へと躍り出た。

複雑系

１９８０年代、複雑さに対する新たなアプローチが盛んに研究された。その目的は、生き物のなかで発見されたようなシステム、つまり物理や化学のシステムよりも複雑なシステムを理解するための新しい方法を開発することだった。ロケットがどう動くかというのは簡単で、アイザック・ニュートンの運動の法則に従っている。だが、木がどう成長するかを簡単に説明する方法はなかったのだ。このような、生き物についての昔からある疑問を探るために、変化に富んだパイオニアたちのグループが用いたものが、コンピューターのアルゴリズムだった。

スチュアート・カウフマンは医師になる訓練を受けた後に、遺伝子ネットワークに興味を抱いた[6]。そのネットワークでは、「転写因子」と呼ばれるタンパク質が、遺伝子をターゲットとし、遺伝子の転写を活性化するかどうかに影響を及ぼす。彼のモデルは自己組織的で、Ｏｎ／Ｏｆｆの2値をもつユニットのネットワークに基づくものであり、いくつかの点でニューラルネットワークに似ているが、タイムスケールはずっとゆっくりしたものだ。クリストファー・ラングトンは１９８０年代に「人工生命」という用語をつくり[7]、このような流れのなかで、生きた細胞の複雑さや複雑な振る舞いの発達などの根底にある原則を理解しようとする試みが盛んになった。細胞生物学や分子遺伝学の進展により、細胞内の高度に進化した分子メカニズムの複雑さがある程度明らかになってきてはいるものの、生命の謎はいまだに解明されていない。

　アルゴリズムによって、現実の世界と比較できるような複雑な世界を創造するという新たなチャンスが得られる。実際、20世紀に発見されたアルゴリズムによって、複雑性というものの性質が見直されることとなった。１９８０年代のニューラルネットワーク革命は、脳の複雑性を理解しようとする同様の試みが原動力となり生じた。ニューラルネットワークモデルは脳の神経回路網よりはるかに単純だったが、私たちが開発した学習アルゴリズムによって、膨大な神経細胞に情報がどのように分散されるのかといったことについての一般的な原理を探ることができるようになった。だが、比較的単純な学習ルールから、このネットワークの機能の複雑さがどうやって生じたのだろうか。もっと単純なシステムで、分析しやすい複雑性を示すものはないだろうか。

セルオートマトン

複雑系に対して、科学的に真剣なアプローチで臨んだもう一人の興味深い人物、スティーブン・ウルフラム（図13・1）は、カリフォルニア工科大学の物理学博士号を史上最年少の20歳で得た神童で、1986年にイリノイ大学で複雑系研究センター（Center for Complex Systems Research）を設立した。

ニューラルネットワークは複雑すぎると考えたウルフラムは、代わりにセルオートマトンの研究をすることにした。

典型的なセルオートマトンは、各セルが数個の離散値のみをとり、ほかのセルの状態に応じて時間発展する。最も単純なセルオートマトンは、0と1の値をとるセルの、一次元の列である（コラム13・1）。おそらく最も有名なセルオートマトンは「ライフゲーム」だろう。プリンストン大学数学科のジョン・フォン・ノイマン教授職のジョン・コンウェイによって1968年に考案されて、マーティン・ガードナーが『サイエンティフィック・アメリカン』誌のコラム「数学ゲーム（Mathematical Games）」で紹介する

図 13.1　マサチューセッツ州コンコードの自宅にいるスティーブン・ウルフラム。床のパターンはアルゴリズムで生成されたものだ。ウルフラムは、複雑性理論のパイオニアで、単純なプログラムでさえ私たちが現実世界で遭遇するような複雑性を生じさせうることを示した。（写真はスティーブン・ウルフラムの厚意による。）

と大きな反響を呼んだ。このライフゲームの例を図13・2に示した。「オン」か「オフ」の状態しかとらないセルが、二次元の配列として格子状に並んでいる。あるセルの状態を次の状態へと更新するルールは、そのセルに隣接する8つのセルの状態のみに依存する。各時間ステップで、すべてのセルの状態が更新される。そうすると、この配列のなかに複雑なパターンが現れるのだ。名前がついているパ

コラム 13.1　セルオートマトン

ルール110

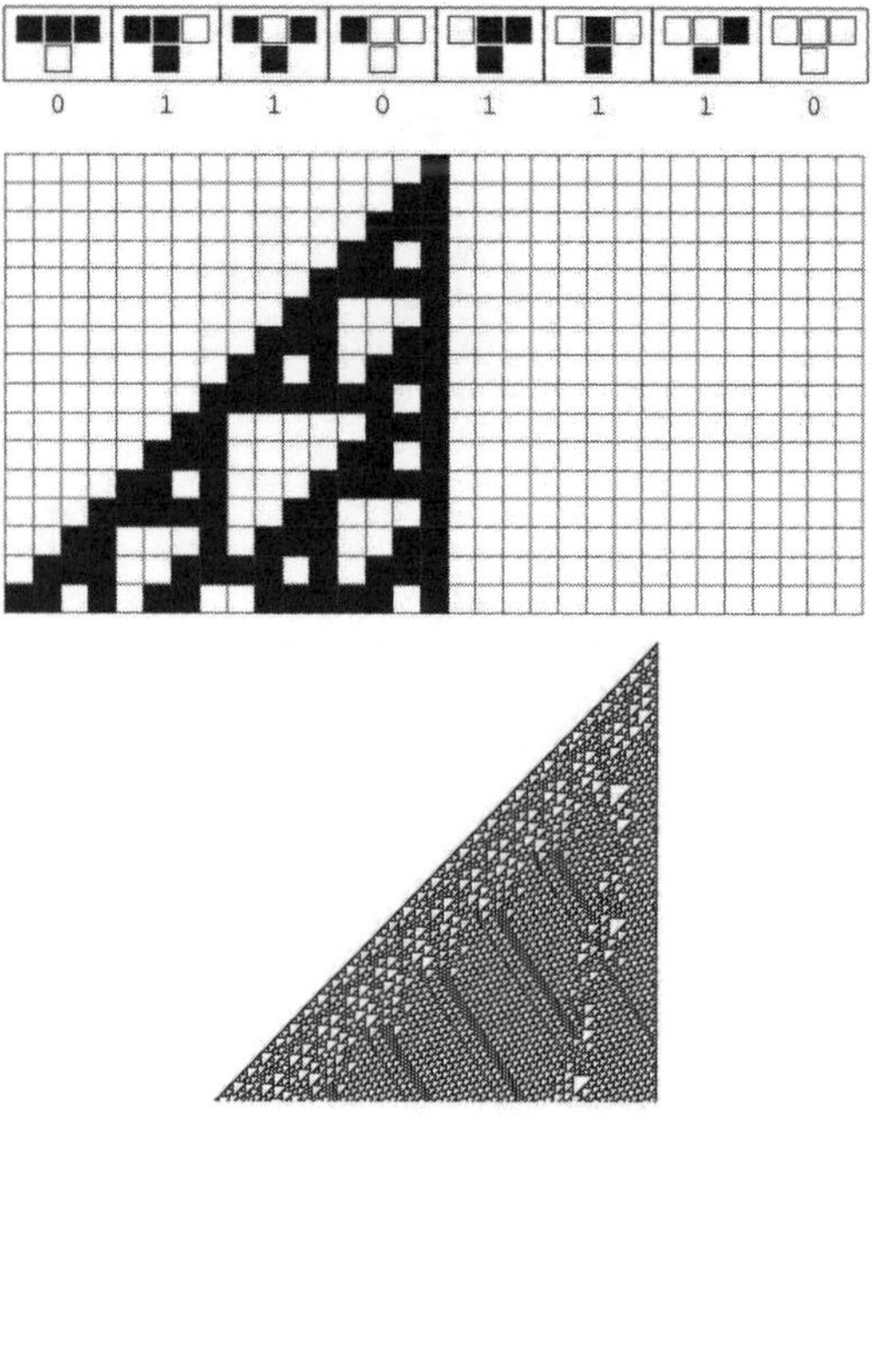

ルール110。一次元セルオートマトンのルールの一つである。このルールに従って、現在のセルの色とその両隣のセルの色によって、次のステップでの色が決まる。八つの箱の上側は現在の三つのセルの「黒」と「白」8通りの組み合わせを示しており、中央のセルの色がその下側に示した色に変わる。すべてのルールは8桁の2進数に対応づけることができ、この場合の01101110は10進数では110に相当する。このルールが1行の全セルに同時に適用されて、上から下へと時間発展する。行の真ん中に一つだけ黒いセルがある状態から始めて、15ステップまで進めた状態が、ルールの下の図である。さらにその下の図は250ステップ進めた状態である。このように、単純な初期状態が、非常に複雑なパターンへと発展し、それが無限に続く。この複雑性はどこからきたのだろうか？　詳細については、以下を参照：https://mathworld.wolfram.com/Rule110.html

図13.2　ライフゲーム。ゴスパーの「グライダー銃」のスナップショット。左上の「母船」(銃)から右下に向けて、対角線上を移動するグライダーを発射し続ける。

出典ウィキペディア：グライダー銃。グライダー銃が動作するGIFアニメーションが掲載されている。

ターンもある。たとえば、「グライダー」は、格子盤を横切って飛び、ほかのパターンとぶつかったりする。複雑なパターンを示す配置を見つけるには、初期状態が非常に重要である。

複雑性を生成するルールは一般的なのだろうか？　ウルフラムは、複雑な挙動につながる最も単純なセルオートマトンのルールを見つけたいと考えて、すべての一次元セルオートマトンを網羅的に調べることにした。ルール0〜29では、必ず単調な挙動へと戻るパターンを生成する。セルは繰り返しのパターンに陥るか、一部が入れ子構造となったフラクタルパターンになる。だが、ルール30は次々と新たなパターンを展開し、ルール110での発展し続ける複雑なパターンには目を奪われる[8]（コラム13・1）。最終的に、ルール110は計算万能性があることが証明された。つまり、最も単純なセルオートマトンのいくつかには、あらゆる計算可能関数を計算できるチューリングマシンと同じ能力がある。原理上、あらゆるコンピューターと同じ能力があるということだ。

この発見の重要な意味は、生物で見られる驚くほどの複雑さは、分子間の化学反応という最も単純な空間から選び取ることによって進化した可能性があるということだ。つまり、複雑な分子の組み合わせが進化で生じることは予測できることであって、奇跡とみなすべきではないのだ。とはいえ、セルオートマトンは初期の生命のモデルとしては適さないかもしれない。また、どのような単純な化学系に複雑な分子をつくる能力があるのかという問題は未解決のままである[9]。この性質は特殊な生化学系にしかない可能性があり、それがわかれば、生命を生じさせた可能性のある相互作用を絞り込めるかもしれない。

生命にとって不可欠な性質は、細胞の自己複製能力だ。これはハンガリー生まれのアメリカの数学者、ジョン・フォン・ノイマンがプリンストン高等研究所で１９４０年代にセルオートマトンを使って研究した課題である。彼の研究は多くの数学分野に多大な影響を与えた。特に先進的な「ゲーム理論」によるインパクトは大きい（第１章を参照のこと）。フォン・ノイマンは、自己を正確に複製できる単純なセルオートマトンを見つけ出そうとした結果、29の内部状態と巨大な記憶容量をもつ、自己複製する複雑なセルオートマトンを発見した。[10] これは生物学的にかなり興味深い。自己複製できる細胞も、多数の内部状態と、ＤＮＡという形での記憶をもっているからだ。その後、自己複製が可能な、もっと単純なセルオートマトンが発見されている。

脳はコンピューターか？

１９４３年、ウォーレン・マカロックとウォルター・ピッツは、閾値をもつ２値の単純なユニット（パーセプトロンに似ている）から、デジタルコンピューターを作成できることを示した。ユニットを配線すれば、コンピューターで使われるような基本的な論理ゲートを構成できるのだ。[11] 今では、脳にアナログとデジタルの性質が混在しており、脳の神経回路は一般に論理関数の計算をしているわけではないことがわかっている。だがマカロックとピッツの1943年の論文は当時かなりの注目を集めた。特にジョン・フォン・ノイマンにコンピューターについて考えさせるきっかけとなった。[12]

フォン・ノイマンは脳にも興味を抱いていた。1956年、イェール大学のシリマン講義[13]では、これほど信頼性の低い構成要素でできている脳がどうやって信頼性のある形で機能できているか、という問題を考察した。デジタルコンピューターでは、なかの1個のトランジスターが間違えば、コンピューター全体がクラッシュするかもしれない。だが、脳のなかの一つのニューロンが誤って興奮しても、脳全体はそれに適合して機能し続ける。フォン・ノイマンは、冗長性が脳のロバスト性の理由かもしれないと考えた。どの働きにもたくさんの神経細胞が関わっているからだ。従来、冗長性はメインのシステムが故障したときのバックアップに基づくと考えられてきた。だが、今では、脳の冗長性は、複製というよりも多様性に基づいていることがわかっている。フォン・ノイマンは「論理深度」にも関心をもっていた。脳でステップごとに誤差が蓄積するとして、誤った結論を出さないためには論理ステップ数は何回まで許されるのだろうか？コンピューターなら各論理ステップを正確に実行できるが、脳にはたくさんのノイズ源がある。脳は完璧な仕事をすることはないかもしれないが、神経細胞の多くは並列で動作しているので、コンピューターよりも1ステップでできることがずっと多く、また、論理深度も少なくて済むのだ。

アルゴリズムの空間

可能なアルゴリズムすべてからできている空間を想像してみよう。その空間におけるどの点も何かを行うアルゴリズムであり、なかには驚くほど役に立ったり生産的だったりするものがある。これまで、こうしたアルゴリズムを、職人肌の数学者やコンピューターサイエンティストが手づくりしていた。スティーブン・ウルフラムは、セルオートマトンのアルゴリズムの発見を自動化して、徹底的に探索した。最もシンプルなオートマトンから始めたが、そのいくつかは高度に複雑なパターンを生み出した。こうして得られた知見は「ウルフラムの法則（Wolfram's law）」に要約される。この法則が述べているのは「ある意味のあるクラスの問題を解決するためのアルゴリズムを見つけるために、アルゴリズムの空間の遙か彼方まで行く必要はない」ということだ。これは、インターネット上の『スタークラフト』のような戦略ゲームにボットを送り込んであらゆる可能な戦略を試させるようなものだ。ウルフラムの法則によると、ゲームに勝てるアルゴリズムが集まった銀河が、アルゴリズムの膨大な宇宙のどこかに存在するはずである。

ウルフラムが焦点を当てたのは、セルオートマトンの空間だ。可能なすべてのアルゴリズムの空間のなかの小さな部分空間である。だが、このセルオートマトンが実は変則的なアルゴリズムであって、たまたま、ほかのクラスのアルゴリズムよりも普遍性を示すものだという可能性はないのだろうか。今では、ニューラルネットワークの空間においても、ウルフラムの法則が確認されている。個々のディープラーニングネットワークは、学習アルゴリズムを使って発見された。つまり、ディープラーニングは、新しいアルゴリズムを見つけるメタアルゴリズムなのだ。大きなネットワークと膨大なデータセットに対して、さまざまな開始状態から学習させると、ある問題を解決するのにほぼ同程度に優れたネットワークの銀河を生成できる。すると、「このアルゴリズム空間の領域を見つけるのに、勾配降下法という遅くて膨大なデータを使う方法ではなくて、もっと早い方法があるのではないだろうか」という別の疑問が生じる。これが可能かもしれないと思えるヒントがある。生命体のどの種も、DNAシーケンスの変異体によって形成された個の集合であり、それは生命アルゴリズムの空間におけるある1点を中心としている。そして自然は、自然淘汰を使って、ある集合から別の集合にジャンプすることを可能にした。これは「断続平衡説[14]」と呼ばれる跳躍的なプロセスと、突然変異による局所探索とが合わさっている。遺伝的アルゴリズムは、自然によって新しい生命体が進化するプロセスに大筋では基づいており、このようなジャンプを起こすように設計されている。[15]私たちには、これらのアルゴリズムの集合を説明する数学が必要である。アルゴリズムの宇宙がどのようなものか、だれも知らない。まだ発見されていないアルゴリズムの銀河はたくさんあるが、発見を自動化すれば見つかるだろう。これは最後のフロンティアなのだ。

　このプロセスの簡単な例を、私の研究室にいた博士研究員のクラウス・スティーフェルが、コンピューターで樹状突起の複雑なツリー構造をもつモデルニューロンを生成するアルゴリズムを使って、2007年に研究した。[16] 樹状突起は、ほかの神経細胞から入力を集めるアンテナのようなものだ。樹状突起ツリーが可能となる空間は広大であり、研究の目的は、希望する機能を指定して、その機能を計算できるモデルニューロンのための樹状突起ツリーをその空間で探すことだ。有益な機能の一つが「入力スパイクの到着順序を決める」という機能だ。ある特定の入力が別の入力の前に到着すると、そのニューロンはスパイクを出力し、到着が後ならば、出力しない。このような条件を満たすモデルニューロンが、遺伝子アルゴリズムを使って、可能なすべての樹状突起ツリーを探索することで発見された。その形状は大脳皮質の錐体細胞にそっくりで、細い樹状突起のシナプスが底辺（基底樹状突起）から延び、太い樹状突起のシナプスが頂点から延びている（尖端樹状突起、469ページ図14・6）。これは、錐体細胞に基底樹状突起と尖端樹状突起がある理由の、一つの説明になっている。可能なすべての樹状突起の空間を深くまで探索しなければ想像もつかなかった機能である。ほかの機能に対し

ても この探索を繰り返し行うことで、機能に対して樹状突起の形状を並べたリストを自動的に作成できる。新しい神経細胞が見つかれば、このリストでその形状を検索することで、可能性のある機能がわかるのだ。

スティーブン・ウルフラムは大学を去ってウルフラムリサーチを立ち上げた。同社でつくられた数式処理システムMathematica《マセマティカ》は、さまざまな数学的構造に対応し、広く実践的に用いられている。Mathematicaは、汎用性の高いマルチパラダイムプログラミング言語である「Wolfram」で記述されている。Wolframは「Wolfram Alpha」の構築でも力を発揮した。これは初の実用的な質問応答システムであり、記号的手法に基づく事実に関する質問に答えてくれる。[17] アカデミズムの世界においては、論文出版が、生き残るための通貨となる。十分な蓄えをもつ特権階級の科学者になれば、細切れの論文の数を稼ぐかわりに、新たな領域を十分に探索して本にまとめるという余裕が生まれる。何世紀もの間、科学者になれるのは、財産家か裕福なパトロンの後ろ盾をもつ者というのが当たり前だった。

ウルフラムは2002年に『*A New Kind of Science*（新しい種類の科学）』を出版し

た。[18] 重さ2・5キロ、全部で1280ページ、そのうち注釈が348ページを占めるこの大著には、新しい科学論文100本にも相当する内容がある。鳴り物入りで出版されたが、複雑系の研究コミュニティーの反応はさまざまだった。なかには自分の研究が完全には認められなかったと感じる者もいた。このような反論は、本書の重要な点を見失っている。この本は以前の研究を新たなコンテキストで捉え直しているのだ。カール・リンネは植物や動物を分類するための近代的な分類法（大腸菌を「Escherichia coli」のように二つの名で表す「二命名法」）を考案することで、チャールズ・ダーウィンの進化論への重要な先駆けとなり、それまでの分類法に対してコンテキストを提供したのである。ウルフラムが示した道筋を、今、新たな世代の研究者たちが追っている。

1980年代、ウルフラムは現実世界においてニューラルネットワークが大きな役割を果たすとは考えていなかった。実際、その後30年間大きなインパクトを与えることはなかった。だが、ここ5年の進歩で状況は一変した。ウルフラムをはじめとする多くの研究者が、ネットワークが何を達成しうるかを過小評価していたと認めている。[19] だが、ニューラルネットワークがその能力をこれほどにまで高めるとは、だれにも予想できなかったことなのだ。Mathematicaを支えたWolfram言語は、現在、ディープラーニングのアプリケーションもサポートしている。画像中の物体をオンラインで初めて認識できるようにしたアプリケーションも含まれている。[20]

ウルフラムは、1987年に私がサンディエゴを訪れた際、カリフォルニア大学サンディエゴ校の博士課程にいたベアトリス・ゴロムを紹介してくれた。私に電話してきて「僕の友人のベアトリスが、PDPグループでの君の発表を聞きにいくからね」と言ったのだ(そして、発表の後でベアトリスと私に別々に電話をかけて、感想を訊いた)。それから数年後、私はサンディエゴに移って、ベアトリスと婚約することになる。そして、1990年にカリフォルニア工科大学のクラブ「アセニアム」で結婚式を挙げ、ベックマン講堂で結婚シンポジウムを開催し、ベアトリスはウェディングドレス姿で「結婚:理論と実践(Marriage: Theory and Practice)」という講演を行った。ウルフラムは自信満々で誇らしげに、自分がどうやって私たちを引き合わせたかを話したが、ベアトリスに「自分の手柄にしたいのなら、責任も取ってね」と言われると、彼は用心深くそれを断ったのだった。

第14章

チップス先生こんにちは（Hello, Mr. Chips）

現在、半導体業界では新しいアーキテクチャーが誕生しつつある。ディープラーニングや強化学習などの学習アルゴリズムを、現行の汎用コンピューターでのシミュレーションより何千倍も高速かつ効率よく実行できる、新世代チップの設計・構築の競争が激化しているのだ。新しい超大規模集積回路（ＶＬＳＩ）のチップは並列処理アーキテクチャーとオンボードメモリーをあわせもつ。これは、過去50年の間主流であった順次読み出しを行うノイマン型アーキテクチャーで存在した、メモリーと央処理装置（ＣＰＵ）間のボトルネックを軽減するためだ。とはいえ、ハードウェアについてはまだ予備段階であり、特定用途向けのＶＬＳＩチップは、タイプごとに強みと限界がある。ＡＩ分野のために開発されている大規模ネットワークを実行するには膨大な処理能力が必要なので、高性能のハードウェアを構築すればとてつもない利益につながりうる。

大手半導体メーカーも、スタートアップも、ディープラーニング向けチップの開発に巨額の資金を投じている。たとえばインテルは、２０１６年に、サンディエゴでディープラーニングに特化したＶＬＳＩチップの設計をしていたネルバナ（Nervana）という小さなスタートアップを4億ドルで買収した。ネルバナで最高経営責任者を務めていたナヴィーン・ラオは現在インテル新設のＡＩ製品グループを率いており、インテル最高経営責任者直属のリーダーとなった。さらに、インテルは２０１７年に自動運転車用のセンサーとコンピューターの画像認識技術を専門とする会社、モービルアイを１５３億ドルで買収した。エヌビディアは、グラフィック分野とゲームに最適化したデジタルチップ「グラフィックス・プロセッシング・ユニット（ＧＰＵ）」を開発していた会社だが、現在はディープラーニングやクラウド・コンピューティング向けの専用チップを販売の主力に据えている。そしてグーグルは、同社のインターネットサービス向けのディープラーニング専用の超高効率チップ、「テンソル・プロセッシング・ユニット（ＴＰＵ）」を開発している。

しかし、専用のソフトウェアも、ディープラーニング・アプリケーションの開発には同じく重要である。グーグルは、ディープラーニングネットワークを実行するための「TensorFlow《テンソルフロー》」をオープンソースで公開したが、単に気前がいいというわけではなさそうだ。たとえば携帯用オペレーティングシステム（ＯＳ）のアンドロイドを無償提供した結果、グーグルは世界で最も多くのスマートフォンで使用されるＯＳを支配下に収めてもいる。ところが、現在、TensorFlowに代わるディープラーニングのソフトウェアフレームワークが複数の会社から公開され始めた。マイクロソフトのＣＮＴＫ、アマゾンなど主要なインターネット企業によるMXNetなどで、ほかにもCaffe《カフェ》、Theano《テアノ》PyTorch《パイトーチ》がある。

ホットなチップ

２０１１年、私はノルウェーのトロムセで行われたカブリ財団主催の「緑の環境で成長する高性能コンピューティング（Growing High Performance Computing in a Green Environment）」というシンポジウムを企画した。[1] 現在のマイクロプロセッサー技術で、エクサスケールのスーパーコンピューター（１秒間に１０００兆回の演算を行うペタスケールコンピューターの、さらに１０００倍）を稼働するには、50メガワットが必要になると見積もられている。これは、ニューヨークの地下鉄の消費電力よりも大きい。したがって、次世代のスーパーコンピューターは、イギリス拠点の多国籍半導体メーカー、アームホールディングス（ARM）が携帯電話用に開発・最適化した低消費電力チップに近いもので稼働させる必要があるだろう。まもなく、汎用デジタルコンピューターを使って計算負荷の高いアプリケーションを動かすなどということは、現実的ではなくなる。そして、携帯電話がすでにそうであるように、専用チップが支配的になるだろう。

人間の脳には約1000億個の神経細胞があり、それぞれが約数千個の神経細胞と接続しているので、合計で1000兆（10^{15}）ものシナプス接続がある。脳を働かせるのに必要な電力は約20ワットであり、全身を動かすのに必要なエネルギーの20パーセントを使っている（脳は全身の質量の3パーセントしかないのだが）。ところが、ペタスケールのスーパーコンピューターは、脳ほどパワフルではないくせに、5メガワット、つまり脳の25万倍もの電力を消費する。自然はこの素晴らしい効率を実現するために、信号や通信に必要な神経細胞という構成要素を分子レベルまで微細化し、それらを三次元空間で相互に接続させ（マイクロチップの表面にあるトランジスターは二次元空間での接続）、必要な体積を最小化することに成功した。しかも自然はこのテクノロジーをはるか昔に進化させているのだから、私たちが追いつくのはかなり大変だ。

ディープラーニングの計算負荷は非常に高く、現在は集中型サーバー上で稼働して、計算結果は携帯電話などの端末に運ばれている。最終的には自律型となるはずだ。そのためには、現在のハードウェアとは根本的に異なり、クラウド・コンピューティングで使われているよりもずっと軽量で、ずっと消費パワーが小さいハードウェアが必要となる。そして、幸いにもこのハードウェアはすでに存在している。人間の脳から着想されて設計された「ニューロモーフィックチップ」だ。

クールなチップ

私が初めてカーバー・ミード（図14・1）に会ったのは、1983年にピッツバーグ郊外のリゾートで開催されたワークショップだった。ジェフリー・ヒントンの声かけにより、ニューラルネットワークの進む方向を探るために、少人数で集まったのだ。ミー

図 14.1　1976 年のカーバー・ミード。カリフォルニア工科大学で最初のシリコン・コンパイラーをつくった頃。カーバーには先見性があり、彼の洞察力と技術の先進性は、デジタルとアナログの双方のコンピューターに大きな影響を与えた。写っている電話が年代を物語る。カリフォルニア工科大学アーカイブ。（写真はカリフォルニア工科大学の厚意による。）

ドは、計算機科学に大きく貢献したことで有名だった。彼は、超大規模集積回路のトランジスターが小型化すればするほど、チップはますます効率的になり、今後長期間にわたって計算能力が向上し続けるはずだということに初めて気づいた人物である。また、「ムーアの法則」の名づけ親でもある。半導体の集積回路に搭載されるトランジスターの数が18カ月ごとに倍増するとのゴードン・ムーアの予測がもとになった法則だ。ミードは1979年にシリコン・コンパイラーを発明したことですでに有名だった。シリコン・コンパイラーとはチップの配線やシステムレベルの機能モジュールを自動的に配置するプログラムである。(2) シリコン・コンパイラーが登場するまでは、熟練のエンジニアが経験と直感に基づいて手書きでチップを設計していた。突き詰めると、ミードの解決策とは、自分でチップを設計するようコンピューターにプログラムしたということだ。これが半導体をナノスケールで加工する最初のステップとなった。

ミードには先見性があった。このピッツバーグ郊外で行われたワークショップでは、私たちは小さな部屋で1台のテーブルを囲んでいたのだが、上の階ではスーパーコンピューターのコンベンションが行われていた。クレイやコントロール・データ・コーポレーションといった大手のスパコン企業は、私たちのラボのコンピューターより何百倍も高速な特定用途向けのハードウェアを設計しており、1億ドルという価格をつけていた。クレイのスパコンはあまりに高速で、液体フロンでの冷却が必要だった。ミードは私にこう話した。「スパコン企業はまだ気づいていないが、彼らはマイクロプロセッサーにこてんぱんにやられて、まもなく絶滅するよ」。パーソナルコンピューターのマイクロプロセッサーは、処理速度はスパコンの特定用途チップよりずっと遅いものの、スパコンのチップよりも高速に進化した。基本素子の微細化によって大幅なコストダウンと性能の向上がもたらされたからだ。現在の携帯電話のマイクロプロセッサーは、1980年代のCray X-MPスーパーコンピューターの10倍もの計算能力がある。そして何十万ものマイクロプロセッサーコアを搭載した高性能スパコンは、今やペタスケールに達した。価格は絶滅したクレイのスパコンとほぼ同じだが（現在の価値に換算して比較）、処理速度は100万倍になっている。

その1983年のワークショップでは、ミードがシリコン網膜（人工網膜）を見せてくれた。これはVLSIチップと同じ技術でつくられていたが、デジタル回路ではなくアナログ回路が使われていた。アナログ回路では、トランジスターの電圧は連続的に変化しうるが、デジタル回路のトランジスターは2値（「オン」か「オフ」）のどちらかにしかならない。人間の目の網膜には1億個もの光受容細胞が並んでいるが、光子を集めてメモリーに送るだけのデジタルカメラとは違って、網膜には視覚入力を効率のよい神経コードに変換する数層の神経処理がある。網膜の処理は、コード化された信号が神経節細胞に達するまで、すべてアナログで行われる。神経節細胞は、この信号を、オンかオフかのスパイク出力を使って百万もの軸索を通じて脳に伝達する。オンかオフかのスパイク出力はデジタル論理のようなものだが、スパイクのタイミングはアナログ変数であり、人間にはクロックはないため、スパイク列はハイブリッドのコードとなっている。

ミードの網膜チップでは、アナログ的な処理は閾値をつくる屈曲部の下の、「オフ」から「ほぼオフ」状態に変わる低い電圧が使われた。これとは対照的に、デジタルで実行されるトランジスターは、完全な「オン」状態にジャンプするため、消費電力がずっと大きくなる。結果として、アナログＶＬＳＩチップはデジタルチップの消費電力と比べるとほんのわずかしか使わない。デジタルだと数ミリワットから数ワットだが、アナログは数ナノワットから数マイクロワットと、エネルギー効率が１０００倍も違うのだ。ニューロモーフィックエンジニアリングの創始者であり、脳型アルゴリズムに基づいたチップを構築することを目標としたミードは、１９８９年に、昆虫や哺乳類の

図14.2　1982年のカリフォルニア工科大学のミシャ・マホーワルド。カーバー・ミードの学生として初のシリコン網膜を作成した頃だ。ニューロモーフィックエンジニアリングに対するマホーワルドの貢献は計り知れない。（写真はトビアス・デルブリュックの厚意による。）

眼の神経回路に組み込まれている神経アルゴリズムを、シリコンで効率的に再現できることを示した[3]。

この網膜チップは、ミードが教えたスター大学院生のミシャ・マホーワルド（図14・2）による1988年の離れ業といえる発明によるものだった[4]。彼女には鋭い洞察力があり、カリフォルニア工学大学の学部で生物学を専攻した経験と、大学院で学んだ電子工学を組み合わせたこの研究において、特許を4件取得している。1992年には、リアルタイムで両眼像の照合を行うマイクロチップをテーマにした博士論文によって、同大学の「ミルトンおよびフランシス・クラウザー賞」を獲得した。さらに、1996年には、アメリカの女性技術者団体「ウイメン・イン・テクノロジー・インターナショナル（WITI）」の殿堂入りも果たした。

閾値付近のトランジスターの物理特性と生体膜のイオンチャネルの生物物理には密接な対応がある。マホーワルドは、オックスフォード大学の神経科学者、ケヴァン・マーティンとロドニー・ダグラスと協力してシリコン・ニューロン[5]を開発した（図14・3）。そして彼らとともにチューリッヒに移り、チューリッヒ大学とスイス連邦工科大学が共同で運営するニューロインフォマティクス研究所の創設に貢献した。だが、うつ病で苦しんだマホーワルドは1996年に33歳の若さで命を絶った。輝く流れ星のように。

カーバー・ミードは1999年にカリフォルニア工科大学を引退してシアトルに移住した。私は2010年にシアトルの彼の家を訪ねた。裏庭からは、ジェット機が海上で方向変換してシアトル・タコマ国際空港に向けて着陸態勢に入るのが見える。カーバーの父親はビッグクリーク水力発電プロジェクトの発電所の一つで働いていたエンジニアだ。このプロジェクトは、カリフォルニア州中部のシエラネバダ山脈サンホアキン

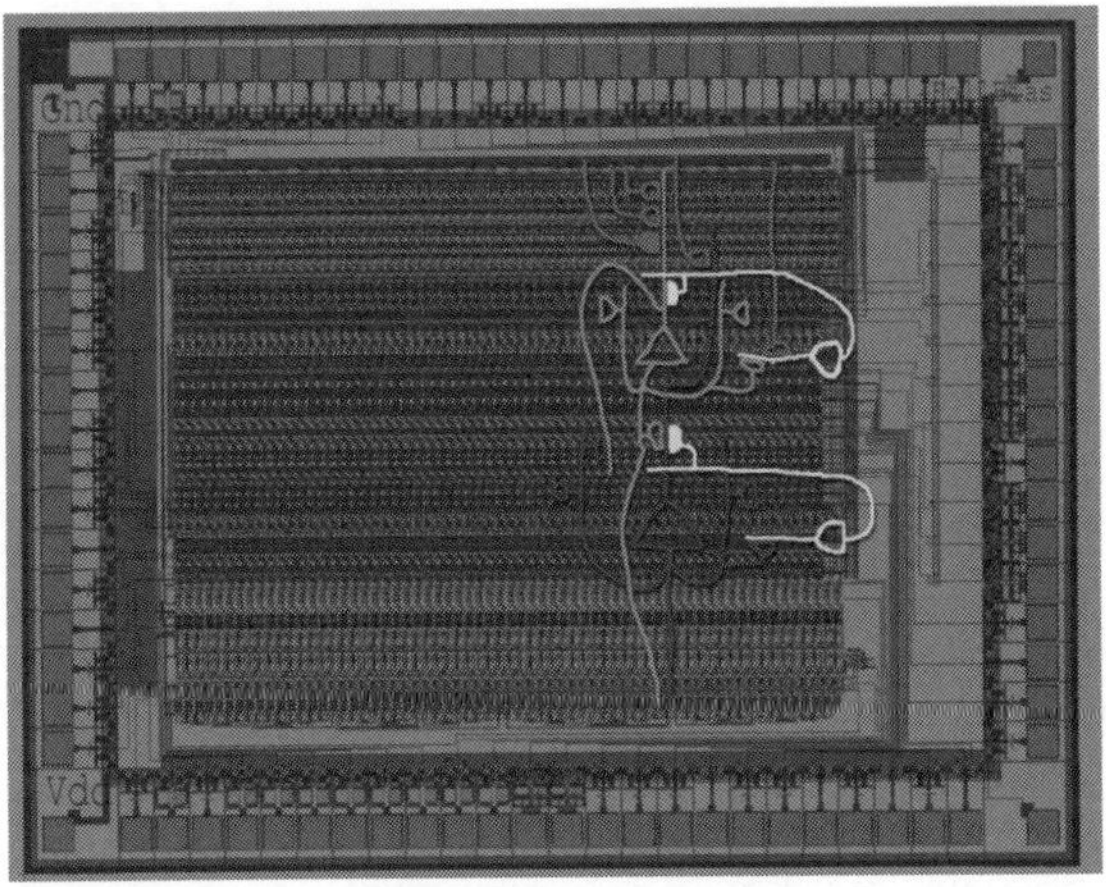

図14.3　シリコン・ニューロン。このアナログVLSIチップには神経細胞のイオンチャネルのように振る舞う回路があり、リアルタイムで神経回路を模倣できる。チップ上の神経回路の模式図はミシャ・マホーワルドが描いたもの。（画像はロドニー・ダグラスの厚意による。）

川水系上流における巨大水力発電計画だった。父が関わった初期の水力発電から、息子のマイクロエレクトロニクスへの、たった一世代での技術的飛躍には驚くばかりだ。カーバーの趣味は、送電線の絶縁体として使われていた、古いガラスやセラミックの収集である。こうした絶縁体は、インディアンの矢じりと同じで、どのような場所にあるのかわかっていればあちこちで見つけられる。カーバーには先を見通す力がある（量子物理学の新手法を試すのに使ったレーザージャイロスコープさえ持っている)[6]。だが、彼があれほど成果を上げたのは、機能するだけでなく手でつかむことのできる「モノづくり」にこだわったからなのだ。

ニューロモーフィックエンジニアリング

１９９０年、私はサバティカルでカリフォルニア工科大学のフェアチャイルド特別研究員となり、研究所のミーティングに参加するようになった。特に楽しみにしていたのが、興味の範囲が重なっていた、計算神経科学者のクリストフ・コッホとその同僚たちや、「カーバーランド」(カーバー・ミードの研究グループ)の研究者たちとのミーティングだ。カーバーランドの驚くべきプロジェクトの一つが、「シリコン蝸牛」であり、人間の耳のなかにある蝸牛の回路と似た周波数共鳴回路をもっていた。また、「シリコンシナプス」も研究されていた。シナプス可塑性に対応するメカニズムが組み込まれていたので、重みの長期的変化をチップに実装できる可能性があった。カーバーランド出身の学生はその後、世界中に飛び出して、工学分野で活躍している。

　1993年、クリストフ・コッホとロドニー・ダグラスと私は、アメリカ国立科学財団の後援を受けて「ニューロモーフィックエンジニアリング・ワークショップ（Workshop on Neuromorphic Engineering）」を立ち上げた。現在でもコロラド州テルライドで毎年7月に3週間にわたって開催している。このワークショップは国際的なもので、さまざまな専門分野の学生と教員が世界各国から集まる。たいていのワークショップは話ばかりで手を動かさないが、このテルライドのワークショップは、マイクロチップをいじり、それを使ってロボットを組み立てる学生たちでどの部屋もいっぱいになる。とはいえ、問題もある。網膜チップを視覚野チップに接続して、いくつもの大脳皮質チップをいくつものモーター出力チップに接続して……とやっていると、配線用のワイヤーがいくらあっても足りないのだ。

　アナログVLSIチップをワイヤーでつなぐよりずっといいのは、スパイクを使う方式で、これは私たちの大脳皮質の半分を占める白質の長い軸索で行われている。もちろん、網膜チップと大脳皮質チップを100万本ものワイヤーで接続するのは現実的ではない。幸い、高速のデジタル論理で各ワイヤーを多重化できて、多くの網膜細胞が同じワイヤーを使って多くの大脳皮質細胞と通信できるようになる。方法はというと、送信側チップ内のどのユニットのスパイクであるかのアドレスを、受信側のチップに送るのだ。受信チップでは情報を解読して、接続先のユニットへと転送する。この手法を「アドレスイベント表現（address event representation）」と呼ぶ。

さて、チューリッヒ大学のニューロインフォマティクス研究所のトビアス・デルブリュック（図14・4の上）はカーバー・ミードが育てた大学院生の一人だった。[7] 2008年、デルブリュックは、非常に性能の高いスパイキング網膜チップ、「ダイナミック・ビジョン・センサー（DVS）」を開発した。カメラ2台によって、運動する物体を追跡したり、奥にある物体を見つけたりするタスクを大幅に簡素化するものだ（図14・4の下）。[8] 従来のデジタルカメラはフレームベースであり、1フレーム42ミリ秒分の静止画を連続して保存するのが一般的である。だが、情報はフレームごとに失われる。たとえば、円盤の表面に黒い点を一つ描いて、これを毎秒200回転させるとしよう。この点は各フレームの時間内に5回転するので、デジタルカメラで再生すると動

図14.4　ダイナミック・ビジョン・センサー（DVS）。（上）トビアス・デルブリュックがチューリッヒ大学のニューロインフォマティクス研究所で開発したDVSカメラを手にしている。DVSカメラは、デジタルカメラのような固定フレームレートではなく、スパイクを非同期で発する特定用途チップである。（下）カメラのレンズによって画像がアナログVLSIチップ上に集められ、各ピクセルで、段階的な光度の増減を検知する。光度の正の増分に対してはスパイクが「オン」コードに沿って送られ、負の増分では「オフ」コードに沿って送られる。これらの出力スパイクは回路基板で処理される。この基板が示すスパイクのパターンをコラム14.1に示す。人間の網膜は高度なDVSカメラである。網膜でのスパイクのパターンは、脳で転換されるものの、スパイクのパターンのままだ。今あなたはまわりの世界を画像のように知覚しているかもしれないが、あなたの脳のなかのどこにもそのような画像はないのである。（上の写真はトビアス・デルブリュックの、下の写真はサムソンの厚意による。）

かないリングのように見えることになる（コラム14・1）。これとは対照的に、トビアンのスパイキング・カメラは、マイクロ秒の精度で、ごくわずかなスパイク数で、動く点を追跡できる。つまり、より高速かつより効率的なのだ。スパイクとスパイク・タイミングに基づく、まったく新しい種類のセンサーを使ったDVSカメラには、自動運転車など、多くの製品の性能を向上させる大きな可能性がある。2013年のテルライドのワークショップでは、このDVSカメラを使ってサッカーゲームのゴールを守るというプロジェクトがあった（図14・5）。

「スパイキングニューロン」によって、計算科学に新たな道が開かれた。たとえば、あるニューロンの集団におけるスパイクのタイミングによって、保存する情報の種類を制御することもできる。1997年にドイツのヘンリー・マルクラムとバート・ザックマンは、シナプス前細胞のスパイク入力とシナプス後細胞のスパイク出力を近い時間差で発生させることを繰り返すことで、シナプスの強度が増大することも減少することもあり得ることを報告した。[9] 入力側のスパイクが出力側のスパイクの前20ミリ秒以内に起きていれば、シナプスは長期的に増強されるが、後20ミリ秒以内に起きると、長期的に弱められる（図14・6）。この「スパイク・タイミング依存可塑性（ＳＴＤＰ）」は、多くの動物種の脳のさまざまな部位で報告されており、おそらく一連の出来事に対する長期記憶の形成にとって重要な役割を果たしている。だが、それと同様に重要なのは、「ヘッブの法則」（第７章で解説）に対して優れた解釈ができるようになったことだろう。[10]

ヘッブの法則の可塑性についての一般的な解釈は、シナプスの強度は、神経細胞の入力と出力で同時にスパイクが生じると増大する、という同時検出の形だった。だが、ヘッブが実際に述べていたのは、「細胞Ａの軸索が細胞Ｂの興奮を引き起こすのに十分なほど近接して存在し、その発火活動に、反復してまたは持続して関与する場合には、一方の、あるいは双方の細胞に何らかの成長過程や代謝的な変化が生じ、細胞Ｂを発火させる細胞群のひとつとして、細胞Ａの効率が増大する」[11]（『行動の機構―脳メカニズムから心理学へ』より引用）ということだった。細胞Ａが細胞Ｂの発火に寄与するためには、細胞Ａは、細胞Ｂのスパイク前に発火しなければならない。ヘッブの説明にあるように、この条件が示すのは因果関係であって単なる相関関係ではない。ヘッブ

コラム 14.1　ダイナミック・ビジョン・センサー・カメラの仕組み

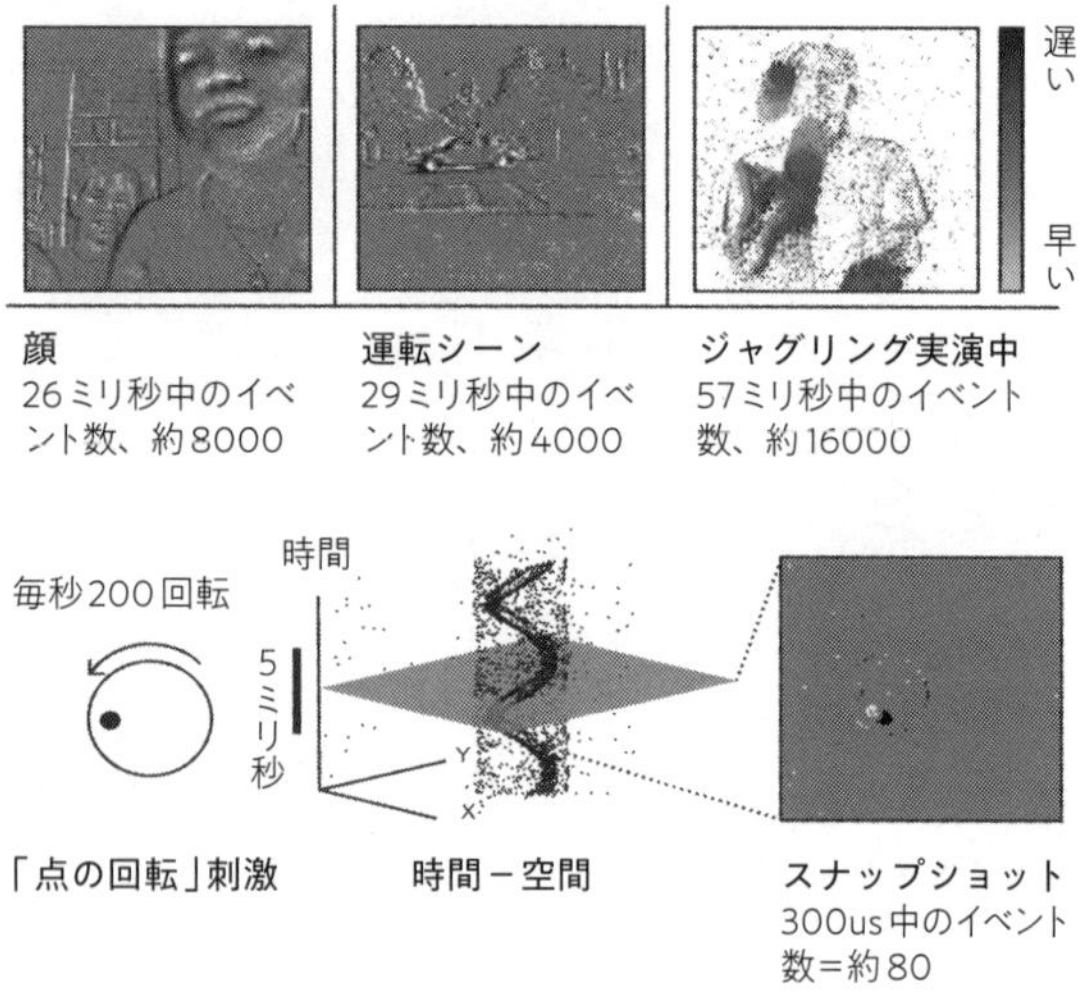

上の図で示したDVSカメラの各フレームにおいて、白いスポットが「オン」チャンネルからのスパイク、黒いスポットが「オフ」チャンネルからのスパイクを示す。灰色部分はスパイクがない状態だ。左上のフレームでは二つの顔が見てとれるが、これは26ミリ秒のフレーム中で少し動いているからだ。右上（ジャグリング）のフレームでは、スポットの到着時

間をグレースケールで表示し、その軌跡を可視化できるようにした。左下は、点のついた円盤が毎秒２００回転することを示す。下中央では、軌跡が螺旋状に上昇している。右下は、螺旋を描いて上昇する軌跡を３００マイクロ秒という短時間だけ切り取ったもので、わずかに80のスパイクしかない。速度は、黒と白のスパイクの位置のずれをその時間間隔で割れば簡単に計算できる。だが、フレームの長さが26ミリ秒のデジタルカメラでは、２００ヘルツで回転する点を追うことはできない。１回転する時間は５ミリ秒なので、どのフレームにも、つながったリングが写ることになるためだ。ＤＶＳカメラの出力はスパイクの流れのみで、人間の網膜と同じである。これは、時間幅のある場面を表現するための、効率のよい方法である。ほとんどのピクセルは大部分の時間において変化はなく、各スパイクが有用な情報をもっているからだ。

出典：P. Lichtsteiner, C. Posch, anc T. Delbrück, "*A 128×128 120 dB 15μs Latency Asynchronous Temporal Contrast Vision Sensor*," IEEE Journal of Solid-State Circuits 43, no. 2 (2008): figure 11（トビアス・デルブリュックの厚意により転載。）

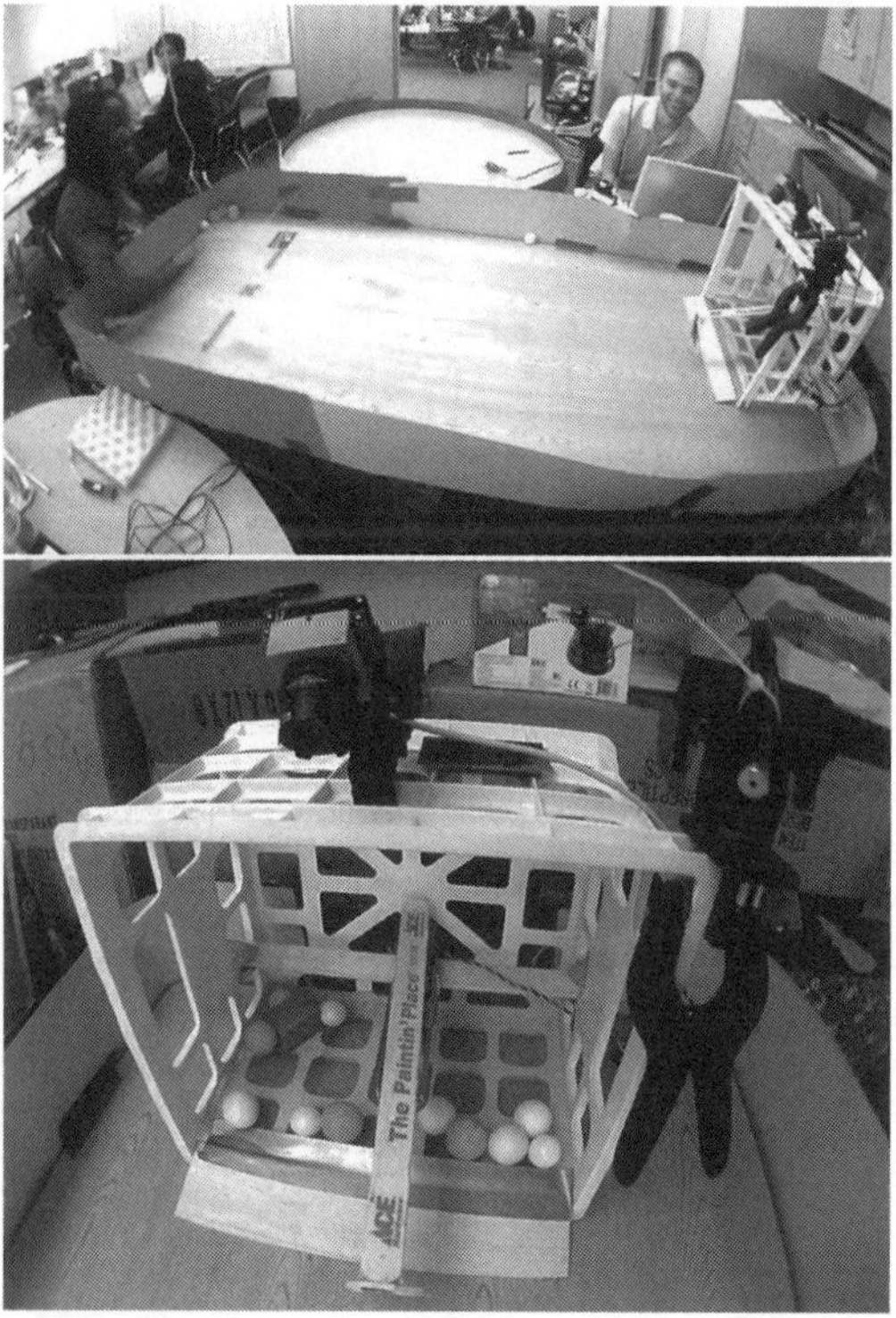

図14.5　2013年にテルライドで開催されたニューロモーフィックエンジニアリング・ワークショップで製作されたニューロモーフィック・ゴールキーパー。（上）フォープフォル・フォローシャレ（左）がニューロモーフィック・ゴールキーパー（右）をテストしている。後ろではほかの学生たちがそれぞれのプロジェクトに取り組んでいる。（下）デルブリュックのDVSカメラがペンキ塗装用の棒きれの先にくくりつけたヘラに指示を与えている。このゴールキーパーは学生よりずっと素早く動き、ゴールを決めた者はいなかった。私もトライしたが無駄だった。（画像はトビアス・デルブリュックの厚意による。）

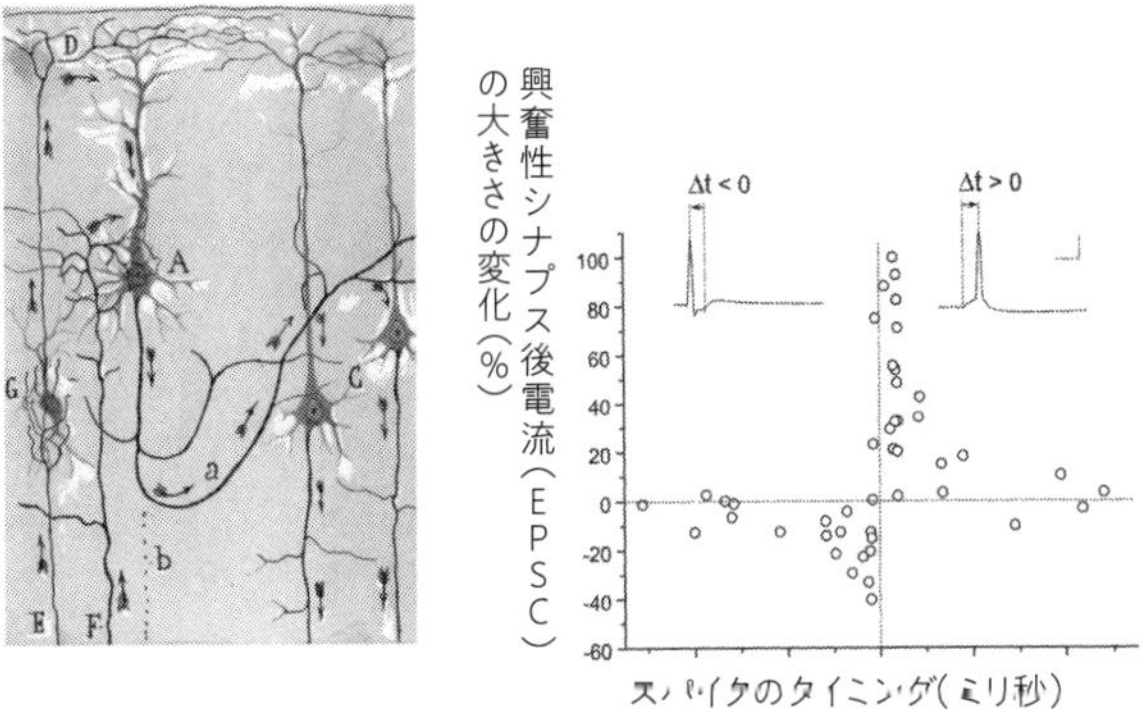

図14.6　スパイク・タイミング依存可塑性（STDP）。（左）大脳皮質の錐体神経細胞の図。スペイン人の偉大な神経解剖学者サンティアゴ・ラモン・イ・カハールが描いたもの。ニューロンAから延びる軸索はニューロンCの樹状突起にシナプス結合して出力する（矢印）。（右）左図のようにシナプス結合した二つのニューロンは、電極によって刺激することでスパイクを生じさせることができ、またそれぞれのスパイクに時間差を生じさせられる。あるニューロンへの入力スパイクと出力スパイクとが近い時間差で繰り返し発生させられた場合、シナプス結合の強度の変化（縦軸）は、シナプス前の入力がシナプス後のスパイクの前20ミリ秒以内に到着すれば増大し、後20ミリ秒以内に到着した場合は減少する。

左図の出典：Ramón y Cajal, S. Estudios Sobre la Degeneración y Regeneración del Sistema Nervioso (Moya, Madrid, 1913–1914), figure 281.

右図の出典：G. Q. Bi and M. M. Poo, "*Synaptic Modifications in Cultured Hippocampal Neurons: Dependence on Spike Timing, Synaptic Strength, and Postsynaptic Cell Type*," Journal of Neuroscience 18 (1998): 10464–10472, figure 7.（画像はムーミン・プー（蒲慕明）の厚意による。）

は、シナプスの強度を弱める条件については何も言っていないが、入力側の神経細胞のスパイクが、出力先のスパイクの後に生じた場合には、出力先の神経細胞と因果関係があるとは考えづらい。また、強度の増大・減少が長期的にバランスを保つ必要があるならば、シナプスの結合を断つことは理にかなっている。

テルライドでのニューロモーフィックのワークショップでは、アナログＶＬＳＩ支持者とデジタルＶＬＳＩ支持者との論争がずっと続いている。アナログＶＬＳＩチップには、全回路が並列処理で、消費電力が非常に小さいなど多くのメリットがあるが、トランジスターにばらつきがあり、まったく同じ設計のトランジスターで±50パーセントも電流に差が生じうるなどのデメリットもある。これに対し、デジタルＶＬＳＩはより正確で高速かつ設計もしやすいが、消費電力が大きい。カリフォルニア州アルマデンにあるＩＢＭ基礎研究所のダーメンドラ・モダが率いるチームは、４０９６個のプロセッサー・コアを持ち、54億個のトランジスターを搭載したデジタルチップ「TrueNorth」を開発した。[12] このチップは２億６８００万のシナプス結合をもつ１００万個のスパイキングニューロンをシミュレートするよう構成できるが、消費電力はわずか70ミリワットだ。だが、これらの結合強度は固定されていて柔軟性がないため、増強や抑制といった多くの重要な機能の実装には限界がある。

スパイキングニューロンのネットワークのもう一つの欠点は、勾配降下法を使用できないことだ。勾配降下法は、継続的な値をもつニューロンのネットワークで学習を行う方法だが、スパイクの不連続性のため使用できない。そのため、スパイキングネットワークで学習できる内容の複雑さに限界が生じる。勾配降下法は、モデルニューロンからなるディープネットワークの訓練で大きな成果を収めてきた。モデルニューロンが連続的に変化する出力をもっていればその出力関数は微分可能である。微分可能性は誤差逆伝播法による学習アルゴリズムにとって必須の性質だ。微分不可能なスパイキングネットワークはスパイク発生時に不連続となるが、この欠点は最近、私の研究所の博士研究員ベン・ハーによって解決された。スパイキングニューロンの再帰型ネットワークモデルで、長期の時系列を扱う複雑なタスクを、勾配降下法によって学習できるようにする方法を見つけたのだ[13]。これによってディープスパイキングネットワークの学習の道が開かれたのである。

ムーアの法則はもう成り立たないのか

ムーアの法則で予測された通り、コンピューターパワーは1950年代にデジタルコンピューターが発明されたときと比べると1兆倍を超えた。これほどの桁数を通して指数関数的に進歩し続けた技術は今までなかった。その結果、おもちゃから自動車に至るまで、製造された機器類のほぼすべてにコンピューターが組み込まれるようになった。最新の望遠鏡では、コンピューターが補償光学系を自動調整できるようになり、その最大解像度が達成されているし、最新の顕微鏡では、捉えた光子をコンピューターで解析して超解像度で分子の位置を捉えている。科学と技術のあらゆる領域が、今やVLSIチップに依存しているのだ。

カーバー・ミードは、半導体チップ上の線の幅を細くできる可能性に基づいてこのチップの隆盛を予測したが、現在、この線幅は物理的な限界に達している。配線を流れる電子の数が減り、リークしたり、ランダムな発生電荷によってブロックされたりといった問題が生じ、デジタル回路の信頼性が損なわれるのだ。[14] ムーアの法則はもう成り立たないのだろうか？　処理能力を向上させ続けるには根本から異なるアーキテクチャーが必要だ。求められているのは、デジタル設計の完全な正確さに頼らずに済むアーキテクチャーである。ガソリンエンジンの走行距離と電気モーターの効率性とを兼ね備えたハイブリッドカーが登場したように、デジタルかつニューロモーフィックというハイブリッド設計のチップが、つまりニューロモーフィックチップの演算時の消費電力の低さと、デジタルチップの広帯域幅による通信能力を兼ね備えたチップが、現れ始めている。

ムーアの法則はチップの処理能力のみに基づいている。並列アーキテクチャーが今後50年をかけて進化していくなかで、ムーアの法則は、消費エネルギーと処理能力を考慮した法則へと置き換えたほうがいいだろう。２０１８年にオレゴン州ポートランドで開催されたインテル後援のＮＩＣＥ（Neuro Inspired Computing Elements）会議では、アメリカとヨーロッパから参加した研究者が、新しいニューロモーフィックチップを３種類、披露した。インテルの自己学習型チップ「Loihi《ロイヒ》」と、欧州の「ヒューマン・ブレイン・プロジェクト」の支援による第2世代のチップ2種類だ。超並列アーキテクチャーの開発に伴って、このようなアーキテクチャーのチップで動作する新たなアルゴリズムが考案され始めている。これらのチップがやりとりをする「情報」が、第15章のテーマである。

第15章

情報の中身

いつか自分があらゆる知識をもつ「全知」の存在になれるとは、夢にも思っていなかった。だが今、私を含め、インターネットにアクセスできる人ならだれでも、事実上「全知」になっている。情報はインターネット上を光の速さで流れている。インターネットからデータを取ってくるほうが、家の本棚の本から探すよりも簡単だ。私たちは今、いろいろなかたちの情報が爆発的に増えているなかで生活している。望遠鏡から顕微鏡まで、あらゆる科学機器によってデータが収集され、機械学習で解析されるデータセットがどんどん増え続けている。アメリカの国家安全保障局は、あらゆる場所で収集したデータを機械学習によって選り分けている。経済はデジタル化し、企業で求められるのは、プログラム技術をもつ人材だ。世界が産業経済から情報経済へとシフトするなかで、教育そして職業訓練は、この変化に適応していかなければならなくなる。この変化は、すでに世界に大きな影響を与えているのだ。

図 15.1　1963 年頃のクロード・シャノン。電話交換網の前で。シャノンは、AT&T ベル研究所在勤中に情報理論を発明した。写真：アルフレッド・アイゼンスタット／LIFE ピクチャーコレクション／ゲッティイメージズ

情報理論

１９４８年、AT&Tベル研究所（ニュージャージー州マレーヒル）のクロード・シャノン（図15・1）は、ノイズがある電話線を介した信号伝達を理解するために、極めてシンプルかつ緻密な、情報についての理論を提案した[1]。シャノンの定理によって、デジタル通信に革命が起き、携帯電話、デジタル放送、インターネットの誕生に

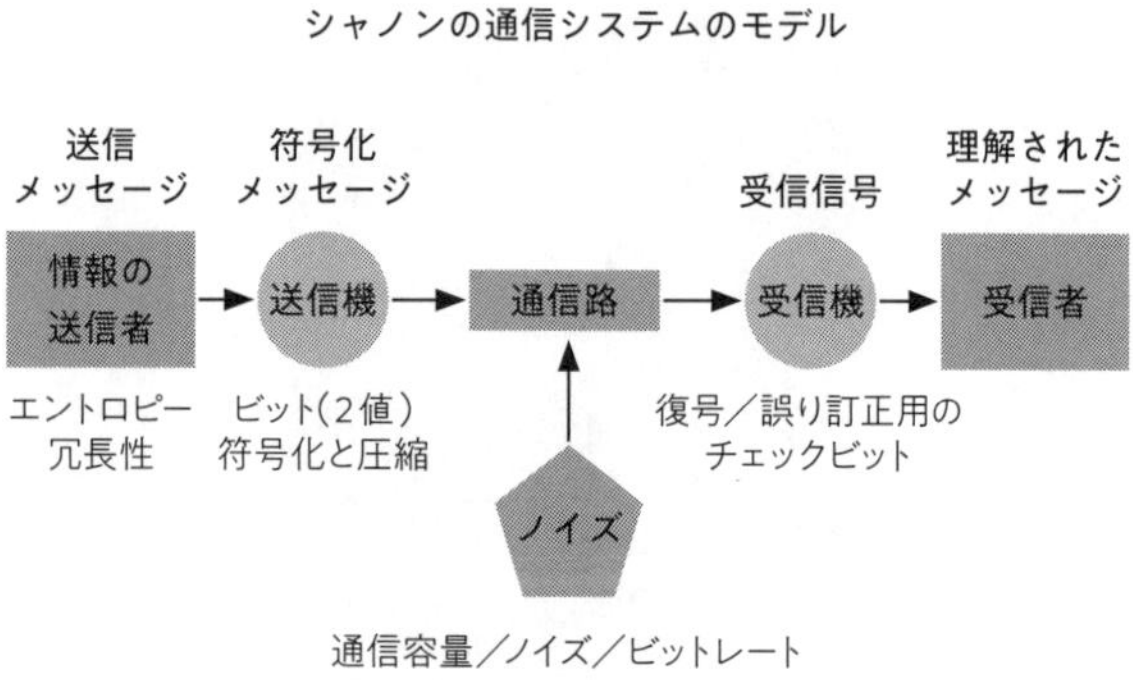

図15.2　シャノンの通信システムのモデル。メッセージは2値のビット列へと符号化され、通信路(電話線あるいは電波)を伝送され、受信後に復号される。通信容量は1秒当たりのビット数で表され、システムのノイズの多さの影響を受ける。

出典：https://dennisdjones.wordpress.com(画像はデニス・ジョーンズの厚意による。)

つながった。たとえば携帯電話で通話するとき、声は電話機で0と1のビット列へと符号化される。そうしてできたデジタル信号が、電波に乗り、デジタル伝送回線を伝わって、相手の電話機へと届き、そこで復号されて音声へと戻されるのだ。通信路の容量には情報理論上の制限がある(図15・2)。「シャノン限界」と呼ばれるその上限値に迫るべく、さまざまなコードが考え出されている。

　現実世界の情報のかたちは多

種多様だが、あるデータセットにどれくらいの情報が含まれているかを正確に数値化する方法がある。情報の単位は「ビット」であり、1または0の二つ値のいずれかをとる（バイナリー、2値ともいう）。1「バイト」は8ビットだ。高解像度写真の情報は、メガバイト（＝100万バイト）の単位で表される。携帯電話のなかに保存される情報はギガバイト（＝10億バイト）、インターネット上の情報はペタバイト（＝1000兆バイト）が単位となる。

数論

IEEE情報理論ソサイエティ（ITS）は、毎年、IEEE情報理論国際シンポジウムでクロード・E・シャノン賞を授与する。これは、情報通信分野の研究功績をたたえる、極めて名誉ある賞だ。1985年にイギリスのブライトンで開催されたIEEE情報理論国際シンポジウムでシャノン賞を受賞したのは、シフトレジスター系列の研究(2)で現代のデジタル通信の礎を築いた、南カリフォルニア大学のソロモン・ゴ

図15.3 2013年、アメリカ国家科学賞受賞時のソロモン・ゴロム。カリフォルニア工科大学のジェット推進研究所（カリフォルニア州パサデナ）にいた頃に、シフトレジスター系列の数理解析に取り組み、それによって深宇宙探査機との通信が可能となった。そしてのちに、このシフトレジスター系列が、携帯電話の通信システムに組み込まれたのだ。今も、私たちが携帯電話を使うたびに、ソロモン・ゴロムの開発した数値符号が使われている。（写真は南カリフォルニア大学の厚意による。）

ロム（図15・3）だった。シフトレジスター系列とは、0と1が並んでいる長い擬似乱数の系列（数列）を生成するアルゴリズムだ。私たちは携帯電話で通話するたびにシフトレジスター系列を使っている。ゴロムは、シフトレジスター系列を使用して、信号を効率的に符号化する方法を見つけた。符号化されたた信号が送信されて、受信側で復号されるのだ。もし、携帯電話を含む各種の通信システムがこれまでにシフトレジスター系列を生成した回数を数えたなら、10^{27}、つまり1兆の1000億倍（1,000,000,000,000,000,000,000,000,000）を超えるすさまじい数になるだろう。[3]

ソロモン・ゴロム（私にとって義理の父）に、通信の問題に対するこれほど鮮やかな解決法をどうやって思いついたのか訊ねたことがあった。ゴロムは、数論を学んだことが役に立ったのだと言っていた。数論とは、数学の分野のなかでも、最も抽象度の高いものの一つだ。ゴロムがシフトレジスター系列に出会ったのは、ボルチモアにあるグレン・L・マーティン・カンパニーの夏期インターン生として働いていたときだ。1956年、ハーバード大学で、数学のなかでも特に抽象度の高い数論の博士号を取得後、カリフォルニア工科大学のジェット推進研究所（JPL）で働くようになり、通信グループのリーダーとして宇宙通信に携わった。当時、深宇宙探査機が太陽系の辺縁に送り出されようとしていたが、探査機から返ってくる信号は微弱で、ノイズにまみれていた。シフトレジスター系列と誤り訂正符号は、宇宙探査機との通信を大きく向上させた。そして、それと同じ数理によって、現代のデジタル通信の礎が築かれたのだ。

ゴロムは、卓越した情報理論学者のアンドリュー・ビタビをジェット推進研究所に雇い入れて、サバティカル中でジェット推進研究所に招いていたマサチューセッツ工科大学のアーウィン・ジェイコブスと引き合わせた。その数十年後の1985年、ビタビとジェイコブスが共同創始したのがクアルコムだ。同社はシフトレジスター系列によって、携帯電話のテクノロジーに革命を起こした。単一の周波数を使用するのではなく、情報を広い周波数帯域に分散するシフトレジスター系列を用いることで、通信方法を効率化したのだ。このアイデアの簡易版は、映画女優兼発明家のヘディ・ラマー(図15・4)にさかのぼる。彼女は第二次世界大戦中に安全な軍用通信システムとして周波数ホッピングを開発し、1941年にその共同特許権者となっている。[4] ソロモン・ゴロムが南カリフォルニア大学の教員となるためにジェット推進研究所を離れた後、エド・ポズナー(NIPSカンファレンスを創設した、あのエド・ポズナー)が彼のグループを引き継いだが、ゴロムはその後も、古巣であるジェット推進研究所のグループへの助言を惜しまなかった。

図15.4　1940年、MGMの宣材写真のヘディ・ラマー。第二次世界大戦中、舞台女優・映画女優として活躍しながら、周波数ホッピングを共同発明した。この技術に関連するスペクトラム拡散通信は、軍や多くの携帯電話で使用されている。

シフトレジスター系列の裏にある数理は、数論の深奥にある。ゴロムがハーバード大学で博士号を取得したとき、彼の指導教員をはじめ当時の大多数の数学者は、純粋数学が実用的用途をもつことなどありえないと鼻高々に信じていた。ケンブリッジ大学のドンであったG・H・ハーディも、大きな影響を与えた著書『ある数学者の生涯と弁明』[5]で、「真の」数学は純粋数学でなくてはならず、応用数学は「取るに足らない」と述べた。しかし、数学は、純粋数学であろうと応用数学であろうと、あるがままのものなのだ。数学に純粋さを求める数学者もいるだろうが、数学によって現実世界の実用的な問題が解決されるのを止めることはできない。実際、ゴロムのキャリアの大半は、「純粋数学」からもってきた正しい道具を使って解決できる、重要かつ実用的な問題を見つけたことがその特徴なのだ。

ゴロムは、数学的ゲームも発明している。彼の著書『箱詰めパズル　ポリオミノの宇宙[6]』は、何個かの同じ大きさの正方形をつなぎ合わせた図形を使う「ポリオミノ」というゲームを世に送り出した。正方形を二つだけつなぎ合わせた図形を「ドミノ」というが、これをさらに一般化したものである。マーティン・ガードナーが『サイエンティフィック・アメリカン』誌の「数学ゲーム」という連載コラムで取り上げたことで、広く一般の人々に知られるところとなった。テトロミノ（正方形を四つ組み合わせてつくられた図形）がヒントとなってつくられたのが、みながやみつきになるゲーム「テトリス」だ。上から降ってくるテトロミノを動かして下の空間にはめこむのだ。ポリオミノは今でもボードゲームとして人気があるとともに、数学の一分野においてさまざまな興味深い組み合わせ問題を生んでいる。

ゴロムは、聖書学者の顔ももち、さらに、日本語や中国語を含めて多くの言語を話すことができた。ベアトリスがあるとき、ダグラス・R・ホフスタッター著の『ゲーデル、エッシャー、バッハ　あるいは不思議の環』の初版をゴロムのもとにもっていったことがあった。ゴロムは、キャプションに「古代ヘブライ語による創世記の最初の20行」と書かれている口絵を開くと、こう言った。「第一に、上下逆さまだ」そして本をひっくり返すと、今度はこう言った。「第二に、これは古代ヘブライ語ではなく、古代サマリア語だ。第三に、これは創世記の最初の20行ではない。創世記の最初の20行の各行の最初の7語しかない」。そう言うと、彼は読み進めてその文章を翻訳してくれたそうだ。

ゴロムが受賞記念のシャノン・レクチャーを行った、1985年の英国ブライトンでのIEEE情報理論国際シンポジウムには、クロード・シャノンも出席した。これは1972年にシャノン自身が行った講演を除いて、シャノンが出席した唯一のシャノン・レクチャーである。

予測符号化

通信システムでは、「変化」に情報として高い価値がある。空間的な変化でも時間的な変化でもそう言える。たとえば、彩度が均一な画像には情報がほとんどないし、変化のない信号も同様だ。脳に信号を送るセンサーは、主に変化を検出する。これはすでに、第5章の網膜や、第14章のトビアス・デルブリュックが発明したDVSカメラの例で見た通りである。実は、網膜上の同じ位置に像を静止させ続けると、その像は数秒後に消失してしまう。(7) 私たちの眼球は、無意識のうちに1秒間に数回ほど小さくジャンプしており(これを「マイクロサッカード」という)、ジャンプのたびに外界に対する脳内のモデルが更新される。外界で何かが動くと、網膜がそのことを漏れなく上流に報告し、その報告によって脳内の外界モデルが書き換えられるのだ。この動作を図式化すると、図15・5のようになる。脳のモデルは階層構造をもち、入ってきた知覚情報と、モデルによる予測結果との比較が、いくつもの階層で行われる。(8) まぶしい光や、大きな音は、その刺激の激しさがボトムアップで上流に伝わり、すぐにその人の注意を引きつけ

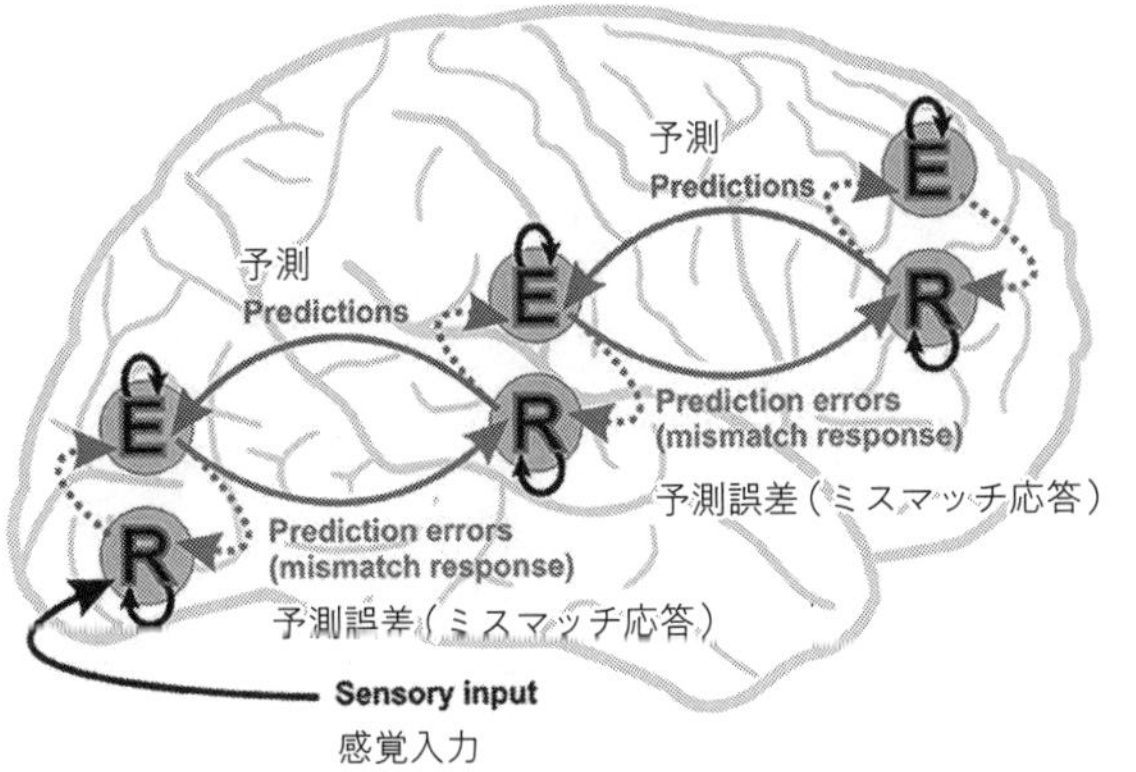

図15.5　階層的な予測符号化のフレームワーク。知覚は、それまでの知覚事象から抽出した規則性から導き出された事前予測に基づいている。このフレームワークでは、高次の領野で行われる現在の感覚信号についての予測は、E（予測誤差）とR（予測表現）の神経集団のやりとりから生まれ、低次の領野にフィードバックされる。そして、予測誤差のみが、フォワード方向、つまり高次の方向に伝搬される。これは、ヘルムホルツの無意識的推論を具体化したものである。

出典：Gábor Stefanics, Jan Kremláček, and István Czigler, "*Visual Mismatch Negativity: A Predictive Coding View*," Frontiers in Human Neuroscience 8 (2014): 666, figure 1. doi: 10.3389/fnhum.2014.00666.

る。しかし、机の上の様子が何か変わったことに気づくのは、もっと高次のレベルである。記憶とトップダウンで比較されてはじめて気づくのだ。そのすべてが脳内においてリアルタイムで起こっている。これは、カーバー・ミードのモットーである「時間はそれ自身がその表現である」につながっている。[9]

予測符号化は、視覚を無意識的推論として説明したヘルマン・フォン・ヘルムホルツにさかのぼる。無意識的推論とは、ノイズを除去し、不完全な情報を補い、視覚的な場面を解釈する、トップダウン型の視覚情報の生成である。[10] たとえば、片目の網膜に投影された知人の像の大きさは、奥行きの単眼手がかりとなる。なぜなら、私たちはその人の実際の大きさを知っており、また、網膜上の大きさが距離によってどう変化するかを経験として知っているからだ。より高次の認知レベルにおいては、ジェームス・マクレランドとデイヴィッド・ラメルハートが、単語という文脈のなかにある文字のほうが、存在しない語のなかに置かれた文脈なしの文字に比べて、被験者たちが素早く認識できることを発見した。[11] 彼らの並列処理モデルもよく似た振る舞いを示したため、二人は、脳内での情報の表現方法を理解するために正しい道を進んでいるという自信を深めたのだ。

グローバルな脳

２０１３年４月２日にホワイトハウスで立ち上げられたアメリカのＢＲＡＩＮイニシアティブは（図15・6）、究極の情報処理機械である脳の機能および機能障害の解明を加速すべく、新たなニューロテクノロジーの開発を進めている。ＮＩＰＳカンファレンスが学習する機械をつくるために多くの分野の研究者を結集したのと同じように、ＢＲＡＩＮイニシアティブは、工学者、数学者、物理学者を神経科学に引き入れ、脳を探求するためのより優れたツールを開発しようとしている。脳の仕組み、特に学習と記憶の基本的メカニズムについて学べばそれだけ、脳の働きの原理についての理解が深まるだろう。

分子レベルや細胞レベルでは、脳についてかなりのことが解明されているが、よりマクロなレベルで脳がどのように機能しているかについては、まだそれほどわかっていない。はっきりしているのは、さまざまな種類の情報が、大脳皮質のあちこちに分散されているということだ。しかし、そのようにばらばらの情報をどうやって素早く引き出し

図15.6　2013年4月2日、ホワイトハウスでBRAINイニシアティブが発表される直前の関連各局および各機関の代表。（右から）BRAINイニシアティブの白書の取りまとめをリードしたカブリ財団チーフサイエンスオフィサーのミヨン・チュン、BRAINイニシアティブNIH諮問委員会共同委員長のウィリアム・ニューサム、NIH所長のフランシス・コリンズ、ハワード・ヒューズ医学研究所ジャネリア・リサーチ・キャンパスのディレクターのジェラルド・ルビン、NSFディレクターのコーラ・マレット、バラク・オバマ大統領、生命倫理諮問委員会委員長のエイミー・ガットマン、カブリ財団理事長のロバート・コン、DARPA長官のアラティ・プラバカール、アレン脳科学研究所ディレクターのアラン・ジョーンズ、ソーク研究所のテレンス・セイノフスキー。（写真はトーマス・カリルの厚意による。）

て、ある人の顔の画像から、大脳皮質の別の場所に格納されているその人の名前を認識するなどといった複雑な問題を解くことができるのかは、わかっていない。この問題は、脳における意識の起源と密接につながっている。

私の研究室では、最近、眠っている人の脳内に大域的な(グローバルな)活動パターンがあることを発見した。この発見は、大脳皮質にばらばらに散らばる情報をどうやって結びつけているのかについての手がかりとなるかもしれない。眠りにはいくつかのステージがある。脳の疲労を回復する徐波睡眠と眼球運動と夢を伴うレム睡眠との中間にある睡眠ステージでは、「睡眠紡錘波(sleep spindle)」と呼ばれる、強く同期した時空的な周期的振動が大脳皮質の活動を支配している。この10~14ヘルツの脳波は数秒間続くが、これが一晩のうちに何千回も繰り返し出現する。この睡眠紡錘波が、睡眠中の記憶の定着(固定化)に関与しているという実験的根拠がある。ライル・ミュラー、シドニー・キャッシュ、ジョヴァンニ・ピアントニ、ドミニク・コラー、エリック・ハルグレン、そして私は、人間の大脳皮質の脳波記録から、睡眠紡錘波は、ぐるっと円を描くようにして大脳皮質全体をめぐる、大域的な電気的活動の波であることを発見した[12](図

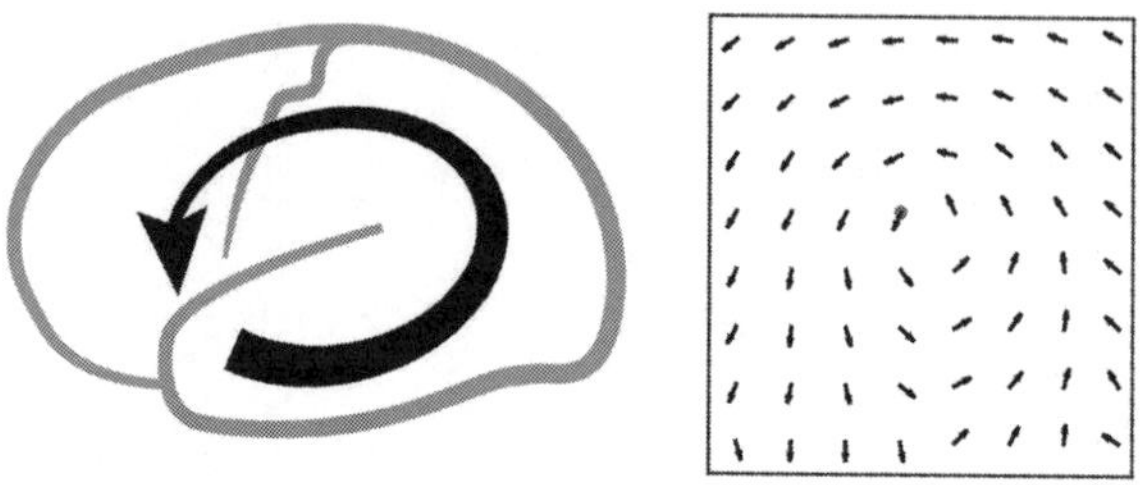

図15.7　人間の大脳皮質を周回する脳波。皮質表面で8×8のグリッド上に置いた電極から得られた、睡眠紡錘波が生じるときの脳波記録。睡眠紡錘波とは記憶の定着に関与する脳波パターンである。（左）睡眠紡錘波は、回転する波として大脳皮質の側面上で矢印の方向に進んで、80ミリ秒ごとに1周する。これが一晩に何千回も繰り返される。（右）小さな矢印はそれぞれ、皮質表面の64カ所の記録部位において、進行波の位相の増加が最大であった向きを示している。

出典：L. Muller, G. Piantoni, D. Koller, S. S. Cash, E. Halgren, and T. J. Sejnowski, “*Rotating Waves during Human Sleep Spindles Organize Global Patterns of Activity during the Night*” , eLife, (2016) e17267. supplement 7, subject 3, TPF。左図：figure 2B、右図：figure 1。

15・7）。レイア姫の髪型（図15・8）に似ていることから、我々はこれを、「レイア姫波（Princess Leia waves）」と呼んでいる。私たちが考えたのは、睡眠紡錘波とは、昼間に獲得した新しい情報を、大脳皮質のあちこちに散らばる過去の記憶と統合するための一つの方法なのではないかということだ。皮質内の離れた場所にある新情報と記憶の結びつきを強化することで推し進められ、それを達成してい

図15.8　キャリー・フィッシャー演じるレイア姫によって、1977年公開の壮大なSFファンタジー映画『スター・ウォーズ』の記憶は定着された。レイア姫の巻き髪は、睡眠紡錘波が生じるときに大脳皮質をめぐっている環状の流動場に似ている（**図15.7**と比較されたい）。

るのだ。この研究は、BRAINイニシアティブによって刺激された、システム神経科学のレベルにおける多くの研究プロジェクトの一例である。

オペレーティング・システム

デジタルコンピューターのアーキテクチャーは、ニューラルネットワークのそれとは異なる。デジタルコンピューターでは、メモリーとCPU（中央処理装置）は空間的に離れた場所にあるため、メモリー内のデータを順序よくCPUに移動する必要がある。ニューラルネットワークでは、メモリーと同じ場所で並列に処理が実行されるので、デジタルコンピューターにつきもののメモリーとプロセッサー間のボトルネックが解消される。また、ネットワーク内のすべてのユニットが同時に動作するので、超並列処理が可能となる。さらに、ニューラルネットワークには、ソフトウェアとハードウェアの区別もない。学習は、ハードウェアに変更を加えることによって行われるのだ。

1980年代、何台ものコンピューターを一つのラックにまとめて置けるようになると、デジタルコンピューターは超並列化への道を進み始めた。並列コンピューターの草分けの一つは、1985年にダニー・ヒリスが設計し、シンキングマシンズ社が販売した「コネクションマシン」である。エンジニアであり発明家のダニー・ヒリスがマサチューセッツ工科大学で学んでいた時代、複雑極まりない現実世界の問題を人工知能によって解決するためには、コンピューターの演算能力を飛躍的に増大する必要があることが明らかになりつつあった。1990年代に入り、ムーアの法則に従って1枚のコンピューター・チップに搭載できるトランジスターの数は増え続け、一つのチップ上に多くの処理ユニットを組み込めるようになり、一つの基板に多くのチップを搭載できるようになり、一つのキャビネットに多くの基板を収納できるようになり、そして一つの部屋に多くのキャビネットを配置できるようになった。その結果、今や、地球上で最も高速なコンピューターとして、数百万コアのものや、1秒間に数十京《けい》回の演算を実行できるものも現れた。1秒間に数百京回の演算を行うエクサスケール・コンピューティングの時代は、すぐそこまできている。

ニューラルネットワークのシミュレーションは、この超並列ハードウェアを最大限に活用するものだ。複数のコアは、同一のネットワークモデルで並列に動作するようプログラムできるので、処理スピードは極めて高速化するが、プロセッサーとの通信に遅延が生じる。このような遅延を小さくするため、各社は特定用途のデジタルコプロセッサーを開発している。これにより、ネットワークのシミュレーションは劇的に高速化するので、「話す」や「見る」といった認知的タスクをそれぞれ一つにまとめた強力な命令をつくれるようになるだろう。スマートフォンも、ディープラーニングのネットワークチップで設計すれば、はるかにスマートに(賢く)なるはずだ。

コラム 15.1
デジタルコンピューターのオペレーティング・システム

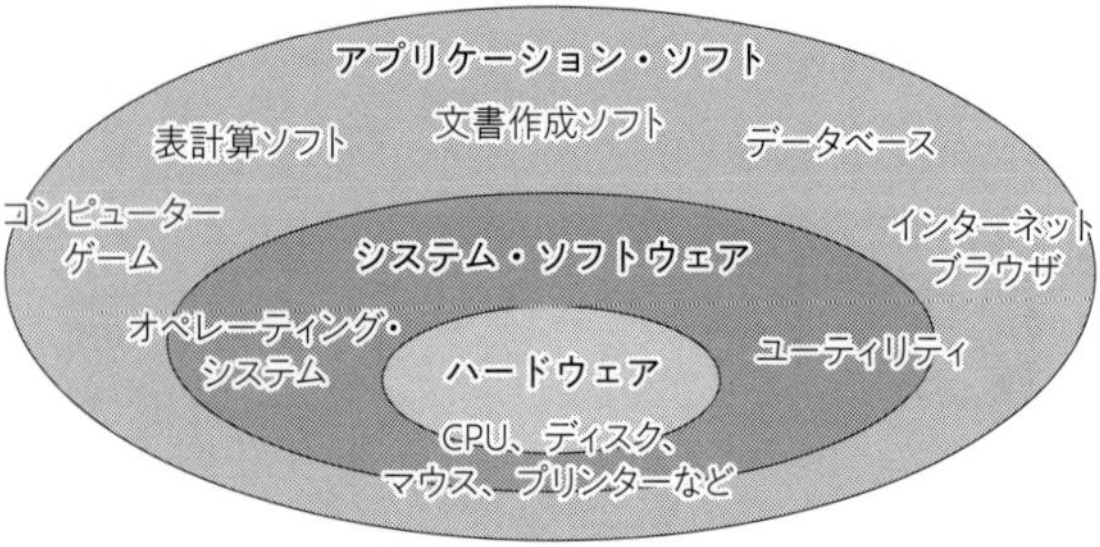

オペレーティング・システムは、コンピューターのハードウェア上で実行されるプログラムを制御している。パソコンを使っているのならばオペレーティング・システムはウィンドウズの人がかなりいるだろうし、アイフォーンであればｉＯＳ、サーバーの多くでは何らかのバージョンのＵＮＩＸが実行されている。オペレーティング・システムは、プログラムの要求に応じてメモリーを割り当てるとともに、「デーモン」と呼ばれるプロセスを使用してプログラムをひそかに追跡してい

る。バックグラウンドで動作するこのデーモンは、プリンターやディスプレイなどのユーティリティも監視している。オペレーティング・システムは、任意のハードウェアで動作するよう設計されている。アプリケーションをコンピューター間で移植できるのは、オペレーティング・システムのおかげなのだ。

デジタルコンピューターでは、私たちとハードウェアの間が、オペレーティング・システム（コラム15・1）によって隔てられている。ノートパソコンで文書作成プログラムを実行するときや、携帯電話でアプリを実行するときには、オペレーティング・システムが、ユーザーのキー入力をメモリーのどこに入れるかだとか、結果を画面にどうやって表示するかといった細かいことの面倒をすべて見てくれている。私たちの心は、脳というオペレーティング・システム上で、アプリに相当するものを実行している。そして私たちは、この脳のオペレーティング・システムによって、何の情報をどこにどうやって記憶するかという手続きからは隔てられている。私たちがこれまでの人生で積んだ経験という広大なデータベースを、脳はどのように蓄えているのか、またその経験によって行動がどう形成されるのか、といったことを意識することはない。これらの経験の一部を意識化することは可能だが、意識できるのは氷山の一角にすぎない。脳がどうやってこれを実現しているかは謎だ。脳のオペレーティング・システムの仕組みを解明できれば、同じ原則に基づいてビッグデータを整理できるかもしれない。そうすれば、意識を、脳のオペレーティング・システム上で実行される1個のアプリとして説明できるかもしれない。

どこまでいっても情報は続く

情報の爆発的増加により、生物学は定量的な科学へと変容した。かつての生物学者たちは、データを解析するための初歩的統計学以上の数学的な訓練をほとんど必要としなかった。データ自体が非常に少なく、入手困難だったためだ。２００２年にニューヨークル州ロングアイランドにおいてコールド・スプリング・ハーバー研究所主催で開催された分子遺伝学のシンポジウムでは、私は場違いな気分を味わった。コンピューターでの計算に関わる話をするのは、私だけだったのだ。私の前に登壇したのは、分子遺伝学者で、長年カリフォルニア工科大学で教鞭をとっているリロイ・フッドだった。１９８７年、サバティカルでカリフォルニア工科大学に滞在していた私は、ビル１棟が丸ごとリロイ・フッドの研究室に占められているのを知り仰天したことがある。その後、リロイ・フッドはシアトルに移り、２０００年にシステム生物学研究所（Institute for Systems Biology）を共同設立した。システム生物学は、細胞内の分子のあらゆる相互作用の複雑性を解明しようとする新分野である。

そのときの講演で、彼はこんな話をした。ある日、「なぜうちの教職員名簿には、生物学者よりもコンピューター科学者のほうが多いんだ？」と自問自答したという。彼のたどり着いた結論とは、生物学は今や情報科学となったのであり、情報を解析することにかけては生物学者よりもコンピューター科学者のほうがずっとよく知っていて、ＤＮＡシークエンシングなどの最新技術によって生み出される膨大なデータ量に生物学者は圧倒されるばかりだ、というものだった。彼の話によってこれ以上ないほどのお墨つきをもらった気持ちで、脳内のニューロン間のシナプスに情報がどのように格納されるかを解明するという内容の、自分の講演に臨むことができたのだった。

現在、システム生物学には、多くのコンピューター科学者や物理学者が惹きつけられて参入し、DNAシークエンシングによって得られた情報や、RNAやタンパク質によって制御されている細胞内の信号などの解析と理解が進んでいる。人間の細胞のDNAに含まれる30億の塩基対には、細胞が生き残り、複製し、分化するために必要なすべての情報が含まれている。塩基対の一部はタンパク質をつくる鋳型となるが、ゲノムのほかの部分には、発生過程において身体と脳の形成を誘導するのに用いられる遺伝子を調節する抽象的なコードも含まれている。おそらく、宇宙で最も要求の厳しい建設プロジェクトとは、DNAに組み込まれたアルゴリズムによって導かれる脳の形成だろう。これらのアルゴリズムが、脳の何百という異なる部位にある何千種という神経細胞の接続の発生を調整するのだから。

長い先を見据えたゲーム

基礎科学の研究によって開発されたテクノロジーが商用化されるまでには、50年ほどかかることが多い。20世紀の最初の10年間になされた相対性理論と量子力学の大きな発見は、20世紀も後半になって、ＣＤプレーヤー、ＧＰＳ、コンピューターの発明へと結実した。１９５０年代になされたＤＮＡや遺伝暗号の発見は、医薬品や農業事業に応用されて、現在の経済に大きな影響を与えている。ＢＲＡＩＮイニシアティブをはじめとして、世界各地で現在行われている脳研究のプログラムでの基礎的発見が実用化されるのは、今から50年後だ。50年後なんて、ＳＦの話じゃないかと思うかもしれないが[13]、２０５０年までには、ＡＩが我々の脳に相当するようなオペレーティング・システムをもつことが期待できるということだ。だが、そのテクノロジーの主導権をどの会社が、どの国が握ることになるのかは、今、何に投資をするか、何に賭けるのかによって決まる。

第16章
意識

フランシス・クリックは若い頃、母親から人生をかけて追求したい科学的問題は何かと訊ねられて、興味をひかれるのは、生命の神秘と、意識の神秘の二つだけだと答えたという。(1)クリックが重要なことを鋭く見極める嗅覚をもっていたのは確かだが、これらの問題の難しさを本当には理解していなかったかもしれない。彼の母親もまた、それから何十年も経った1953年に、我が子がジェームス・ワトソンと二人で、DNAという、いずれ生命の大いなる神秘の一つを紐解くもととなる緩い鎖の構造を発見することになるとは知るよしもなかった。しかし、クリック(図16・1)は、その発見だけでは満足しなかった。

クリックは1977年にソーク研究所に移ると、意識についての長年の興味に取りかかることにした。彼は、視覚的意識の謎に注力することを決めた。脳の視覚に関わる部分についてはすでに多くのことがわかっていたし、視覚の神経的基礎を理解することは、意識のそのほかの側面の神経的基礎を探求するうえで、強固な土台になるだろうと考えたのだ。(2)

1980年代当時、生物学者の間で意識の研究が流行遅れとされていたが、そのこ

図16.1　フランシス・クリックと妻のオディール、娘のジャクリーン。1957年頃、イギリスのケンブリッジのケム川で舟遊びをする様子。（写真はモーリス・S・フォックスの厚意による。）

とは、クリックの妨げとはならなかった。視覚は、私たちの理解をはばむ、幻想と神秘で満ちている。解剖学的・生理学的メカニズムでそれらを説明しようとしたクリックは、画期的な「サーチライト仮説[3]」を提起した。神経節細胞は、視神経を視床へと投射し、視床が中継してスパイクを視覚野に送る。しかし、なぜ神経節細胞は、視覚野に直接投射しないのだろうか？　クリックは、視覚野から視床へと戻すフィードバック投射があって、それがサーチライトのように機能して、さらに処理を進めるべき像の一部分を目立たせるのではないかと唱えた。

意識に相関した脳活動

クリックの意識の解明への探求において、最も近くにいた同僚が、当時カリフォルニア工科大学にいた神経科学者のクリストフ・コッホだった。クリックとコッホは、「意識に相関した脳活動（NCC：Neural Correlates of Consciousness）」を探求する一連の論文を共同で発表した。NCCは、意識的知覚のさまざまな状態を引き起こすことに関与する、脳構造および神経活動である。[4] 視覚的認識でいえば、これは、脳のさまざまな部位におけるニューロンの発火特性と視覚との相関関係を見つけることだ。クリックとコッホは、網膜から入力を受けとる最初の大脳皮質領域である一次視覚野で起こっていることは意識に上らず[5]、高次の視覚野（171ページ図5・11）で起こっていることのみが意識されるという仮説を立てた。この可能性を裏づける根拠は、「両眼視野闘争」の研究にある。これは、二つの目でそれぞれ異なる図形を見た場合（たとえば片方の目では縦縞を、もう片方の目では横縞を見た場合）、二つの図形が混ざって見えるのではなく、どちらか一方の図形が見え、数秒ごとに知覚される図形が急に切り替わるという現象である。だが、左右の目から入ってくる図形に対して、一次視覚野ではそれぞれ異なる神経細胞が反応するのであって、ある瞬間にどちらの図形が意識によって知覚されていてもそれは変わらない。しかし、より高次の視覚野では、多くのニューロンが知覚されている図形に対してのみ反応する。したがって、ニューロンが何かに応じて発火したからといって、それが知覚に相関した脳活動になるというわけではないのだ。協調的に動作する視覚野の階層構造全体に分散して活動するニューロンのうち、一部のニューロンで表現されているものだけが意識に上るようだ。

おばあさん細胞

2004年、UCLA（カリフォルニア大学ロサンゼルス校）メディカルセンターでは、てんかんの患者がその発作の開始点を特定するための脳のモニタリング中に、何枚かの有名人の写真を見せられていた。患者の脳の記憶中枢に挿入された電極から、写真に反応してスパイクが生じるかどうかがわかるのだ。これらの患者の一人で、ある一つのニューロンが、複数あったハル・ベリーの写真と彼女の名前（図16・2）に激しく反応したものの、ビル・クリントンやジュリア・ロバーツの写真や、ほかの有名人の名前には反応しないことがわかった。[2] やがて、そのほかの有名人や、特定の物、シドニー・オペラハウスなどの特定の建物に反応するニューロンも発見された。

このニューロンを発見したのはカリフォルニア大学ロサンゼルス校のイツァーク・フリードとクリストフ・コッホが率いるチームだが、これは、猫やサルの脳内の単一のニューロンを初めて記録することができるようになった50年前に研究者らによって予言されていたものだ。彼らの考えはこうだ。〈大脳皮質の視覚野の階層構造において、

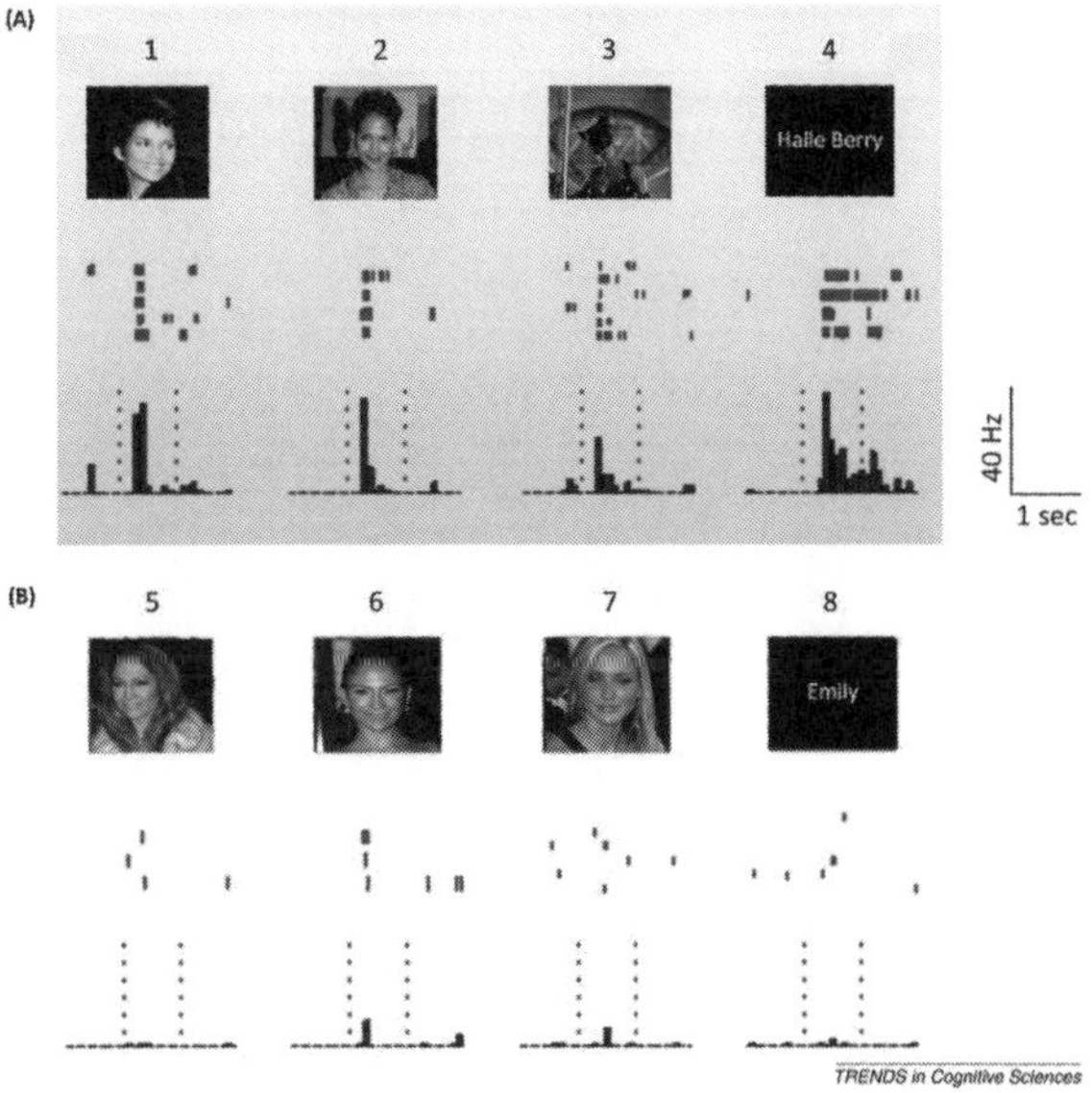

図16.2　ハル・ベリー細胞。患者の海馬から記録された一つのニューロンの各写真への反応。各写真の下に、6回の実験によって得られたスパイク（青色のマーク）と、その平均（ヒストグラム）を示す。（A）ハル・ベリーの写真とその名前は、激しい発火を引き起こしたが、（B）そのほかの女優の写真や名前に反応はなかった。ハル・ベリーは、2004年のアクション・スーパーヒーロー映画『キャットウーマン』（写真3）の主演女優である。

出典：A. D. Friederici and W. Singer, "*Grounding Language Processing on Basic Neurophysiological Principles*," *Trends in Cognitive Sciences* 19, no. 6 (2015): 329–338, figure 1.

出典：『*Trends in Cognitive Sciences*』

ニューロンが階層構造の高次であればあるほど、ニューロンの反応特性は特定的になって、階層構造の一番上では、一つのニューロンが一人の人物の写真にしか反応しなくなるかもしれない。〉あなたの脳のなかのあるニューロンは、あなたのおばあさんだけを「認識する」と仮定することから、この考えは「おばあさん細胞仮説」として知られるようになった。

さらに印象的なのは、次の実験だ。患者に、知人二名の顔の画像を混ぜ合わせた合成画像を見せた後、どちらか一人だけを思い浮かべもう一人は思い浮かべないように指示し、その間、知人二人のどちらかだけに反応を示す選択性をもつニューロンの発火を記録した。その結果、視覚刺激は変化していないにもかかわらず、被験者は、二人のうち選択した顔に反応するニューロンの発火頻度を増やし、それと同時にもう一方の顔に反応するニューロンの発火頻度を減らすことができた。次に実験者は、選択性をもつニューロンの発火頻度に応じて、合成画像に寄与する二つの画像の割合をコントロールするループを完成させた。つまり、患者は、どちらの顔を思い浮かべるかによって、入力(二つの顔の割合)をコントロールできるようになったのだ。この実験から、認識のプロセスは、単なる受け身のプロセスではなく、記憶と内的な注意制御が能動的に関与したものであることがわかる。

このような驚くべき証拠をもつおばあさん細胞仮説であるが、それだけで視覚的知覚の全体を説明できるわけではなさそうだ。まず、この仮説によれば、その細胞がアクティブなときにおばあさんを知覚するのだから、その細胞はそのほかのいかなる刺激に対しても発火してはならないことになる。実験では数百枚の画像が使われただけなので、この「ハル・ベリー細胞」がどれほど選択的であるかは正直なところ未知数だ。次に、電極がたまたま、脳内に一つしかないハル・ベリー細胞を記録したという可能性は低い。それよりも、脳にはこのような細胞が何千個もあると考えるほうが自然だろう。ほかの有名人の顔に反応するニューロンもやはり多数のコピーがあるはずだし、知っている人全員、認識可能なすべての物体について、さらに多くのニューロンがあるはずだ。脳内に何億ものニューロンがあるとはいえ、専属のニューロン集団によって一人の人間が知っているすべての物体と名前を排他的に表すには十分な数ではない。最後に、反応は、単に感覚的刺激との相関に過ぎず、因果関係がない可能性もある。同じくらい重要なのは、ニューロンの出力とその結果として行動に与える影響である（第5章で紹介した投射野だ）。それでもなお、この反応の選択性は極めて興味深い現象である。記録を始める前、患者は好きな有名人を決めるように言われていたために、ハル・ベリーがその患者の脳内でいつも以上に大きく表された可能性もある。

ネズミ、サル、人間のそれぞれで、数百の皮質ニューロンを同時に記録することで、ニューロンが集合的に知覚し、意思決定する方法についてのもう一つの理論が生まれている。[7] サルの記録では、刺激依存の信号と、タスク依存の信号が、ニューロンの大集団全体に分散していたが、それぞれのニューロンが、刺激とタスクの詳細の特徴量の異なる組み合わせに対して発火するようになっていた。[8] そう遠くない未来に、何百万ものニューロンを記録し、その発火頻度を操作できるようになるだろうし、さまざまな種類のニューロンを識別し、それぞれの結びつきを知ることもできるだろう。[9] そうすれば、おばあさん細胞を超える理論が生まれ、ニューロン集団の活動が、思考、感情、計画、決定などをどのように生じさせているのかをより深く理解できるようになるだろう。もちろん、ニューロンが顔や物体を表現する方法は一つだけとは限らない。新しい記録技術が使えるようになれば、すぐにその答えを知ることができるだろう。

1980年代から、1層の隠れユニットをもつ訓練されたニューラルネットワークモデルや、より最近ではディープネットワークにおいて、ニューラルネットワークの各入力に対する活動のパターンが、皮質ニューロンの集団で観察されるさまざまな反応に定性的によく似た形で高度に分散されていることがわかってきた（293ページ図9・2）[10]。分散された表現は、ある同一の物体の多くのバージョンを認識するために使用できるし、その同じセットのニューロンが、出力に異なる重みをつけることによって、多種多様な物体を認識できるようになる。ニューラルネットワークの個々の隠れユニットを、神経生理学者が視覚野のニューロンを記録するのと同じ手法を使って調べてみると、階層構造の最上位に近いところにあるユニットは、ある一つの物体に対する選択性をもつようになっていることがある。しかし、そのほかのユニットも、その物体を表す冗長的な信号をもっているため、そのような選択性をもつユニットを取り除いたとしても、ニューラルネットワークの性能は目立つほどには変わらない。損傷を受けても動作するニューラルネットワークのこのローバストゥさが、これらのネットワークや脳そのもののアーキテクチャーと、デジタルコンピューターのアーキテクチャーとの大きな違いである。

人の顔など、多くの似たような物体を区別するためには、いくつの皮質ニューロンが必要なのだろうか。脳画像の研究から、人間の脳の複数の領域が顔に反応し、なかにはかなりの選択性をもつ領域があることがわかっている。しかし、そのような領域のなかでは、任意の一つの顔に関する情報が多くのニューロンに幅広く分散している。カリフォルニア工科大学のドリス・ツァオは、サルの大脳皮質から顔に選択的に反応するニューロンの活動を記録し、そのうちの200個の「顔細胞」が表現する入力を組み合わせることで、任意の顔を再構成できることを示した。200というのは、顔に選択的に反応するすべてのニューロンの数からすると比較的少ない数だ[11]。

視覚的イベントはいつ知覚されるのか？

視覚的意識には、特定の時間にあるイベント（閃光など）が発生したことを理解しようとする脳の試みという一面もある。点滅する視覚的刺激に反応する視覚野のニューロンの遅延時間は、皮質の同じ領域内でも25～100ミリ秒の幅がある。にもかかわらず、私たちは40ミリ秒以下の間隔で次々に光る二つの閃光の順番を識別できるし、10ミリ秒未満の時間差で発せられる二つの音の順番を聞き分けることもできる。さらに理屈に合わないことに、網膜における処理には一定の時間がかかるが、その時間は決まっておらず、光の強さによって変わるのだ。つまり、最初の閃光が次の閃光よりも暗かった場合、最初の閃光の到着の遅れのほうが、後の光の遅れよりも大きいので、暗い閃光と明るい閃光が同時に光ったように見えることもある。このことから、視覚的知覚が一貫性を持っているように見えるのはなぜかという疑問が生じる。そして、この疑問は、大脳皮質の時間的および空間的に分散された活動パターンから説明がつくようには思えない。

同時性の疑問は、感覚間での比較をするとさらにややこしくなる。だれかが木を切り倒すのを見るとしよう。かなり近くから見るならば、毎回、斧が木に当たるのを見るのと同時にその音が聞こえてくる。音の速度は光の速度よりもかなり遅いにもかかわらず、である。さらに、木からだんだん遠ざかっていっても、この同時性の幻想は維持される[12]。視覚信号と聴覚信号が脳に届く時間の絶対的な差(認知を通さない物理的な差)が80ミリ秒以上にもなってから、ようやく幻想が壊れ、斧が当たるのと同時には音が聞こえなくなる。

視覚の時間的側面を研究している研究者らは、「フラッシュラグ効果」と呼ばれる別の現象を発見した。これは、テールライトが点滅する飛行機が頭上を通り過ぎるときに、閃光とテールが揃っていないように見える——閃光のほうがテールより遅れているように見える現象だ。よく見られるもう一つの例としては、サッカーの試合で、走ってきた選手が蹴られたボール(閃光)よりも前にいるように見えるというものがある。そのため、この錯覚の補正をしていない副審がオフサイド判定を出す原因ともなる。この現象は、図16・3に示すような視覚的刺激によって、実験室で研究することができる。フラッシュラグ効果とは、閃光と、動いている物体が、実際には同じ位置にあっても、ずれているように知覚される現象である。

直観的に納得がいくとともに、脳の活動記録からいくらかの根拠が得られている、あ

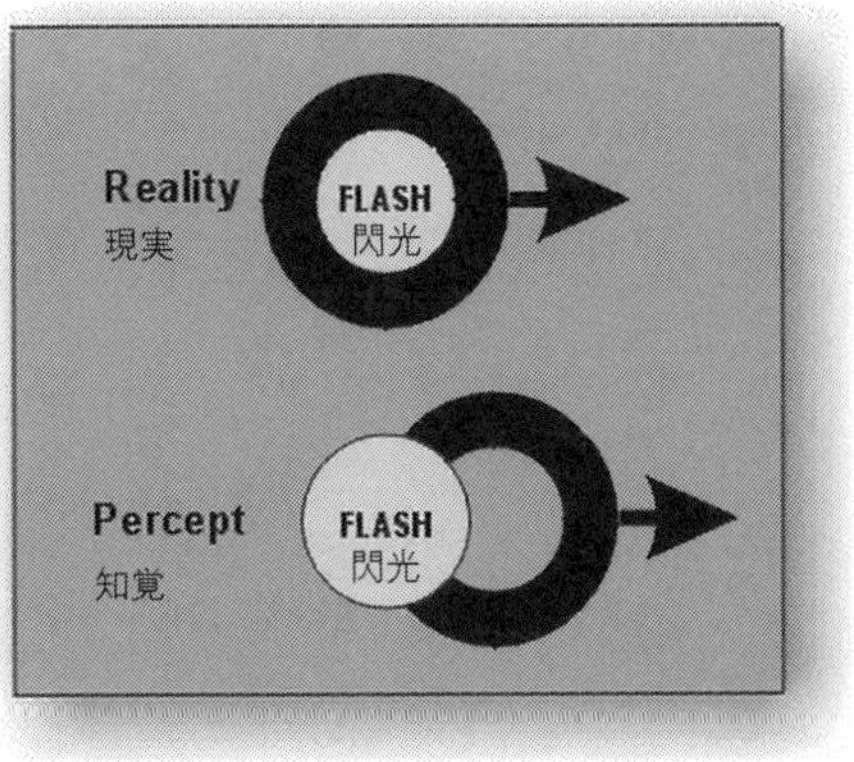

図16.3　フラッシュラグ効果。（上）リングが左から右へ移動する。リングが中央を通り過ぎるとき、そのなかで光が一瞬だけ点灯する。（下）被験者は、点滅時にリングが右側にずれているように見えたと報告する。（画像はディヴィッド・イーグルマンの厚意による。）

るもっともらしい説明がある。それは、脳が、移動中の点がその少し後にどこに来るかを予測しているというものだ。しかし、知覚実験によって、それがフラッシュラグ効果の説明にはなり得ないことがわかっている。閃光の瞬間に起因するはずのこの知覚は、閃光の80ミリ秒後に起こった事象に基づくのであって、閃光の前に起こった事象（それなら予測のために使用できる）に基づくわけではないのだ。[13] このフラッシュラグ効果の説明は、脳は「予測的（Predictive）」というよりも「後づけ的（Postdictive）」であるということを意味する。つまり、脳は、現在の意識を未来とつじつまを合わせるために歴史を常に改竄《かいざん》し続けているのだ。これは、私たちの脳がどうやって、ノイズが多く、不完全なデータをもとに、もっともらしい解釈を生み出しているのかを示す例の一つだ。マジシャンの手品は、これを利用している。[14]

視覚対象は脳のどこで知覚されるのか？

脳の画像化技術によって、私たちが何も知覚していないときと比較して、知覚しているときの脳の活動の全体像がわかってきた。研究者らは、実験的根拠に基づいて、極めて魅力的な仮説を導き出した。それは、大脳皮質の前部（計画や意思決定に重要な役割を果たすところ）の脳の活動レベルがある閾値に達して、フィードバック経路を発動させたときにだけ、何かを意識的に認識するという説だ。[15] なかなか面白い説なのだが、説得力には欠けている。実は、これらの観察は、因果関係を示すものではなく、相関関係しか示されていないからだ。ある「意識に相関した脳活動（ＮＣＣ）」が意識の状態を引き起こしている（原因となる）ならば、NCCを変化させることで意識の状態を変えられなくてはならない。ドリス・ツァオが2017年の実験で実証したのはまさにこのことだった。彼女は、サルの視覚野の顔認識領域を刺激することで、顔の識別に介入することに成功したのだ[16]。人間に対して同様の実験を行うと、被験者は、顔が溶けていくように見えたと報告した[17]。

最近は、光遺伝学[18]などの新しい技術が利用できるようになり、ニューロンの活動を選択的に操って、NCCの因果関係を検証できるようになった。知覚状態が、高度に分散した活動パターンに対応している場合は難しいかもしれないが、基本的にはこのアプローチによって、知覚と意識のそのほかの機能がどのように形成されているかが明らかになるだろう[19]。

どこを見るべきかを学習する

視覚探索とは、ボトムアップ型の感覚処理と、予測に基づくトップダウン型の注意処理の両方によるタスクである（図16・4A）。これらの2種類の処理は、脳内で複雑に絡み合っていて分離が難しかったのだが、最近、両者を分けるためのまったく新しい次のような探索タスクが開発された[20]。参加者は、真っ白なスクリーンの前に座らされて、こう言われる。「あなたのタスクは、スクリーンを目で探り、隠れた目標地点を探すことです。目標地点の近くに視線を留めると、正解の音が鳴ります」。隠れた目標地点はトライアルごとに変わる。その地点は、参加者には知らされないが、セッション全体を通して一定のガウス分布（頂点の位置と幅によって特徴づけら

図16.4　どこを見るべきかを学習する。（A）街に慣れた歩行者には、この風景において、標識、車、歩道を確認するにはどこを見るべきかという事前知識がある。（B）カモが広い野原で餌を探している。（C）スクリーン上に、セッションを通して学習される隠れたターゲットの分布と、参加者Mの3回の試行の視線追跡サンプルを重ねて、表示したもの。各トライアルで最初に視線を留めた位置を黒丸で示す。報酬が得られた最後の位置を、灰色の影がついた白丸で示す。（D）被験者が視線を留めて試してみたスクリーン上の範囲は、最初のほうのトライアルにおいてはスクリーン全体に散らばっているが（青色の丸：最初の5回の試行）、後のほうのトライアルでは、ガウス分布に従い二次元平面上に分布されたターゲット地点の大きさと位置（四角、色は（C）に示す確率に対応）に近い領域に範囲を狭めている（赤い丸：32 ～ 39回目の試行）。

出典：L. Chukoskie, J. Snider, M. C. Mozer, R. J. Krauzlis, and T. J. Sejnowski, “*Learning Where to Look for a Hidden Target*,” figure 1.

図16.4

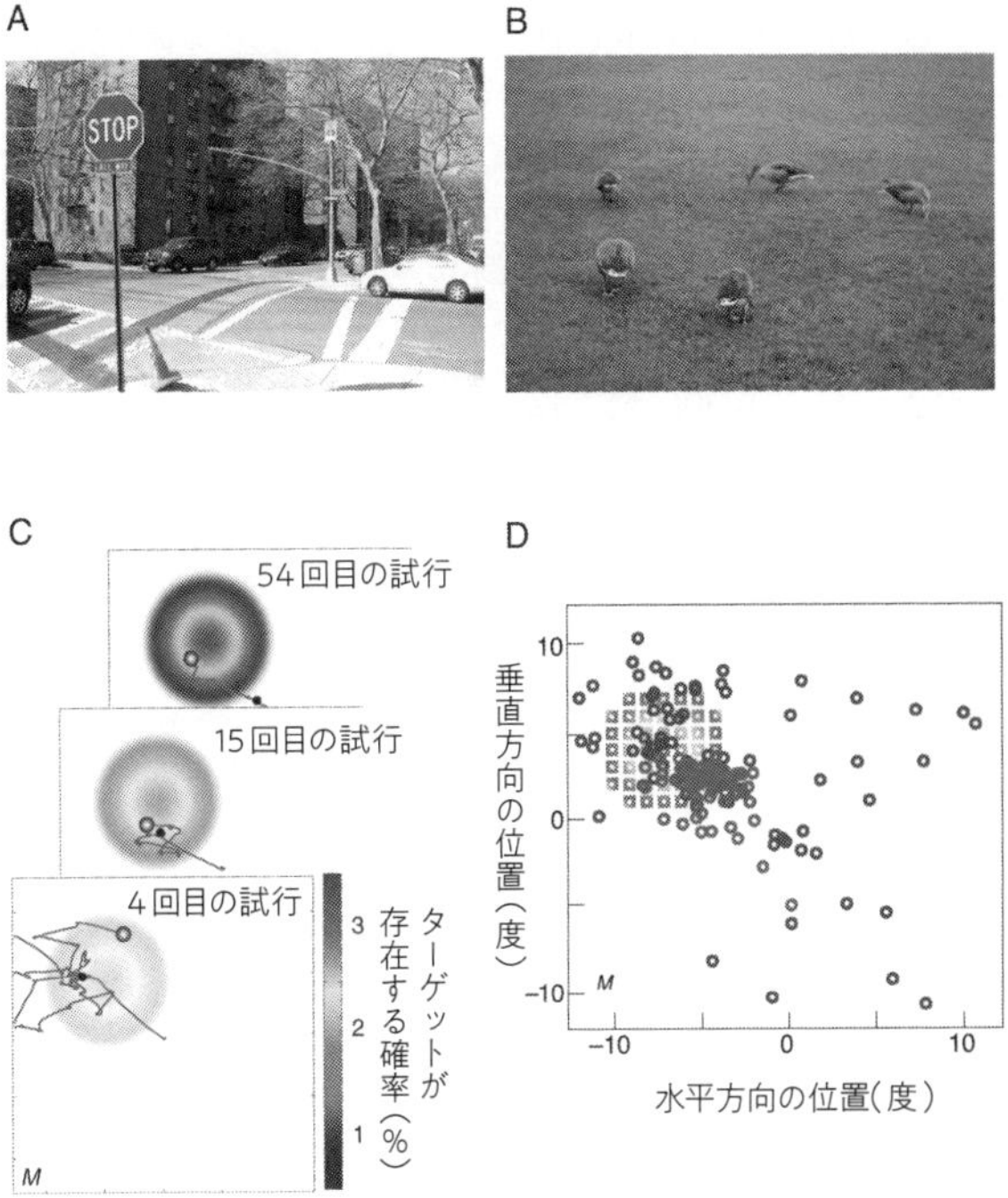
A
B
STOP
C
54回目の試行
15回目の試行
4回目の試行
3
2
1
ターゲットが存在する確率(%)
M
D
10
0
−10
垂直方向の位置(度)
水平方向の位置(度)
M

れる釣り鐘型の曲線）によって導き出されている（図16・４Ｄ）。

セッション開始時、参加者にはその探索に関する事前知識は一切ない。一度でも視線を留めて報酬が得られれば、そのフィードバックを次のトライアルのヒントとして使用することができる。セッションが進むにつれて、参加者は成功率を高めていった。隠されたターゲットの分布の予測を進化させて、その予測を以降の探索の指針として用いるようになったのだ。約十数回のトライアル後、参加者が視線を留める場所は、ターゲットが存在する確率が高い領域に絞り込まれた。この効果の参加者全員の特性評価を図16・４のＤに示す。最初は広い範囲にわたっている探索領域だが、セッションが進むにつれて範囲を狭めている。驚くべきことに、被験者の多くは、数回のトライアルを終えると、１回目の眼球移動で見えないターゲット分布の中央部を、１回目の眼球移動で必ず捉えるようになったのだが、その探索に用いた戦略を言葉で説明できなかった。

これらの実験結果が示すのは、経験による行動は無意識に制御されているということだ。視覚的入力をなくすことで、無意識のプロセスだけを分離して研究することができるのだ。この探索タスクに関与している脳の領域は、視野のトポグラフィックマップを制御する視覚野と、眼球運動を視覚対象に向ける上丘《じょうきゅう》であり、眼球運動系のそのほかの部位とも密接に連携している。また、学習には大脳基底核も関与している。(21) 大脳基底核は脊椎動物の脳において重要な部位であり、強化学習によって行動の順序を学習する。期待された報酬と受け取った報酬の差が、中脳にあるドーパミン神経細胞の発火頻度の一時的増加という形で信号伝達され、これによってシナプス可塑性が調節され、無意識レベルでなされる意思決定と計画に影響が及ぶのだ（第10章で述べた通り）。

時の流れ

フランシス・クリックは、亡くなる少し前に、前障《ぜんしょう》について議論しようと、私を自宅に招いてくれた。前障というのは、皮質のすぐ下にある不可思議な薄い細胞層で、大脳皮質のいくつもの領野から投射を受け取り、また投射を返している。クリックの病状は末期にあったが、最後の論文を完成させることに集中しており、脳のなかで中心に近い位置にある前障が、その配置を利用して、意識の統一性を担っているという仮説に取り組んでいた。それまで前障について研究したことのある研究者は数名程度しかいなかったので、彼はそのほとんど全員を呼んで、さらなる情報を求めていた。そのときの訪問が、私が彼と会った最後となった。フランシス・クリックは２００４年7月28日、最後の論文(22)の原稿の仕上げの最中に亡くなり、彼の意識の起源への探求はそこで終わったのだ。

１９５３年に彼とジェームス・ワトソンがＤＮＡの構造を発見してから50年後、ヒトゲノムがすべて解読された。クリックは、こんなことが可能になるなんて当時は夢にも思わなかったと言っていた。今から50年後、意識の問題について、我々はどこまで遠くへ進んでいるだろうか？　その頃には、会話や、ジェスチャーや、表情によって、人間同士で会話するのとほとんど同じようにやりとりができる機械ができているだろう。意識を完全に理解するよりも、意識をつくり出すほうが簡単かもしれない。

私は、まず、無意識の処理を理解することによって、進みを速めることができるのではないかと思っている。私たちが見たり、聞いたり、動いたりするときに当然のように受け入れているすべてのことを理解するのだ。人間の意思決定に大きな影響を与える動機づけのシステムや、外界からの情報を探索する際の指針となる注意制御システムを理解することについては、すでに進んでいる。知覚、意思決定、計画を支配する脳のメカニズムをより深く理解することで、意識を理解するうえでの問題は、『不思議の国のアリス』のチェシャ猫のようににやにや笑いだけを残して消えてしまうかもしれない。[23]

第17章

自然は私たちよりも賢い

オックスフォード大学で教育を受け、生命の起源について研究した化学者のレスリー・オーゲル（図17・1、右）は、ソーク研究所での長年の同僚であり、私が出会った人のなかで最も頭の切れる科学者だった。毎週金曜日の教員ランチ会では彼と議論したものだが、それはいつも知的興奮に満ちていた。生命の起源は、何十億年も前にさかのぼる。地球が現在とはかけ離れた状態で、今いるような生命ならば生存できなかっただろう時代のことだ。条件は過酷で、大気中に酸素はほとんどない。地球には、バクテリアの前に

図17.1　1992年、ソーク研究所で意識の起源を追うフランシス・クリック（左）と、生命の起源を追うレスリー・オーゲル（右）。（写真はソーク研究所の厚意による。）

古細菌がいたが、古細菌の前には何がいたのだろうか。DNAは、現在のすべての細胞が共通してもっているが、では、DNAの前には何があったのだろうか。1968年、レスリー・オーゲルとフランシス・クリックは、RNA（細胞内でDNAからつくられる）がDNAの前にあったのではないかと考えた。しかし、そうだとするとRNAは自己複製できなければならない。RNAが先にあったという可能性は、リボザイムというかたちで見つかった。リボザイムとは、RNAがベースとなった酵素であり、RNAの反応の触媒として働くのだ[1]。そして今日、この分野のほとんどの研究者は、あらゆる生命の起源が、原始の「RNAワールド」にあった可能性が十分にあると考えている[2]。しかし、RNAはどこから来たのだろう。残念なことに、その時代より前にさかのぼるには根拠が少なすぎる。

オーゲルの第二法則

これまでに幾度となく、だれからも受け入れられていた「真実」が、驚くべき発見によって覆されてきた。空を見上げれば太陽が地球の周りを回るのが見えるのに、実際に回っているのは地球のほうだった。進化論によって私たち人間は身のほどを知らされたはずなのに、いまだに進化論を認められない者は多い。今からだいぶ先の私たちの子孫は、この時代を振り返って、知能についての私たちの直感がひいき目で見ても単純化されすぎていたために、人工知能の発展が50年も遅れたのだと言うだろう。オーゲルの第二法則が言う通り、「進化はあなたよりも賢い」のだ。

私たちの意識的知覚というのは氷山の一角のようなもので、脳の働きの大部分は省みることができない。私たちの行動を表現するのに「注意」や「意図」などの言葉が使われるが、これらのつかみどころのない概念によって、その背後にある脳のプロセスの複雑さが覆い隠されてしまう。直感的な日常心理学（folk psychology）に基づく人工知能は、期待はずれの結果しか生んでいない。私たちは見るのだが、どうやって見ているかはわからない。私たちは思うのだが、「ゆえに我あり」と信じていても、その「思うこと」の背後にあるメカニズムは謎である。自然にとって、脳が実際にどのような仕組みで動いているのかを人間に明かしても、生存上のメリットはない。オーゲルの第二法則が勝つのだ。

第2章で述べたように、人間は高度に進化した視覚系をもつが、だからといって、どうやって見えているかがわかるわけではない。(3) ほとんどの人は気づいてさえいないことだが、私たちの目にある鋭敏な視力をもつ中心窩《ちゅうしんか》は、差し渡しで1度の範囲(手を伸ばしたときの指1本の幅くらい)しか見ることができず、その範囲以外の部分は極端に視力が落ちるのだ。

以前、このことを母に話したら、どこを見ても全部はっきりと見えるから、そんなことは信じられない、と言った。しかし、私たちは、目の位置を素早く変えることができるために、目に映るすべてが高解像度であるという幻想を抱いているのだ。ある物体を見つめるとき、その物体の上を1秒間に3度も目が行ったり来たりしていることにあなたは気づいているだろうか？　周辺視野は、空間解像度は低くても、明るさや動きの変化には極めて敏感である。また、視覚野には、物体を認識するものとは別の、ある大きな流れがあり、それは空間内の動きだけを認識しているのだ。コンピューター・ビジョンのパイオニアが視覚の設計に乗り出したとき、彼らの目標は画像から外界の完全な内部モデルをつくり出すことだったが、その目標を達成することは困難だとわかった。しかし、ほとんどの実際的用途においては、完全で正確なモデルは必要ないのかもしれないし、現在のビデオカメラの低いサンプリングレートではそもそも不可能なことなのだ。

心理物理学、生理学、および解剖学で得られている根拠に基づいて、パトリシア・チャーチランド、神経心理学者のV・S・ラマチャンドラン、そして私は次の結論に至った。脳が表現するのは外界のごく限られた部分だけであり、その瞬間ごとの、目の前の作業を行うために必要な部分に限定されている。[4] そうすると、強化学習のために、報酬の獲得に寄与する可能性のある感覚入力の個数を絞り込むのも楽になる。また、視覚はほかの感覚処理の流れから比較的分離したモジュールであるように見えるのも幻想である。視覚系は、情景に含まれる各物体の値を示す報酬系からの信号などのほかの流れから得た情報を統合している。運動系は、感覚器官を能動的に動かして情報を探す。つまり、目や、動物種によっては耳を動かしたりして、報酬を得られる行動につながる情報を集めている。

脳は、長い時間をかけて、環境に対して漸進的に適応しながら進化してきた。自然には白紙の状態から始める余裕はなく、現在の種を存続させながら、あちこち改造することで何とかせざるをえなかった。ジョン・オールマンは、その著書『進化する脳（別冊日経サイエンス）』で、都市部の人間のスケール感での漸進的な進化の例を、こう描き出した。オールマンがカリフォルニア州サンディエゴにある古い発電所を訪れたときのことだ。そこには複雑に入り組んだ細い気送管の列があるかと思えば、その横に真空管のかたまりがあり、コンピューター制御装置は何世代分もあった。発電所では、電力の供給を止めるわけにはいかないので、全システムを停止して、新しいテクノロジーに入れ替えることはできない。そのため、古い制御装置をそのまま残して、新しい装置とつないでいたのだ。進化する脳もそれと同じだ。自然には、古い脳のシステムを捨てる余裕はなかった。今ある発展途上の設計図をいじって、場合によっては、新しい制御用の層をつけ足していった。たとえば、遺伝子重複とは、複製した遺伝子を自身に組み込むことで、片方の遺伝子が突然変異を起こして新しい機能を得られるようにするという方策だ。全ゲノムの重複も起こり得ることで、その場合には完全に新しい種が生まれることもある。

ノーム・チョムスキーへの反証

1930年代に学習について学んだ心理学者は、感覚という入力を運動という出力に変換するものとして行動にアプローチし、自らを「行動主義者」と称した。行動主義によって最も注目されたのが連合学習であり、報酬の提示についてさまざまなパターンを使って動物を訓練することで、多くの学習法則が発見された。ハーバード大学のB・F・スキナーはこの分野を牽引した一人であり、一般向けの本を何冊も書いて、自分の発見が社会に与える影響を解説した。[6] 当時の大衆紙で、行動主義は高い関心を集めていたのだ。

1971年、高名な言語学者のノーム・チョムスキー（図17・2）が、『ニューヨーク・レビュー・オブ・ブックス』誌（図17・3）に、行動主義全般と、なかでもB・F・スキナーに対して、痛烈に批判する記事を書いた。[7] 以下に、彼の主張、特に言語に関す

図 17.2　『ニューヨーク・レビュー・オブ・ブックス』誌に「*The Case against B. F. Skinner*（B・F・スキナーへの反論）」を書いた後（1977）のノーム・チョムスキー。チョムスキーの論考は、その世代の認知心理学者に深い影響を与えた。その結果、認知心理学者は、記号処理を認知の概念的枠組みとして受け入れ、認知と知能における脳の発達と学習の重要な役割を軽視するようになった。（写真：ハンス・ペーテルス／ Anefoto）

る部分を抜粋する。

しかし、私が聞いたことも作文したこともない英語の文章が私の「レパートリー」に含まれているのに、中国語の文章は一つも含まれない（つまり前者が高い「確率」をもつ）というのは、一体どういう意味だろうか？　スキナー派の人々は、議論のこの点に至ると、「類似性」や「一般化」を持ち出すのだが、新しい1文がよく知っている例とどのように「類似」しているのか、あるいはそれらからどのように「一般化」されたのかを厳密に述べることは決してない。彼らがそうできない理由は簡単だ。今までに知られている限り、この関連的な特性は、その有機体に仮定された内的な状態を説明する抽象的な理論（文法など）を用いることによってしか表現できないからだ。そして、スキナーが言うところの「科学」には、このような理論が先天的に抜け落ちている。その直接の結果として、スキナー派は、議論が事実の領域に及ぶやいなや、神秘主義（明確に示すことができない類の、説明されない「類似性」と「一般化」）に陥るしかなくなる。この状況は、おそらく言語においてより明白ではあるが、人間行動の言語以外の側面もまた、スキナー派の先天的な制限によって狭められた「科学」なるものの範疇に収まると考えられる理由はない。(8)

今にして思えば、チョムスキーは問題点を理解していたのだが、学習がもつ力を単に知らなかっただけなのだ。ディープラーニングでわかったことは、脳の神経回路網と同

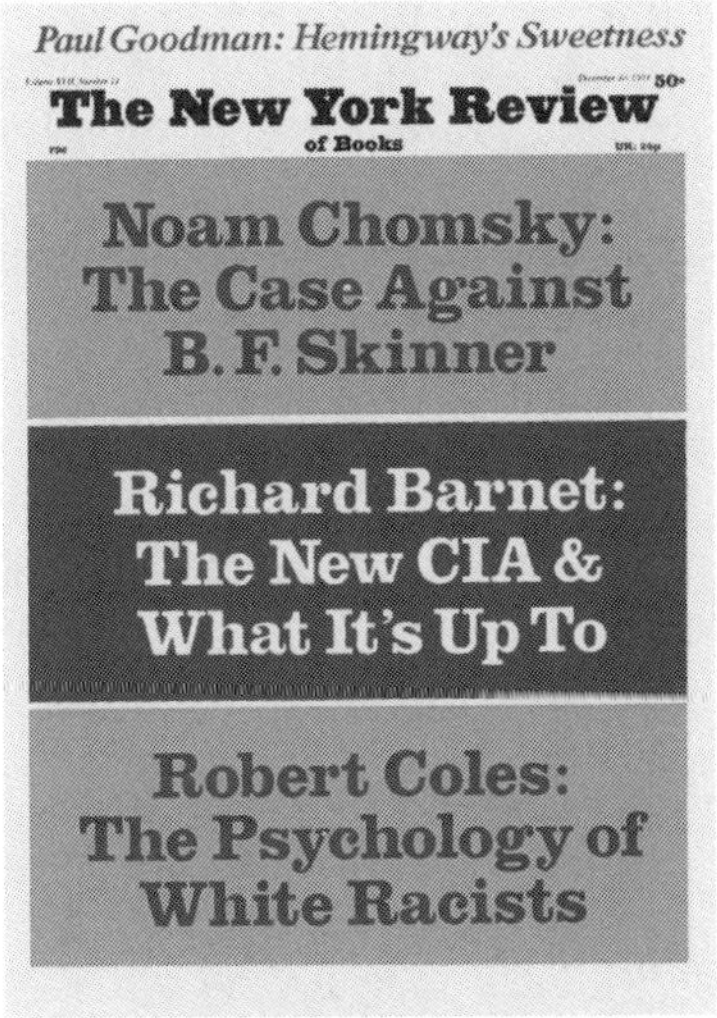

図 17.3　『ニューヨーク・レビュー・オブ・ブックス』誌で 1971 年にノーム・チョムスキーが B・F・スキナーを批判したときの表紙に並んだ見出し。チョムスキーの論考は、その世代の科学者たちが、行動に関する学習を捨て去って、認知を説明する方法として記号処理を採用するきっかけとなった。しかし、人工知能が、記号的なアプローチによって、認知といえるレベルの性能に達することは決してなかった。B・F・スキナーが採用した強化学習は、チョムスキーにこきおろされたが、方向性として正しかったのだ。現在の最強の AI アプリケーションは、ロジックではなく、学習に基づいている。提供：『ニューヨーク・レビュー・オブ・ブックス』誌*。

＊　（訳）ポール・グッドマン：Hemingway's Sweetness（ヘミングウェイの甘美さ）／『ニューヨーク・レビュー・オブ・ブックス』ノーム・チョムスキー：*The Case against B. F. Skinner*（B・F・スキナーへの反論）／リチャード・バーネット：*The New CIA & What It's Up To*（新しい CIA とそのねらい）／ロバート・コールズ：*The Psychology of White Racists*（白人優位主義者の心理学）

様に、モデルのニューラルネットワークも、チョムスキーが「神秘主義」だとはねつけた「一般化」のようなことが可能だということだ。そして、ニューラルネットワークが、多くの言語から会話を選択的に認識したり、ちゃんとした文法に則って言語を翻訳したり、画像にふさわしいキャプションを生成したりするよう訓練できることも示された。究極の皮肉は、文の自動構文解析の問題が機械学習によって解決されてしまったということだろう。動物における強化学習の研究はスキナーが切り拓いたものだが、強化学習と組み合わせることで、目標を達成するためにいくつもの選択を重ねなければならない複雑な問題が解決できるようになる。これが問題解決の本質であり、ひいては知能の基本なのだ。

侮辱的なチョムスキーの論説は、B・F・スキナーを貶めただけでなかった。認知を理解する手法としての学習に疑問を投げかけるどころか、完全に否定したのだ。これは、1970年代の認知心理学に決定的な影響を与えた。チョムスキーが議論のよりどころとした言語のような複雑な認知行動を、連合学習が生じさせられるなどとは、想像すらできなかったのだ(少なくともチョムスキーには)。わかってほしいのは、この主張は無知に基づくものだったことだ。世界でも有数の言語学者が「自分にはそんなことは想像できない」と言ったからといって、それが不可能になるわけではない。しかし、チョムスキーの巧みなレトリックは、1970年代の時代精神とも相まって、強い説得力を生んだ。1980年代には、記号処理が、認知へのアプローチとして唯一の選択肢となって、認知心理学、言語学、哲学、コンピューター科学を合わせた「認知科学」と呼ばれる新しい分野の土台となった。神経科学は、認知科学にとって末の妹のように扱われ、1990年代に認知神経科学が創始されるまで、事実上無視されることになった。

想像力の貧困

チョムスキーは、それ以降も、同じようなレトリックを何度も用いている。それがとりわけ甚だしいのが、「刺激の貧困」[9]に基づく言語の生得性に関する議論であり、チョムスキーは、赤ちゃんは文法規則を学びとることができるほど十分な量の言葉のサンプルは聞いていない（つまり、刺激が少ないのに正しい文法で話せるようになるのは言語の文法に生得性があるからだ）と主張する。しかし、赤ちゃんはコンピューターとは違って、現実と解離した記号の羅列を与えられているわけではない。赤ちゃんは、豊かな感覚経験の世界にどっぷりと浸っているのだ。そして、目を見張るような速さで、この世界のありようを学習する。[10] 世界は、音と結びついた、意味をもつ経験に満ちている。その経験はすでに子宮のなかにいるときから始まっている。子宮は「教師なし学習」の一つのかたちなのだ。こうした土台があってはじめて、言語を生成し始める。最初は意味のない喃語《なんご》から、やがて1語だけ発するようになり、そしてずいぶんと経ってから、文法的に正しい言葉を話すようになる。生得的であるのは、文法ではない。生得的であるのは、経験から言語を学習する能力と、豊かな認知的文脈のなかで発せられた言葉の高次の統計的特性を吸収する能力である。

　チョムスキーが想像できなかったのは、環境のディープラーニングと、ディープラーニングによって導き出され、これまでの人生経験によって磨かれた価値関数を組み合わせれば、強化学習のような簡素な学習システムであっても、言語をはじめとする認知行動を生じさせられるということだ。このことは、1980年代当時の私にも、まったくわかっていなかった。もっとも、NETtalkほどの小規模なネットワークが英語の発音をこなせるのだから、単語の表現において、学習のネットワーク（モデルであれ脳内のものであれ）が言語と自然な親和性をもっていることに気づいてしかるべきだったのだが。チョムスキーの見解は想像力の貧困に基づいていたが、オーゲルの第二法則「進化はあなたよりも賢い」をまさに地で行くものであり、チョムスキーのような専門家でもこの法則の例外ではないのだ。専門家から、自然で起きているあることが不可能だなどと聞かされたなら、気をつけることだ――その主張がどれほどもっともらしく、説得力があったとしても。

　チョムスキーの語順や文法を重視する姿勢は、20世紀後半の言語学において支配的な手法となった。しかし、語順をすべて捨て去る「バッグオブワーズ（bag of words）」モデルのニューラルネットワークでも、記事のテーマ（スポーツ、政治など）を極めて高い精度で特定することができる。さらに、隣り合う単語を考慮するようにすれば、性能をもっと向上させることができる。ディープラーニングによってわかったことは、単語の語順には確かに情報が含まれているが、単語の意味や単語同士の関係性に基づく意味論のほうが、さらに重要だということだ。単語は、脳のなかで、豊かな内部構造によって表現されている。ディープラーニングネットワークにおいて単語が意味論的にどのように表現されているのかがもっと明らかになれば、まったく新しい言語学が誕生する可能性もある。自然には、「見る方法を知る」という負担を私たちに負わせる理由はないのと同じように、言語を使う方法について私たちの直感がよりよいものである理由もないのだ。

自然言語処理のタスクに対する訓練を受けたモデルネットワークを使って、単語の内部構造がどうなっているかを見てみよう。ネットワークは、ある特定の問題について訓練することができるが、そのネットワークが入力をどう表現するのかということを、別の問題を解くために使用することができる。よい例が、ある文のなかで次にくる単語を推測するよう訓練されたネットワークだ。訓練されたネットワークにおける単語の表現は、ネットワークのすべてのユニットの活動パターンというかたちで、内部構造をもつ。これを、単語のペアの間の類似性を引き出すために使うことができる。[11] たとえば、これらの活動パターンを平面上に射影すると、国と首都を結ぶベクトルはすべて同一になる。首都が何を意味するのかを教えるような情報を一切与えなくても、ネットワークは自動的に概念を形成し、単語間の関係性を暗黙的に学習することを学ぶのだ（図17・4）。これは、教師なし学習することで、文章から国と首都の意味を引き出せることを示している。

以前、私は、マサチューセッツ工科大学でのある講演を「言語は言語学者に任せておくにはあまりに重要だ」という宣言で始めたことがある。[12] 私が言いたかったのは、行動というレベルで言語を説明しようとすることを、やめてはならないということだ。言語の生物学、その背後にある生物学的メカニズム、そしてホモサピエンスにおいて言語能力がどのように進化してきたのか、これらを理解するための努力を続けなくてはならない。これは、組織を傷つけることなく脳画像を得る技術や、てんかん患者の脳から直接得た脳波記録によって可能となった。同じくらい重要なのが、人間の脳とチンパンジーそのほかの高等霊長類の脳を比較することによって、言語の獲得を可能にした差がどこにあったのかを探る脳研究である。感覚運動能力は、もっと早い時期からはるかに長い

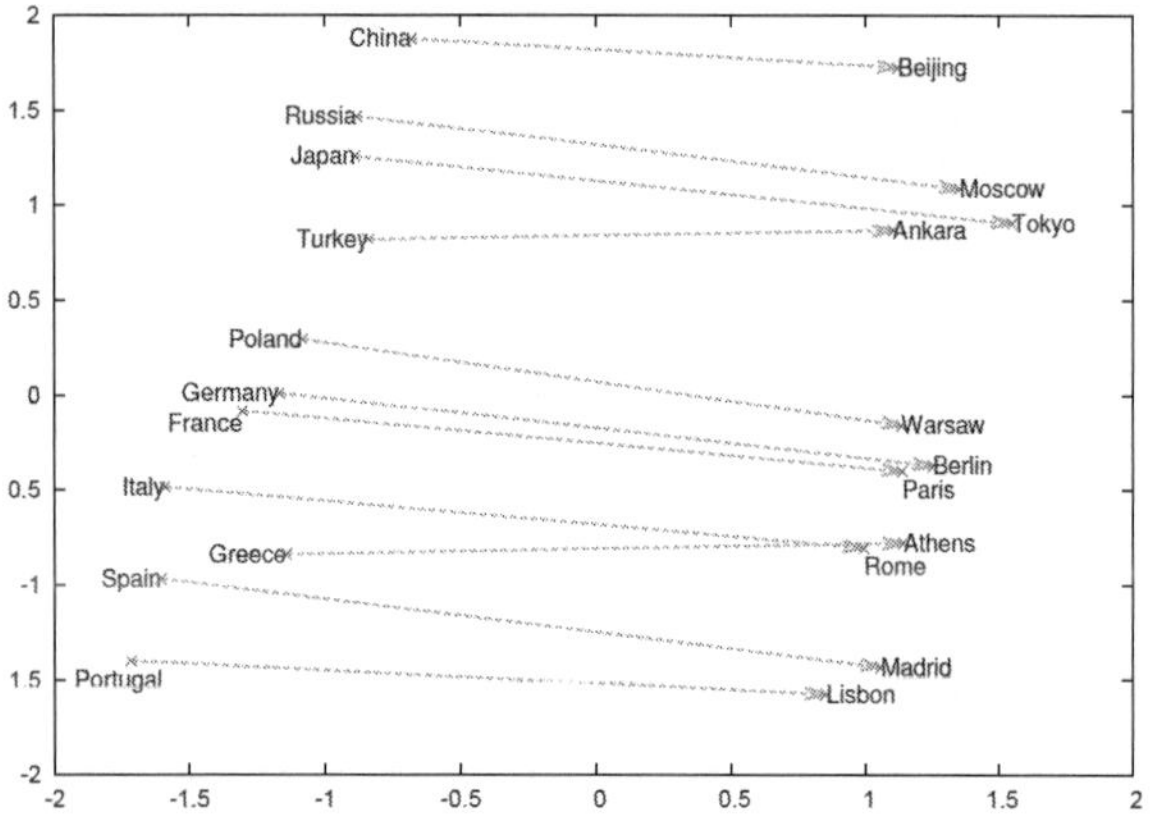

図17.4　文のなかで次にくる単語を推測するよう訓練されたネットワークにおける、単語の内部表現。各単語は、ネットワーク内の活動のベクトルであり、上図に示すように、二次元平面に射影することができる。矢印は、国をその首都に結びつけている。すべての矢印が互いに平行であり、ほぼ同じ長さであることから、単語の各ペアは類似表現となっていることがわかる。たとえば、さらに別の国の首都を知りたければ、同じ矢印をその国のベクトルに追加することで、その首都のベクトルを得ることができる。

出典：T. Mikolov, I. Sutskever, K. Chen, G. Corrado, and J. Dean, "*Distributed Representations of Words and Phrases and Their Compositionality,*" figure 2.（画像はジェフリー・ディーンの厚意による。）

時間をかけて獲得されているが、言語能力の獲得は進化の過程でほんの一瞬のうちに起きている。強力な遺伝学的ツールを使うことで、脳の発達を詳細に解明し、進化がどのようにして発達過程に介入して、人間に言語を学習する生得的能力を生じさせたのか、理解できるようになるだろう。

言語は、使い方によっては、人を誤った方向に導き、コントロールしうるものである。もっともらしい言葉によって、無知に基づく主張がなされたために、不幸な結果がもたらされ、その影響は科学をはるかに超える範囲にまで及んだこともある。歴史には扇動家があふれている。だが、ひとたびその想像力の貧困が暴かれたならば、相手にされなくなるものだ。ありがたいことに、脳は、言語よりもずっと前から存在している。言語よりもはるか前から進化してきた私たちの脳の部位に頼ればより確かだろう。(13)

ブラックボックスへの反証

今にして思えば、20世紀に、行動に対して正反対のアプローチを取っていた行動主義と認知科学だが、どちらも脳を無視するという同じ間違いを犯していた。行動主義者は、内部を見ることによって惑わされるのを嫌がり、脳に指針を求めないことを行動主義者の誇りでもあるかのように考えていた。また、ブラックボックスの入力と出力を綿密にコントロールすれば、どんな現象も説明できるような行動の法則を発見できると信じていた。一方、機能主義的な認知科学者たちは、心の内部表現を発見できると信じて、行動主義を退けた。しかし、脳がその内部表現をどのように実現しているのかについての詳細は無関係だと考えたので[14]、彼らが構築した内部表現は、信用できない直感と日常心理学に基づくものとなっていた。自然は彼らよりも賢いというのに。

このブラックボックスの内部状態は極めて複雑である。したがって、内部表現と、行動の法則を発見するのは、すこぶる難しいことなのだ。いつの日か、行動の法則が発見できたなら、その法則を機能的に説明できるようになるだろう。とはいえ、その説明はおそらく、ちょうど物理学者にとって量子力学がそうであるように、直感と相いれないものになるだろう。行動の法則を発見するためには、脳の助けを最大限借りる必要がある。ディープラーニングネットワークは、脳のアーキテクチャーの全般的特徴と脳の機能の全般的原則に注目したことから進展が得られたという好例である。強硬派の機能主義者らはこの方針に反対するだろうが、私たちは後ろを振り返るのではなく、前に進まなくてはならない。これまでも、脳のアーキテクチャーから新しい機能を一つ取り入れるごとに、ディープラーニングネットワークの機能は劇的に向上してきた。取り入れた機能の例を少し挙げれば、大脳皮質の階層構造、脳におけるディープラーニングと強化学習の組み合わせ、大脳皮質の再帰型ネットワークにおける作業記憶、事実や出来事に関する長期記憶などがある。このほかにも、私たちが学び、活用することのできる脳の演算原則は数多く存在する。[15]

一般に、知覚や記憶、意思決定を研究する神経科学者は、その実験に試行ベースのタスクを利用する。これは、実験用の動物が、ある刺激に対して望ましい反応をするように訓練するものだ。何カ月も訓練をすると、これらの刺激によって引き起こされる反応は反射的なものとなり、思考によるものではなくなる。このやり方で、習慣的行動の背後にあるメカニズムは明らかになるだろうが、認知的行動の背後にあるメカニズムはわからない。思考は反射ではないし、感覚的刺激がなくても生じうる。しかし、従来の方法で設計された実験法では、感覚入力がないときにも行われている自発的な活動が無視されてしまう。感覚にも運動にも関連していない内部活動（意識的思考と無意識的処理を含む）を研究するための新しい手法が必要だ。それが今、始まりつつある。脳画像法を用いた実験によって、被験者がスキャナーのなかに入って「休んでいてください」と言われたときに自然に起こる休息状態での脳の活動がわかってきたのだ。何もすることがないとき、心はさまよい、思考が脳活動の変動するパターンとして現れる。ただし、パターンを見ることはできるようになったが、まだ理解はできていない。

脳画像法、特に組織を傷つけないｆＭＲＩ（機能的磁気共鳴画像法）は、人とのやりとりや意思決定を研究する新しい方法を切り開き、「神経経済学」という新しい分野を生み出した。[16] 人間は、古典経済学でしばしば想定されるような「合理的行為者」ではないため、複雑な脳の内的状態から生み出される実際の（理想化されていない）人間の判断および動機づけに基づく行動経済学を構築する必要がある。[17] 第10章で述べたように、ドーパミン神経細胞は、報酬予測誤差を表すことによって、動機づけに強力な影響を与える。人とのやりとりの脳活動を画像解析することで、純粋に行動のみに基づく実験では不可能なかたちで、人間の動機づけが調べられている。その目標は、ロジックに基づく合理的意思決定の理論を、以前の経験に基づく確率的な意思決定の理論に置き換えることである。

マーヴィン・ミンスキーへの反証

ニューラルネットワーク初期の歴史は、小さくとも影響力のあるグループによって、競合する研究の方向性がどのようにして変えられてしまうかというケーススタディーになっている。著書『パーセプトロン』の巻末近くで、マーヴィン・ミンスキーとシーモア・パパート（図17・5）は、パーセプトロン学習アルゴリズムは、多層パーセプトロンには拡張できないという見解を述べた。

拡張の問題は、技術の問題だけではない。戦略の問題でもある。パーセプトロンは、厳しい制約条件があるにもかかわらず（あるからこそ！）、研究の価値があることを世に示した。パーセプトロンには、注目すべき多くの特徴がある。たとえば、線形性、魅力的な学習原理、並列計算の一種としての明らかな並列的単純さなど、注目すべき多くの特徴がある。だが、これらの長所のどれかが、多層化したときに引き継がれると想定できる理由はない。とはいいながらも、この拡張は不毛に終わるだろうという私たちの直感的な判断を裏づけること（あるいは却下すること）は、重要な研究問題であると考えている。おそらくは、何らかの強力な収束原理が発見されるか、多層マシンのために興味深い「学習原理」をつくることはできないことに対する深遠な理由が見つかることだろう。[18]

なるほど確かに不毛だった。ミンスキーとパパートの、それ以外は素晴らしい書籍に書かれた、この根拠のない「直感」のために、ニューラルネットワークの学習の発展は阻害され、研究は一世代の間停滞することとなった。このことから、私個人は利益を受けている。おかげで今のキャリアを築けたのだから。実は、私は、ミンスキーのキャリアの晩年に、その舞台裏を見る機会があった。

図17.5 『パーセプトロン』を書いた少し後、1971年のマーヴィン・ミンスキーとシーモア・パパート。単純なネットワークについてのこの素晴らしい数学的解析は、当時の研究者たちを萎縮させ、多層ネットワークの学習に基づいた人工知能へのアプローチの取り組みを放棄させることになった。シンシア・ソロモン／提供：マサチューセッツ工科大学。（写真はシンシア・ソロモンおよびマサチューセッツ工科大学の厚意による。）

私は、２００６年のダートマス人工知能会議「ＡＩ＠５０」に参加するよう招待された。これは、１９５６年にダートマスで開かれた人工知能夏期研究会（通称、ダートマス会議）を振り返り、人工知能の未来を展望するというものであった。[19] １９５６年当時のプロジェクトの10人のパイオニアのうち次の五人が出席した。ジョン・マッカーシー（スタンフォード大学）、マーヴィン・ミンスキー（マサチューセッツ工科大学）、トレンチャード・モア（ＩＢＭ）、レイ・ソロモノフ（ロンドン大学）、オリバー・セルフリッジ（マサチューセッツ工科大学）。これは、科学的にも社会学的にも、素晴らしい会議だった。

金出武雄《かなでたけお》（カーネギーメロン大学）は、「Artificial Intelligence Vision: Progress and Non-Progress（人工知能ビジョン：進歩と非進歩）」と題した講演で、1960年代のコンピューターのメモリーは、現在の基準からすると非常に小さく、一度に1枚の画像しか保持できなかったと語った。武雄は、1974年の博士論文で、彼が作成したプログラムはある画像で戦車を見つけることができたが、戦車が別の場所にあり、照明条件が異なる何枚かの画像では戦車を見つけるのは難しいことを示した。しかし、彼が初期に指導した学生が卒業する頃には、コンピューターの性能が向上したおかげで、プログラムはもっと一般的な条件の画像で戦車を認識することができるようになっていた。現在、彼の学生のプログラムは、どんな画像でも戦車を認識することができる。何が変わったのかというと、現在では、幅広いポーズ、照明条件での何百万枚もの画像が入手できるようになったことと、コンピューターの性能が数百万倍も向上したことだ。

ロドニー・ブルックス（マサチューセッツ工科大学）は、「Intelligence and Bodies

（知能と身体）」と題して、這ってくねくねと進むロボットを開発した経験について語った。知能は、運動を制御するために脳内で進化し、身体は、知能を通して世界と関わるために進化した。ブルックスは、ロボット研究者がそれまで使用してきたコントローラーを手放して、計算ではなく行動をロボット設計のメタファーとして用いた。ロボットの製作からさらに多くのことを学んでいくにつれ、身体は心の一部であるということが明らかになるだろう。

ユージン・チャーニアックは、「Why Natural Language Processing is Now Statistical Natural Language Processing（自然言語処理が、統計的自然言語処理になったのはなぜか）」と題して、文法の基本部分とは、文のなかに含まれる品詞をタグづけすることだと語った。この作業は、人間を訓練してやらせたほうが、現存する構文解析プログラムよりもずっとうまくできる。計算言語学の分野では、当初、ノーム・チョムスキーが１９８０年代に提唱した生成文法アプローチを適用する試みがあったが、期待された結果は得られなかった。最終的にうまくいった方法は、ブラウン大学の学部生を雇って、『ウォール・ストリート・ジャーナル』紙の何千もの記事に含まれる品詞を手作業でラベルづけしたうえで、統計的手法を用いてある特定の単語の近隣に出現するある単語に対して最も可能性が高い品詞を特定することだった。ほとんどの単語には複数の意味があり、それぞれの単語のために多くの異なる文脈が必要となるので、多くの例文が求められる。品詞の自動タグづけは、現在では機械学習により解決済みの問題となっている。

これらのサクセス・ストーリーのすべてに、共通の流れがあった。かつてコンピューターは低速で、わずか数個のパラメーターしかもたない簡単なトイモデルを探索することしかできなかった。しかし、これらのトイモデルは、現実世界のデータへの一般化を苦手としていた。データが潤沢に得られるようになり、コンピューターの速度が飛躍的に向上したことで、より複雑な統計モデルを作成して、より多くの特徴量と、その特徴量の間の関係性を抽出することができるようになった。ディープラーニングは、このプロセスを自動化する。特定分野の専門家を使ってアプリケーションごとに手作業で特徴量を決めてもらう場合とは異なり、ディープラーニングでは、極めて大規模なデータセットから特徴量を抽出することができる。コンピューター演算が労働に取って代わり、コンピューターの価格が下がるにつれ、人手を必要とするさらに多くの認知タスクが、コンピューターによって行われるようになるだろう。

会議の最後のサマリートークで、マーヴィン・ミンスキーは、ほかの人たちの講演とAIの方向性の両方について、いかに自分ががっかりしたかを述べ始めた。理由はこうだ。「君たちは、汎用知能の問題に取り組んでいない。ただ応用例に取り組んでいるだけだ」。その会議は、我々が成し遂げた進展を祝うものであったはずなので、彼の叱責には棘があった。私が話した強化学習の最近の進展や、ネットワークを教育することでTDギャモンが世界トップレベルの対戦ができるようになったというめざましい結果には、彼は感心しなかった。彼はそれを単なるゲームだとして退けてしまったのだ。

では、ミンスキーの言う「汎用知能」とは一体何だろうか。ミンスキーの書いた『心の社会』[20]では、「汎用知能」は、より単純なエージェントの相互作用によって生まれるという前提に立っている。ミンスキーはかつて、彼の理論の発想の多くは、ロボットアーム、ビデオカメラ、コンピューターを使用しておもちゃの積み木（73ページ図2・1）で何かの構造を組み立てる機械をつくろうとするなかで思いついたものだと述べたことがある。[21] それは十分、応用例のように聞こえないだろうか。具体的な応用例に取り組むと、抽象的な理論化では不可能なかたちで、問題の真相に迫り、その根本原因を探らざるをえなくなるものだ。ダートマス人工知能会議の講演者たちによる成功例は、具体的な問題に対する深い洞察に基づいており、それによって、さらに一般的な理論的理解への道が切り拓かれたのだ。おそらく、これらの特化型ＡＩの成功例のなかから、いつか、汎用知能を説明する優れた理論が生まれる日がくるだろう。

人間の脳は、ただじっとして抽象的な思考を生み出しているわけではない。脳は身体のあらゆる部位と密接につながっており、その各部位は、感覚受容器と運動効果器を通して外界と密接につながっている。つまり、生物学的な知能は、身体に組み込まれているのだ。さらに重要なことは、脳は、外界との関わりを通して、長い成熟のプロセスを経て発達してきたということだ。学習とは、発達と同時に起こるプロセスのことであり、大人になってからもずっと続く。したがって、一般的に通用する知能を発達させるうえで、最も中心的な役割を果たすのが、学習である。人工知能における最も難しい未解決の問題の一つが「常識」であることは興味深い。常識は、子どもには著しく欠けているものであり、ほとんどの大人においては、外界で長年の経験を積んだ後にようやくゆっくりと現れるものだ。また、ＡＩでは無視されることが多いが、感情と共感能力も、知能の重要な側面である。[22] 感情は、局所的な脳の状態によっては決定できない行動に対して、脳に準備をさせる、大域的な信号である。

ＡＩ＠５０の最終日には晩餐会が開かれた。ディナーの最後に、１９５６年のダートマス会議のオリジナルメンバーの五人が、今回の会議とＡＩの未来について、短いコメントを述べた。質疑応答の時間、私は立ち上がり、ミンスキーに向かってこう言った。「ニューラルネットワークのコミュニティでは、あなたは１９７０年代、ニューラルネットワークの冬の時代をもたらした悪魔《デビル》だと信じられています。あなたは悪魔なのですか？」ミンスキーは、私たちがネットワークの数学的限界をいかに理解していなかったかについて、熱弁をふるい始めた。私はそれを遮って、また訊いた「ミンスキー博士、私はイエスかノーかを尋ねたのです。あなたは悪魔なのですか、悪魔ではないのですか？」彼は一瞬ためらった後、叫んだ。「イエスだ、私が悪魔だよ！」

１９５８年、フランク・ローゼンブラットが、パーセプトロンを模して設計したアナログコンピューターをつくりあげた。なぜアナログかというと、当時のデジタルコンピューターは、演算量の多いネットワークモデルをシミュレーションするにはあまりに低速だったからだ。1980年になると、コンピューターの性能は大きく向上し、小規模なネットワークのシミュレーションを通して学習アルゴリズムを探索できるようになった。しかし、コンピューターの性能が向上して、現実世界の問題を解ける大きさまでネットワークを拡張できるようになったのは、2010年代に入ってからのことだった。

1954年にミンスキーがプリンストン大学で書いた数学科の博士論文は、ニューラルネットワークを用いた計算の理論的および実験的研究だった。彼は、その動作を確かめるために、電子部品を使って、小規模なネットワークを製作している。私がプリンストン大学物理学部の大学院生だった頃に聞いた話では、数学科にはミンスキーの博士論文[23]を評価するのにふさわしい人がいなかったため、プリンストン高等研究所にいた、神と話すことができるとまで言われた数学者のところに送ったという。するとこんな返事が戻ってきた。「これが現在の数学でないとしても、いつかそうなるだろう」。それは、ミンスキーに博士号を与えるのに十分な評価であった。そして、実際、ニューラルネットワークによって、新しい種類の数学的関数が誕生し、新たな研究を刺激し、数学の新たな分野ができつつある。若き日のミンスキーは、時代のはるか先を行っていたのだ。

時の流れ

マーヴィン・ミンスキーは、ニューラルネットワークでは汎用人工知能を実現できるわけがないとかたくなに信じたまま、2016年に亡くなった。スティーブン・ウルフラムは、ミンスキーとの友情について書いた思いやりあふれるエッセイでこのように述懐している。「当時はだれも知るよしもなかったことですが、今ならわかります。マーヴィンが早くも1951年に研究していたニューラルネットワークは、いずれ、彼が夢見ていたような素晴らしい能力をもつAIへとつながる道をたどっていたのだということを。あまりに長い時間がかかってしまったために、マーヴィン自身それを理解しきれなかったことが悔やまれます[24]」

ミンスキーが亡くなって間もなくのこと、ディープマインドのアレックス・グレイブス、グレゴリー・ウェイン、とその同僚の研究者たちが、汎用人工知能に向けた、次なる一歩を踏み出した。ディープラーニングに基づく人工知能に、動的な外部メモリーを追加したのだ。[25]再帰型のディープニューラルネットワークでは、活動パターンを一時的にしか保存できないため、推理や推論を実現することが困難だった。デジタルコンピューターのメモリーと同じように柔軟に読み書きができる、安定したメモリーをネットワークにつけ加えることにより、研究者らは、推論が必要な質問に答えることが可能なネットワークを強化学習で訓練できることを実証した。たとえば、ロンドンの地下鉄の経路を推論するネットワークや、家系図の続柄についての質問に答えるネットワークである。この動的メモリーをもつネットワークは、1960年代にMIT人工知能研究所で挑戦が行われた「積み木の世界（ブロック・ワールド）」のブロックを移動させる問題（73ページ図2・1）もマスターできた。これで、我々は第2章の振り出しへと戻ることになる。

フランシス・クリックは２００４年に亡くなり、レスリー・オーゲルはそのすぐ後、２００７年に亡くなって、ソーク研究所の一つの時代が終わりを告げた。彼ら科学界の巨人がいなくなった今、新しい世代がその歩みを進めている。私は、このソーク研究所の創業年数の半分にあたる30年間を、ここで過ごしている。１９６０年に、職員と研究員がともに一艘《そう》の小舟に乗った家族のような形で始まったこの研究所は、全員が顔見知りになるくらいの規模だった。今ではその乗員も総勢１０００人となったが、家族のような雰囲気は、時代を経ても変わらない組織の文化の証として残っている。

私たちは、バクテリアやそれ以前までつながる存在の大いなる鎖のなかの、一つの種でしかない。しかし私たちが脳とその進化の仕組みを理解する一歩手前まできていることとは奇跡的なことだ。その理解によって、私たち自身に対する見方が、永遠に変わることだろう。

第18章

ディープインテリジェンス

天国のフランシスコ・クリック

南アフリカで生まれ、南アフリカで教育を受けたシドニー・ブレナーは、ケンブリッジ大学で初期の分子遺伝学（図18・1）に携わっていた。MRC分子生物学研究所（LMB）で、シドニーとフランシス・クリックは同じ研究室にいた。あなたが研究者で、DNAの構造を発見し、遺伝暗号を解読したとしたら、次のプロジェクトに何を選ぶだろうか？ フランシス・クリックは人間の脳に取り組むことに決め、シドニーは新しいモデル生物としてカエノラブディティス・エレガンス（C. elegans）の研究をスタートした。C. elegansは、土壌に生息する線虫の一種で、体長わずか1ミリメートル、ニューロンの数はわずか302個である。この線虫は、体内の各細胞を一つずつたどることで生物が胚からどのように発生するかを理解するための第一段階として使用され、多くのブレイクスルーに貢献した。シドニー・ブレナー（およびロバート・ホロビッツとジョン・サルストン）は、この業績により、2002年にノーベル生理学・医学賞を

図18.1　シドニー・ブレナーは、生物学の伝説的人物である。遺伝暗号、すなわちDNAの塩基対がタンパク質に翻訳される仕組みを研究し、新しいモデル生物を用いた先駆的な業績によってノーベル賞を受賞した。この写真は、2010年の『The Science Network（ザ・サイエンス・ネットワーク）』のインタビュー時のもの（http://thesciencenetwork.org/programs/the-science-studio/sydney-brenner-part-1）。

受賞した。ブレナーは、ウィットに富むことでも有名だった。ノーベル賞受賞スピーチで、彼は線虫を褒めたたえた。「私の講演のタイトルは『自然（Nature）から科学（Science）への贈り物』です。有名な科学雑誌が別の科学雑誌を讃えているという話ではありませんよ。生命体世界の偉大なる多様性が、生物学の研究をいかに触発し、また革新に貢献してくれるかについて話そうと思います[1]」。シドニー・ブレナーは、まるで、「天地創造」に立ち会った人のような話しぶりだった。

２００９年にブレナーがソーク研究所でシリーズタイトル「Reading the Human Genome（ヒトゲノムを読む）[2]」と題して行った3回の講義は、スライドも道具も一切使わない傑作だった。それまで、ヒトゲノムを塩基対一つずつ読み進んだのはコンピューターだけでそんなことをした人間はいなかったことに気づき、シドニーはそれを自分でやってみることにした。それをやってみると、ＤＮＡ配列のありとあらゆる興味深い類似性が、異なる遺伝子の間、また異なる種の間で見つかったというのだ。

シドニー・ブレナーの活躍は一国にとどまらない。シンガポールで実験プロジェクトをもち、沖縄科学技術研究基盤整備機構の創設時には理事長を務め、ハワード・ヒューズ医学研究所ジャネリア・リサーチ・キャンパス（アメリカバージニア州アッシュバーン近郊）の上級研究員であり、カリフォルニア州ラホヤにあるソーク研究所で私がセンター長を務めている理論生物学および計算生物学のためのクリック＝ジェイコブスセンター（Crick-Jacobs Center for Theoretical and Computational Biology）にも所属している（これでも彼が関与するプロジェクトの一部にすぎない）。デイヴィッド・マーが博士号を取得すると、シドニー・ブレナーは、LMBで計算処理の研究のためにマーを雇い、のちに、友人であり、同じく南アフリカ出身であるシーモア・パパートを通じて、マーにMIT AI Labでの職を用意した。分子遺伝学と神経生理学の結びつきは深く、シドニー・ブレナーはその両分野の中心にいた。

シドニーはラホヤを何度も訪れているが、ある日のディナーの席で、私が何年も前に、ハーバード大学医学部の博士研究員だった頃に聞いた話をシドニーに披露した。フランシス・クリックが亡くなって、天国に行った。聖ペトロはこの徹底的な無神論者を見て天国に何の用があるのかと驚くが、フランシスの目的は神に質問をすることだった。野原の真ん中に立つ、木造の掘っ立て小屋に行くように言われてフランシスが行ってみると、周りにはあらゆる歯車や部品、失敗した実験の残骸が散らばっており、レザーエプロンを着けた神が、作業台で新しい生物をいじくっていた。「フランシス、会えて嬉しく思うぞ。何が望みか言ってみよ」「生きている間ずっと、その答えを知りたかった疑問があるのです。なぜハエには成虫原基《せいちゅうげんき》(imaginal discs)があるのですか？[3]」「おお、フランシスよ」神は答えた。「これは驚きだ！　今までその質問をした人は一人もいなかったぞ。もうかれこれ数億年も成虫原基をハエの体に入れ続けているが、一度も文句を言われたことはなかったからさ」

シドニーはしばらく黙ったままだった。彼の親友をだしにした話をするのはよくなかったかもしれない、と思い始めたとき、彼は言った。「テリー、その話を私が思いついたときのことを話してあげよう。フランシスと私は、一緒に研究室に座っていてね。発生生物学の本を読んでいたフランシスが、突然両手を上げて降参のポーズを取って、こう言ったんだ。『ハエにはなぜ成虫原基があるんだ？ 神のみぞ知るか！』とね」

私はびっくり仰天した。何十年も前から知っていて自分でも数え切れないくらい話してきた有名な話の出どころに遭遇する機会など、めったにあるものではない。私はシドニーに、もとのバージョンを聞かせてくれるよう頼んだ。彼によると、その話には題名もあって「天国のフランシスコ・クリック（Francisco Crick in Paradiso）」とつけられている。細かい部分は違っていたが、基本的な骨組みは私の知っていた話と同じだった。[4] ちょうど、進化において、基本的な核の部分は変わらないが、細かい部分の多くが変わるのと同じように。

２０１７年1月、私はシンガポールにシドニーを訪ね、彼の90歳の誕生日を祝った。健康上の問題から、彼はもう旅に出ることはなく、車椅子の生活になっていたが、以前と変わらず活発そのものだった。テオドシウス・ドブジャンスキーは、かつて、「進化という視点がなければ、生物学は何の意味もなさない」と述べた。[5] ２０１７年２月21日に、シンガポールの南洋《ナンヤン》理工大学で行われた講義シリーズ「10-on-10: The Chronicle of Evolution（10の10乗年：進化の年代記）」において、シドニーは、バクテリアの進化に関する魅力的な講義を行った。[6] その講義シリーズで私も２０１７年７月14に脳の進化について講義をしたが、このテーマをもじって「ＤＮＡという視点がなければ、生物学は何の意味もなさない」の言葉で講義を始めた。[7]

知能の進化

知能は、多くの種において、それぞれの生存環境での生き残りをかけて、そこで直面した問題を解決するために進化した。海洋で進化した動物は、陸上動物とは解くべき問題が異なる。人間の場合は、視覚的知覚によって周囲の世界を知覚することができるので、視覚的信号を読み取るための視覚的知能を発達させた。動物行動学者は、自然の生息環境にある人間以外の動物の行動を研究しているが、それによって、人間にはない能力やスキルの存在が明らかになった。たとえば、「エコロケーション（反響定位）」といって、コウモリは音響信号を発して、周囲の状態を探り、その反響音を解析する。それによって彼らが得ている外界の内部表現は、どうやら、私たちの視覚経験と同じように鮮明なものであるようだ。コウモリは、昆虫の羽ばたき（捕獲対象）や障害物（回避対象）からの信号を選り分ける、聴覚的知能を持っている。

ニューヨーク大学の哲学者トマス・ネーゲルは、1974年に「コウモリであるとはどのようなことか」という論文を書き、私たちはエコロケーションを直接に経験できないので、コウモリの世界がどのようなものであるのかは想像もできないと結論した。[8] しかし私たちはそのような経験がなくても、レーダーやソナーなど、見えない世界を能動的に探るテクノロジーの発明を続けたし、視覚障害者は、音の反射への感受性を高めて環境のなかを移動している。私たちは、コウモリであるとはどのようなことかはわからないかもしれない。だが、コウモリのような知能を開発して、それを自動運転車に応用して、レーダーや光レーダーを走行に役立てることができる。

私たち人間は、自然のなかでもトップレベルの学習者だ。人間は、ほかのどんな種よりも、幅広い物事について、より早く学び、より多くを記憶し、より多くの世代を超えて知識を蓄積することができる。人間は、一生涯のうちに学べる内容を増やすために、「教育」というテクノロジーをつくりあげた。現代の子どもや青年たちは、その形成期を、学校に座って、一度も直接に経験したことのないような世界の物事を学んで過ごす。人間の発明のなかでも比較的最近のものである読み書きをマスターするには何年もかかる。しかし、これらの発明を使って、本が書かれ、印刷され、あるいは表示され、それが読まれることで、口伝よりもより多くの知識を蓄積し、それを次世代に受け継ぐことが可能となった。現代文明を可能にしたのは、話し言葉ではなく、読み・書き・学習なのだ。

私たちはどこから来たのか

人間の進化の起源とはなんだろう。私も創設に関わった「人間の起源を解明するためのラホヤグループ（La Jolla Group for Explaining the Origin of Humans）」は、1998年に小さなグループとして始まった。定期的に会合を開いて、この質問に答えるのに役立つかもしれないさまざまな情報源、古生物学から、地球物理学、人類学、生化学、遺伝学、そして比較神経科学に至るまでを取り上げて議論した。次第に海外からも参加者が集まるようになり、2008年に、カリフォルニア大学サンディエゴ校／ソーク研究所に人類発生学学術研究教育センター（CARTA：Center for Academic Research and Training in Anthropogeny）が創設された[9]。ニューラルコンピューティングを理解するために、NIPSにあらゆる種類の科学と工学が結集したのと同じように、CARTAは、科学のありとあらゆる分野の知見を取り入れて、私たち人間がどこからどのようにしてここまで来たかを探求し、これらの古くからの質問の答えを求める新たな世代の思索者を教育している[10]。

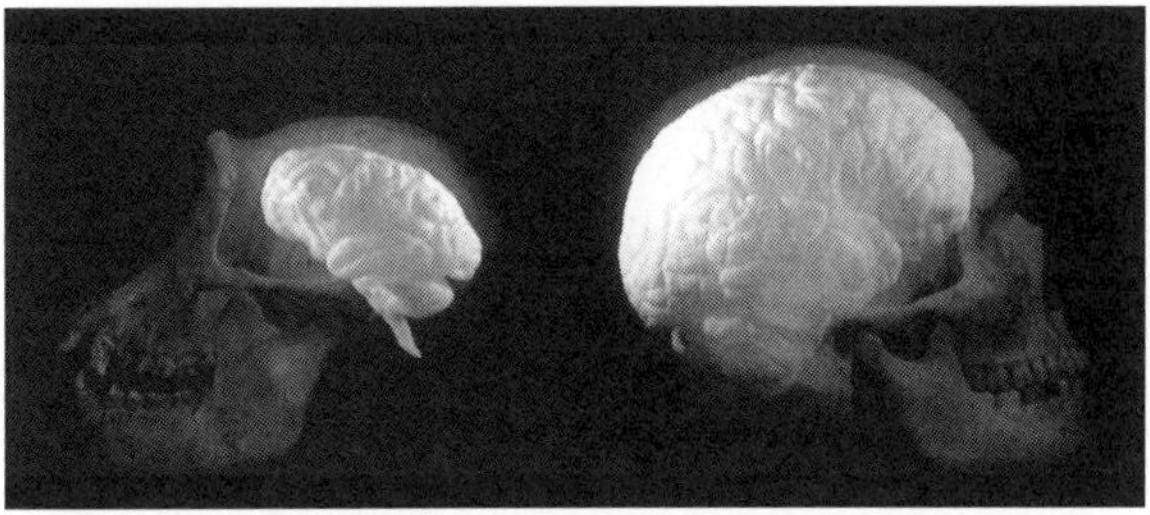

図18.2　チンパンジーの脳と、人間の脳との比較。人間の脳がかなり大きい。人間の脳は大脳皮質が発達しており、溝の数もずっと多い。

出典：ジョン・オールマン著『進化する脳（別冊日経サイエンス）』p.101（画像はジョン・オールマンの厚意による。）

ヒト属につながる系統が、チンパンジーにつながる系統と分岐したのは、約600万年前のことだとされている（図18・2）。チンパンジーは、知的能力が極めて高い種ではあるが、チンパンジーの知能は人間の知能とはかなり異なる。チンパンジーに初歩的な言語を教えようとする取り組みでは、チンパンジーは単純な欲求を表現するために使われる、わずか数百程度のサインを理解するだけにとどまった。しかし、これは、チンパンジーの知能を理解するうえで、不公平な尺度と言わざるをえない。私たち人間がチンパンジーの群れに混ざったとしたら、一体どれほどうまくやっていけるだろうか？　すべての種が私たち人間と同じくらい自己中心的なのだろうか。

人間とチンパンジーの違いを見るための一つの場所が、DNAだ。30億のDNA塩基対のなかで、人間とチンパンジーの違いはわずかに1・4パーセントにすぎないということがわかったのは、かなり前のことだ。初めてチンパンジーの遺伝子が解析されたとき、この「生命の書」を読めば、チンパンジーと人間を隔てるものが何かがわかるだろうと考えられていた。しかし、残念ながら、私たちはいまだに、その「書」の実に90パーセント[11]を読む方法を知らない。人間の脳はチンパンジーの脳と驚くほどよく似ており、神経解剖学者によって、脳の領野も共通していることが確かめられた。しかし、人間とチンパンジーの違いのほとんどは、分子レベルにある。行動の違いの大きさに比べれば、その分子レベルでの差は非常に微細だ。やはり、自然は私たちよりも賢いのだ。

生命の論理

レスリー・オーゲル本人から聞いたことがあるが、オーゲルの第一法則は、細胞内のあらゆる基本的な反応は、その反応の触媒となる酵素を進化させた、ということを述べたものである。酵素は反応を促進させるだけではなく、ほかの分子との相互作用によって反応を調節することができる。それによって、細胞の効率性と適応性が高まるのだ。自然は、手始めとして巧妙な反応経路を用意し、それから酵素を追加し、経路のバックアップもつくって、その反応経路を徐々に洗練させていく。しかし、ある種のコアプロセスがなければ、そのどれも意味をなさない。コアプロセスとは、細胞でいえば、細胞生化学物質における女王蜂のような存在であるＤＮＡの管理と複製にあたる。

単細胞生物は、さまざまな条件に適応し、多くの特殊な進化を遂げた。たとえば、バクテリアは、海底の熱水噴出孔から南極大陸の氷床にいたるまでの極限環境に適応し、また、より穏やかな多くの環境にも適応している。たとえば私たちの胃や腸にも適応して、何千もの種が住みついている。大腸菌（図18・3）のようなバクテリアは、食料源に向かって、濃度勾配の高いはうへと進むためのアルゴリズムを発達させている。

バクテリアは勾配を直接検出するには小さすぎるため（差し渡し数マイクロメートルなのだ）、周期的にランダムな方向転換をする走化性《そうかせい》を使っている。[12] これは効率的でな

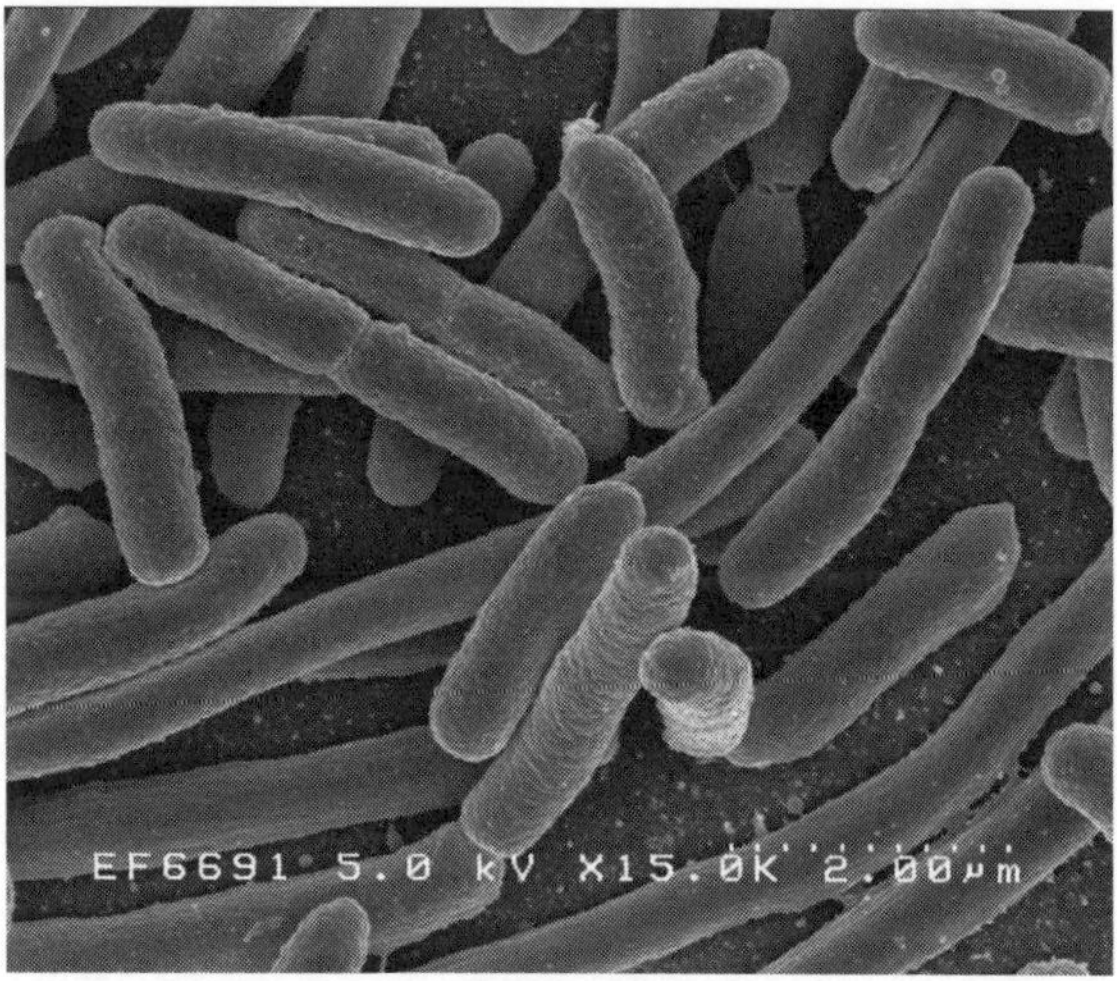

図18.3　大腸菌の走査型電子顕微鏡写真。バクテリアは、地球上で最も多様で、ローバストゥで、成功した生物形態である。バクテリアを研究することで、自律的な人工知能について多くを学ぶことができる。（アメリカ国立アレルギー・感染症研究所（NIAID）、国立衛生研究所（NIH））

いようにも思えるが、濃度が高いときは泳ぐ時間を長くすることによって、バクテリアは確実に勾配の高いほうに進むことができる。これは、知能の原始的なかたちであるが、バクテリアは、最も賢い生物学者よりもまだ賢い。なぜなら、生物学者はどうしてバクテリアがこれほど幅広い環境で生存可能なのかをいまだに解明できていないからだ。多細胞の動物では、さらに複雑な知能のかたちが見られる。

すでに説明したように、強化学習を支える時間差分学習アルゴリズムにより、極めて複雑な行動が実現しうる。そして、人間においては、大脳皮質のディープラーニングによってさらに複雑化されている。自然のなかには、人工的システムのお手本にできるような知的な行動があふれている。コンピューター科学と生物学にまたがる新しい科学分野の「アルゴリズム生物学（algorithmic biology）」は、生物システムが用いる問題解決戦略をアルゴリズムという表現法で説明しようとしている。(13) そのような生物のもつアルゴリズムを特定することで、工学分野でコンピューティングの新たなパラダイムが生まれ、生物のなすネットワークをシステムレベルで理解できるようになるだろうと期待されている。これを糸口として、いずれは空間スケールと時間スケールの両方にまたがる、生物システムの階層的な複雑性を説明できるようになるだろう。遺伝子ネットワークに、代謝ネットワーク、免疫ネットワーク、ニューラルネットワーク、社会ネットワーク……。そう、どこまでいってもネットワークは続くのだ。

ディープラーニングは、コスト関数の最適化に頼っている。では、自然のコスト関数とは何だろうか。進化におけるコストの逆数を「適応度」という。しかし、この概念は、環境もしくは最適化するシステムの具体的な制約条件が揃ってはじめて意味をもつ。脳には、行動を制御するある種の生得的なコストが備わっている。たとえば食べ物、温度、安全、酸素、生殖などの欲求がそれだ。強化学習では、将来獲得できる報酬を最適化するための行動がとられる。しかし、人間の行動の驚くほどの幅広さからわかるように、生存に関わる報酬のほかにも、最適化の対象となりうる報酬はより幅広いものだ。この多様性を説明できるような、何らかの普遍的なコスト関数は内在するのだろうか。

私たちはまだ、最高次の知能の秘密を明かしてくれるような、核となる概念を探している。いくつか重要な原則は見つかったものの、DNAによって生命の本質が説明されるようなエレガントさで、脳が働く仕組みを説明できるような、概念的枠組みはまだない。学習アルゴリズムは、統一的な概念を見つけるのによい場所だ。ディープラーニングネットワークが現実的な問題を解決する方法の理解を深めていくなかで、より多くのヒントが見つかるだろう。細胞や脳のなかで進化を可能にするオペレーティング・システムが見つかるかもしれない。これらの問題を解くことができたなら、想像もつかないようなメリットが得られるだろう。自然は、私たち個人と比べれば賢いかもしれない。だが、私たち人間という種の全体であたれば、いつか知能という謎を解くことができるかもしれないと、私は考えている。

謝辞

私が働いているソーク生物学研究所は、特別な場所である。外から眺めると、コンクリートの要塞のようだが、ひとたび中庭に入れば、トラバーチンという石材が敷きつめられた広場が太平洋に向かって伸び、その両側に並んでそびえ立ついくつもの棟が、異世界のような空間を地上につなぎとめている[1](図19・1)。私の研究室は、中庭の横の南棟にある(写真の左側)。研究室に入るとすぐ左側で出迎えるのが、壁一面の、海馬の電子顕微鏡写真だ。スパゲティを盛った皿の断面図のようにも見える。通路を進んだその先にあるティールームが、計算神経生物学研究室(CNL：Computational Neurobiology Laboratory)の心臓部だ。

フランシス・クリックをはじめとする何人もの世界的な科学者たちが、ここで白い丸テーブルを囲み、科学に関するありとあらゆる話に花を咲かせた。クリックは、生徒や同僚とここで長話をするのが大好きだった(図19・2)。このティールームは、クリッ

図19.1　太平洋を望むカリフォルニア州ラホヤのソーク生物学研究所。ルイス・カーンによって設計されたこの見事な建築物は、科学の殿堂だ。ここに私は毎日通っている。（写真はケント・シュネーカー、ソーク生物学研究所の厚意による。）

クの書いた『ＤＮＡに魂はあるか驚異の仮説』にも登場している。

ソーク研究所のテリー・セイノフスキーのグループは、毎日のように非公式な茶話会を開いていた。この茶話会は、最新の実験結果について討論したり、新しいアイディアを打ち出したり、あるいは科学、政治、世上のニュースなどについて雑談したりする絶好の機会だった。私はある日、この会に出席し、パトリシア・チャーチランドとテリー・セイノフスキーに、「意思の座が見つかったよ！」と言った。それは前帯状回にあった。このことをアントニオ・ダマシオに言うと、彼もまた、同じ考えに到達していた[2]。（『DNAに魂はあるか　驚異の仮説』より引用）

1989年、フランシス・クリックがベアトリス・ゴロムを連れて茶話会にやってきた日のことは、特によく覚えている。ニューラルネットワークの研究をやりたいそうだから、彼女をここで雇うといい、とクリックに言われた[3]。当時、ベアトリスは、カリフォルニア大学サンディエゴ校医学部の博士課程にいて、大学院生のときに短期間だがクリックと仕事をしたことがあったという。彼女は博士論文のテーマもニューラルネットワークにしたかったのだが、生物学科から許可が下りなかったのだそうだ。私は、クリックの助言に従ってベアトリスを採用した。そして、彼女が私から学んだのと同じくらい、私も彼女から多くのことを学んだ。1990年にカリフォルニア工科大学のアセニアムで結婚式を挙げてからも、ずっと彼女から学び続けている。

図19.2　2010年、ソーク研究所の計算神経生物学研究室（CNL）のティールーム。毎日のお茶の時間に、人々の関わりのなかで、この本で解説した多くの学習アルゴリズムと科学的発見が育まれ、大きく成長することとなった。（画像はソーク研究所の厚意による。）

　このティーテーブルは、ジョンズ・ホプキンズ大学からはるばる私と一緒に旅をしてきた。１９８１年に、同大のトーマス・Ｃ・ジェンキンズ生物物理学部で初めての職に就いたとき、自分の新しい研究室用に初めて購入した品だった。この学部は昔ながらの家族のような場所で、若かった私は息子のように可愛がってもらった。新しい方向に踏み出す自信を育んでくれた彼らに、私はいつまでも感謝し続けるだろう。アフタヌーンティーの伝統は、ハーバード大学医学部の神経生物学部で博士研究員をしていた頃に取り入れたものだ。さまざまな人々が集まる大きな学部で、互いに近況を聞いたり、廊下の先の研究室で行われている実験について知ったりするのにいい方法なのだ。ソーク研究所の私の研究室は、ミニサイズの大学のようなものだ。科学、数学、工学、医学など、さまざまなバックグラウンドをもつ学生が集まって来る。そして、ティータイムこそ、私たちみんなが一つのグループとして集まることのできる機会なのだ。

私は幸運だった。両親は、教育を重視し、私がまだ幼いうちから信頼してくれた。かつてないほどの経済成長とチャンスにあふれた時代を生きたことで、私は視野を広げることができた。深い知見を惜しみなく分かち合い、助言を与えてくれる、メンターや共同研究者にも恵まれた。そして、並外れて才能のある若い世代の学生たちと一緒に研究するという恩恵にもあずかった。特に、ジェフリー・ヒントン、ジョン・ホップフィールド、ブルース・ナイト、スティーブン・クフラー、マイケル・スティマック、ジョン・ホイーラー、そして、私のキャリアのいくつものターニングポイントで正しい方向に舵を切れるよう手助けしてくれた義父のソロモン・ゴロムに感謝する。クリティカル・シンキングの達人であるベアトリス・ゴロムからは、集団思考を避ける方法を学んだ。みんながそれを信じているからといって、その説明が真実とは限らない。コミュニティーから固定概念を一掃するために、一世代かかることもある。

この本を書くのを助けてくれた、ほかの多くの方々に感謝する。長年の共同研究者であるパトリシア・チャーチランドと、インターネット上の『The Science Network（ザ・サイエンス・ネットワーク）』創設者のロジャー・ビンガムとの議論は、インスピレーションの源となってくれた。ジョン・ドイルの制御理論に基づく知見によって、脳のオペレーティング・システムについての考察のための光明が得られた。ケアリー・スタラーとともにスイスのクロスタースとダボス周辺の山々を登った日々によって、アルゴリズムの宇宙がより明確なものとなった。バーバラ・オークリーは、教室を超えて、よりたくさんの人々にメッセージを届けるための方法を教えてくれた。ディープラーニングの物語がこのような形にまとまったのは、ケアリーとバーバラのおかげだ。ほかにもたくさんの人々が、この本についてフィードバックやアイデアを寄せてくれた。たとえば、ヨシュア・ベンジオ、シドニー・ブレナー、アンドレア・チバ、ゲイリー・コットレル、キンドラ・クリック、ロドニー・ダグラス、ポール・エクマン、ミカエラ・エニス、ジェローム・フェルドマン、アダム・ガザリー、ジェフリー・ヒントン、ジョナサン・C・ハワード、アーウィン・ジェイコブス、スコット・カークパトリック、マーク・ニックレムとジャック・ニックレム、イ・テウォン、デイビット・リンデン、ジェームス・マクレランド、サケット・ナブレカー、バーバラ・オークリー、トマソ・ポッジオ、チャールズ・ローゼンバーグ、ハヴァ・シーグルマン、デイヴィッド・シルバー、ジェームズ・シモンズ、マリアン・スチュワート・バートレット、リチャード・サットン、ポーラ・タラル、ジェラルド・テザウロ、セバスチャン・スラン、アジット・バルキ、マッシモ・ベルガッソーラ、スティーブン・ウルフラム（本書のタイトルも提案してくれた）、スティーブン・ザッカーだ。

ウッズホール計算神経科学ワークショップ（The Woods Hole Workshop on Computational Neuroscience）は、１９８４年以来、毎年夏に開催され、少人数の中心的なレギュラーメンバーと、新しい参加者が、午前と夕方に深い議論を行っている。午後は戸外活動のために空けてある——完璧な組み合わせだ。このワークショップの出身者は、華々しいキャリアを築いている。ウッズホールワークショップは現在も続いているが、1999年から、年1回開催されているニューロモーフィックエンジニアリング・ワークショップ（Neuromorphic Engineering Workshop）の日程に合わせて、コロラド州テルライドに場所を移している。この30年間にわたり、このワークショップに参加してくださったすべての方々、特に、ジョン・オールマン、ダナ・バラード、ロバート・デシモン、ジョン・ドイル、カタリン・ゴットハルト、クリストフ・コッホ、ジョン・マウンセル、ウィリアム・ニューサム、バリー・リッチモンド、マイケル・ストライカー、ティーブン・ザッカーに感謝する。

ソーク生物学研究所とカリフォルニア大学サンディエゴ校の同僚たちは、生物医科学の未来を担う、起業家精神と協調精神にあふれた研究者の素晴らしいコミュニティーである。カリフォルニア大学サンディエゴ校の神経計算研究所の教員と生徒たちは、私が1990年に同研究所を立ち上げたときには夢にも思わなかったような方法で、神経科学と計算を統合している。

ソーク研究所の計算神経生物学研究室（CNL）は、ここ30年間の私にとっての「我が家」であり、たくさんの、私の学問上の子どもたちが、ここから巣立ち、世界中で輝かしいキャリアを築いている。研究室は家族のようなものであり、何世代もの熱意ある大学院生や博士研究員が、私の人生をとても豊かなものにしてくれた。この素晴らしい一艘の船、ＣＮＬ号に対して行き届いた世話をしてくれたのは、研究室マネージャーのローズマリー・ミラーとメアリー・エレン・ペリーだ。メアリー・エレンはＮＩＰＳが拡大したこの10年間、ＮＩＰＳのマネージングディレクターを務めてくれている。そして、リー・キャンベルは、ＮＩＰＳカンファレンスの規模を10倍に拡大できるコンピュータープラットフォームを開発してくれた。

40年にわたる信頼できるパートナーである、マサチューセッツ工科大学出版局（MIT Press）に感謝する。MIT Pressは、トマソ・ポッジオと共同編集の計算神経科学の書籍シリーズや、私が１９８９年に創刊した論文誌『*Neural Computation*（ニューラル・コンピューテーション）』、１９９２年に執筆した『*Computational Brain*（計算論的な脳）』のほか、機械学習に関する多くの教科書、たとえば、リチャード・サットンとアンドリュー・バート著の『*Reinforcement Learning: An Introduction*（強化学習：入門）』や、イアン・グッドフェロー、ヨシュア・ベンジオ、アーロン・カービル著の『深層学習』などを出版している。出版局のロバート・プライアーは、本書出版にこぎつけるまでの、思いがけず曲がりくねった長い道のりを導いてくれた。ＮＩＰＳのコミュニティーのメンバーに感謝する。彼らがいなければ、本書を書くこともなかったであろう。とはいえ、本書はこの分野の包括的歴史からは程遠く、限られたトピックと、ニューラルネットワークの研究に関わった人々のほんの一部を取り上げることしかできなかったが。国際神経回路学会（International Neural Network Society）が発行する論文誌の『*Neural Networks*』は、ニューラルネットワークの知名度を広げるうえで強い後ろ盾となってくれた。国際神経回路学会は、ＩＥＥＥと連携して、国際神経回路連合会議（IJCNN：International Joint Conference on Neural Networks）を開催している。機械学習についても、ＮＩＰＳの姉妹会議であるＩＣＭＬ（International Conference on Machine Learning：機械学習の国際会議）をはじめとする多くの素晴らしい会議が生まれた。この分野は、これらすべての組織と、組織に貢献する研究者の尽力の賜物である。

カリフォルニア州ロングビーチで開かれたNIPS 2018のオープニングセッションで、

私はNIPSの成長に目を見張り、こう述べた。「30年前、第1回のNIPSカンファレンスが開かれたときは、今日、こうして8000人の参加者のみなさまを前にお話することになるとは思いもしませんでした。10年もあればできるだろうと思っていたものですから」。2016年4月に、カリフォルニア州マウンテンビューにいるジェフリー・ヒントンを訪ねた。グーグル・ブレインは、建物の1フロア全体を占めていた。昔の日々をひとしきり懐かしんだ後、私たちが達した結論とは、自分たちは戦いに勝った、思いのほかずいぶんと長くかかったけれども、というものだった。その長い道のりの途中で、ジェフリーは英国とカナダ両国の王立協会に選出され、私は全米科学アカデミー、全米医学アカデミー、全米技術アカデミー、全米発明家アカデミー、全米芸術科学アカデミーに選出されるという類いまれなる栄誉にあずかった。私は、ジェフリー・ヒントンが長年にわたりネットワークによる計算に関する洞察を分かち合ってくれたことに、深く感謝している。

プリンストン大学の大学院生だった頃、私はアルベルト・アインシュタインの重力理論である一般相対性理論における、ブラックホールと重力波の研究をしていた。しかし、物理学の博士号を取得した後、神経生物学の分野へと転向した。それ以来ずっと、脳に興味を奪われたままでいる。人生の第3幕はどのようになるのか、私にはまだわからない。かつて、ソロモン・ゴロムから、キャリアは振り返ってみて生まれるものだと言われたが、この本を書きながらそれを実感した。過去をたどるなかで、私を今の私にしてくれた数々の出来事や決断が明らかになった。もちろん、当時の私はそのことを知るよしもなかったのだが。

推薦図書

神経科学への入門

『ディープラーニング革命』は、神経科学について少し触れるのみであるが、神経科学それ自体が広大な分野であって、急速に進化し続ける科学の最前線である。神経科学のなかでも、ディープラーニングに最も関係が深い領域は「システム神経科学」と呼ばれている。脳とニューラルネットワークについてより深く学ぶための入門書として、パトリシア・チャーチランドとテレンス・J・セイノフスキーの『*The Computational Brain, 2nd ed*（計算論的な脳　第2版）』（MIT Press、２０１６年）をお勧めしたい。この本では、神経科学の基礎を解説するとともに、さまざまな脳構造に対するニューラルネットワークの応用例を紹介している。たとえば、視覚系、眼球運動を導く眼運動系、空間が皮質でどう表現されるかといったことが取り上げられている。

スティーヴン・R・クウォーツ、テレンス・J・セイノフスキー著の『*Liars, Lovers,*

and Heroes: What the New Brain Science Reveals about How We Become Who We Are（嘘つき、恋する者、そしてヒーローたち：新しい脳科学が教えてくれる人間の成り立ち）』（Harper-Collins、２００２年）は、一般向けの書籍である。人間の最も崇高な特性と最も醜悪な特性が根ざしているのが極めて古い脳のシステムであり、昆虫と同じシステムを人間が使っていることを解説している（ディープマインドがアルファ碁を訓練するために用いたのと同じ強化アルゴリズムだ）。

　北米神経科学学会が運営しているＷｅｂサイト（https://www.brainfacts.org）では、脳の機能および脳疾患のさまざまな側面について情報が得られる。

生物学的な知能

ニコラス・マッキントッシュ著の『*IQ and Human Intelligence*（ＩＱと人間の知能）』（Oxford University Press、２００２年）は、社会的知能と感情的知能を含む、知能の心理学に関する信頼できる総合的な入門書である。知能の生物学的基礎は、脳が発達する過程における、脳と外界との関わりによって決まる。また、人間以外の動物の知能も幅広く研究されており、ドナルド・Ｒ・グリフィンの『動物の心』（長野敬・宮木陽子訳、青土社、１９９５年）はそのよい入門書である。

機械学習

クリストファー・Ｍ・ビショップ著の『*Neural Networks for Pattern Recognition*（パターン認識のた

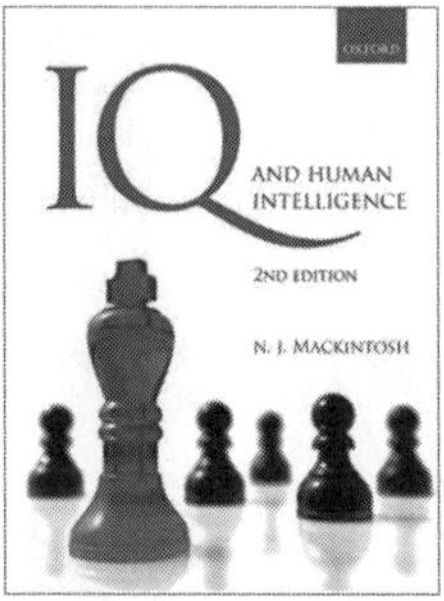

めのニューラルネットワーク）』（Oxford University Press、1995年）は、ニューラルネットワークの基本を学ぶのによい入門書である。情報理論と学習アルゴリズムの間に深いつながりを見事に解説しているのが、デイヴィッド・J・C・マッケイ著の『*Information Theory, Inference, and Learning Algorithms*（情報理論、推論、学習アルゴリズム）』（Cambridge University Press、2003年）だ。ディープラーニングは、急速に成長している。ジョシュ・パターソン、アダム・ギブソン著の『*Deep Learning: A Practitioner's Approach*（ディープラーニング：実践的アプローチ）』（O'Reilly Media、2017年）は、ディープラーニングのよい入門書だ。また、現在、ディープラーニングの教科書の決定版といえるのがイアン・グッドフェロー、ヨシュア・

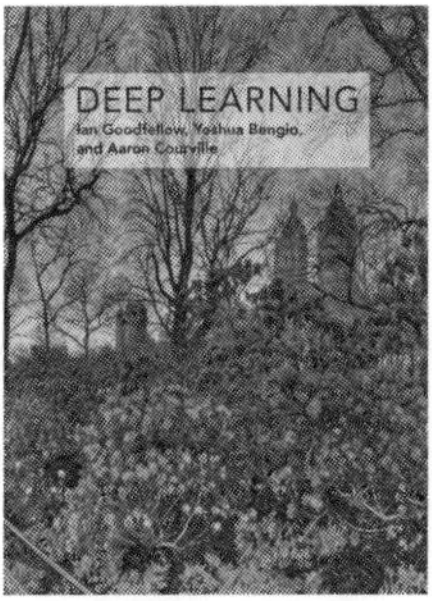

ベンジオ、アーロン・カービル著の『深層学習』（KADOKAWA、2018年）であり、英語原文はオンライン（https://www.deeplearningbook.org）で読むことができる。ケビン・P・マーフィー著の『*Machine Learning: A Probabilistic Perspective*（機械学習：確率論的視点）』（MIT Press、2014年）は、機械学習アルゴリズムを幅広くカバーする概論となっている。深層強化学習は今や研究の最前線であり、強化学習の教科書の決定版といえるのは、リチャード・S・サットンおよびアンドリュー・G・バートの『強化学習』（三上貞芳・皆川雅章訳、森北出版、2000年）だ（第2版のドラフト版（英語）はhttp://incompleteideas.net/book/the-book-2nd.htmlで公開されている）。

用語集

アルゴリズム
目標を達成するためのステップ・バイ・ステップの手順書。ケーキづくりのレシピのようなもの。

エポック
特定の数の訓練データを用いて、平均の勾配を計算して、重みを更新するまでの一巡。

過学習(過剰適合)
学習アルゴリズムが過剰な適合能力によって訓練データそのものを記憶してしまった状態。ネットワークモデルの調整可能なパラメーターの数が、訓練データの数よりも大幅に多い場合に起こる。過学習により、ネットワークの未知のデータに対応する能力は大きく減少するが、正則化によって過学習を軽減できる。

学習アルゴリズム
訓練データに基づいて関数のパラメーターを変更するアルゴリズム。「教師あり学習」とは、入力だけでなく期待される出力も使用する学習アルゴリズム。「教師なし学習」とは入力のみを使用する学習アルゴリズム。教師あり学習アルゴリズムの特別なケースとして、望ましい結果が得られたときの報酬のみがフィードバックとなるものを「強化学習」と呼ぶ。

確率分布
あるシステムが取りうるすべての状態、あるいは、ある実験で生じうるすべての結果に対して、その各々が起こる確率を関数の形で表したもの。

可塑性
ニューロンの機能を変える変化。たとえば、結合の強さの変化(シナプス可塑性)や、ニューロンの入力に対する出力応答の変化(ゲインの可塑性)などがある。

機械学習
コンピューター科学の一分野。明示的にプログラムすることなく、データに基づいてタスクを実行する能力をコンピューターに与える。

訓練セットとテストセット
訓練用のデータセットを使ったときのニューラルネットワークの性能は、必ずしも未知の入力に対する性能を示しているわけではない。そのため、ネットワークの一般的な性能(汎化性能)を測るには、訓練では使われていないテスト用のデータセットを利用する。用意できるデータが少ない場合には次のような手法が用いられる。「訓練セットからデータを一つテスト用として取り除く。残りのデータでネットワークを訓練してから、テスト用データでテストを行う。取り除くテスト用データを毎回変えてデータセットの全データに対してこれを繰り返すことで、平均のテスト性能を得る」。これは、交差検証という手法の一種で、取り除くデータ数が一般にnのところをn=1で行う特別なケースである。

勾配降下法
最適化技法の一種。エポックごとに、ネットワークモデルの性能指標であるコスト関数が小さくなるように、パラメーター(重み)が変更(更新)される。

コスト関数
ネットワークの目標を明確にし、その性能を定量化する関数。学習の目的は、このコスト関数を小さくすること。

再帰型ネットワーク
フィードバック接続を使用して、信号がネットワーク内を循環するように構成されたニューラルネットワーク。

最適化
ある関数を最大化または最小化するプロセスのこと。関数が最適値をとるような入力値を、許容されたデータセットから体系的に求める。

シナプス
二つのニューロンの間で情報を伝達するための特殊な接合部。信号を送る側をシナプス前ニューロン、受けとる側をシナプス後ニューロンと呼ぶ。

スカンク・ワークス
革新的プロジェクトや極秘プロジェクトのために企業の内部でつくられた、独立性が高いチームのこと。漫画『*Li'l Abner*(リル・アブナー)』に登場する密造酒工場の名前に由来する。

スケーリング
問題の規模に対応して、アルゴリズムの複雑性がどう変わるか。たとえば、n個の数を足すときの演算の回数はnに比例するが、n個の数のすべての組を掛けあわせる場合はn2に比例する。

スパース性の原理
心電図やMRIなどの信号のスパース表現とは、少数の限られた基底関数の重み付き和によって信号を近似する表現。独立成分分析では、基底関数は信号源(独立成分)と呼ばれる。ニューロンの集団においては、入力のスパース表現とは、少数のニューロンのみが極めてアクティブになっている状態である。これにより、他の入力を表す活動のパターンとの干渉を減らすことができる。

正規化
信号の振幅を決まった範囲内に保つための処理。時間とともに変化する正の信号を正規化する方法の一つは、最大値で割ることであり、これにより1が上限値となる。

正則化
訓練データが少なくパラメーターが多いネットワークモデルの過学習を防ぐための手法。たとえば、「重み減衰」という手法では、ネットワークのすべての重みが訓練のエポックごとに減少するが、絶対値の大きな勾配をもつ重みのみが残る。

制約または制約条件
ある最適化問題で「解は正の値をとらねばらない」といった条件のこと。

畳み込み
二つの関数を重ね合わせる方法で、一方の関数を他方の関数の上で平行移動させながら、両者の一致度を計算していくもの。

チューリングマシン
アラン・チューリングが1936年に数学的計算を行う単純なモデルとして考案した仮想的コンピューター。このマシンの構成要素には、まず、前後に動かすことができる1本の「テープ」があり、このテープはいくつかの値をもち得るセルの連なりとなっている。また、「ヘッド」には、直下のセルの値を変更できる「状態」がある。さらに、ヘッドがセルの値を変更する方法や、テープを動かす方法を定めた指示も含まれている。各ステップにおいて、マシンはセルの値を変更し、ヘッドの状態を変更することができる。その後、テープを1セル分だけ動かして次のステップに入る。

適応信号処理
信号の品質を向上する手法。たとえば、自動利得制御や、ノイズを自動除去する適応フィルターなどがある。

デジタル・アシスタント
アマゾンのスマートスピーカー「エコー」で使われている「アレクサ」のように、日常的な作業を支援してくれるバーチャルなアシスタント。

ニューロン(神経細胞)
ほかのニューロンからの入力をとりまとめ、ほかのニューロンに出力を送信することに特化した細胞。

パーセプトロン
単純なニューラルネットワークのモデル。一つのユニットと、さまざまな重みをもつ入力で構成され、入力を分類するよう訓練できる。

バックプロパゲーション(誤差逆伝播法)
ニューラルネットワークを最適化する学習アルゴリズムの一つ。勾配降下法を用いてコスト関数を最小化することによってネットワークを最適化し、その性能を向上させる。

フィードバック
ニューラルネットワークにおいて上位層(出力層側)から下位層(入力層側)へ逆向きに流れる接続。ループが形成され、信号がネットワーク内を循環できるようになる。

フィードフォワード・ネットワーク
階層型のニューラルネットワークで、層間の接続が一方通行であるもの。入力層で始まり出力層で終わる。

平衡状態
物質あるいはエネルギーの出入りを差し引いたマクロな流れが存在しない熱力学的状態。ユニットが確率的に動作するボルツマンマシンにおいては、入力を一定に保つと、システムは平衡状態に収束する。

ベイズの定理
ある事象の確率を、それに関する事前の知識と、得られた新しいデータををもとに、その確率を更新（アップデート）する式。より一般的に、ベイズ確率とは、現在のデータと事前のデータに基づく、結果についての信念を表す。

ホップフィールド・ネットワーク
ジョン・ホップフィールドが提唱した、全結合型のニューラルネットワークモデル。開始時の状態に応じて、必ず決まった状態（アトラクター）の一つに収束することが保証されており、情報を記憶し、想起するために使うことができる。このネットワークをもとに、無数の論文が書かれることとなった。

ボルツマンマシン
ニューラルネットワークモデルの一種。1と0のいずれかの値（1が活性化、0が不活性）をとる複数のユニットで構成され、これらのユニットは相互作用している。あるユニットが活性な状態となる確率は、ほかのユニットからの入力が統合された結果で決まる。統計力学の祖として名高い19世紀の物理学者、ルートヴィッヒ・ボルツマンにちなんで名づけられた。

ミリ秒
1000分の1秒（0・001秒）。周波数が1キロヘルツの音の1周期にかかる時間。

MOOC《ムーク》（大規模公開オンライン講座）
幅広いトピックについて、インターネット上でだれもが受講できる講義。MOOCが初めて提供されたのは2006年。2018年1月時点では、9400を超える講義があり、受講者は9100万人に上る。

ロジックまたは論理
真または偽のいずれかに必ず定まる仮説に関する数学的推論。数学者は、論理を使用して定理を証明する。

注　釈

まえがき

1. 厳密にいうと、ニューラルネットワーク（神経回路網）とは生物的な実体であり、機械学習で使用されているモデルは人工のニューラルネットワーク（Artificial Neural Networks：ANN）である。しかし、本書では、特に断らない限り、「ニューラルネットワーク」とは人工ニューラルネットワークを指すものとする。
2. Conor Dougherty, "*Astro Teller, Google's 'Captain of Moonshots,' on Making Profits at Google X*," *New York Times*, February 16, 2015, https://bits.blogs.nytimes.com/2015/02/16/googles-captain-of-moonshots-on-making-profits-at-google-x. ディープラーニングによって、稼働中のデータセンターのエネルギー費用が15パーセント減少しており、年間で数億ドルが節約されている。
3. 1943年にワトソンが言ったとされるこの言葉は、引用元が確認されていない。しかし、世界中のほとんどだれもコンピューターの将来を想像できなかったという当時の状況をよく伝えている。

第1章

1. 「ああ、素晴らしい新世界、こういう人たちが住んでいるの！」シェイクスピアの『テンペスト』に登場するミランダの言葉。（筑摩書房の松岡和子訳より）
2. Bill Vlasic, "*G.M. Wants to Drive the Future of Cars That Drive Themselves*," *New York Times*, June 4, 2017, https://www.nytimes.com/2017/06/04/business/general-motors-self-driving-cars-mary-barra.html.
3. "*Full Tilt: When 100% of Cars Are Autonomous*," *New York Times*

Magazine, November 8, 2017. https://www.nytimes.com/interactive/2017/11/08/magazine/tech-design-autonomous-future-cars-100-percent-augmented-reality-policing.html?hp&action=click&pgtype=Homepage&clickSource=story-heading&module=second-column-region&region=top-news&WT.nav=top-news/.

4. Christopher Ingraham, "*The Astonishing Human Potential Wasted on Commutes,*" Washington Post, February 24, 2016, https://www.washingtonpost.com/news/wonk/wp/2016/02/25/how-much-of-your-life-youre-wasting-on-your-commute/?utm_term=.497dfd1b5d9c.
5. Patcharinee Tientrakool, Ya-Chi Ho, and N. F. Maxemchuk, "Highway Capacity Benefits from Using Vehicle-to-Vehicle Communication and Sensors for Collision Avoidance," IEEE Vehicular Technology Conference, San Francisco, 5–8 September 2011.
6. "*Google's Waymo Passes Milestone in Driverless Car Race,*" *Financial Times*, November 10, 2017. https://www.ft.com/content/dc281ed2-c425-11e7-b2bb-322b2cb39656/.
7. B. A. Golomb, "Will We Recognize It When It Happens?" in Brockman, J.（ed.）, *What to Think About Machines That Think*（New York: Harper Perennial, 2015）, 533– 535.
8. Pierre Delforge, "*America's Data Centers Consuming and Wasting Growing Amounts of Energy,*" Natural Resources Defense Council Issue Paper, February 6, 2015. https://www.nrdc.org/resources/americas-data-centers-consuming-and-wasting-growing-amounts-energy/.
9. W. Brian Arthur, "Where Is Technology Taking the Economy?" *McKinsey Quarterly*, October, 2017. https://www.mckinsey.com/business-functions/mckinsey-analytics/our-insights/Where-is-technology-taking-the-economy/.
10. Gideon Lewis-Kraus, "*The Great A.I. Awakening,*" *New York Times Magazine*, December 14, 2016. https://www.nytimes.

com/2016/12/14/magazine/the-great-ai-awakening.html.（記事の一部はクーリエジャポンの『進化した「グーグル翻訳」が物語る「AIファースト」へのシフト｜集中連載「グーグルのAI開発最前線」第1回』として翻訳されている。https://courrier.jp/news/archives/75057/）

11. Aleksandr Sergeevich Pushkin, *Eugene Onegin*: A Novel in Verse, 2nd ed., trans. Vladimir Nabokov（Princeton: Princeton University Press, 1991）.
12. この方向での初期の試みについては、以下のブログを参照のこと：Andrej Karpathy, "The Unreasonable Effectiveness of Recurrent Neural Networks," *Andrej Karpathy Blog*, posted May 21, 2015. http://karpathy.github.io/2015/05/21/rnn-effectiveness/.
13. G. Hinton, L. Deng, G. E. Dahl, A. Mohamed, N. Jaitly, A. Senior, et al., "*Deep Neural Networks for Acoustic Modeling in Speech Recognition,*" *IEEE Signal Processing Magazine* 29, no. 6（2012）: 82–97.
14. W. Xiong, J. Droppo, X. Huang, F. Seide, M. Seltzer, A. Stolcke, et al., "*Achieving Human Parity in Conversational Speech Recognition,*" Microsoft Research Technical Report MSR-TR-2016-71, revised February 2017. https://arxiv.org/pdf/1610.05256.pdf.
15. A. Esteva, B. Kuprel, R. A. Novoa, J. Ko, S. M. Swetter, H. M. Blau, and S. Thrun, "*Dermatologist-Level Classification of Skin Cancer with Deep Neural Networks,*" *Nature* 542, no. 7639（2017）: 115–118.
16. Siddhartha Mukherjee, "A.I. versus M.D: What Happens When Diagnosis Is Automated?," *New Yorker*, April 3, 2017. http://www.newyorker.com/magazine/2017/04/03/ai-versus-md/.
17. Dayong Wang, Aditya Khosla, Rishab Gargeya, Humayun Irshad, Andrew H. Beck, *Deep Learning for Identifying Metastatic Breast Cancer*, arXiv:1606.05718. 彼らが使用した手法では信号検出理論の曲線下面積（AUC）が用いられた。この手法は偽陰性も偽陽性も検出できる。https://arxiv.org/abs/1606.05718/.

18. 『睡眠脳波アトラス：標準用語・手技・判定法 復刻版』アラン・レクトシャッフェン、アンソニー・カーレス編、清野茂博訳、医歯薬出版、2010年
19. Ian Allison, "*Former Nuclear Physicist Henri Waelbroeck Explains How Machine Learning Mitigates High Frequency Trading,*" *International Business Times*, March 23, 2016. http://www.ibtimes.co.uk/former-nuclear-physicist-henri-waelbroeck-explains-how-machine-learning-mitigates-high-frequency-1551097/; Bailey McCann, "*The Artificial-Intelligent Investor: AI Funds Beckon,*" *Wall Street Journal*, November 5, 2017. https://www.wsj.com/articles/the-artificial-intelligent-investor-ai-funds-beckon-1509937622/.
20. Sei Chong, "*Morning Agenda: Big Pay for Hedge Fund Chiefs despite a Rough Year,*" *New York Times*, May 16, 2017. https://www.nytimes.com/2017/05/16/business/dealbook/hedge-funds-amazon-bezos.html.
21. 何千もの数学者を雇っているアメリカ国家安全保障局（NAS）を除けばの話だそうだ。2016年5月4日のアルフレッド・W・ヘイルズからの私信より。
22. Sarfaz Manzoor, "*Quants: The Maths Geniuses Running Wall Street,*" *Telegraph*, July 23, 2013. http://www.telegraph.co.uk/finance/10188335/Quants-the-maths-geniuses-running-Wall-Street.html.
23. D. E. Shaw, J. C. Chao, M. P. Eastwood, J. Gagliardo, J. P. Grossman, C. Ho, et al., "*Anton: A Special-Purpose Machine for Molecular Dynamics Simulation,*" *Communications of the ACM* 51, no. 7（2008）: 91–97.
24. D. T. Max, "*Jim Simons, The Numbers King,*" *New Yorker*, December 18 & 25, 2017. https://www.newyorker.com/magazine/2017/12/18/jim-simons-the-numbers-king/.
25. そのうち映画化されるはずだ。
26. ジョン・フォン・ノイマンの言葉。ジェイコブ・ブロノフスキーの1973年のドキュメンタリー TV シリーズ、『*The Ascent*

of Man』の13話で引用された。

27. M. Moravčík, M. Schmid, N. Burch, V. Lisý, D. Morrill, N. Bard, et al., "*DeepStack: Expert-Level Artificial Intelligence in Heads-Up No-Limit Poker,*" *Science* 356, no. 6337（2017）: 508–513. 標準偏差とは、つりがね状の分布曲線の片側の幅。平均値から1標準偏差よりも大きい値をとるのは、サンプルのたった16パーセントである。また、平均値から4標準偏差よりも大きい値をとるのは、サンプル10万のうち、たった三つだ。
28. 1983年公開のSF映画『ウォー・ゲーム』の筋書きが思い出される。内容は以下で確認できる：https://en.wikipedia.org/wiki/WarGames
29. D. Silver, A. Huang, C. J. Maddison, A. Guez, L. Sifre, G. v. d. Driessche, et al., "*Mastering the Game of Go with Deep Neural Networks and Tree Search,*" *Nature* 529, no. 7587（2016）: 484–489.
30. 「今日はどういう言葉から始めればいいのかわかりません」セドルは記者たちに言った。「まずは、お詫びしなければならないと思います。もっといい結果を、いい成績を、いい内容の勝負をお見せすべきでした。たくさんの方々の期待に応えられず、本当に申し訳ありませんでした。自分の無力さを感じます。最初の3局を振り返ると、1局目は、もし戻ることができてもう一度対局したとしても、勝つことはできなかったと思います。あの時点では、アルファ碁の能力について見誤っていましたから」。出典：Jordan Novet, "*Go Board Game Champion Lee Sedol Apologizes for Losing to Google's AI,*" *VentureBeat*, March, 12, 2016. https://venturebeat.com/2016/03/12/go-board-game-champion-lee-sedol-apologizes-for-losing-to-googles-ai/.
31. サーベイヤー1号は1966年6月2日の万国標準時で6:17:36（東部標準時で午前1:17:36）に月面に着陸した。
32. 柯潔の言葉。出典：Selina Cheng, "*The Awful Frustration of a Teenage Go Champion Playing Google's AlphaGo,*" *Quartz*, May 27, 2017. https://qz.com/993147/the-awful-frustration-of-a-

teenage-go-champion-playing-googles-alphago/.
33. 柯潔の言葉。出典：Paul Mozur, "*Google's A.I. Program Rattles Chinese Go Master As It Wins Match,*" *New York Times*, May 25, 2017. https://www.nytimes.com/2017/05/25/business/google-alphago-defeats-go-ke-jie-again.html.
34. Paul Mozur, "*Beijing Wants A.I. to Be Made in China by 2030,*" *New York Times*, July 20, 2017. https://www.nytimes.com/2017/07/20/business/china-artificial-intelligence.html.
35. D. Silver, J. Schrittwieser, K. Simonyan, I. Antonoglou, A. Huang, A. Guez, T. Hubert, L. Baker, M. Lai, A. Bolton, Y. Chen, T. Lillicrap, F. Hui, L. Sifre, G. van den Driessche, T. Graepel, and D. Hassabis, "*Mastering the Game of Go Without Human Knowledge,*" *Nature* 550 (2017) : 354–359.
36. David Silver, Thomas Hubert, Julian Schrittwieser, Ioannis Antonoglou, Matthew Lai, Arthur Guez, Marc Lanctot, Laurent Sifre, Dharshan Kumaran, Thore Graepel, Timothy Lillicrap, Karen Simonyan, Demis Hassabis, *Mastering Chess and Shogi by Self-Play with a General Reinforcement Learning Algorithm*, arXiv:1712.01815 (2017) .
37. Howard Gardner, *Frames of Mind: The Theory of Multiple Intelligences*, 3rd ed. (New York: Basic Books, 2011) .
38. J. R. Flynn, "*Massive IQ Gains in 14 Nations: What IQ Tests Really Measure,*" *Psychological Bulletin* 101, no. 2 (1987) :171–191.
39. S. Quartz and T. J. Sejnowski, *Liars, Lovers, and Heroes: What the New Brain Science Reveals About How We Become Who We Are* (New York: Harper Collins, 2002) .
40. Douglas C. Engelbart, "*Augmenting Human Intellect: A Conceptual Framework,*" SRI Summary Report AFOSR-3223 (Washington, DC: Doug Engelbart Institute, October 1962) . http://www.dougengelbart.org/pubs/augment-3906.html.
41. M. Young, "*Machine Learning Astronomy,*" *Sky and Telescope*, December (2017) : 20–27.
42. "*Are ATMs Stealing Jobs?*" *The Economist*, June 15, 2011. https://

www.economist.com/blogs/democracyinamerica/2011/06/technology-and-unemployment/.
43. John Taggart and Kevin Granville, "*From 'Zombie Malls'* to Bonobos: What America's Retail Transformation Looks Like," *New York Times*, April 15, 2017. https://www.nytimes.com/2017/04/15/business/from-zombie-malls-to-bonobos-americas-retail-transformation.html.
44. E. Brynjolfsson and T. Mitchell, "*What Can Machine Learning Do? Workforce Implications.*" *Science* (2017): 358:1530–1534. doi: 10.1126/science.aap8062.
45. "*Technology Is Transforming What Happens When a Child Goes to School:* Reformers Are Using New Software to 'Personalise' Learning," *Economist*, July 22, 2017. https://www.economist.com/news/briefing/21725285-reformers-are-using-new-software-personalise-learning-technology-transforming-what-happens/.
46. 教育市場は1兆2000億ドル以上と見積もられる。主領域は三つあり、幼児教育が700億ドル、K-12(幼稚園年長～高校卒業)が6700億ドル、大学以上が4750億ドルである。出典: Arpin Gajjar, "*How Big Is the Education Market in the US: Report from the White House,*" *Students for the Future*, October 10, 2008. https://medium.com/students-for-the-future/how-big-is-the-education-market-in-the-us-report-from-white-house-91dc313257c5.
47. "*Algorithmic Retailing: Automatic for the People,*" *Economist*, April 15, 2017, 56.
48. T. J. Sejnowski, "*AI Will Make You Smarter,*" in Brockman, J. (ed.), *What to Think About Machines That Think* (New York: Harper Perennial, 2015), 118–120.

第2章

1. 正式な設立は1970年だが、MIT人工知能研究所(MIT AI Lab)で研究が始まったのは1959年のことである。2003年にMITコンピューター科学研究所（LCS）と合併して、MITコンピューター科学・人工知能研究所（CSAIL）が創設された。だが、連続した機関であることを示したいのと、便宜上、その初期から現在に至るまで、私は「MIT AI Lab」と呼んでいる。

2. 参照：Seymour A. Papert, "*The Summer Vision Project,*" AI Memo AIM-100. July 1, 1966, DSpace@MIT. https://dspace.mit.edu/handle/1721.1/6125. MITの2016年卒業生のミカエラ・エニスはこう言っている。「サマープロジェクトとして『コンピューターの視覚』のテーマを与えられたＭＩＴの学部生の話はパトリック・ウィンストン教授が講義で毎年話しています。その学部生は、ジェラルド・サスマン教授だとも聞きましたよ」
3. 一例を挙げよう：Roger Peterson, Guy Mountfort, and P. A. D. Hollom, *Field Guide to the Birds of Britain and Europe*, 5th ed.（Boston: Houghton Mifflin Harcourt, 2001）.
4. Bruce G. Buchanan and Edward H. Shortliffe, *Rule Based Expert Systems: The MYCIN Experiments of the Stanford Heuristic Programming Project*（Reading, MA: Addison-Wesley, 1984）.
5. S. Mukherjee, "*A.I. versus M.D.: What Happens When Diagnosis Is Automated?*" New Yorker, April 3, 2017.
6. Pedro Domingos, *The Master Algorithm: How the Quest for the Ultimate Learning Machine Will Remake Our World*（New York: Basic Books, 2015）, 35. 私たちが当たり前だと思っているすべての一般常識の量を測る方法さえ、だれにもわかっていない。
7. 猫は人間より軽く、仰向けの状態で落とされても空中で反転して着地できる。J. A. Sechzer, S. E. Folstein, E. H. Geiger, R. F. Mervis and S. M. Meehan, "*Development and Maturation of Postural Reflexes in Normal Kittens,*" *Experimental Neurology* 86, no. 3（1984）: 493–505.
8. B. Katz, *Nerve, Muscle, and Synapse*（New York: McGraw-Hill, 1966）; A. Hodgkin, *Chance and Design: Reminiscences of Science in Peace and War*（Cambridge: Cambridge University Press,

1992).
9. M. Stefik, "*Strategic Computing at DARPA: Overview and Assessment,*" *Communications of the ACM* 28, no.7 (1985): 690–704.
10. G. Tesauro and T. J. Sejnowski, "*A Parallel Network That Learns to Play Backgammon,*" *Artificial Intelligence* 39 (1989): 357–390.

第3章

1. 細かく見れば、大脳皮質の部分ごとに細胞の性質や結合の仕方で違いが見られる。これはおそらく、違う感覚系や違う階層レベルごとの特殊性を反映しているのだろう。
2. P. C. Wason, "*Self-Contradictions,*" in P. N. Johnson-Laird and P. C. Wason, eds., *Thinking: Readings in Cognitive Science* (Cambridge: Cambridge University Press, 1977).
3. 『サイバネティックス—動物と機械における制御と通信』ノーバート・ウィーナー著、池原止戈夫、彌永昌吉、室賀三郎、戸田巌訳、岩波書店、2011年
4. O. G. Selfridge, "*Pandemonium: A Paradigm for Learning,*" in D. V. Blake and A. M. Uttley, eds., *Proceedings of the Symposium on Mechanisation of Thought Processes* (1959): 511–529.
5. 参照：Bernard Widrow and Samuel D. Stearns, *Adaptive Signal Processing* (Englewood Cliffs, NJ: Prentice-Hall, 1985).
6. 参照：Frank Rosenblatt, *Principles of Neurodynamics: Perceptrons and the Theory of Brain Mechanisms* (Washington, DC: Spartan Books, 1962).
7. 内気な独身男性でありながらコーネル大学のキャンパスでスポーツカーを乗り回すという一面もあったローゼンブラットは、博識家であり、広い範囲の事柄に興味をもっていた。たとえば、遠くの恒星の周りを回る惑星を見つけるために、惑星が恒星の前を通過したときに光度がわずかに落ちる現象を計測するという方法(トランジット法)を提案した。現在では銀河系にある恒星の周りを回る外惑星を見つけるために一般的に使われている。

8. M. S. Gray, D. T. Lawrence, B. A. Golomb, and T. J. Sejnowski, "*A Perceptron Reveals the Face of Sex*," *Neural Computation* 7, no. 6 (1995) : 1160–1164.
9. B. A. Golomb, D. T. Lawrence, and T. J. Sejnowski, "*SEXNET: A Neural Network Identifies Sex from Human Faces*," in R. Lippmann, and D. S. Touretzky, eds., *Advances in Neural Information Processing Systems* 3 (1991) : 572–577.
10. ポズナーの駄洒落は、『ドラグネット』というテレビシリーズを踏まえている。1950年代の人気番組で、ロス市警のさまざまな犯罪捜査が描かれた。
11. M. Olazaran, "*A Sociological Study of the Official History of the Perceptrons Controversy*," *Social Studies of Science* 26, no. 3 (1996) : 611–659.
12. Vladimir Vapnik, *The Nature of Statistical Learning Theory* (New York: Springer 1995) , 138.
13. Weifeng Liu, José C. Principe, and Simon Haykin, *Kernel Adaptive Filtering: A Comprehensive Introduction* (Hoboken, NJ: Wiley, 2010) .
14. 『パーセプトロン』M・L・ミンスキー、S・A・パパート著、中野馨、阪口豊訳、パーソナルメディア、1993年。こちらも参照：Marvin Lee Minsky and Seymour Papert, *Perceptrons: An Introduction to Computational Geometry*, expanded ed. (Cambridge, MA: MIT Press, 1988) .
15. UCSDの同僚のハーヴィー・カーテンによると、ローゼンブラットは熟練したボート乗りであり、その日は学生たちも連れてクルーズに出ていた。帆桁に打たれてボートから投げ出されたのだが、学生たちはだれも助けることができなかったそうだ（2017年11月8日の個人的な会話より）。

第4章

1. Christoph von der Malsburg, "*The Correlation Theory of Brain Function*," Internal Report 81–2 (Göttingen: Max-Planck Institute for Biophysical Chemistry, 1981) , http://cogprints.

org/1380/1/vdM_correlation.pdf.
2. P. Wolfrum, C. Wolff, J. Lücke, and C. von der Malsburg, "*A Recurrent Dynamic Model for Correspondence-Based Face Recognition,*" *Journal of Vision* 8, no. 34 (2008) : 1–18.
3. K. Fukushima, "*Neocognitron: A Self-Organizing Neural Network Model for a Mechanism of Pattern Recognition Unaffected by Shift in Position,*" *Biological Cybernetics* 36, no. 4 (1980) : 193–202.
4. T. Kohonen, "*Self-Organized Formation of Topologically Correct Feature Maps,*" *Biological Cybernetics* 43, no. 1 (1982) : 59–69.
5. Judea Pearl, *Probabilistic Reasoning in Intelligent Systems: Networks of Plausible Inference* (San Mateo, CA: Morgan Kaufmann, 1988).
6. このワークショップから、二人が編集した選集が出版された：Geoffrey E. Hinton and James A. Anderson, eds., *Parallel Models of Associative Memory* (Hillsdale, NJ: Erlbaum, 1981).
7. Terrence J. Sejnowski, "*David Marr: A Pioneer in Computational Neuroscience,*" in Lucia M. Vaina, ed., *From the Retina to the Neocortex: Selected Papers of David Marr* (Boston: Birkhäuser, 1991), 297–301; see, for example, D. Marr, "*A Theory of Cerebellar Cortex,*" *Journal of Physiology* 202 (1969) : 437–470; D. Marr, "A Theory for Cerebral Neocortex," *Proceedings of the Royal Society of London: B Biological Sciences* 176 (1970) : 161–234; D. Marr, "*Simple Memory: A Theory for Archicortex,*" *Philosophical Transactions of the Royal Society of London: B Biological Sciences* 262 (1971) : 23–81.
8. D. Marr and T. Poggio, "*Cooperative Computation of Stereo Disparity,*" *Science* 194, no. 4262 (1976) : 283–287; ランダムドット・ステレオグラムの説明は以下も参照：Béla Julesz, *Foundations of Cyclopean Perception* (Chicago: University of Chicago Press, 1971)
9. 『マジック・アイ（Magic Eye）』の画像は、オートステレオグラムといって、パターンのなかに隠れた三次元構造が含まれており、目の焦点をずらすとそれが浮かび上がって見える。

1979年にクリストファー・タイラーが始めて白黒のオートステレオグラムを作成した。参照：http://www.magiceye.com/

10. 『ビジョン―視覚の計算理論と脳内表現』デビッド・マー著、乾敏郎、安藤広志訳、産業図書、1987年
11. Terrence Joseph Sejnowski, "*A Stochastic Model of Nonlinearly Interacting Neurons*" (Ph.D. diss., Princeton University, 1978).
12. T. J. Sejnowski, "*Vernon Mountcastle: Father of Neuroscience,*" *Proceedings of the National Academy of Sciences of the United States of America* 112, no. 4262 (2015): 6523–6524.
13. ジョンズ・ホプキンズ大学には三つの生物物理学系の学部がある。医学、公衆衛生学、文理学である。（私がいたのは、ホームウッドキャンパスにある文理学部のトーマス・C・ジェンキンズ生物物理学科である。）
14. T. J. Sejnowski and M. I. Yodlowski, "*A Freeze-Fracture Study of the Skate Electroreceptor,*" *Journal of Neurocytology* 11, no. 6 (1982): 897–912.
15. T. J. Sejnowski, S. C. Reingold, D. B. Kelley, and A. Gelperin, "*Localization of [3H]-2-Deoxyglucose in Single Molluscan Neurones,*" *Nature* 287, no. 5781 (1980): 449–451.
16. この文章のきっかけとなったのは、遺伝学者であり進化生物学者でもあるテオドシウス・ドブジャンスキーの次の有名な言葉である。「進化という視点がなければ、生物学は何の意味もなさない（Nothing in biology makes any sense except in the light of evolution）」。このバージョンはウィリアム・ニューサムによるものであり、BRAINイニシアティブのためのNIHロードマップ、「BRAIN 2015」にも見られる。https://www.braininitiative.nih.gov/2025/
17. S. W. Kuffler and T. J. Sejnowski, "*Peptidergic and Muscarinic Excitation at Amphibian Sympathetic Synapses,*" *Journal of Physiology* 341 (1983): 257–278.
18. システム・デベロップメント・コーポレーション（System Development Corporation）はカリフォルニア州サンタモニカにあった非営利のソフトウェア会社であり、米軍から仕事を

請け負っていた。会社の廃業時に建物を清算したところ巨額の利益が残ったのだが、非営利団体ではこれは認められない。そこで1969年にカリフォルニア州パルアルトのシステム・デベロップメント・ファウンデーション（System Development Foundation）が設立され、1980年から1988年にかけて、建物の売却による収益を助成プログラムによって分配したのだ。

19. シンボリックス社製のLispマシンは、記号処理をするAIプログラムを記述するように開発され、実際にそれに向いていた。だが、ニューラルネットワークのシミュレーションで必要となる大量の数値計算はあまり得意ではなかった。
20. 1984年、NSF大統領若手研究者だった私は、新興コンピューター会社のリッジ（Ridge）社から大幅割引での購入を提案された。それは、当時、処理能力の高い計算機として学術業界でよく使われていた「Vax 11/780」と同等のコンピューターだった。

第5章

1. ヘルムホルツ・クラブは1980年代にフランシス・クリック、V・S・ラマチャンドラン、ゴードン・ショーによって設立され、20年以上も続いている。クラブの歴史は次の資料に詳しい：C. Aicardi, “Of the Helmholtz Club, South-Californian Seedbed for Visual and Cognitive Neuroscience, and Its Patron Francis Crick,” *Studies in History and Philosophy of Biological and Biomedical Sciences* 45, no. 100 (2014): 1–11.
2. ある出席者は魅力をこのように言っている。「私は、出会ったすべての人からたくさんのことを学んできました。ほかの人のアイデアを使うことについては、私は恥知らずですからね。（中略）学習経験のなかで特に中身が濃いのは、ヘルムホルツ・クラブですね。ご存知かどうかわかりませんが。（中略）出席者は20人ほどです。欠席したことは一度もありません。自分の講義よりもクラブの会合のほうが大切なので、講義はだれかに代理を頼みます。会合はとにかく重要で、欠席はできないので、何がなんでも出席するんですよ」カーバー・ミードの言葉。出典：James A. Anderson and Edward Rosenfeld, eds., *Talking Nets: An Oral History of Neural Networks* (Cambridge, MA: MIT Press, 2000), 138.

3. R. Desimone, T. D. Albright, C. G. Gross, and C. Bruce, "*Stimulus-Selective Properties of Inferior Temporal Neurons in the Macaque,*" *Journal of Neuroscience* 4, no. 8 (1984): 2051–2062. チャールズ・グロス研究室の研究者の多くがヒゲを生やしていたことを考えると、トイレ用ブラシに反応した視覚野のニューロンは「ヒゲ細胞」なのかもしれない。
4. David Hubel, *Eye, Brain, and Vision* (New York: W. H. Freeman, 1988), 191–216.
5. 猫での臨界期は生後約3週間から数カ月だが、人間では生後数カ月から7～8歳まで続く。臨界期は、これまで考えられていたように突然終わるわけではないかもしれない。また、大人でも、斜視を矯正して、集中的に訓練を重ねれば、立体視の機能を獲得できる場合がある。参照：『視覚はよみがえる：三次元のクオリア』スーザン・バリー著、宇丹貴代実訳、筑摩書房、2010年。今は「ステレオ《立体の》・スー」と呼ばれるようになった彼女だが、私がプリンストン大学の大学院生だった頃から知っていた。
6. このルールにはいくつかの例外がある。海馬歯状回の顆粒細胞と嗅球のニューロンは、一生にわたって新生される。参照：Michael Specter, "*Rethinking the Brain: How the Songs of Canaries Upset a Fundamental Principle of Science,*" *New Yorker*, July 23, 2001. http://www.michaelspecter.com/2001/07/rethinking-the-brain/.
7. Terrence Sejnowski, "*How Do We Remember the Past?*" in John Brockman, ed., *What We Believe but Cannot Prove: Today's Leading Thinkers on Science in the Age of Certainty* (London: Free Press, 2005), 97–99; and R. Y. Tsien, "*Very Long-Term Memories May Be Stored in the Pattern of Holes in the Perineuronal Net,*" *Proceedings of the National Academy of Sciences of the United States of America*

110, no. 30 (2013): 12456–12461.
8. アルツハイマー病は、細胞外の間質の状態が損なわれて、長期記憶の喪失の原因となっているのかもしれない。ジョン・オールマン、2017年7月の私信より。
9. ゲーリーの話のまとめについては、次を参照のこと：Shelley Batts, "*SFN Special Lecture: Architecture Frank Gehry and Neuro-Architecture,*" *ScienceBlogs*, posted October 15, 2006. http://scienceblogs.com/retrospectacle/2006/10/15/sfn-special-lecture-architect-1/.
10. B. S. Kunsberg and S.W. Zucker, "*Critical Contours: An Invariant Linking Image Flow with Salient Surface Organization,*" May 20, 2017. https://arxiv.org/pdf/1705.07329.pdf.
11. 山の等高線地図のような三次元表面の等高線と、画像内の光の強度が等しい点をつなげたなど"光"線の関係は、「モース・スメール複体」と呼ばれる、表面の臨界点と勾配流の幾何学によって説明される。
12. S. R. Lehky and T. J. Sejnowski, "*Network Model of Shape-from-Shading: Neural Function Arises from Both Receptive and Projective Fields,*" *Nature* 333, no. 6172 (1988): 452–454.
13. Terrence J. Sejnowski, "*What Are the Projective Fields of Cortical Neurons?*" in J. Leo van Hemmen and Terrence J. Sejnowski, eds. *23 Problems in Systems Neuroscience* (New York: Oxford University Press, 2005), 394–405.
14. C. N. Woolsey, "*Cortical Localization as Defined by Evoked Potential and Electrical Stimulation Methods,*" in G. Schaltenbrand and C. N. Woolsey (eds.), *Cerebral Localization and Organization* (Madison: University of Wisconsin Press, 1964), 17–26; J. M. Allman and J. H. Kaas, "*A Representation of the Visual Field in the Caudal Third of the Middle Temporal Gyms of the Owl Monkey (Aotus trivirgatus).*" Brain Research 31 (1971): 85–105.
15. L. Geddes, "*Human Brain Mapped in Unprecedented Detail: Nearly 100 Previously Unidentified Brain Areas Revealed by Examination of the Cerebral Cortex,*" *Nature*, July 20, 2016. doi:10.1038/nature.

2016.20285.

16. そういった技術の一つが、拡散テンソル画像（DTI）であり、皮質のなかの白質を構成している、軸索の方向を追跡できる。
17. Elizabeth Penisi, "*Two Foundations Collaborate on Cognitive Neuroscience,*" Scientist, October 1989. http://www.the-scientist.com/?articles.view/articleNo/10719/title/Two-Foundations-Collaborate-On-Cognitive-Neuroscience/.
18. U. Hasson, E. Yang, I. Vallines, D. J. Heeger, and N. Rubin, "*A Hierarchy of Temporal Receptive Windows in Human Cortex,*" *Journal of Neuroscience* 28, no. 10 (2008) : 2539–2550.

第6章

1. J. Herault and C. Jutten, "*Space or Time Adaptive Signal Processing by Neural Network Models,*" in J. S. Denker, ed., *Neural Networks for Computing, AIP Conference Proceedings* 151, no. 1 (1986) : 206–211.
2. A. J. Bell and T. J. Sejnowski, "*An Information-Maximization Approach to Blind Separation and Blind Deconvolution,*" *Neural Computation* 7, no. 6 (1995) : 1129–1159.
3. IBMのラルフ・リンスカーは、発達段階の視覚系の回路がどのように接続されるかを説明するため、「infomax」というアルゴリズムをすでに導入していた。R. Linsker, "*Self-Organization in a Perceptual Network,*" *Computer* 21, no. 3 (1988) : 105–117.
4. A. J. Bell and T. J. Sejnowski, "*An Information-Maximization Approach to Blind Separation and Blind Deconvolution.*"
5. ほかにも以下の人々が、ICAの発展に大きく貢献した：Pierre Comon, Jean-François Cardoso, Apo Hyvarinen, Erkki Oja, Andrzej Cichocki, Shun-ichi Amari, Te-Won Lee, Michael Lewicki, and many others.
6. A. J. Bell and T. J. Sejnowski, "*The 'Independent Components' of Natural Scenes Are Edge Filters,*" *Vision Research* 37, no. 23 (1997) : 3327–3338.

7. ブルーノ・オルシャウセンとデイヴィッド・フィールドもまた、スパース性に基づくほかの学習アルゴリズムを用いて同じ結論に達している。B. A. Olshausen and D. J. Field, "*Emergence of Simple-Cell Receptive Field Properties by Learning a Sparse Code for Natural Images*," *Nature* 38, no. 6583（1996）: 607–609.
8. Horace Barlow, "*Possible Principles Underlying the Transformation of Sensory Messages*," in Walter A. Rosenblith, ed., Sensory *Communication*（Cambridge, MA: MIT Press, 1961）, 217–234.
9. A. J. Bell and T. J. Sejnowski, "*Learning the Higher-Order Structure of a Natural Sound*," *Network: Computation in Neural Systems* 7, no. 2（1996）: 261–267.
10. A. Hyvarinen and P. Hoyer, "*Emergence of Phase- and Shift-Invariant Features by Decomposition of Natural Images into Independent Feature Subspaces*." *Neural Computation* 12, no. 7（2000）: 1705–1720.
11. M. J. McKeown, T.-P. Jung, S. Makeig, G. D. Brown, S. S. Kindermann, T.-W. Lee, and T. J. Sejnowski, "*Spatially Independent Activity Patterns in Functional MRI Data during the Stroop Color-Naming Task*," *Proceedings of the National Academy of Sciences of the United States of America* 95, no. 3（1998）: 803–810.
12. D. Mantini, M. G. Perrucci, C. Del Gratta, G. L. Romani, and M. Corbetta, "*Electrophysiological Signatures of Resting State Networks in the Human Brain*," *Proceedings of the National Academy of Sciences of the United States of America* 104, no. 32（2007）:13170–13175.
13. D. L. Donoho, "Compressed Sensing," *IEEE Transactions on Information Theory* 52, no. 4（2006）: 1289–1306; Sanjoy Dasgupta, Charles F. Stevens, and Saket Navlakha, "*A Neural Algorithm for a Fundamental Computing Problem,*" Science 358（2017）: 793–796. doi:10.1126/science.aam9868.
14. 苔状《たいじょう》線維の入力が顆粒細胞の樹状突起で収束する段階で、脳は独立成分分析を小脳で実装しているのかもしれない。参

照：D. M. Eagleman, O. J.-M. D. Coenen, V. Mitsner, T. M. Bartol, A. J. Bell, and T. J. Sejnowski, "*Cerebellar Glomeruli: Does Limited Extracellular Calcium Implement a Sparse Encoding Strategy?*" in *Proceedings of the 8th Joint Symposium on Neural Computation*（La Jolla, CA: Salk Institute, 2001）.

15. アンソニー・ベルは、独立成分分析と近赤外分光法を用いて、水の構造を研究している。彼が証明しようとしているのは、水が、現在ある装置では観測できないスケールにおいて、光によって情報を伝え合い、生体分子が生きる環境を形成するような、コヒーレント構造を形成していることだ。彼の発想とは、決断が生じるのは、「ニューラル・スキーム」が十分な程度まで緩和したときで、より分散された全身の細胞内部の原子ネットワークからコヒーレントな情報が発現するのではないかということである。

第7章

1. ほとんどの神経細胞が決定を下す時間は最速でも約10ミリ秒なので、1秒で決定するとすれば100ステップは越えない。
2. 電磁気学を例にとると、マイケル・ファラデーの物理学は「ごちゃごちゃ」であり、ジェームズ・クラーク・マクスウェルの物理学は「きれい」である。

3. Theodore Holmes Bullock and G. Adrian Horridge, *Structure and Function in the Nervous Systems of Invertebrates*（San Francisco: W. H. Freeman, 1965）.
4. E. Chen, K. M. Stiefel, T. J. Sejnowski, and T. H. Bullock, "*Model of Traveling Waves in a Coral Nerve Network*," *Journal of Comparative Physiology* A 194, no. 2（2008）: 195–200.
5. D. S. Levine and S. Grossberg, "*Visual Illusions in Neural Networks: Line Neutralization, Tilt after Effect, and Angle Expansion*," *Journal of Theoretical Biology* 61, no. 2（1976）:477–504.
6. G. B. Ermentrout and J. D. Cowan, "*A Mathematical Theory of Visual Hallucination Patterns*," *Biological Cybernetics* 34, no. 3（1979）:137–150.

7. J. J. Hopfield, "*Neural Networks and Physical Systems with Emergent Collective Computational Abilities,*" *Proceedings of the National Academy of Sciences of the United States of America* 79, no. 8 (1982) : 2554–2558.
8. 1976年の、立体視(第4章で説明)に関するマー＝ポッジオ・モデルのニューラルネットワークは対称だったが、マーとポッジオは全ユニットを同時に更新(同期更新)したため、非同期更新のホップフィールド・ネットワークと比較すると、ネットワークのダイナミクスが極めて複雑だった。参照：D. Marr, G. Palm, and T. Poggio T, "*Analysis of a Cooperative Stereo Algorithm,*" *Biological Cybernetics* 28, no. 4 (1978) : 223–239.
9. L. L. Colgin, S. Leutgeb, K. Jezek, J. K. Leutgeb, E. I. Moser, B. L. McNaughton, and M.-B. Moser, "*Attractor-Map versus Autoassociation Based Attractor Dynamics in the Hippocampal Network,*" *Journal of Neurophysiology* 104, no. 1 (2010) : 35–50.
10. J. J. Hopfield and D. W. Tank, "'*Neural' Computation of Decisions in Optimization Problems,*" *Biological Cybernetics* 52, no. 3 (1985) :141–152. 巡回セールスマン問題は、コンピューター科学の有名な問題である。問題のサイズが大きくなるにつれて、問題を解くために必要な時間が非常に急激に増加する、あるクラスの問題の一例である。
11. Dana H. Ballard and Christopher M. Brown, *Computer Vision* (Englewood Cliffs, NJ: Prentice Hall, 1982).
12. D. H. Ballard, G. E. Hinton, and T. J. Sejnowski, "*Parallel Visual Computation,*" Nature 306, no. 5938 (1983) : 21–26; R. A. Hummel and S. W. Zucker, "*On the Foundations of Relaxation Labeling Processes,*" *IEEE Transactions on Pattern Analysis and Machine Intelligence* 5, no. 3 (1983) : 267–287.
13. S. Kirkpatrick, C. D. Gelatt Jr., and M. P. Vecchi, "*Optimization by Simulated Annealing,*" *Science* 220, no. 4598 (1983) : 671–680.
14. P. K. Kienker, T. J. Sejnowski, G. E. Hinton, and L. E. Schumacher, "*Separating Figure from Ground with a Parallel Network,*" *Perception* 15 (1986) : 197–216.

15. H. Zhou, H. S. Friedman, and R. von der Heydt, "*Coding of Border Ownership in Monkey Visual Cortex*," *Journal of Neuroscience* 20, no. 17（2000）: 6594–6611.
16. 『行動の機構―脳メカニズムから心理学へ』D・O・ヘッブ著、鹿取廣人ほか訳、岩波書店、2011年、上巻168ページ。
17. T. J. Sejnowski, P. K. Kienker, and G. E. Hinton, "*Learning Symmetry Groups with Hidden Units: Beyond the Perceptron*," *Physica* 22D（1986）: 260–275.
18. N. J. Cohen, I. Abrams, W. S. Harley, L. Tabor, and T. J. Sejnowski, "*Skill Learning and Repetition Priming in Symmetry Detection: Parallel Studies of Human Subjects and Connectionist Models*," in *Proceedings of the 8th Annual Conference of the Cognitive Science Society*（Hillsdale, NJ: Erlbaum, 1986）, 23–44.
19. B. P. Yuhas, M. H. Goldstein Jr., T. J. Sejnowski, and R. E. Jenkins, "*Neural Network Models of Sensory Integration for Improved Vowel Recognition*," *Proceedings of the IEEE* 78, no. 10（1990）: 1658–1668.
20. G. E. Hinton, S. Osindero, and Y. Teh, "*A Fast Learning Algorithm for Deep Belief Nets*," *Neural Computation* 18, no. 7（2006）: 1527–1554.
21. J. Y. Lettvin, H. R. Maturana, W. S. McCulloch, and W. H. Pitts, "*What the Frog's Eye Tells the Frog's Brain*," *Proceedings of the Institute of Radio Engineers* 47, no. 11（1959）: 1940–1951. http://hearingbrain.org/docs/letvin_ieee_1959.pdf.
22. R. R. Salakhutdinov and G. E. Hinton, "*Deep Boltzmann Machines*," *in Proceed- ings of the 12th International Conference on Artificial Intelligence and Statistics, Journal of Machine Learning Research* 5（2009）: 448–455. ポール・スモレンスキーがボルツマンマシンのこの特別なモデルを考案して、ハーモニウムと命名した。P. Smolensky, "*Information Processing in Dynamical Systems: Foundations of Harmony Theory*," in David E. Rumelhart and James L. McLelland（eds.）, *Parallel Distributed Processing: Explorations in the Microstructure of Cognition, Volume 1: Foundations*

(Cambridge, MA: MIT Press, 1986), 194–281.
23. B. Poole, S. Lahiri, M. Raghu, J. Sohl-Dickstein, and S. Ganguli, "*Exponential Expressivity in Deep Neural Networks through Transient Chaos*," in *Advances in Neural Information Processing Systems* 29 (2016): 3360–3368.
24. Jeffrey L. Elman, Elizabeth A. Bates, Mark H. Johnson, Annette Karmiloff-Smith, Domenico Parisi, and Kim Plunkett, *Rethinking Innateness: A Connectionist Perspective on Development* (Cambridge, MA: MIT Press, 1996).
25. Steven R. Quartz and Terrence J. Sejnowski, *Liars, Lovers, and Heroes: What the New Brain Science Reveals about How We Become Who We Are* (New York: Harper Collins, 2002).
26. S. Quartz and T. J. Sejnowski, "*The Neural Basis of Cognitive Development: A Constructivist Manifesto*," *Behavioral and Brain Sciences* 20, no. 4 (1997): 537–596.
27. これは非CGメチル化と呼ばれる。参照：R. Lister, E. A. Mukamel, J. R. Nery, M. Urich, C. A. Puddifoot, N. D. Johnson, J. Lucero, Y. Huang A. J. Dwork, M. D. Schultz, M. Yu, J. Tonti-Filippini, H. Heyn, S. Hu, J. C. Wu, A. Rao, M. Esteller, C. He,F. G. Haghighi, T. J. Sejnowski, M. M. Behrens, J. R. Ecker, "*Global Epigenomic Reconfiguration during Mammalian Brain Development*," *Science* 341, no. 6146 (2013): 629.

第8章

1. カリフォルニア大学サンディエゴ校の認知科学科は人間工学の専門家ドナルド・ノーマンによって開設され、教授陣の専門は多岐にわたる。
2. 誤差逆伝播学習アルゴリズムで使用されている数学は以前から使われており、1960年代の制御理論の文献にさかのぼる。だが、最も大きな影響を及ぼしたのは多層パーセプトロンへの応用だった。参照：Arthur E. Bryson and Yu-Chi Ho, *Applied Optimal Control: Optimization, Estimation, and Control* (University of Michigan, Blaisdell, 1969).

3. マイケル・ジョーダンによる現代の確率的勾配降下法に関する専門的な講演を参照のこと：“*On Gradient-Based Optimization: Accelerated, Distributed, Asynchronous, and Stochastic*,” May 2, 2017, Simons Institute for the Theory of Computing, UC, Berkeley. https://simons.berkeley.edu/talks/michael-jordan-2017-5-2/.
4. D. E. Rumelhart, G. E. Hinton, and R. J. Williams, “*Learning Representations by Back-Propagating Errors*,” *Nature* 323, no. 6088 (1986), 533–536.
5. よく知られた、こんな話がある。かつてバートランド・ラッセルが天文学に関する公開講演を行った時のことである。講演の最後に、年配の女性が部屋の後ろの席で立ち上がってこう言った。「あなたのお話になったことはばかげていますよ。本当は、世界は巨大な亀の背中にのっているんですから」ラッセルは笑みを浮かべて尋ね返した。「では、その亀は何の上にのっているんでしょうか？」「お若い方、お利口さんなのね。でも、答えられますよ。亀の下には亀がいて、どこまでいっても亀が続いているんですよ」と老婦人は答えた。老婦人は問題を再帰的に解いてみせたが、無限後退に陥っている。実際には、ループは終了しなければならない。
6. C. R. Rosenberg And T. J. Sejnowski, “*Parallel Networks That Learn to Pronounce English Text*,” *Complex Systems* 1 (1987) : 145–168.
7. W. Nelson Francis and Henry Kucera, “*A Standard Corpus of Present-Day Edited American English, for Use with Digital Computers*,” Brown University, 1964; revised and amplified, 1979, http://clu.uni.no/icame/manuals/BROWN/INDEX.HTM.
8. 学習の段階ごとにニューラルネットワークの音声を録音したものを下記からダウンロード可能。http://papers.cnl.salk.edu/~terry/NETtalk/nettalk.mp3.
9. M. S. Seidenberg and J. L. McClelland, “*A Distributed Developmental Model of Word Recognition and Naming*,” *Psychological Review* 96, no. 4 (1989), 523–568.
10. N. Qian and T. J. Sejnowski, “*Predicting the Secondary Structure of*

Globular Proteins Using Neural Network Models," *Journal of Molecular Biology*, 202 (1988): 865–884.
11. David E. Rumelhart and James L. McClelland, "*On Learning the Past Tense of English Verbs*," in Rumelhart and McClelland, eds., *Parallel Distributed Processing: Explorations in the Microstructure of Cognition* (Cambridge, MA: MIT Press, 1986), 2:216–271; J. L. McClelland and K. Patterson, "*Rules or Connections in Past-Tense inflections: What Does the Evidence Rule Out?*" *Trends in Cognitive Sciences* 6, no. 11 (2002): 465–472; and S. Pinker and M. T. Ulman, "The Past and Future of the Past Tense," *Trends in Cognitive Sciences* 6, no. 11 (2002): 456–463.
12. M. S. Seidenberg and D. C. Plaut, "*Quasiregularity and Its Discontents: The Legacy of the Past Tense Debate*," *Cognitive Science* 38, no. 6 (2014): 1190–1228.
13. D. Zipser and R. A. Andersen, "*A Back-Propagation Programmed Network That Simulates Response Properties of a Subset of Posterior Parietal Neurons*" *Nature* 331, no. 6158 (1988): 679–684. 注記：このネットワークは、眼球の位置を考慮にいれて、網膜上の物体の位置を網膜座標系から頭部中心座標系へと変換した。
14. G. E. Hinton, D. C. Plaut, and T. Shallice, "*Simulating Brain Damage*," *Scientific American* 269, no. 4 (1993): 76–82.「脳に損傷のある成人は、単語を読むときに奇妙な間違い方をすることがある。シミュレーションによる神経細胞のネットワークを、読む訓練をした後で損傷させると、驚くほどよく似た動作が示される」(76ページ)。
15. N. Srivastava, G. Hinton, A. Krizhevsky, I. Sutskever, and R. Salakhutdinov, "*Dropout: A Simple Way to Prevent Neural Networks from Overfitting*," *Journal of Machine Learning Research* 15 (2014) :1929–1958.
16. "*Netflix Prize*," *Wikipedia*, last modified, August 23, 2017, https://en.wikipedia.org/wiki/Netflix_Prize.
17. Carlos A. Gomez-Uribe, Neil Hunt, "*The Netflix Recommender System: Algorithms, Business Value, and Innovation*" *ACM*

Transactions on Management Information Systems 6, no. 4（2016）, article no. 13.

18. T. M. Bartol Jr., C. Bromer, J. Kinney, M. A. Chirillo, J. N. Bourne, K. M. Harris, and T. J. Sejnowski, "*Nanoconnectomic Upper Bound on the Variability of Synaptic Plasticity*," *eLife*, 4:e10778, 2015, doi:10.7554/eLife.10778.
19. これは確率論の「大数の法則」に従っている。これが、カジノ店が、短期的に負けることがあっても、長期的には必ず勝つ理由である。
20. Bartol Jr. et al., "*Nanoconnectomic Upper Bound on the Variability of Synaptic Plasticity*."
21. J. Collins, J. Sohl-Dickstein, and D. Sussillo, "*Capacity and Trainability in Recur- rent Neural Networks*," 2016, https://arxiv.org/pdf/1611.09913.pdf. 偶然を重視しすぎるのは危険だ。「1日は24時間で､ビール1ケースは24本入り。単なる偶然か？ そうは思わない」。この偶然は、毎年4月24日に、プリンストン大学でポール・ニューマンの日として祝われている。
22. シナプスの次元の大まかな見積りは、シナプス数の上限と下限の積を求め、その平方根を計算することによって求められる。参考：『サイエンス脳のためのフェルミ推定力養成ドリル』ローレンス・ワインシュタイン、ジョン・A・アダム著、山下優子、生田りえ子訳、日経ＢＰ社、16ページ。上限を、皮質内のシナプス総数の100兆個、下限を、一つの神経細胞にあるシナプス数の1万個とすると、複雑な物体を表現するのに必要なシナプス数の大まかな見積りは、およそ10億個となる。同じ大まかなやり方で必要な神経細胞の数も次のように求められる。上限は皮質内の神経細胞数の100億個、下限は1個の神経細胞となり、複雑な物体を表現するのに必要な神経細胞数は10万個となり、大脳皮質1平方ミリメートル当たりの神経細胞数とほぼ等しくなる。しかし、これらの神経細胞は大脳皮質のさまざまな部分に広く分散している可能性がある。また、概念の表現に関係している皮質領域の数も推定できる。上限は皮質領域の総数の100個となり、下限は1なので、推定値は10個の皮質領域となる。すなわち、各々の皮質領域に1万個の神経細胞が含まれることになる。BRAINイニシアティブによって開発されている新しい手法によって、これらの数が実験的に突き止められるだろう。
23. Ali Rahimi and Benjamin Recht, "*Random Features for Large-Scale Kernel Machines*," *Advances in Neural Information Processing Systems* 20 (2007).
24. https://www.facebook.com/yann.lecun/posts/10154938130592143/.
25. Mukherjee, "*A.I. versus M.D.*" *New Yorker*, April 3, 2017. http://www.newyorker.com/magazine/2017/04/03/ai-versus-md/.
26. 『ファースト&スロー：あなたの意思はどのように決まるか？』ダニエル・カーネマン著、村井章子訳、早川書房、2012年
27. Clare Garvie and Jonathan Frankle, "*Facial-Recognition Software Might Have a Racial Bias Problem*," *The Atlantic*, Apr 7, 2016. https://www.theatlantic.com/technology/archive/2016/04/the-underlying-bias-of-facial-recognition-systems/476991/.
28. Kate Crawford, "*Artificial Intelligence's White Guy Problem*," *New York Times*, June 25, 2016. https://www.nytimes.com/2016/06/26/opinion/sunday/artificial-intelligences-white-guy-problem.html.
29. Barbara Oakley, Ariel Knafo, Guruprasad Madhavan, and David Sloan Wilson (eds.), *Pathological Altruism* (Oxford: Oxford University Press, 2011).
30. 英語ページ：https://futureoflife.org/open-letter-autonomous-weapons/
日本語ページ：https://futureoflife.org/open-letter-autonomous-weapons-japanese/
31. http://www.cnn.com/2017/09/01/world/putin-artificial-intelligence-will-rule-world/index.html.
32. Andrew Burtjan, "*Leave A.I.Alone*," *New York Times*, January 4, 2018. https://www.nytimes.com/2018/01/04/opinion/leave-

artificial-intelligence.html.

第9章

1. 『科学革命の構造』トーマス・クーン著、中山茂訳、みすず書房、1971年、26ページ～。
2. M. Riesenhuber and T. Poggio, "*Hierarchical Models of Object Recognition In Cortex.*" Nat Neurosci. 2: 1019-1025, 1999; T. Serre, A. Oliva, and T. Poggio, "*A Feedforward Architecture Accounts for Rapid Categorization.*" *Proceedings of the National Academy of Sciences of the United States of America* 104, no. 15 (2007): 6424–6429.
3. Judea Pearl, *Probabilistic Reasoning in Intelligent Systems*. Morgan Kaufmann; 1988.
4. Yoshua Bengio, Pascal Lamblin, Dan Popovici, and Hugo Larochelle, "*Greedy Layer-Wise Training of Deep Networks*," in Bernhard Schölkopf, John Platt, and Thomas Hoffman, eds., *Advances in Neural Information Processing Systems 19: Proceedings of the 2006 Conference* (Cambridge, MA: MIT Press), 153–160.
5. Sepp Hochreiter, Yoshua Bengio, Paolo Frasconi, and Jürgen Schmidhuber, "*Gradient Flow in Recurrent Nets: The Difficulty of Learning Long-Term Dependencies*," In John F. Kolen and Stefan C. Kremer, eds., *A Field Guide to Dynamical Recurrent Neural Networks* (New York: IEEE Press, 2001), 237–243.
6. D. C. Cireşan, U. Meier, L. M. Gambardella, and J. Schmidhuber, "*Deep Big Simple Neural Nets for Handwritten Digit Recognition*," *Neural Computation* 22, no.12 (2010): 3207–3220.
7. A. Krizhevsky, I. Sutskever, and G. E. Hinton, "*ImageNet Classification with Deep Convolutional Neural Networks*," *Advances in Neural Information Processing Systems* 25 (NIPS 2012). https://papers.nips.cc/paper/4824-imagenet-classification-with-deep-convolutional-neural-networks.
8. 同上
9. K. He, X. Zhang, S. Ren, and J. Sun, "*Deep Residual Learning for*

Image Recognition," 2015. https://www.cv-foundation.org/openaccess/content_cvpr_2016/papers/He_Deep_Residual_Learning_CVPR_2016_paper.pdf.
10. Yann LeCun, "*Modèles connexionistes de l'apprentissage*" (Connectionist learning models) (Ph.D. diss., Université Pierre et Marie Curie, Paris, 1987).
11. Krizhevsky, Sutskever, and Hinton, "*ImageNet Classification with Deep Convolutional Neural Networks*."
12. M. D. Zeiler and R. Fergus, "*Visualizing and Understanding Convolutional Networks*," 2013. https://www.cs.nyu.edu/~fergus/papers/zeilerECCV2014.pdf.
13. Patricia Smith Churchland, *Neurophilosophy: Toward a Unified Science of the Mind-Brain* (Cambridge, MA: MIT Press, 1989).
14. Patricia Smith Churchland and Terrence J. Sejnowski, *The Computational Brain*, 2nd ed. (Cambridge, MA: MIT Press 2016).
15. D. L. Yamins and J. J. DiCarlo, "*Using Goal-Driven Deep Learning Models to Understand Sensory Cortex*," *Nature Neuroscience* 19, no. 3 (2016): 356–365.
16. S. Funahashi, C. J. Bruce, and P. S. Goldman-Rakic, "*Visuospatial Coding in Primate Prefrontal Neurons Revealed by Oculomotor Paradigms*," *Journal of Neurophysiology* 63, no. 4 (1990): 814–831.
17. J. L. Elman, "*Finding Structure in Time*," Cognitive Science 14 (1990): 179–211; M. I. Jordan, "*Serial Order: A Parallel Distributed Processing Approach*," *Advances in Psychology* 121 (1997): 471–495; G. Hinton, L. Deng, G. E. Dahl, A. Mohamed, N. Jaitly, A. Senior, et al., "*Deep Neural Networks for Acoustic Modeling in Speech Recognition*," *IEEE Signal Processing Magazine*, 29, no. 6 (2012): 82–97.
18. S. Hochreiter and J. Schmidhuber, "*Long Short-Term Memory*," *Neural Computation* 9, no. 8 (1997): 1735–1780.
19. John Markoff, "*When A.I.Matures, It May Call Jürgen Schmidhuber 'Dad.'* "*New York Times*, November 27, 2016, https://www.

nytimes.com/2016/11/27/technology/artificial-intelligence-pioneer-jurgen-schmidhuber-overlooked.html.

20. K. Xu, J. L. Ba, R. Kiror, K. Cho, A. Courville, R. Slakhutdinov, R. Zemel, Y. Bengio, "*Show, Attend and Tell: Neural Image Captions Generation with Visual Attention*," 2015, rev. 2016. https://arxiv.org/pdf/1502.03044.pdf.
21. I. J. Goodfellow, J. Pouget-Abadie, M. Mirza, B. Xu, D. Warde-Farley, S. Ozair, A. Courville, Y. Bengio, "*Generative Adversarial Nets*," *Advances in Neural Information Processing Systems*, 2014. https://arxiv.org/pdf/1406.2661.pdf.
22. 参照：A. Radford, L. Metz, and S. Chintala, "*Unsupervised Representation Learning with Deep Convolutional Generative Adversarial Networks*," 2016, https://arxiv.org/pdf/1511.06434.pdf; Cade Metz and Keith Collins, "*How an A.I. 'Cat-and-Mouse Game' Generates Believable Fake Photos*," *New York Times*, January 2, 2018. https://www.nytimes.com/interactive/2018/01/02/technology/ai-generated-photos.html.
23. K. Schawinski, C. Zhang, H. Zhang, L. Fowler, and G. K. Santhanam, "*Generative Adversarial Networks recover features in astrophysical images of galaxies beyond the deconvolution limit*," 2017. https://arxiv.org/pdf/1702.00403.pdf.
24. J. Chang and S. Scherer, "*Learning Representations of Emotional Speech with Deep Convolutional Generative Adversarial Networks*," 2017. https://arxiv.org/pdf/1705.02394.pdf.
25. A. Nguyen, J. Yosinski, Y. Bengio, A. Dosovitskiy, and J. Clune, "*Plug & Play Generative Networks: Conditional Iterative Generation of Images in Latent Space*," 2016, https://arxiv.org/pdf/1612.00005.pdf; Radford, Metz, and Chintala, "Unsupervised Representation Learning with Deep Convolutional Generative Adversarial Networks," 2016. https://arxiv.org/pdf/1511.06434.pdf.
26. Guy Trebay, "*Miuccia Prada and Sylvia Fendi Grapple with the New World*," New York Times, June 19, 2017. https://www.nytimes.

com/2017/06/19/fashion/mens-style/prada-fendi-milan-mens-fashion.html.

27. T. R. Poggio, R. Rifkin, S. Mukherjee and P. Niyogi. "*General Conditions for Predictivity in Learning Theory*," *Nature* 428, no. 6981 (2004) : 419–422.
28. ベンジオは、マイクロソフトを含むいくつかの企業のアドバイザーを務めたり、エレメンタルAI(Element AI)を共同で立ち上げたりもしているが、彼が最重要視しているのは大学とのつながりであり、科学の進歩や公共の利益に貢献することに力を注いでいる。
29. 次の著書の序文を参照。Churchland and Sejnowski, *The Computational Brain*, 2nd ed., ix–xv.

第10章

1. この寓話に登場する発明者がどうなったかわかっていないが、その不遜さゆえに、騙されたと気がついた国王に処刑された可能性がかなり高そうだ。
2. Tesauro and Sejnowski, "*A Parallel Network That Learns to Play Backgammon*."
3. R. Sutton, "*Learning to Predict by the Methods of Temporal Differences*," *Machine Learning* 3, no. 1 (1988) : 9–44.
4. 参照：Richard Bellman, *Adaptive Control Processes: A Guided Tour* (Princeton: Princeton University Press.1961), 51–59.
5. G. Tesauro, "*Temporal Difference Learning and TD-Gammon*." *Communications of the ACM* 38, no. 3 (1995) : 58–68.
6. J. Garcia, D. J. Kimeldorf, and R. A. Koelling, "*Conditioned Aversion to Saccharin Resulting from Exposure to Gamma Radiation*," Science 122. no. 3160 (1955) : 157–158.
7. P. R. Montague, P. Dayan, and T. J. Sejnowski, "*A Framework for Mesencephalic Dopamine Systems Based on Predictive Hebbian Learning*," *Journal of Neuroscience* 16, no. 5 (1996) : 1936–1947.
8. W. Schultz, P. Dayan, and P. R. Montague, "*A Neural Substrate of Prediction and Reward*," *Science* 275, no. 5306 (1997) : 1593–

1599.
9. P. N. Tobler, J. P. O'Doherty, R. J. Dolan, and W. Schultz, "*Human Neural Learning Depends on Reward Prediction Errors in the Blocking Paradigm*," *Journal of Neurophysiology* 95, no. 1 (2006) : 301–310.
10. M. Hammer and R. Menzel, "*Learning and Memory in the Honeybee*," *Journal of Neuroscience* 15, no. 3 (1995) : 1617–1630.
11. L. A. Real, "*Animal Choice Behavior and the Evolution of Cognitive Architecture*," *Science* 253, no. 5023 (1991) : 980–986.
12. P. R. Montague, P. Dayan, C. Person, and T. J. Sejnowski, "*Bee Foraging in Uncertain Environments Using Predictive Hebbian Learning*," *Nature* 377, no. 6551 (1995) . 725–728.
13. Y. Aso and G. M. Rubin, "*Dopaminergic Neurons Write And Update Memories With Cell-Type-Specific Rules*," in L. Luo (ed.) , *eLife*.5 (2016) : e16135. doi:10.7554/eLife.16135.
14. W. Mischel and E. B. Ebbesen, "*Attention in Delay of Gratification*," *Journal of Personality and Social Psychology* 16, no. 2 (1970) : 329–337.
15. V. Mnih, K. Kavukcuoglu, D. Silver, A. A. Rusu, J. Veness, M. G. Bellemare, et al., "*Human-Level Control through Deep Reinforcement Learning*," *Nature* 518, no. 7540 (2015) : 529–533.
16. Simon Haykin, *Cognitive Dynamic System: Perception-Action Cycle, Radar, and Radio* (New York: Cambridge University Press, 2012) .
17. S. Haykin, J. M. Fuster, D. Findlay, and S. Feng, "*Cognitive Risk Control for Physical Systems*," *IEEE Access* 5 (2017) : 14664–14679.
18. G. Reddy, A. Celani, T. J. Sejnowski, and M. Vergassola, "*Learning to Soar in Turbulent Environments*," *Proceedings of the National Academy of Sciences of the United States of America* 113, no. 33 (2016) : E4877–E4884.
19. G. Reddy, J. W. Ng, A. Celani, T. J. Sejnowski, and M. Vergassola, "*Soaring Like a Bird via Reinforcement Learning in the Field*,"

submitted for publication.

20. Kenji Doya and Terrence J. Sejnowski, "*A Novel Reinforcement Model of Birdsong Vocalization Learning*," in Gerald Tesauro, David S. Touretzky, and Todd K. Leen, eds., *Advances in Neural Information Processing Systems* 7 (Cambridge, MA: MIT Press, 1995), 101–108.
21. A. J. Doupe and P. K. Kuhl, "*Birdsong and Human Speech: Common Themes and Mechanisms*," *Annual Review of Neuroscience* 22 (1999): 567–631.
22. G. Turrigiano, "*Too Many Cooks? Intrinsic and Synaptic Homeostatic Mechanisms in Cortical Circuit Refinement*," *Annual Review of Neuroscience* 34 (2011):89–103.
23. L. Wiskott and T. J. Sejnowski, "*Constrained Optimization for Neural Map Formation: A Unifying Framework for Weight Growth and Normalization*," *Neural Computation* 10, no. 3 (1998): 671–716.
24. A. J. Bell, "*Self-Organization in Real Neurons: Anti-Hebb in 'Channel Space'?*" *Advances in Neural Information Processing Systems* 4 (1991): 59–66; M. Siegel, E. Marder, and L. F. Abbott, "Activity-Dependent Current Distributions in Model Neurons," *Proceedings of the National Academy of Sciences of the United States of America* 91, no. 24 (1994): 11308–11312.
25. *H. T. Siegelmann, "Computation Beyond the Turing Limit,"* Science 268 (1995): 545–548.

第11章

1. NIPSカンファレンスで発表された論文はすべてオンライン(https://nips.cc/)で入手できる。
2. 『サイエンス』誌からランダムに選んだ文章を転載するので、生物学者の専門用語の雰囲気を味わってほしい。「希突起膠細胞は、軸索再生に対して抑制的なさまざまなタンパク質を発現する。たとえば、ミエリン関連糖タンパク質、軸索伸長阻害タンパク質「Nogo」、希突起膠細胞ミエリン糖タンパク質、セマフォリンなどがある」。B. Laha, K. Stafford, and A. D. Huberman, "*Regenerating Optic Pathways from the Eye to the Brain*," Science 356, no. 6342 (2017) : 1032.

3. この神経科学者は、コロラド大学ボルダー校でアメフラシの神経系を研究しているハワード・ワクテルだとわかった。
4. Krizhevsky, Sutskever, and Hinton, "*ImageNet Classification with Deep Convolutional Neural Networks*."
5. 『一九八四年』ジョージ・オーウェル著、高橋和久訳、早川書房、2009年。この小説は最近新たな意味をもつようになった。
6. 2006年に創設された「機械学習の女性研究者たち(Women in Machine Learning)(WiML)」は機械学習における女性の研究の発表や促進の機会を生み出している。http://wimlworkshop.org を参照のこと。

第12章

1. Kaggleのサイトには、最高の結果を出して賞金を勝ち取ろうと互いに競い合うデータサイエンティストが百万人もいる。Cade Metz, "*Uncle Sam Wants Your Deep Neural Networks*," *New York Times*, June 22, 2017, https://www.nytimes.com/2017/06/22/technology/homeland-security-artificial-intelligence-neural-network.html.
2. 私の講義「Cognitive Computing: Past and Present(コグニティブ・コンピューティング：過去と現在)」については以下を参照：https://www.youtube.com/watch?v=0BDMQuphd-Q.
3. Jen Clark, "*The Countdown to IBM's IoT HQ, Munich*," *IBM Internet of Things* (blog), posted February 8, 2017. https://www.ibm.com/blogs/internet-of-things/countdown-ibms-iot-hq-munich/.
4. このBRAINレポートは、神経回路とその振る舞いについて理解を深めるために、革新的な技術を推薦し、それに優先順位をつけている。BRAIN Working Group, *BRAIN 2025: A Scientific Vision*, Report to the Advisory Committee to the

Director, NIH (Bethesda, MD: National Institutes of Health, June 5, 2014), https://www.braininitiative.nih.gov/pdf/BRAIN2025_508C.pdf.

5. K. S. Kosik, T. J. Sejnowski, M. E. Raichle, A. Ciechanover, and D. A. Baltimore, "*A Path toward Understanding Neurodegeneration*," *Science* 353, no. 6302 (2016): 872–873.
6. 2002年のSF映画『マイノリティ・リポート』で、政府の追跡から逃れようとするトム・クルーズは、不法な眼球移植手術によって検査をすり抜けた。
7. Nandan Nilekani and Viral Shah, *Rebooting India: Realizing a Billion Aspirations* (Gurgaon: Penguin Books India. 2015).
8. 以下の資料から引用したナンダン・ニレカニの言葉。Andrew Hill, "*Nandan Nilekani, Infosys, on Rebooting India*," *Financial Times*, January 22, 2017, https://www.ft.com/content/058c4b48-d43c-11e6-9341-7393bb2e1b51?mhq5j=e1.
9. たとえば以下の資料を参照：M. Gymrek, A. L. McGuire, D. Golan, E. Halperin, and Y. Erlich, "*Identifying Personal Genomes by Surname Inference*," Science. 339, no. 6117 (2013): 321–324.
10. M. Wilson, "*Six Views of Embodied Cognition*," *Psychonomic Bulletin & Review* 9, no. 4 (2002): 625–636.
11. P. Ruvolo, D. Messinger, and J. Movellan, "*Infants Time Their Smiles to Make Their Moms Smile*," *PLoS One* 10, no. 9 (2015): e0136492.
12. Abigail Tucker, "*Robot Babies*," *Smithsonian Magazine*, July 2009, https://www.smithsonianmag.com/science-nature/robot-babies-30075698/; Tiffany Fox, "Machine Perception Lab Seeks to Improve Robot Teacher with Intelligent Tutoring Systems," UCSanDiego News Center, July 30, 2008, http://ucsdnews.ucsd.edu/newsrel/general/07-08RobotTeachers.asp.F. Tanaka, A. Cicourel, and J. R. Movellan, "Socialization between Toddlers and Robots at an Early Childhood Education Center," *Proceedings of the National Academy of Sciences of the United States of America* 104, no. 46 (2007): 17954–17958.

13. "*Conserve Elephants. They Hold a Scientific Mirror Up to Humans,*" *Economist*, June 17, 2017, 72–74. http://www.economist.com/news/science-and-technology/21723394-biology-and-conservation-elephants-conserve-elephants-they-hold.
14. R. A. Brooks, "*Elephants Don't Play Chess,*" *Robotics and Autonomous Systems* 6, no. 1（1990）: 3–15.
15. ディエゴさん（Diego San）を製造したのは日本の株式会社ココロ。日本では、「さん」は敬称である。
16. YouTubeの動画「Diego Installed（ディエゴの設定）」https://www.youtube.com/watch?v=knRyDcnUc4U/を参照のこと。顔はデービッド・ハンソンとハンソンロボティクス社によって構築された。
17. Paul Ekman, Thomas S. Huang, and Terrence J. Sejnowski, eds., *Final Report to NSF of the Planning Workshop on Facial Expression Understanding July 30–August 1, 1992,* http://papers.cnl.salk.edu/PDFs/Final%20Report%20To%20NSF%20of%20the%20Planning%20Workshop%20on%20Facial%20Expression%20Understanding%201992-4182.pdf.
18. J. Gottman, R. Levenson, and E. Woodin, "*Facial Expressions during Marital Conflict,*" *Journal of Family Communication* 1, no. 1（2001）: 37–57.
19. G. Donato, M. Stewart Bartlett, J. C. Hager, P. Ekman, and T. J. Sejnowski, "*Classifying Facial Actions,*" *IEEE Transactions on Pattern Analysis and Machine Intelligence* 21, no. 10（1999）: 974–989.
20. G. Littlewort, J. Whitehill, T. Wu, I. Fasel, M. Frank, J. Movellan, and M. Bartlett, "*The Computer Expression Recognition Toolbox（CERT）,*" 2011 IEEE International Conference on Automatic Face and Gesture Recognition, Santa Barbara, California. http://mplab.ucsd.edu/wp-content/uploads/2011-LittlewortEtAl-FG-CERT.pdf.
21. A. N. Meltzoff, P. K. Kuhl, J. Movellan, and T. J. Sejnowski, "*Foundations for a New Science of Learning,*" *Science* 325, no. 5938（2009）: 284–288.

22. A. A. Benasich, N. A. Choudhury, T. Realpe-Bonilla, and C. P. Roesler, "*Plasticity in Developing Brain: Active Auditory Exposure Impacts Prelinguistic Acoustic Mapping*," *Journal of Neuroscience* 34, no. 40 (2014) : 13349–13363.
23. J. Whitehill, Z. Serpell, Y. Lin, A. Foster, and J. R. Movellan, "*The Faces of Engagement: Automatic Recognition of Student Engagement from Facial Expressions*," *IEEE Transactions on Affective Computing* 5, no. 1 (2014) : 86–98. この機械学習を使った生徒の表情の自動的な検出は、グエン・リトルウォート、リンダ・サラマンカ、アイシャ・フォスター、ジュディー・ライリーらを含むチームの取り組みである。
24. R. V. Lindsey, J. D. Shroyer, H. Pashler, and M. C. Mozer, "*Improving Students' Long-Term Knowledge Retention through Personalized Review*," *Psychological Science* 25, no. 3 (2014) : 639–647.
25. B. A. Rogowsky, B. M. Calhoun, and P. Tallal, "*Matching Learning Style to Instructional Method: Effects on Comprehension*," *Journal of Educational Psychology* 107, no. 1 (2015) : 64–78. このテーマについてのウェビナーは、以下を参照のこと：https://www.youtube.com/watch?v=p-WEcSFdoMw.
26. International Convention on the Science of Learning (Science of Learning: How can it make a difference? Connecting Interdisciplinary Research on Learning to Practice and Policy in Education) Shanghai, 1-6 March 2014 Summary Report. https://www.oecd.org/edu/ceri/International-Convention-on-the-Science-of-Learning-1-6-March-2014-Summary-Report.pdf.
27. B. Bloom, "*The 2 Sigma Problem: The Search for Methods of Group Instruction as Effective as One-to-One Tutoring*," *Educational Researcher* 13, no. 6 (1984) : 4–16.
28. John Markoff, "*Virtual and Artificial, but 58,000 Want Course*," *New York Times*, August 15, 2011, http://www.nytimes.com/2011/08/16/science/16stanford.html.
29. 小学5年生の子からもらったお気に入りの手紙
2015年2月2日

教授の先生たちへ。私は期末試験を受けて、とってもいい成績でした。私は5年生です。お母さんがネットでコーセラのことを見ていて、私がどうしても入れてほしいとお願いしました。お母さんは私のためにこの授業を選んでくれました。とても感謝しています。教授の先生たちのお話がこんなに面白いとは思ってもみませんでしたし、授業はみな楽しく勉強できました。もちろん、科学の言葉が出てくると辞書を引かないとわかりませんでしたが、すごく勉強になりました。試験会場に入ったときにお腹が痛くなっても、あの呼吸法を使って、おさえられるようになりました。ほんとうに効くんですね！　今では、試験のことを、自分がどれだけ学んで記憶しているかを確かめるためのツールなんだと思って受けています。私はポモドーロ・テクニックが大好きです。お母さんは授業全部でロールプレイをしてくれました。私と反対のやり方をしたんです。授業の動画を脳に詰め込んで（見まくってました）、休憩もとらずに、最終テストの前の日に徹夜さえしたんです。私よりずっと賢いのに、試験はうまくいきませんでした。あんなに簡単なテクニックで成績がよくなるなんてびっくりです。もちろん、試験のプレッシャーもありませんでした。教授の先生たち、ほんとうにありがとう。この授業のパートIIをつくってくれると、うれしいです。

ハッピーマンデー。

スーザン

30. Barbara Oakley and Terrence Sejnowski, *Learning How to Learn: How to Succeed in School Without Spending All Your Time Studying; A Guide for Kids and Teens*（New York: TarcherPerigee, Penguin Books, August 7, 2018）.

31. "*Udacity's Sebastian Thrun: 'Silicon Valley has an obligation to reach out to all of the world,'*" *Financial Times*, November 15, 2017. https://www.ft.com/content/51c47f88-b278-11e7-8007-554f9eaa90ba/.

32. 『先入観を捨てセカンドキャリアへ進む方法—既成概念・年齢にとらわれずに働く術』バーバラ・オークリー著、安原実

津、笹山裕子訳、パンローリング、2018年
33. D. Bavelier and C. S. Green, "*The Brain-Boosting Power of Video Games,*" *Scientific American* 315, no 1（2016）: 26–31.
34. G. L. West, K. Konishi, and V. D. Bohbot, "*Video Games and Hippocampus-Dependent Learning,*" *Current Directions in Psychological Science* 26. no. 2（2017）:152–158.
35. J. A. Anguera, J. Boccanfuso, J. L. Rintoul, O. Al-Hashimi, F. Faraji, J. Janowich, et al., "*Video Game Training Enhances Cognitive Control in Older Adults,*" *Nature* 501, no. 7465（2013）: 97–101.
36. 同上。
37. IES: *What Works Clearinghouse, Beginning Reading Intervention Report: Fast ForWord*（Washington, DC: U.S. Department of Education, Institute of Education Sciences, 2013）. https://ies.ed.gov/ncee/wwc/Docs/InterventionReports/wwc_ffw_031913.pdf.
38. J. Deveau, D. J. Ozer, and A. R. Seitz "*Improved Vision and On-Field Performance in Baseball through Perceptual Learning,*" *Current Biology* 24, no. 4（2014）: R146–147.
39. Federal Trade Commission press release "*FTC Charges Marketers of 'Vision Improvement' App with Deceptive Claims,*" September 17, 2015, https://www.ftc.gov/news-events/press-releases/2015/09/ftc-charges-marketers-vision-improvement-app-deceptive-claims/. ザイツの科学研究は質が高く、論文審査のある心理学専門紙に発表されたが、連邦取引委員会は、薬剤の効能を試験するのと同様の、ランダム化比較試験を行うよう要求した。これは小さなスタートアップ企業にとって高額すぎて実施が難しい。
40. Johana Bhuiyan, "*Ex-Google Sebastian Thrun Says That the Going Rate for Self-Driving Talent Is $10 Million per Person,*" Recode, September 17, 2016. https://www.recode.net/2016/9/17/12943214/sebastian-thrun-self-driving-talent-pool.
41. ジェフリー・ヒントンはベクター研究所の主任科学顧問を務めている。参照：http://vectorinstitute.ai/.

42. Paul Mozur and John Markoff, "*Is China Outsmarting America in A.I.?*" *New York Times*, May 27, 2017, https://www.nytimes.com/2017/05/27/technology/china-us-ai-artificial-intelligence.html.
43. Paul Mozur, "*Beijing Wants A.I. to Be Made in China by 2030*," *New York Times*, July 20, 2017. https://www.nytimes.com/2017/07/20/business/china-artificial-intelligence.html.
44. Mike Wall, "*JFK's 'Moon Speech' Still Resonates 50 Years Later*," *Space.com*（blog）, posted September 12, 2012, https://www.space.com/17547-jfk-moon-speech-50years-anniversary.html. 1962年9月12日にヒューストンのライス大学でジョン・F・ケネディ大統領が行った演説「We choose to go to the moon（われわれは月に行くことを選ぶ）」は、50年を経た今でも感動的で、ケネディのリーダーシップを思い出させる。参照: https://www.youtube.com/watch?v=WZyRbnpGyzQ/. 1969年7月20日、ニール・アームストロング宇宙飛行士が月に降り立ったとき、NASAのエンジニアの平均年齢は26歳だった。このエンジニアたちは学生の頃、1962年のケネディ大統領の演説に鼓舞されたのである。
45. J. Haskel and S. Westlake, *Capitalism without Capital: The Rise of the Intangible Economy*（Princeton, NJ: Princeton University Press, 2017）, 4.
46. W. Brian Arthur, "*The second economy?*" *McKinsey Quarterly* October, 2011. https://www.mckinsey.com/business-functions/strategy-and-corporate-finance/our-insights/the-second-economy/.
47. 「Hello, world!」は、ブライアン・カーニハンとデニス・リッチーの名著『プログラミング言語C』に登場するサンプルプログラムで使われるテストメッセージ。

第13章

1. 「21世紀の科学のグランド・チャレンジ（the Grand Challenges for Science in the 21st Century）」会議の発表や討議の動画が

YouTubeにいくつも上げられている。https://www.youtube.com/results?search_query=Grand+Challenges+for+Science+in+the+21st+Century
2. 『テクノロジーとイノベーション―進化／生成の理論』W・ブライアン・アーサー著、日暮雅通訳、みすず書房、2011年
3. George A. Cowan, *Manhattan Project to the Santa Fe Institute: The Memoirs of George Cowan* (Albuquerque: University of New Mexico Press, 2010).
4. グーグルのページランク（PageRank）アルゴリズムは、同社創業者のラリー・ペイジとセルゲイ・ブリンによって発明された。あるウェブページのインターネットにおける重要度を、そのページへのリンクを用いてランクづけする。以降、検索のバイアスを操作するために何層ものアルゴリズムが組み込まれて複雑化した。
5. A. D. I. Kramer, J. E. Guillory, and J. T. Hancock, "*Experimental Evidence of Massive-Scale Emotional Contagion through Social Networks*," *Proceedings of the National Academy of Sciences of the United States of America* 111, no. 24 (2014): 8788–8790.
6. Stuart Kauffman, *The Origins of Order: Self Organization and Selection in Evolution* (New York: Oxford University Press, 1993)
7. Christopher G. Langton, ed., *Artificial Life: An Overview* (Cambridge, MA: MIT Press, 1995).
8. Stephen Wolfram, *A New Kind of Science* (Champaign, IL: Wolfram Media, 2002).
9. National Research Council, *The Limits of Organic Life in Planetary Systems* (Washington, DC: National Academies Press, 2007), chap. 5, "Origin of Life," 53–68. https://www.nap.edu/read/11919/chapter/7.
10. 『自己増殖オートマトンの理論』J・フォン・ノイマン著、高橋秀俊監訳、岩波書店、1975年。（2015年刊行の岩波オンデマンドブックスの版もある。）Wikipedia（英語）の「Von Neumann universal constructor」（フォン・ノイマンのユニバーサル・コンストラクター）も参照のこと。

11. W. S. McCulloch, and W. H. Pitts, "*A Logical Calculus of the Ideas Immanent in Nervous Activity*," *Bulletin of Mathematical Biophysics* 5 (1943) : 115–133.
12. このコンピューターは「JOHNNIAC」と呼ばれた。初期のデジタルコンピューター「ENIAC」にちなんだ名前だ。
13. シリマン講義のために準備した教材が、フォン・ノイマンの『計算機と脳』(柴田裕之訳、筑摩書房、2011年)に結実した。
14. Stephen Jay Gould and Niles Eldredge, "*Punctuated Equilibria: The Tempo And Mode Of Evolution Reconsidered*." Paleobiology 3, no. 2 (1977) : 115–151, 145; John Lyne and Henry Howe, "*Punctuated Equilibria': Rhetorical Dynamics of a Scientific Controversy*," *Quarterly Journal of Speech*, 72, no. 2 (1986) : 132–147. doi: 10.1080/00335638609383764 .
15. John H. Holland, *Adaptation in Natural and Artificial Systems: An Introductory Analysis with Applications to Biology, Control, and Artificial Intelligence* (Cambridge, MA: MIT Press, 1992) .
16. K. M. Stiefel and T. J. Sejnowski, "*Mapping Function onto Neuronal Morphology*," *Journal of Neurophysiology* 98, no. 1 (2007) : 513–526.
17. Wolfram Alpha計算知能エンジンのウェブサイト：https://www.wolframalpha.com/
18. Stephen Wolfram, *A New Kind of Science* (Champaign, IL: Wolfram Media, 2002) .
19. ウォルフラムがどのように考えを発展させたのかについて、本人による興味深いブログ記事がある："*A New Kind of Science: A 15-Year View*," *Stephen Wolfram Blog*, posted May 16, 2017. http://blog.stephenwolfram.com/2017/05/a-new-kind-of-science-a-15-year-view/.
20. Stephen Wolfram, "*Wolfram Language Artificial Intelligence: The Image Identification Project*," Stephen Wolfram Blog, posted May 13, 2015. http://blog.stephenwolfram.com/2015/05/wolfram-language-artificial-intelligence-the-image-identification-project/.

第14章

1. R. Blandford, M. Roukes, L. Abbott, and T. Sejnowski, "*Report on the Third Kavli Futures Symposium: Growing High Performance Computing in a Green Environment*," September 9–11, 2010, Tromsø, Norway, http://cnl.salk.edu/Media/Kavli-Futures.Final-Report.11.pdf.
2. Carver A. Mead and George Lewicki, "*Silicon compilers and foundries will usher in user-designed VLSI*," Electronics August 11, 55, no. 16（1982）: 107–111. ISSN 0883-4989.
3. 『アナログVLSIと神経システム』カーバー・ミード著、臼井支朗、米津宏雄訳、トッパン、1993年
4. M. A. Mahowald and C. Mead, "*The Silicon Retina*," *Scientific American* 264, no. 5（1991）:76–82; Tribute from Rodney Douglas: https://www.quora.com/What-was-the-cause-of-Michelle-Misha-Mahowald-death/; Misha Mahowald, "Silicon Vision"（video）, http://www.dailymotion.com/video/x28ktma_silicon-vision-misha-mahowald_tech/.
5. M. Mahowald and R. Douglas, "*A Silicon Neuron*," *Nature* 354, no. 6354（1991）: 515–518.
6. Carver Mead, *Collective Electrodynamics: Quantum Foundations of Electromagnetism*（Cambridge, MA: MIT Press, 2002）.
7. トビアス・デルブリュックの父、マックス・デルブリュックは物理学者であり、1950年代の分子生物学の祖でもある。1969年には（アルフレッド・ハーシー、サルバドール・ルリアとともに）、ノーベル生理学・医学賞を受賞した（これもまたマイクロ電子工学と分子生物学の関連を示すものであり、これについては第18章で解説する）。
8. C. Posch, T. Serrano-Gotarredona, B. Linares-Barranco, and T. Delbrück, "*Retinomorphic Event-Based Vision Sensors: Bioinspired Cameras with Spiking Output*," *Proceedings of the IEEE* 102, no. 10（2014）: 1470–1484; T. J. Sejnowski and Delbrück, "The Language of the Brain," *Scientific American* 307（2012）: 54–59. https://www.youtube.com/watch?v=FQYroCcwkSO.

9. H. Markram, J. Lübke., M. Frotscher, and B. Sakmann., "*Regulation of Synaptic Efficacy by Coincidence of Postsynaptic APs and EPSPs*," Science 275, no. 5297（1997）: 213–215.
10. T. J. Sejnowski, "The Book of Hebb," *Neuron* 24. no. 4（1999）: 773–776.
11. 『行動の機構―脳メカニズムから心理学へ』D・O・ヘッブ著、鹿取廣人ほか訳、岩波書店、2011年、上巻168ページ。
12. R. F. Service, "*The Brain Chip*," *Science* 345, no. 6197（2014）: 614–616. http://science.sciencemag.org/content/345/6197/614.full.
13. D. Huh and T. J. Sejnowski, "Gradient Descent for Spiking Neural Networks," 2017. https://arxiv.org/pdf/1706.04698.pdf.
14. K. A. Boahen, "*Neuromorph's Prospectus*," *IEEE Xplore: Computing in Science and Engineering* 19, no. 2（2017）: 14–28.

第15章

1. Jimmy Soni and Rob Goodman, *A Mind at Play: How Claude Shannon Invented the Information Age*（New York: Simon & Schuster: New York, 2017）.
2. Solomon Wolf Golomb, *Shift Register Sequences: Secure and Limited-Access Code Generators, Efficiency Code Generators, Prescribed Property Generators, Mathematical Models*, 3rd rev. ed.（Singapore: World Scientific, 2017）.
3. Stephen Wolfram, "Solomon Golomb（1932–2016）," *Stephen Wolfram Blog*, posted May 25, 2016. http://blog.stephenwolfram.com/2016/05/solomon-golomb-19322016/.
4. Richard Rhodes, *Hedy's Folly: The Life and Breakthrough Inventions of Hedy Lamarr, the Most Beautiful Woman in the World*（New York: Doubleday, 2012）.
5. 『ある数学者の生涯と弁明』G・H・ハーディ、C・P・スノー著、柳生孝昭訳、丸善出版、2014年
6. 『箱詰めパズル　ポリオミノの宇宙』ソロモン・ゴロム著、川辺治之訳、日本評論社、2014年

7. L. A. Riggs, F. Ratliff, J. C. Cornsweet, and T. N. Cornsweet, "*The Disappearance of Steadily Fixated Visual Test Objects*," *Journal of the Optical Society of America* 43, no. 6 (1953): 495-501.
8. Rajesh P. N. Rao and Dana H. Ballard, "*Predictive Coding in the Visual Cortex: A Functional Interpretation of Some Extra-Classical Receptive-Field Effects*," *Nature Neuroscience* 2, no. 1 (1999): 79-87.
9. この洞察は、脳のようにリアルタイムで動作するニューロモーフィック・システムをつくろうというミードのモチベーションの根幹にあった。C. Mead, "Neuromorphic Electronic Systems," *Proceedings of the IEEE* 78, no. 10 (1990): 1629-1636.
10. Hermann von *Helmholtz, Helmholtz's Treatise on Physiological Optics*, vol. 3: *The Perception of Vision*, trans. James P. C. Southall (Rochester, NY: Optical Society of America, 1925), 25. Originally published as *Handbuch der physiologische Optik*. 3. *Die Lehre von den Gesichtswahrnehmungen* (Leipzig: Leopold Voss, 1867).
11. J. L. McClelland and D. E. Rumelhart, "*An Interactive Activation Model of Context Effects in Letter Perception: Part 1. An Account of Basic Findings*." *Psychological Review* 88, no. 5 (1981): 375-407; "*Part 2. The Contextual Enhancement Effect and Some Tests and Extensions of the Model*," *Psychological Review* 89, no. 1 (1982): 60-94.
12. L. Muller, G. Piantoni, D. Koller, S. S. Cash, E. Halgren, and T. J. Sejnowski, "*Rotating Waves during Human Sleep Spindles Organize Global Patterns of Activity during the Night*," *eLife* 5 (2016): e17267. 海軍研究局からの支援による研究。
13. SF作家アーサー・C・クラークは、「高度に発展した科学技術は、魔術と区別がつかない」と言ったという。これは、「クラークの第三法則」として知られている。

第16章

1. 本章は、T・J・セイノフスキーの以下の論文を元に改編したものである：T. J. Sejnowski, "*Consciousness*," *Daedalus* 144, no. 1 (2015) : 123–132. また、以下も参照のこと：『熱き探究の日々　DNA二重らせん発見者の記録』(フランシス・H・C・クリック著、中村桂子訳、ティビーエス・ブリタニカ社、1989年)および、Bob Hicks, "Kindra Crick's MadPursuit," *Oregon ArtWatch*, December 3, 2015. http://www.orartswatch.org/kindra-cricks-mad-pursuit/

2. これまで多くの現象を指すために使ってきた「意識」という言葉だが、広く認められた科学的定義は一つもない。「意識」という言葉は、目覚めており自分の周囲を認識している状態や、何らかの対象の認識または知覚、心が自身および外界を認識していることなどを含むものとして、広く理解されている。
3. F. Crick, "*The Function of the Thalamic Reticular Complex: The Searchlight Hypothesis*," *Proceedings of the National Academy of Science of the United States of America* 81, no. 14 (1984) : 4586-4590.
4. F. Crick and C. Koch, "*The Problem of Consciousness*," *Scientific American* 267, no. 3 (1992) : 10-17; F. Crick and C. Koch, "*Constraints on Cortical and Thalamic Projections: The No-Strong-Loops Hypothesis,*" Nature 391, no. 6664 (1998) : 245-250; F. Crick and C. Koch, "*A Framework for Consciousness*," *Nature Neuroscience* 6, no. 2 (2003) : 119-126; and F. Crick, C. Koch, G. Kreiman, and I. Fried, "*Consciousness and Neurosurgery*," *Neurosurgery* 55, no. 2 (2004) : 273-281.
5. F. Crick and C. Koch, "*Are We Aware of Neural Activity in Primary Visual Cortex?*" Nature 375, no. 6527 (1995) : 121-123; C. Koch, M. Massimini, M. Boly, and G. Tononi, "*The Neural Correlates of Consciousness: Progress and Problems*," *Nature Reviews Neuroscience* 17 (2016) : 307-321.
6. R. Q. Quiroga, L. Reddy, G. Kreiman, C. Koch, and I. Fried, "*Invariant Visual Representation by Single Neurons in the Human Brain*," *Nature* 435, no. 7045 (2005) : 1102-1107.

7. K. Deisseroth and M. J. Schnitzer, "*Engineering Approaches to Illuminating Brain Structure and Dynamics*," *Neuron* 80, no. 3 (2013): 568-577.
8. V. Mante, D. Sussillo, K. V. Shenoy, and W. T. Newsome, "*Context-Dependent Computation by Recurrent Dynamics in Prefrontal Cortex*," *Nature* 503, no. 7474 (2013): 78-84.
9. BRAIN Working Group, BRAIN 2025: A Scientiific Vision, Report to the Advisory Committee to the Director, NIH (Bethesda, MD: National Institutes of Health, June 5, 2014), 36. https://www.braininitiative.nih.gov/pdf/BRAIN2025_508C.pdf.
10. Patricia Smith Churchland and Terrence J. Sejnowski, *The Computational Brain*, 2nd ed. (Cambridge, MA: MIT Press, 2016), 183, 221.
11. L. Chang and D. Y. Tsao. "*The Code for Facial Identity in the Primate Brain*," Cell 169, no. 6 (2017): 1013-1028.e14.
12. D. A. Bulkin and J. M. Groh, "*Seeing Sounds: Visual and Auditory Interactions in the Brain*," *Current Opinion in Neurobiology* 16 (2006): 415-419.
13. D. M. Eagleman and T. J. Sejnowski, "*Motion Integration and Postdiction in Visual Awareness*," *Science* 287, no. 5460 (2000): 2036-2038.
14. 『脳はすすんでだまされたがる　マジックが解き明かす錯覚の不思議』スティーヴン・L・マクニック、スサナ・マルティネス=コンデ、サンドラ・ブレイクスリー著、鍛原多恵子訳、角川書店、2012年
15. S. Dehaene and J.-P. Changeux, "*Experimental and Theoretical Approaches to Conscious Processing*," *Neuron* 70, no. 2 (2011): 200-227.
16. S. Moeller, T. Crapse, L. Chang, and D. Y. Tsao, "*The Effect of Face Patch Microstimulation on Perception of Faces and Objects*," *Nature Neuroscience* 20, no. 6 (2017): 743-752.
17. J. Parvizi, C. Jacques, B. L. Foster, N. Withoft, V. Rangarajan, K. S. Weiner, and K. Grill-Spector, "*Electrical Stimulation of Human*

Fusiform Face-Selective Regions Distorts Face Perception," *Journal of Neuroscience* 32, no. 43（2012）: 14915-14920.
18. BRAIN Working Group, *BRAIN 2025: A Scientific Vision*, pp. 6, 35, 48.
19. Sejnowski, "*What Are the Projective Fields of Cortical Neurons?*"
20. L. Chukoskie, J. Snider, M. C. Mozer, R. J. Krauzlis, and T. J. Sejnowski, "*Learning Where to Look for a Hidden Target*," *Proceedings of the National Academy of Sciences of the United States of America* 110, supp. 2（2013）: 10438-10445.
21. T. J. Sejnowski, H. Poizner, G. Lynch, S. Gepshtein, and R. J. Greenspan, "*Prospective Optimization*," *Proceedings of the IEEE* 102, no. 5（2014）: 799-811.
22. 論文は、クリックの死後、共同研究者のクリストフ・コッホが完成させた。F. C. Crick and C. Koch, "*What Is the Function of the Claustrum?*" *Philosophical Transactions of the Royal Society of London* B360, no. 1458（2005）, 1271-1279.
23. 『不思議の国のアリス』ルイス・キャロル著、河合祥一郎訳、角川文庫、2010年、第6章を参照のこと。

第17章

1. T. A. Lincoln and G. F. Joyce, "*Self-Sustained Replication of an RNA Enzyme*," Science 323, no. 5918（2009）: 1229-1232.
2. T. R. Cech, "*The RNA Worlds in Context*," *Cold Spring Harbor Perspectives in Biology* 4, no. 7（2012）, http://cshperspectives.cshlp.org/content/4/7/a006742.full.pdf+html.
3. J. A. Feldman, "Mysteries of Visual Experience"（2016; rev. 2017）, https://arxiv.org/ftp/arxiv/papers/1604/1604.08612.pdf.
4. Patricia S. Churchland, V. S. Ramachandran, and Terrence J. Sejnowski, "*A Critique of Pure Vision*," in Christof Koch and Joel D. Davis, eds., *Large-Scale Neuronal Theories of the Brain*（Cambridge, MA: MIT Press, 1994）, 23-60.
5. 『進化する脳（別冊日経サイエンス）』ジョン・オールマン著、

養老孟司訳、日経サイエンス社、2001年
6. 『自由と尊厳を超えて』B・F・スキナー著、山形浩生訳、春風社、2013年
7. Noam Chomsky, "*The Case against B. F. Skinner*," *New York Review of Books*, 17, no. 11（1971）: 18-24. http://www.nybooks.com/articles/1971/12/30/the-case-against-bf-skinner/
8. 同記事の第27段落より。ルールベースの言語解析と統計的な言語解析の細かい比較については以下を参照：Peter Norvig, "On Chomsky and the Two Cultures of Statistical Learning," http://norvig.com/chomsky.html.
9. 『ことばと認識—文法からみた人間知性』N・チョムスキー著、井上和子、神尾昭雄、西山佑司共訳、大修館書店、1984年
10. A. Gopnik, A. Meltzoff, and P. Kuhl, *The Scientist in the Crib: What Early Learning Tells Us about the Mind*（New York: William Morrow, 1999）.
11. T. Mikolov, I. Sutskever, K. Chen, G. Corrado, and J. Dean, "*Distributed Representations of Words and Phrases and Their Compositionality*," *Advances in Neural Information Processing Systems* 26（2013）: 3111-3119.
12. これは、マサチューセッツ工科大学マクガヴァン脳研究所において、言語および言語障害の生物学的基礎の解明に研究所が本腰を入れることを提案するための講演だった。
13. 『スター・ウォーズ』のジェダイ・マスター、オビ＝ワン・ケノービの有名な台詞を引用すれば「フォースとともにあらんことを」
14. J. A. Fodor, "*The Mind/Body Problem*," *Scientific American* 244, no. 1（1981）: 114-123.
15. D. Hassabis, D. Kumaran, C. Summerfield, and M. Botvinick, "*Neuroscience-Inspired Artificial Intelligence*," *Neuron* 95, no. 2（2017）: 245-258.
16. Paul W. Glimcher and Ernst Fehr, *Neuroeconomics: Decision Making and the Brain*, 2nd ed.（Boston: Academic Press, 2013）.

17. Colin Camerer, *Behavior Game Theory: Experiments in Strategic Interaction* (Princeton: Princeton University Press, 2003).
18. Minsky and Papert, *Perceptrons* (1969), 231.(『パーセプトロン パターン認識理論への道』M・ミンスキー、S・パパート著、斎藤正男訳、東京大学出版会、1971年)1988年に出版された改訂版(『パーセプトロン』M・ミンスキー、S・パパート著、中野馨、阪口豊共訳、パーソナルメディア、1993年)では、本引用部分があったセクション13.2は削除された。しかし、新しいセクションとして「エピローグ」が追加されている。このエピローグは、初期の多層パーセプトロンにおける学習の結果について、約40ページにわたって評価したもので、その後の発展と照らし合わせて大いに読む価値がある。
19. 以下のウェブサイトを参照のこと。https://www.dartmouth.edu/~ai50/homepage.html　https://en.wikipedia.org/wiki/AI@50
20. 『心の社会』マーヴィン・ミンスキー著、安西祐一郎訳、産業図書、1990年、372ページ。
21. 「Society of Mind」*Wikipedia*、URL：https://en.wikipedia.org/wiki/Society_of_Mind(2017年8月22日現在)を参照。
22. マサチューセッツ工科大学のシンシア・ブリジールと、ハビエル・モベランは、表情によって人間とコミュニケーションをするソーシャルなロボットを開発した。感情の計算理論に向けての有望な第一歩である。
23. Marvin Minsky, "*Theory of Neural-Analog Reinforcement Systems and Its Application to the Brain Model Problem*" (Ph.D. diss., Princeton University, 1954).
24. Stephen Wolfram, "Farewell, Marvin Minsky (1927–2016)," *Stephen Wolfram Blog*, posted January 26, 2016, http://blog.stephenwolfram.com/2016/01/farewell-marvin-minsky-19272016/.
25. A. Graves, G. Wayne, M. Reynolds, T. Harley, I. Danihelka, A. Grabska-Barwińska, et al., "*Hybrid Computing Using a Neural Network with Dynamic External Memory*," *Nature* 538, no. 7626

(2016): 471-476.

第18章

1. Sydney Brenner, "Nature's Gift to Science," Nobel Lecture, December 8, 2002, video, https://www.nobelprize.org/mediaplayer/index.php?id=523/.
2. Sydney Brenner, "Reading the Human Genome": 1. "Much Ado about Nothing: Systems Biology and Inverse Problems," January 26, 2009; 2. "Measure for Measure: The GC Shift and the Problem of Isochores," January 29, 2009; 3. "All's Well That Ends Well: The History of the Retina," January 30, 2009, videos. http://thesciencenetwork.org/search?program=Reading+the+Human+Genome+with+Sydney+Brenner.
3. 成虫原基とは、成虫するとハエの足や触角になる原基のこと。
4. シドニー・ブレナーは、次の記事で彼のオリジナルの物語を公表している：S. Brenner, "*Francisco Crick in Paradiso*," *Current Biology*. 6, no. 9 (1996): 1202「ケンブリッジ大学で、私はフランシス・クリックと20年間同じ研究室で過ごした。一時期、発生学に興味をもった彼が、ショウジョウバエの成虫原基について長い間考え込んでいたことがあった。そんなある日、憤慨したような叫びをあげて、彼は読んでいた本を机の上に放り投げた。「ハエの成虫原基の機能なんて、神のみぞ知るってところだ！」その瞬間、私の脳裏にすべてのストーリーがありありと浮かんだ。フランシスが天国に到着する。ペテロがフランシスを歓迎して言う。「クリック博士、長旅でさぞお疲れでしょう。さあおかけになってください。お飲み物はいかがですか。ゆっくりなさってくださいね」「いや、私はあの人、神様に会わなくてはならないんだ。聞きたいことがあるんでね」。しばらく説得を続けると、天使はフランシスを神のところに連れていくことに同意した。天国の真ん中あたりを通り過ぎ、やっと到着したのは天国の裏手の、線路を渡ったところにある小屋だった。小屋の屋根は鉄の波板でできていて、周りはガラクタだらけだ。小屋の奥に、つなぎ服を着た小柄な男がいた。尻ポケットには大きなスパナが入っている。天使が言った。「神様、こちらはクリック博士です。クリック博士、こちらは神様です」フランシスは言った。「お会いできてとても嬉しく思います。あなたに聞かなければならないことがあるんです。成虫原基は、一体どのような仕組みなのですか？」神様の返事はこうだった。「そうだな、まずこれを少し取ってきて、それにちょっとあれをつけ加えたかな……。本当のところ、我々にもわからんのだよ。だが、これだけは言えるぞ。かれこれ2億年、ここでハエを組み立てておるが、今までクレームがきたことは一度もない」

5. T. Dobzhansky, "*Nothing in Biology Makes Sense Except in the Light of Evolution*," *American Biology Teacher* 35, no. 3 (1973): 125-129, http://biologie-lernprogramme.de/daten/programme/js/homologer/daten/lit/Dobzhansky.pdf.
6. Sydney Brenner, "Why We Need to Talk about Evolution," in "10-on-10: The Chronicle of Evolution" lecture series, Nanyang Technological University, Singapore, February 21, 2017. http://www.paralimes.ntu.edu.sg/NewsnEvents/10-on-10%20The%20Chronicle%20of%20Evolution/Pages/Home.aspx. Video. https://www.youtube.com/watch?v=C9M5h_tVlc8.
7. Terrence Sejnowski, "Evolving Brains," in "10-on-10: The Chronicle of Evolution" lecture series, Nanyang Technological University, Singapore, July 14, 2017. https://www.youtube.com/watch?v=L9ITpz4OeOo.
8. 『コウモリであるとはどのようなことか』トマス・ネーゲル著、永井均訳、勁草書房、1989年
9. 「人類発生学」とは、人類の起源を研究する学問である。人類発生学学術研究教育センター（CARTA）のWebサイト（https://carta.anthropogeny.org/）を参照のこと。
10. ラホヤグループとＣＡＲＴＡは、進化を意欲的に研究しているカリフォルニア大学サンディエゴ校臨床医科学者のア

ジット・バルキの指導力のもと、創設された。

11. DNAの約1パーセントはタンパク質をコードする配列、8パーセントはタンパク質と結合する調節配列である。
12. Howard C. Berg, *E. coli in Motion* (New York: Springer, 2004).
13. S. Navlakha and Z. Bar-Joseph, "*Algorithms in Nature: The Convergence of Systems Biology and Computational Thinking*," *Molecular Systems Biology* 7 (2011): 546.

謝　辞

1. Sarah Williams Goldhagen, *Louis Kahn's Situated Modernism* (New Haven: Yale University Press, 2001)を参照のこと。
2. 『DNAに魂はあるか　驚異の仮説』フランシス・クリック著、中原英臣訳、講談社、1995年、362ページ。
3. クリックに対しても、ベアトリスを紹介してもらったという恩義がある。

著者　**テレンス・J・セイノフスキー**（Terrence J. Sejnowski）
ソーク生物学研究所フランシス・クリック教授、カリフォルニア大学サンディエゴ校特別教授。オバマ政権の革新的先端ニューロテクノロジーによる脳研究（BRAIN）イニシアティブの諮問委員会のメンバーを務めた。神経情報処理システム（NIPS）財団の理事長。『*The computational Brain*』（25周年記念版、MIT Press、パトリシア・チャーチランドとの共著）を含む12冊の本を出版している。

監訳者　**銅谷賢治**（どうや・けんじ）
沖縄科学技術大学院大学（OIST）神経計算ユニット教授。東京大学卒業、博士（工学）。東京大学工学部助手から1991年にアメリカ・サンディエゴに移り、ソーク研究所などで脳科学を学ぶ。1994年国際電気通信基礎技術研究所（ATR）主任研究員、2004年OIST先行研究代表研究者、2011年開学とともに教授、研究担当副学長に就任。自ら行動を学習するロボットの開発と、脳の学習の仕組みの研究を行う。

訳者　**藤崎百合**（ふじさき・ゆり）
高知県生まれ。名古屋大学の理学系研究科にて博士課程単位取得退学。『生体分子の統計力学入門』（共立出版）、『砂と人類』（草思社）、『ぶっ飛び！科学教室』（化学同人）など、主に科学に関する書籍の翻訳を手掛けている。

ディープラーニング革命

二〇二一年一二月一五日発行
二〇二三年三月十五日　第二刷

著者　テレンス・J・セイノフスキー
監訳者　銅谷賢治
訳者　藤崎百合
翻訳協力　柏木栄里子　榊原久司
ホジソンますみ
株式会社トランネット
https://www.trannet.co.jp
編集協力　株式会社フレア
編集　道地恵介　目黒真弥子
表紙デザイン　株式会社ライラック
発行者　高森康雄
発行所　株式会社　ニュートンプレス
〒一一二-〇〇一二
東京都文京区大塚 三-一一-六
https://www.newtonpress.co.jp

ISBN 978-4-315-52485-7

本書は2019年当社発行『ディープラーニング革命』をニュートン新書として発行したものです。